D0285669

A LIVRE OUVERT

Du même auteur

AUX MÊMES ÉDITIONS

Un Anglais sous les tropiques
roman
1984, réédition 1995
et « Points », n° P10

Comme neige au soleil
roman
1985, réédition à paraître
et « Points », n° P35

La Croix et la Bannière
Roman, 1986, 2001
et « Points », n° P958

Les Nouvelles Confessions
roman, 1988
et « Points », n° P34

La Chasse au lézard
nouvelles, 1990
et « Points », n° P381

Brazzaville Plage
roman, 1991
et « Points », n° P33

L'Après-midi bleu
roman, 199
et « Points », n° P235

Le Destin de Nathalie X
nouvelles, 1996
et « Points », n° P481

Armadillo
roman, 1998
et « Points », n° P625

Visions fugitives
2000
et « Points », n° P856

Nat Tate : un artiste américain (1928-1960)
in *Visions fugitives, 2000*
et « Points », n° P 1046

34,95 $
2003/01

WILLIAM BOYD

A LIVRE OUVERT

Les carnets intimes de
Logan Mountstuart

roman

TRADUIT DE L'ANGLAIS
PAR CHRISTIANE BESSE

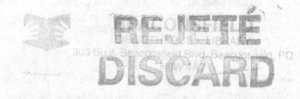
REJETÉ
DISCARD

ÉDITIONS DU SEUIL
27, rue Jacob, Paris VIᵉ

Ce livre est édité par Anne Freyer-Mauthner

Titre original : *Any Human Heart*
Éditeur original : Hamish Hamilton, Londres
ISBN original : 0-241-1477-X
© original : 2002 William Boyd

ISBN : 2-02-052904-1

© Octobre 2002, Éditions du Seuil pour la traduction française

Le Code de la propriété intellectuelle interdit les copies ou reproductions destinées à une utilisation collective. Toute représentation ou reproduction intégrale ou partielle faite par quelque procédé que ce soit, sans le consentement de l'auteur ou de ses ayants cause, est illicite et constitue une contrefaçon sanctionnée par les articles L. 335-2 et suivants du Code de la propriété intellectuelle.

www.seuil.com

Pour Susan

« Ne dites jamais que vous savez tout
d'un cœur humain. »

Henry James

Préambule à ces carnets

« Yo, Logan, écrivais-je, Yo, Logan Mountstuart, vivo en la Villa Flores, Avenida de Bresil, Montevideo, Uruguay, America del Sur, El Mondo, El Sistema solar, El Universo. » C'est la première phrase que j'ai rédigée – ou, pour être plus précis, c'est la première trace de mes écrits et le début de ma vie d'écrivain –, des mots inscrits sur la page de garde d'un agenda indigo de l'année 1912 (toujours en ma possession et dont le reste est vierge). J'avais six ans. Que mes débuts littéraires se soient faits dans une langue qui n'était pas la mienne m'intrigue un peu aujourd'hui[1]. Mon aisance perdue à manier l'espagnol est sans doute le plus grand regret que j'ai d'une enfance par ailleurs parfaitement heureuse. L'espagnol fonctionnel, semé d'erreurs et à la grammaire simplifiée, que je parle mainte-nant, est le plus pauvre des cousins pauvres de cette langue que je baragouinais d'instinct durant les neuf premières années de ma vie. Curieux, la fragilité de ces capacités linguistiques précoces et la facilité avec laquelle le cerveau les laisse s'évaporer. J'étais un enfant bilingue dans le vrai sens du terme, c'est-à-dire que mon espagnol était impossible à distinguer de celui d'un Uruguayen.

Je garde de l'Uruguay, mon pays natal, un souvenir aussi fugitif que l'espagnol démotique que je parlais autrefois sans m'en rendre compte. Je garde l'image d'une grande rivière brune avec des bou-quets d'arbres sur la rive opposée aussi denses que des morceaux de brocoli. Sur cette rivière navigue un étroit bateau avec une seule personne assise à l'arrière. Un petit moteur hors-bord trace un sillage crémeux décroissant sur la surface turbide de l'eau tandis que le bateau se déplace en aval, les ricochets de son avance obli-

1. Ce préambule fut probablement écrit en 1987 (v. p. 472).

13

geant les roseaux des berges à se plier et à saluer avant de reprendre leur calme après son passage. Suis-je la personne dans le bateau ou l'observateur sur le bord de la rivière ? S'agit-il d'une vue du rio Negro où je pêchais quand j'étais enfant ? Ou est-ce la vision du trajet de l'âme d'un individu, un passage aussi transitoire que le sillage d'un bateau sur le courant ? Hélas, je ne peux lui accorder le titre de mon vrai premier souvenir. Qui revient à l'image du pénis court, boudiné et circoncis de Roderick Poole, mon précepteur, observé en douce par mes yeux curieux tandis qu'il émergeait des vagues de l'Atlantique à Punto del Este où nous étions tous deux allés pique-niquer un jour de juin 1914. J'avais huit ans et Roderick Poole était venu d'Angleterre à Montevideo pour me préparer à l'entrée de Saint Alfred, mon école anglaise. Nage toujours nu, Logan, me dit-il ce jour-là, et je me suis efforcé depuis de suivre ce conseil. En tout cas, Roderick était circoncis alors que je ne l'étais pas, ce qui explique l'attention particulière que je lui portais en la circonstance, mais pas la raison pour laquelle ce jour entre tous est celui qui me reste en tête. Jusqu'alors, le passé lointain de mes premières années n'est fait que de vagues images tourbillonnantes, sans place ni date fixes. J'aimerais bien offrir quelque chose de plus révélateur, de plus poétique, quelque chose aux thèmes mieux en rapport avec la vie qui allait suivre, mais je ne peux pas – et je me dois d'être honnête, ici plus qu'ailleurs.

Les premières pages du journal de toute une vie – encore qu'in-termittent –, que j'ai commencé à tenir à quinze ans, manquent. Pas une grande perte et, sans doute, comme les aveux qui préludent à presque tous les journaux intimes, le mien aussi devait débuter par l'habituelle résolution de témoigner d'une entière et inébranlable sincérité. J'avais dû faire le serment d'une franchise absolue et affirmer mon refus de ressentir la moindre honte devant les révé-lations que cette franchise même aurait encouragées. Pourquoi nous exhortons-nous de la sorte, nous, diaristes ? Redoutons-nous la constante menace en nous de la récidive, l'envie profonde de retou-cher et de dissimuler ? Y a-t-il des aspects de nos vies – de choses que nous faisons, sentons et pensons – que nous n'osons pas confes-ser, y compris à nous-mêmes, et dans l'intimité absolue de nos annales personnelles ? En tout cas, je suis certain d'avoir juré de dire la vérité, toute la vérité, etc., etc., et je pense que ces pages témoigneront de mes efforts. Je me suis parfois bien conduit et parfois moins que bien – mais j'ai résisté à toutes les tentatives de me présenter sous un meilleur jour. On ne trouvera aucune excision destinée à dissimuler des erreurs de jugement (« Les Japonais n'auraient jamais attaqué les États-Unis sans provocation ») ; aucun ajout visant à me conférer une sagacité imméritée (« Je n'aime pas l'allure de ce Herr Hitler ») ; et aucune insertion sournoise pour indiquer une subtile prescience (« Si seulement il existait un moyen quelconque d'exploiter en toute sécurité la puissance de l'atome »), car ce n'est pas là le but de la tenue d'un journal. On tient un journal pour y emprisonner cette collection d'êtres dont chaque humain est individuellement formé. Pensons à notre progrès à travers le temps comme à une de ces images pratiques qui illustrent l'Ascension de l'homme. Vous voyez le genre : des diagrammes qui commencent avec le singe poilu et ses jointures grattant le sol pour passer à des hominidés épilés se redressant lentement avant d'arriver au nudiste caucasien sans barbe ni moustache serrant avec fierté contre lui le manche de sa hache de pierre ou de sa lance. Les ordres intermédiaires assument une forme de progression inévitable vers cet idéal musclé. Mais nos vies humaines ne se déroulent pas de la sorte, et un véritable journal intime nous offre une réalité plus agitée, moins ordonnée. Les diverses étapes du développement sont là mais emmêlées, opposées et répétées au hasard. Les moi se disputent pour atteindre à la prééminence dans ces pages : le Néandertalien au front bas écarte d'un coup d'épaule l'*Homo sapiens* matraqueur ; l'intellectuel neurasthénique fait un croche-pied à l'aborigène peinturluré. Ça n'a pas de sens : il n'y a jamais de progression logique, telle qu'on la considère. Le véritable journal intime comprend ce fait et n'essaye pas de poser en postulat un ordre ou une hiérarchie, n'essaye pas de juger ou d'analyser : je suis tous ces êtres différents – tous ces êtres différents sont moi.

Chaque vie est à la fois ordinaire et extraordinaire – ce sont les proportions respectives de ces deux catégories qui la font paraître intéressante ou banale. Je suis né le 27 février 1906 à Montevideo, Uruguay, la cité cernée par sa baie dans ce petit pays coincé entre la solide Argentine et le brûlant Brésil. On l'appelle parfois « la Suisse de l'Amérique du sud », et ce que suggère cette comparaison en fait d'enclave terrienne convient bien car, en dépit de la longueur de ses côtes – le pays est entouré à la fois par l'Atlantique, le vaste estuaire du rio de la Plata et le large rio Uruguay –, les Uruguayens n'ont pas l'âme marine, un constat qui m'a toujours fait chaud au cœur, divisé comme je le suis entre le Britannique loup de mer et l'Uruguayen marin d'eau douce. Fidèle à son héritage génétique, ma nature est résolument partagée : j'adore la mer, mais je l'adore vue de la plage : mes pieds doivent toujours être plantés sur la grève.

Mon père s'appelait Francis Mountstuart (né en 1871), ma mère Mercedes de Solis. Elle affirmait descendre de Juan Diaz de Solis, le premier Européen à débarquer sur le sol uruguayen au début du XVIe siècle. Une initiative malheureuse, puisque lui et la majeure partie de sa compagnie d'explorateurs furent rapidement massacrés par les Indiens Charrua. Peu importe : l'absurde prétention de ma mère est invérifiable.

Mes parents se rencontrèrent parce que ma mère, qui parlait un bon anglais, était devenue la secrétaire de mon père. Celui-ci était le directeur général de l'usine de traitement en Uruguay de la Compagnie des viandes Foley & Cardogin. Le « Bon Bœuf en boîte Foley » est leur produit le plus célèbre – (nous avons tous, nous les Anglais, dégusté du corned-beef Foley à un moment quelconque de notre vie) – mais le gros de leurs affaires était l'exportation en Europe de carcasses de bœuf congelées dans leur énorme *frigorífico*, un abattoir combiné à un gigantesque congélateur, situé sur la côte à quelques kilomètres à l'ouest de Montevideo. Ce n'était pas le plus grand *frigorífico* de l'Uruguay au tournant du siècle (cette distinction revenait à celui de Lemco, à Fray Bentos) mais il fut très profitable, grâce à la diligence et à la persévérance de Francis Mountstuart. Mon père avait trente-quatre ans quand il épousa ma mère en 1904 (elle avait dix ans de moins que lui) dans la jolie cathédrale de Montevideo. Deux ans après je naissais, leur fils unique, baptisé Logan Gonzago en l'honneur de mes grands-pères respectifs (dont aucun n'était vivant pour accueillir son petit-fils).

Je remue dans ma tête la soupe de mes souvenirs avec l'espoir que des petits bouts d'Uruguay remonteront flotter à la surface. Je revois le *frigorífico* : une vaste usine blanche avec sa jetée de pierre surmontée d'une imposante cheminée. J'entends le beuglement d'un millier de têtes de bétail attendant d'être abattues, dépecées, vidées et congelées. Mais je n'aimais pas le *frigorífico* et son atmosphère

16

de massacre en chaîne – qui me faisait peur. Je préférais notre maison et son parc dense et feuillu, une grande villa sur la chic et huppée avenida de Bresil dans la ville neuve de Montevideo. Je me rappelle un citronnier dans notre jardin et des lobes de lumière jaune pâle sur une terrasse. Et aussi une fontaine en fonte dans un mur en brique avec de l'eau jaillissant de la bouche d'un chérubin. Un chérubin qui ressemblait, je m'en souviens maintenant, à la fille de Jacob Pauser, le directeur de l'*estancia* Foley, trente mille acres de la Banda oriental, les plaines aux fleurs pourpres où erraient les troupeaux de bœufs. Comment se nommait cette fillette ? Appelons-la Esmeralda. Petite Esmeralda Pauser, tu peux être mon premier amour.

Nous parlions anglais à la maison et, dès l'âge de six ans, je fréquentais une école religieuse dirigée par des nonnes monoglottes sur la playa Trenta y Tres. Je lisais l'anglais mais je l'écrivais à peine quand, en 1913, arriva Roderick Poole (frais émoulu de Cambridge après un diplôme de latin-grec sans mention) pour prendre par la peau du cou mon éducation négligée et me préparer à l'entrée de l'école Saint Alfred, Warwick, Warwickshire, Angleterre. Je n'avais aucune idée véritable de ce à quoi ressemblait l'Angleterre : Montevideo et l'Uruguay représentaient tout mon univers. Lincoln, Shropshire, Hampshire, Romney Marsh et Southdown – des races de moutons régulièrement abattus dans le *frigorífico* paternel, voilà ce que mon pays signifiait pour moi. Un souvenir encore. Après mes leçons avec Roderick, nous allions nous baigner à Pocitos (où Roderick devait garder son maillot de bain) et nous prenions le tram n° 15 ou le n° 22 pour gagner la plage. Notre grand plaisir était de nous faire servir des sorbets dans les jardins du Grand Hôtel – des jardins pleins de fleurs : giroflées, lilas, orangers, myrrhe et mimosas – et puis de revenir, toujours en tram, dans le crépuscule tendre, pour découvrir ma mère à la cuisine en train d'enguirlander la cuisinière tandis que mon père fumait son cigare quotidien sur la terrasse.

La demeure familiale des Mountstuart se trouvait à Birmingham où mon père était né et avait été éduqué, et où se situait aussi le siège de Foley & Cardogin Fresh Meat Co. En 1914, Foley décida de se concentrer sur ses usines de traitement de viande en Australie, Nouvelle-Zélande et Rhodésie, et l'affaire uruguayenne fut vendue à une compagnie argentine, la Compania Sansinena de Carnes Congeladas. Mon père fut nommé président-directeur général et appelé à revenir à Birmingham. Nous embarquâmes pour Liverpool sur le *Zenobia* en compagnie de deux mille carcasses congelées de Pollen Angus. La Première Guerre mondiale éclata une semaine après notre arrivée.

Ai-je pleuré en contemplant ma belle ville sous sa petite colline conique couronnée d'un fort, tandis que nous laissions derrière nous les eaux jaunes du rio de la Plata ? Sans doute que non : je partageais une cabine avec Roderick Poole et il m'apprenait à jouer au rami.

La cité de Birmingham devint mon nouveau chez-moi. J'échangeai les bosquets d'eucalyptus de Colon, les océans de verdure du *campo* et les eaux infinies du rio de la Plata contre une élégante villa victorienne de brique rouge, à Edgebaston. Ravie d'être en Europe, ma mère se délectait de son nouveau rôle d'épouse de président. On m'envoya en pension à Saint Alfred (où j'acquis pour un temps le sobriquet de « Métèque » – j'étais un gamin très brun aux yeux noirs) et, à l'âge de treize ans, j'entrai à Abbeyhurst College (connu sous le nom de Abbey), un éminent établissement, encore que pas tout à fait de première classe, pour y effectuer mes études secondaires. C'est là, en 1923 – j'ai alors dix-sept ans –, que le premier de mes carnets, et l'histoire de ma vie, commencent.

Les carnets de l'école

1923

10 décembre 1923

Nous, les cinq catholiques, nous revenions de la messe et remontions l'allée menant de l'arrêt de l'autobus à l'école, quand Barrowsmith et quatre ou cinq de ses hommes des cavernes se sont mis à nous chanter : « Chiens de papistes ! » et « Traîtres d'Irlandais ! » Deux vermisseaux des petites classes ont commencé à pleurer, alors je me suis planté devant Barrowsmith et lui ai lancé : « Dis-nous donc à quelle religion tu appartiens, Barrowmec ! » « A l'Église d'Angleterre, espèce d'âne bâté ! » a-t-il rétorqué. Et moi, du tac au tac : « Eh bien, dis-toi que tu as beaucoup de chance qu'il y ait au moins une religion pour accepter quelqu'un d'aussi physiquement répugnant que toi ! » Tout le monde a ri, y compris la bande de singes de Barrowsmith. J'ai rassemblé ma petite troupe et nous avons regagné nos pénates sans autre incident.

Scabius et Leeping[1] ont déclaré que j'avais accompli un acte d'hypomagnificence, et que la rencontre et l'échange étaient suffisamment drôles pour mériter une mention dans notre Livre d'or. J'ai protesté que je m'étais qualifié pour une hypomagnificence étoilée, à cause du risque de blessure physique que j'avais encouru de la part de Barrowsmith et de ses faquins, mais Scabius et Leeping ont tous deux voté contre. Les porcs ! Le petit Montague, un des chialeurs, était le témoin, et Scabius et Leeping m'ont remis mes

1. Peter Scabius et Benjamin Leeping, amis intimes de LMS, depuis les bancs de l'école.

honoraires (deux cigarettes chacun pour une hypomagnificence), avec de gracieux encouragements.

Pendant que nous nous faisions du thé, après la seconde étude, j'ai concocté un plan pour le deuxième trimestre. Rien ne servait, ai-je dit, d'attendre que les occasions de diverses catégories de splendeurs se présentent – nous devions les susciter nous-mêmes. J'ai proposé que chaque membre de notre trio se voie offrir un défi : tour à tour, deux de nous devraient imaginer une tâche pour le troisième, et l'entreprise serait documentée (et attestée par un témoin autant que faire se pourrait) dans le Livre d'or. De cette façon seulement, ai-je affirmé, survivrions-nous aux abominables rigueurs du trimestre à venir ; après quoi nous aborderions la dernière ligne droite : le trimestre d'été était toujours plus agréable et se suffisait à lui-même. Il y avait le diplôme de fin d'études, les examens pour l'obtention d'une bourse, et puis nous serions libres – et, bien entendu, nous espérions qu'Oxford nous tendrait les bras (à moi et Scabius, du moins : Leeping ayant déclaré qu'il n'avait aucune intention de perdre à l'Université trois ans d'une vie obligatoirement courte). Scabius a suggéré la constitution d'un fonds destiné à l'impression et la publication privée d'une édition de luxe à tirage limité du Livre d'or, ne serait-ce que pour témoigner éternellement des iniquités de l'Abbey. « Ou comme un terrible avertissement pour notre progéniture », a ajouté Leeping. La proposition a été acceptée à l'unanimité et nous avons déposé un penny chacun dans le nouveau « fonds de publication », Leeping réfléchissant déjà au poids et à la texture des divers types de papier, à une reliure de cuir gaufré et le reste[1].

Le soir, dans le dortoir, je me suis donné du plaisir avec d'exquises visions de Lucy. N° 127 du trimestre.

12 décembre [1923]

À mon intense et reconnaissant embarras, Mr Holden-Dawes a fait l'éloge de mon essai sur Dryden devant la classe d'anglais de terminale en le présentant comme un modèle du genre : « Je suis sûr, a-t-il dit, que si l'un d'entre vous désire s'instruire, Mountstuart lui

---

1. Le Livre d'or semble n'avoir jamais été imprimé. Aucune trace du manuscrit n'a survécu.

en permettra une lecture privée contre de modestes honoraires. »
(Peu aimable, ai-je pensé. Il y a quelque chose de malveillant chez
H.-D. Mais peut-être détectait-il simplement l'éclosion de ma fierté
démesurée ?)

Son côté bienveillant s'est fait toutefois plus évident à la fin de la
journée, quand il m'a rejoint dans le cloître pour gagner avec moi la
chapelle. « A-t-on déjà réussi à vous convertir ? » m'a-t-il demandé
à la porte. J'ai répondu que je ne comprenais pas. « Tout cet angli-
canisme n'a pas miné votre foi ? » C'était une question étrange et
j'ai marmonné vaguement que je n'avais guère réfléchi au sujet.
« Ça ne vous ressemble pas, Mountstuart », a-t-il dit, avant de
s'éloigner. Au souper, j'ai demandé à Leeping où, à son avis, H.-D.
voulait en venir. « Faire de toi un athée fanatique comme lui », a
déclaré Leeping. Nous avons discuté de la foi de manière intéressante et pas trop prétentieuse. Leeping a, je soupçonne, une tête bien
faite ; si seulement il arrivait à maîtriser son étonnante suffisance…
Pourquoi, me suis-je enquis, s'il est juif, ne va-t-il pas à la synagogue tout comme nous, les catholiques, nous allons à la messe. Je
suis peut-être juif, a-t-il rétorqué, mais je suis un juif anglican à la
troisième génération. Tout cela est un peu obscur pour moi et maintenant je comprends pourquoi je ne réfléchis pas beaucoup à la
religion. L'horrible ennui de la foi sans réserves. Tous les grands
artistes doutent. Je pourrais peut-être insérer cette idée dans mon
prochain essai pour H.-D. Ça lui plairait. Leeping a confessé, alors
que nous sortions du réfectoire, qu'il nourrissait un début de passion pour le petit Montague. J'ai dit que le petit Montague était une
petite brute vicieuse en voie de développement – une brutette. Leeping a éclaté de rire. C'est pourquoi je l'aime bien.

18 décembre [1923]
J'écris ceci dans le train pour Birmingham, traversé par un sentiment de dépression amer et persistant. Exaspérant de voir Scabius
et Leeping, outre ce qui m'a paru quatre-vingt-dix pour cent de
l'école, prendre le train pour Londres et le Sud. Après le départ des
élèves locaux, nous sommes restés une vingtaine à attendre dans la
gare divers tortillards pour nos destinations provinciales et déplai-
santes (la gare de Norwich représente pour moi l'épitomé de l'ennui
au cœur de la vie provinciale). Finalement, mon train est arrivé et

j'ai réussi à dénicher un compartiment solitaire à l'arrière. J'ai toutefois ramassé quelques compagnons au cours du voyage, mais je suis là, penché sur mon carnet de notes, en train d'écrire et, mine de rien, d'observer en douce, mon cœur de plus en plus lourd à mesure que les kilomètres entre moi et « la maison » diminuent. Le marin costaud et sa catin peinturlurée, le voyageur de commerce et sa valise en carton, la grosse dame qui mange des bonbons, en avalant deux pour chacun dont elle gave sa minuscule et passive fillette aux yeux brillants. Une phrase plutôt pas mal.

Plus tard. En mon absence, Mère a poursuivi tambour battant son entreprise de décoration intérieure. Elle a – sans mon autorisation – tapissé ma chambre d'un papier caramel brun, avec un motif d'écussons ou de boucliers d'un bleu argent flou. Parfaitement abominable. La salle à manger a été transformée en « salle de couture » et nous nous voyons donc contraints de prendre nos repas dans le jardin d'hiver, où, puisque nous sommes précisément en plein cœur de cette saison, il fait un froid infernal. Mon père semble accepter ce changement, comme tant d'autres, sans se plaindre. Les cheveux de Mère sont d'un noir aile de corbeau et je crains qu'elle ne commence à paraître ridicule. Et nous avons une nouvelle voiture, une Armstrong Siddeley, qui reste splendidement inutilisée dans le garage sous une bâche. Père préfère prendre le tramway pour aller au bureau.

Déjà rongé par l'ennui, suis allé me promener dans Edgebaston. Ai contemplé en vain les grandes maisons et villas à la recherche d'un signe quelconque d'originalité. L'arbre de Noël est sûrement l'objet le plus triste et le plus vulgaire inventé par l'humanité. Inutile de dire que nous en avons un géant dans le jardin d'hiver, sa cime recourbée par le plafond de verre. Suis entré dans un cinéma et ai vu trente minutes de *Fièvre de jeune mariée*. Suis reparti submergé de désir pour Rosemary Chance. Dieu merci, Lucy arrive après-demain. Je l'embrasserai au cours de ces vacances, ou bien je me fais moine.

24 décembre [1923]

Veille de Noël. Lucy déclare qu'elle veut aller à l'université d'Édimbourg étudier l'archéologie. Existe-t-il des femmes archéologues, ai-je demandé ? Eh bien, il y en aura au moins une, a-t-elle

24

répliqué. Elle est belle – à mes yeux, du moins –, grande et solide, et j'adore son accent[1].

1924

1er janvier 1924

Il est 2 h 30 du matin et je suis saoul. Saoul comme un Polonais, rond comme une bille, complètement paf. Me dois d'écrire ceci avant que les sublimes souvenirs se brouillent et s'effacent.

Nous sommes allés au Golf Club pour la soirée du réveillon. Mère, Père, Lucy et moi. Un mauvais repas (de l'agneau) suivi par un bal avec un orchestre étonnamment bon. J'ai bu des masses de vin et de punch aux fruits. Lucy et moi avons exécuté une sorte de quick-step (toutes ces leçons embarrassantes et coûteuses que m'a données Leeping ont payé : je me suis senti à l'aise). J'avais oublié combien elle était grande avec ses talons hauts : nos yeux étaient au même niveau. Nous avons quitté la piste quand l'orchestre a entamé un tango, alors que ma mère y emmenait mon père sous les applaudissements.

Sur la terrasse surplombant le premier tee et le dix-huitième green, nous avons fumé chacun une cigarette, échangé de brefs commentaires sur la grisaille de l'endroit, l'heureux talent de l'orchestre, la douceur hors de saison de la nuit. Puis Lucy a jeté sa cigarette dans la nuit et s'est tournée vers moi. Notre conversation, si je me rappelle bien, s'est déroulée ainsi :

LUCY : Je suppose que tu vas vouloir m'embrasser.

MOI : Ah… Oui. S'il te plaît.

LUCY : Je t'embrasserai mais je ne t'épouserai pas.

MOI : Lucy, je n'ai même pas dix-huit ans.

LUCY : Ça ne fait rien. Je sais que c'est ce que tu penses. Mais je veux que tu saches que je n'épouserai jamais personne. Jamais. Ni toi ni personne.

Je n'ai rien dit, me demandant comment elle connaissait mes

---

1. Lucy Samson, cousine germaine de LMS, avait un an de plus que lui. Sa mère, Jennifer Mountstuart, avait épousé Horace Samson, un ingénieur de Perth, en Écosse. Horace Samson travaillait alors pour les Chemins de fer du Bengale, d'où la présence de Lucy chez son oncle et sa tante à Noël.

fantasmes les plus secrets, mes rêves les plus intimes. Et je l'ai donc embrassée, Lucy Samson, la première fille que j'ai jamais embrassée. Ses lèvres étaient douces, mes lèvres aussi, une sensation de… une sorte de douceur charnue, pas du tout comme les baisers d'essai que j'ai pratiqués sur l'intérieur de mon avant-bras ou le creux de mon coude. Agréable – et agréable aussi le sentiment de la présence de l'autre, le fait qu'il y ait deux personnes engagées dans l'affaire, que nous soyons en train de nous donner réciproquement quelque chose (une mauvaise phrase que celle-là et qui n'a pas grand sens, j'en ai peur).

Et puis elle a fourré sa langue dans ma bouche et j'ai cru que j'allais exploser. Nos langues se touchant, ma langue sur ses dents. Soudain, j'ai compris pourquoi embrasser une fille suscitait tant d'agitation.

Après cinq minutes de baisers plus ou moins ininterrompus, Lucy a décrété que nous devions nous arrêter et nous sommes rentrés séparément, Lucy la première, puis moi après un intervalle assez long pour tirer d'une cigarette quelques bouffées nerveuses, tremblantes, exultantes. La foule du club était réunie autour de l'orchestre, car il ne restait que trois ou quatre minutes avant le coup de minuit. Je naviguais dans une sorte d'hébétude et je ne voyais pas Lucy. Ma mère m'a fait signe d'approcher (en fait, ma mère était à son mieux, quand j'y pense, sa robe rouge allait bien à sa nouvelle et chatoyante chevelure). Comme j'arrivais, elle a pris ma main, m'a attiré contre elle et chuchoté à l'oreille : « *Querido*, est-ce que tu faisais la cour à ta cousine ? » Comment sait-elle ces choses ? Comment les femmes devinent-elles ?

Et maintenant au lit, et la première masturbation de 1924 – en rêvant de l'exquise Lucy.

3 janvier [1924]

Lucy – c'est curieux et agaçant – ne m'a pas laissé l'embrasser de nouveau. Je lui ai demandé pourquoi : « Ça va trop vite », a-t-elle répliqué. Je suis perplexe. Leeping et Scabius ont répondu à mes lettres, et les défis respectifs du prochain trimestre commencent à prendre forme. Scabius écrit que Leeping a imaginé un défi « particulièrement ardu » pour moi et que je dois me « préparer à un trimestre intéressant et épuisant ».

Cet après-midi, j'ai joué au golf avec Père, non sans réticence de ma part, mais il a insisté d'étrange manière pour que nous sortions prendre un peu l'air. La journée était froide et venteuse, et nous nous sommes retrouvés pratiquement seuls sur la deuxième partie du parcours. Les greens étaient moussus et chevelus – « Les singulières rigueurs des greens en hiver », a dit Père, alors que je ratais un coup à quarante centimètres – et nous avons dû placer toutes les balles du fairway. J'ai tapé n'importe comment tandis que Père jouait à sa façon précise et calme, jouant pour le « par » et gagnant confortablement, huit up et six à jouer. Nous avons marché pendant les six derniers trous et bavardé de tout et de n'importe quoi, du temps, de la possibilité d'un retour en Uruguay, des collèges d'Oxford auxquels je songeais, etc. Alors que nous longions le dix-huitième fairway en direction du clubhouse (j'apercevais déjà la terrasse sur laquelle j'avais embrassé Lucy), il s'est arrêté et m'a touché le bras.

« Logan, il y a une chose que tu dois savoir. »

Je n'ai pas répondu mais j'ai pensé aussitôt, je ne sais pourquoi, à la ruine financière. Je voyais déjà Oxford fondre et s'évanouir telle une sculpture de glace laissée sous un soleil brûlant. Mais mon père n'a pas fait mine de continuer la conversation. Il s'est contenté de se caresser la moustache, l'air solennel. J'ai compris qu'il attendait la réplique symbolique et rhétorique. Je me suis donc dûment enquis : « De quoi s'agit-il, Père ? » « Je ne vais pas bien. Il semble… Il semble que je n'aie peut-être plus à vivre très longtemps. »

Je suis resté inerte. Que dire en ces circonstances ? J'ai marmonné quelque chose de vaguement négatif : sûrement pas ; ce n'est pas possible ; il doit y avoir un autre… – mais j'ai surtout été choqué par mon absence de choc : c'était à peu près comme s'il m'annonçait qu'il fallait trouver quelqu'un pour aider au jardin. Et, en y repensant maintenant, je ne peux toujours pas y croire vraiment : cette annonce brute d'un événement à venir n'a qu'une prise ténue sur le moment présent – sa réalité potentielle paraît insaisissable. C'est comme si quelqu'un m'avait prédit, tout aussi sobrement, tes cheveux vont tomber avant que tu aies trente ans, ou bien : tu ne gagneras jamais plus de mille livres par an. Aussi alarmants que soient ces pronostics, ils n'ont aucun impact réel à l'instant où vous les entendez, ils restent à jamais ineffablement hypothétiques. Et

27

c'est ce que j'ai ressenti, que je ressens devant l'annonce par mon père de sa mort imminente : ça ne signifie rien. Ça ne signifie rien pour moi en dépit du fait qu'il se soit étendu un certain temps sur son testament, sa petite fortune, les dispositions prises afin que ma mère et moi ne manquions de rien. Et sur la nécessité que je sois maintenant un soutien et une présence apaisante pour ma mère. J'ai baissé et hoché la tête, mais plus par devoir qu'avec sincérité. Quand il a eu fini de parler, il m'a tendu sa main et je l'ai serrée. Une main sèche et douce, une poigne d'une force surprenante. Nous avons regagné le clubhouse en silence.

Ce soir, avant le dîner, j'ai embrassé Lucy sur le palier devant le placard-séchoir. Elle n'a pas résisté. Nous avons utilisé nos langues, et, cette fois, je l'ai enlacée et j'ai serré son corps contre le mien. C'est une grande fille, solide. J'ai essayé de caresser ses seins et elle m'a repoussé sans peine, mais j'ai vu qu'elle était rouge et excitée, et sa poitrine bougeait au rythme intense de sa respiration. Je lui ai déclaré que je l'aimais et elle a ri. Nous sommes cousins germains, a-t-elle dit, c'est illégal, nous commettons un inceste. Elle repart dans le Nord demain – comment vais-je vivre sans elle ?

Au dîner, j'ai regardé mon père de l'autre côté de la table tandis qu'il sciait des morceaux de son gigot dans son assiette avant de les mettre dans sa bouche et de les mâcher vigoureusement – au moins, il semble que son appétit n'ait pas souffert. Peut-être le pronostic est-il trop pessimiste ? C'est un homme sobre et prudent, mon père, et ce serait bien dans sa nature que de surinterpréter les circonlocutions professionnelles d'un médecin. Ma mère, j'ai remarqué, semblait n'avoir conscience de rien, elle papotait avec Lucy, lui montrait une nouvelle laque nacrée dont elle a décoré ses ongles. Peut-être ne sait-elle pas ? Mais si elle est censée ne rien savoir, Père ne m'aurait-il pas précisé que l'affaire devait rester entre nous ?

Après dîner, Lucy et moi avons joué aux cartes, à la bataille, tandis que les parents écoutaient de la musique au gramophone et que Père fumait son cigare quotidien. Quand Mère a quitté la pièce, je l'ai suivie et lui ai demandé si Père allait bien.

– Bien sûr qu'il va bien. Il se porte comme dix charmes. Pourquoi cette question, Logan, *querido* ?

– J'ai trouvé qu'il paraissait un peu fatigué aujourd'hui au golf.

– Écoute, ce n'est plus un jeune homme. Tu l'as battu ?

– Non, en fait il a facilement gagné.

– Le jour où il perd contre toi au golf, mon chéri, alors je commence à m'inquiéter.

On en est donc restés là, et maintenant je suis dans mon hideuse chambre marron et argent, rassuré par le fameux « test du golf » pour déterminer l'état de votre santé. Au bout du corridor, Lucy est couchée dans son lit – pense-t-elle à moi comme je pense à elle ? Je crois que je l'aime vraiment, moins pour sa beauté que pour sa franchise, sa force de caractère tellement supérieure à la mienne. Peut-être est-ce pourquoi elle m'attire tant : j'ai une perception si aiguë de mes défauts et de mes insuffisances que j'ai besoin, je le sens, de la force de Lucy pour les compenser – pour m'aider à m'épanouir et à réussir, à accomplir tout ce que je me sais capable d'accomplir.

[fin janvier 1924]

Sale école et sale temps. J'ai consulté séparément Scabius et Leeping – pardon, Peter et Ben – et nous nous annoncerons réciproquement nos défis à l'heure du thé, après la seconde étude.

Holden-Dawes m'a convoqué à la fin du cours d'histoire cet après-midi et m'a demandé à quels collèges d'Oxford je songeais poser ma candidature. Je lui ai dit que j'hésitais entre Balliol et Christ Church, sur quoi il m'a gratifié d'un de ses sourires sardoniques et m'a déconseillé et l'un et l'autre. Mais Scabius tente d'obtenir une bourse pour Balliol, lui ai-je rappelé. Et vous êtes, bien entendu, copains comme cochons, a dit H.-D., ajoutant que ce n'était pas là une raison tactiquement valable pour poser sa candidature à une bourse pour Oxford. Il m'a regardé en silence un moment et puis il a pointé son stylo dans ma direction plusieurs fois de suite comme s'il était parvenu à une décision fracassante.

– Je vous vois dans la Turl, a-t-il dit, pas la Broad ou la High.

– Et où se situent ces endroits, sir ? me suis-je enquis.

– Ce sont des rues d'Oxford, Mountstuart. Oui, je vous vois gentiment installé dans un de ces petits et charmants collèges dans Turl – Exeter ou Lincoln. Voire Jesus. J'ai une vieille connaissance

29

à Jesus qui pourrait aider – oui, un de ceux-là serait idéal. Pas Balliol ni la House pour vous, Mountstuart, non, non, non. Faites-moi confiance.

Il a continué sur ce ton agaçant, légèrement condescendant, pendant un bout de temps, expliquant qu'il voulait en parler au « Lézard[1] », d'autant qu'il y avait quelques bourses très « accessibles » à Lincoln, Exeter et Jesus, qu'il pensait tout à fait à ma portée. Je n'avais aucune idée de ce dont il parlait, incapable d'identifier le moindre collège en dehors des plus célèbres, vu que je n'ai été à Oxford qu'une seule fois, à l'âge de douze ans. Toutefois, je ne sais plus très bien maintenant si je dois être flatté ou irrité par l'intérêt que m'a porté H.-D. – qui n'a pas pour habitude de s'impliquer dans l'avenir d'un individu. Serais-je devenu un favori ?

Plus tard. Les défis. Ce sont des fumiers et des criminels, ce Scabius et ce Leeping – ils ne méritent pas la faveur intime d'un prénom après ce qu'ils m'ont fait. Remarquez, nous avons tous été plutôt interloqués par ce que nous avions imaginé pour les autres. Le trimestre s'annonce certes fort intéressant et non dépourvu d'humour. Et de plus une chose est claire : nous nous connaissons très bien tous les trois. Donc, les défis – je garde le mien pour la fin. D'abord pour Ben Leeping. Scabius a eu cette idée à laquelle j'ai tout aussitôt souscrit avec enthousiasme : Leeping, le juif, doit se convertir au catholicisme et, mieux encore, être jugé comme apte à la prêtrise. Leeping s'est montré un rien choqué – pour ne pas dire plus – quand nous l'avons informé. « Salauds ! a-t-il répété plusieurs fois. Espèce de salauds finis ! »

Quant au défi lancé à Scabius, c'est moi qui l'ai concocté, pas Leeping, encore que Leeping en ait vite reconnu les mérites. Près de l'école se trouve la ferme domaniale, un endroit devant lequel nous passons souvent et que nous visitons parfois (elle fait partie de nos activités scolaires, en biologie surtout). Le fermier s'appelle Clough et il a une fille (et aussi deux fils drôlement costauds). Nous avons à plusieurs reprises repéré cette fille en train de travailler autour des

---

1. Henry Soutar, le directeur d'internat de LMS, un sexagénaire peu aimé de LMS et sa bande, baptisé « Le Lézard » à cause de son visage incroyablement couturé et caronculé.

bâtiments de la ferme – portant des seaux, poussant du bétail – et nous l'avons identifiée comme étant la demoiselle Clough. Elle paraît avoir dans les dix-neuf-vingt ans, une solide petite avec une masse de cheveux châtains crêpelés qu'elle tente vainement de cacher sous une succession de foulards. Notre défi à Scabius – notre grand et timide escogriffe de Peter Scabius : la séduire. Un baiser sous contrôle de témoins constituera le test ultime. Quand nous le lui avons annoncé, Peter a éclaté de rire, d'un rire qui, en fait, ressemblait à un hennissement terrifié, celui d'un âne sous la torture, et il a refusé d'accepter le défi sous prétexte qu'il s'agissait d'une sale plaisanterie, impossible, dangereuse et potentiellement illégale. Mais nous avons été implacables et il a fini par céder de mauvaise grâce.

C'est alors que Ben et lui m'ont révélé en quoi consistait mon challenge et j'ai senti le même cri de « Non ! » « Impossible ! » « Injuste ! » monter en moi. J'ai pour tâche d'être sélectionné dans l'équipe de rugby de l'école avant la fin du trimestre. Non seulement je dois devenir un membre du XV de première division, mais il me faudra aussi y briller.

Le hic – et c'est là où j'estime avoir été vraiment brimé –, c'est que dans notre bande nous avons une profonde haine des sports organisés – une des clés d'ailleurs de notre étroite union. Pour Scabius le sport ne présente aucun problème puisqu'il manque totalement du moindre don en la matière : il n'a ni compétence, ni force, ni coordination. Il serait incapable d'envoyer un ballon sur une grange et encore moins sur la porte de ladite grange. Leeping et moi, nous avons tous deux évité le pire dans cette école dingue de sports en entretenant avec soin des maladies imaginaires : Leeping a des migraines, je souffre du dos. De cette façon, côté rugby, le plus et le pire que j'aie à faire est de me montrer une fois par semaine dans l'équipe maison pour les championnats interclasses. Je joue ailier gauche : avec un peu de chance, j'arrive à faire tout un match sans toucher un ballon ni me salir les genoux.

Mais tandis que j'écris ici (et j'imagine Peter et Bill contemplant leurs propres missions), un petit frisson aigu d'excitation me parcourt. Ceci est, en fait, exactement ce que les défis étaient censés produire : transformer le deuxième – et le plus sinistre – trimestre en quelque chose d'émoustillant et d'édifiant. Et qui sait quelles merveilles nous fournirons ainsi à notre Livre d'or ?

Mercredi [23 janvier 1924]

Le Lézard m'a convoqué ce soir dans son bureau. Il buvait du sherry dans un gobelet et a passé près de dix minutes à essayer d'allumer une de ses plus grosses pipes – il devait bien avoir fourré deux poignées de tabac dans ce fourneau. Une fois qu'il a eu réussi (l'air bleu de fumée, des étincelles fusant tandis qu'il tassait son truc puant avec un genre de canif), il m'a annoncé que H.-D. lui avait parlé d'Oxford et que lui – le Lézard – estimait excellente l'idée que je postule pour la bourse d'histoire Griffud Rhys Bowen à Jesus College, et il m'a demandé si j'avais du sang gallois dans les veines. J'ai répondu que non, pas à ma connaissance, mais que j'avais des parents écossais du côté de mon père. « Ah, très bien, a-t-il dit, vous, les Celtes, il semble que vous vous souteniez. Vous n'aurez sans doute pas de problème. » C'est vraiment un détestable vieux doctrinaire.

25 janvier [1924]

Mouvements préliminaires. Lors de la pause entre les cours cet après-midi, nous nous sommes rendus tous les trois à la ferme. Les élèves sont encouragés à aller y donner un coup de main si et quand Clough (un homme solennel, austère, la bouche à moitié pleine de dents brunes) le juge nécessaire. Il est venu à notre rencontre dans la cour de la ferme et nous a déclaré sans ambages qu'il n'avait guère besoin d'aide en janvier mais que, puisque nous étions là, nous pouvions récurer les écuries de ses chevaux de labour, vu que sa Tess était chez le dentiste, à Norwich.

Tess ! Nous avons eu du mal à garder notre sérieux tandis qu'il nous conduisait, armés de pelles et de fourches, aux écuries où une demi-douzaine de gros chevaux de trait mâchonnaient, tapaient du sabot et cinglaient l'air de leur queue. Dès que Clough est reparti, Ben et moi avons fait de même, laissant Peter languissant d'amour attendre le retour de la belle et mystérieuse Tess.

28 janvier [1924]

Après le cours de grec, ce matin, je suis allé voir Younger qui fait partie de l'équipe de première division, et, d'un air aussi dégagé que possible, je lui ai demandé comment notre First XV se débrouillait et quelles étaient ses faiblesses. Il s'est montré un peu surpris par ce genre de questions venant d'un bolchevique aussi notoire que moi, mais il m'a répondu de manière très franche : « Notre problème, c'est la mêlée, m'a-t-il dit la mine sombre. Notre pack n'est plus ce qu'il était, surtout côté avant. Tous les types de l'année dernière sont partis, tu comprends. » J'ai exprimé ma sympathie avec un hochement de tête. Et *quid* des arrières ? me suis-je enquis. « Oh, on n'a que le choix ! Ça déborde de talents. »

Il me paraît quasiment impossible, ce défi. Si je veux remporter mon championnat, il faut que je trouve une place dans l'équipe de première division, ce qui signifie – en toute logique – que je dois d'abord trouver une place dans le deuxième XV, d'où je pourrais avoir la chance, si tout se passe bien, d'être sélectionné. Mais, en attendant, je ne suis qu'un réticent ailier gauche dans le XV de la section Soutar qui occupe l'antépénultième place dans le classement du championnat interclasses. Il est clair que, pour réussir, je serai dans l'obligation de recourir à des ruses scélérates.

De son côté, Leeping est d'évidence arrivé à la même conclusion, car, alors que nous fumions une agréable cigarette calmante avant d'affronter l'horreur de la préparation militaire, il s'est mis à rouspéter à propos de son défi en déclarant qu'il fallait que je lui prête une main secourable. J'ai accepté, mais en échange, ai-je dit, il fallait qu'il me rende quelques services, et nous avons topé là-dessus. Nous considérons tous deux que Scabius a, de loin, la voie la plus aisée. Il est déjà établi (« grâce à nous », a fait judicieusement remarqué Leeping) en nettoyeur enthousiaste des écuries de la ferme Clough, et, même s'il n'a pas encore rencontré la délicieuse Tess (il a dû partir avant qu'elle revienne de chez son dentiste), il est inévitable que cette rencontre ait lieu, et la suite ne dépendra que de lui.

29 janvier 1924
J'avais deux heures de libres avant le thé et j'ai demandé au Lézard si je pouvais aller en bus à Glympton[1] voir le père Doig à propos d'une « affaire religieuse ». Le Lézard a accepté tout de

---

1. Le village (à cinq kilomètres environ de l'école) où se situait l'église catholique de Saint James et où Abbeyhurst envoyait ses élèves catholiques assister à la messe.

suite, ce vieux crapaud. Tandis que j'attendais l'autobus à l'arrêt devant l'école, (une journée abominable, glaciale, avec une pluie neigeuse venant en biais de la mer), H.-D. a arrêté son auto, m'a demandé où j'allais et a offert de me déposer. Il habite Glympton, apparemment, et il m'a laissé à la porte de l'église. Il m'a montré sa maison sur la grand-rue et m'a invité à venir y prendre le thé après que j'en aurais fini avec mon « histoire de curé ».

La jubilation du père Doig, quand je lui ai expliqué qu'un de mes amis « de confession juive » voulait se convertir au catholicisme, était presque répugnante. J'ai ajouté qu'il fallait que cela se passe dans la plus complète discrétion parce que si les parents de ce garçon venaient à découvrir... etc., etc. Doig a eu du mal à se contenir : je devais dire sans délai à ce garçon de lui téléphoner et il organiserait aussitôt des leçons particulières de catéchisme, absolument pas de problème, moins un plaisir qu'un devoir et tout le reste. Ce Doig ne paye vraiment pas de mine, il a toujours l'air d'avoir besoin de se raser et ses ongles sur la main qui tient sa cigarette sont d'un jaune déplaisant dû à la nicotine.

En revanche, H.-D. est la quintessence de la propreté reluisante. Son étroit et impeccable petit cottage donne à l'arrière sur un étroit et impeccable jardin. La pièce du devant est tapissée de livres, les dos des ouvrages alignés comme des soldats à la parade, rien ne dépasse. Chaque objet sur le bureau est rangé côte à côte : buvard, coupe-papier, porte-plume. Un bon feu brûlait dans la cheminée, H.-D. s'était changé, il portait un cardigan et pas de cravate. C'était la première fois que je le voyais sans.

Il m'a servi du thé, des scones et des toasts avec trois sortes de confitures. J'ai admiré ses tableaux, en majorité des aquarelles et des gravures à la pointe sèche, examiné certains de ses livres les plus précieux et parlé de mon dernier essai (sur le roi Lear), dont j'étais plutôt satisfait mais qu'il avait noté, avec pédantisme, AB+, point d'interrogation+. Puis j'ai remarqué sur sa cheminée une douille de balle en cuivre gravée d'un dessin compliqué. Je lui ai demandé où il l'avait achetée et il m'a répondu que c'était le cadeau d'un soldat français blessé, dont il avait fait la connaissance dans un hôpital militaire près de Honfleur. A mesure qu'il parlait, j'ai compris, étant donné le contexte, qu'il s'y était aussi trouvé au même moment en convalescence, récupérant d'une blessure quelconque.

– Oh, vous avez donc fait la guerre, monsieur ? ai-je dit – d'un ton un peu léger, je le reconnais.

– Oui. J'y étais.

– Dans quel endroit ? Quel régiment ?

– Je préfère ne pas en parler, si ça ne vous fait rien, Mountstuart.

Point final. Et tout ça dit très brusquement. Ce qui a un peu émoussé le côté plaisant de notre thé. L'ambiance ainsi un rien refroidie, j'ai dit qu'il me fallait songer à attraper le bus de 4 h 30 pour Abbeyhurst et H.-D. m'a accompagné à la porte. De son petit bout de jardin devant la maison, on apercevait le clocher de Saint James.

– Drôle de journée pour aller à l'église, a-t-il dit.

– J'avais à voir le père Doig au sujet d'une affaire personnelle.

Il m'a regardé, l'air furibard, et je me suis demandé ce que j'avais dit de mal cette fois.

– Vous êtes un garçon très intelligent, Mountstuart.

– Merci, monsieur.

– Croyez-vous en votre Dieu ?

– Je suppose que oui, monsieur.

– Je n'ai jamais compris comment un individu doué d'une réelle intelligence pouvait croire en un Dieu. Ou des dieux. Ce ne sont que foutaises, voyez-vous, foutaises complètes. Il faudra que vous m'expliquiez, un de ces jours. Ah, voilà votre bus.

Quel type étrange, ai-je pensé en revenant. Pas asexué, car il est plutôt du genre svelte et beau, H.-D., et sûr de lui aussi. Très sûr. Trop intransigeant, en fait – peut-être est-ce cela. Parce que pour être humain, me semble-t-il, il faut être capable de transiger. Et il y a parfois quelque chose d'inhumain chez Mr Holden-Dawes…

Bonnes nouvelles à mon retour. Une lettre de Lucy, et Leeping m'annonce qu'il a parlé à Beauchamp – qui dirige notre équipe maison. Je ferai partie de la mêlée lors de notre prochain match. En qualité de talonneur. Ainsi, nous y voilà.

2 février [1924]

Scabius a enfin rencontré l'élusive et ineffable Tess. Ils ont travaillé sur un cheval de trait géant, le préparant pour une foire – ils l'ont pansé, ont verni ses sabots, tressé sa crinière et sa queue avec des rubans et le reste, passant ainsi tout un après-midi ensemble.

35

Alors, comment était-elle, avons-nous demandé ? En fait, très timide, a dit Peter. Nous lui avons rappelé que peu nous importait sa personnalité : c'était ses charmes physiques qui nous intéressaient. « Eh bien, elle est très petite. Je la domine de très haut. Et elle a ces terribles cheveux frisés en tire-bouchon dont elle a honte et qu'elle cache en permanence sous des foulards et des chapeaux. Pas mal dotée dans le secteur nichons, autant que je puisse en juger. Et elle se ronge les ongles, jusqu'au sang. » Cependant, ils semblent s'être mutuellement séduits, et elle a invité Peter à revenir à la ferme prendre le thé.

A son tour, Ben a téléphoné au père Doig qui lui a dit que, dans l'intérêt d'une discrétion absolue, il ne devait pas se rendre à l'église de Glympton mais plutôt dans la maison d'une des paroissiennes, une Mrs Catesby, qui habite justement dans Abbeyhurst même, aux heures qui conviendraient à Ben. La première rencontre de Ben avec le père Doig et l'Église catholique romaine est donc fixée à samedi en huit, l'après-midi, dans le petit salon de Mrs Catesby.

Entre-temps, j'ai joué mon premier match de rugby en qualité de talonneur.

Il faisait un temps humide, un petit crachin froid, quand le XV Soutar est arrivé sur le terrain sud-est pour affronter le XV Giffords. Tandis que les deux équipes se mettaient en tenue sans enthousiasme et s'échauffaient vaguement avant le coup d'envoi, je me suis rendu compte que nous représentions le mélange habituel d'inadaptés paresseux, d'enthousiastes incompétents, et d'incompétents finis. Quelque part, à l'autre bout de l'étendue de terrains, un autre match se déroulait, et, par-dessus l'herbe détrempée, les habituels hurlements d'encouragement et de désespoir nous arrivaient assourdis. Nous avions un seul spectateur, Mr Whitt, notre directeur adjoint d'internat et l'entraîneur théorique de l'équipe qui, dès le premier ballon, s'est mis à rugir et hurler sur la touche comme s'il assistait à la finale d'une coupe. Les équipes étaient à parité en termes de déficiences : ballons lâchés, tacles loupés, penalties ratés. A la mi-temps, le score était de 3 à 0 pour Giffords.

Je me suis peu à peu habitué à la vie de la mêlée, qui semblait surtout impliquer de galoper sur le terrain derrière le ballon (que je n'ai pas touché une seule fois au cours de la première moitié du match).

Cette errance grégaire était interrompue par des coups de sifflet quand nous nous alignions pour une remise en jeu ou une mêlée. Les deux packs se faisaient alors face puis s'emboîtaient. Nous devenions un scarabée humain à trente-deux pieds tentant d'évacuer un ballon de cuir ovale. Je connaissais les deux piliers qui m'encadraient : deux types aux noms improbables de Brown et Smith (Smith mineur, en fait, Smith majeur étant *head boy*). Brown est un enthousiaste toujours couvert de boue et fonceur ; Smith mineur – qui souffre d'une acné vraiment pénible – est un scélérat de poseur, comme moi. Drôle d'effet que de se retrouver dans la curieuse cave obscure de la mêlée – tant de têtes et de visages si proches les uns des autres ; des odeurs et exhalaisons bizarres, des joues inconnues se frottant aux vôtres, des bras agrippant vos cuisses, des poussées et des tiraillements sur vos fesses, des exhortations futiles sonnant à vos oreilles, le demi de mêlée avec le ballon hurlant des ordres (à moi, je suppose) : « Prêt, Soutar ! A droite ! A droite ! Stop ! Ça vient, un, deux, trois ! » Et le ballon sale et trempé atterrit à mes pieds et je le renvoie en essayant de le talonner, parfois avec succès, parfois sans, tandis que tout le monde autour de moi grogne, halète et jure. Ceci n'a rien à voir avec le sport, pensais-je, donnez-moi mon isolement solitaire et glacé sur l'aile gauche – au moins là-bas je pourrai contempler le paysage et le ciel.

Et puis le ballon sortait de la mêlée. Les cris et les ordres devenaient plus distants et nous nous extirpions de notre corps à corps de crabes, regardions autour pour voir où en était le jeu et repartions pesamment à la poursuite du ballon. Vers la fin du match, je dois le confesser, j'étais dans un état proche du désespoir : dégoûtant, couvert de boue, épuisé et sans aucune véritable idée de la manière dont nous avions atteint le score de neuf partout.

C'est alors qu'il s'est passé quelque chose dans notre équipe – un trois-quarts a shooté et il y a eu un cafouillage du côté de l'arrière adverse. Confusion, le ballon par-dessus la ligne, sur lequel est tombé un des défenseurs. Un gazouillis du sifflet et l'ordre d'un renvoi aux vingt-deux mètres. Or je savais, grâce à ma lecture rapide du règlement, qu'il était du devoir du talonneur d'affronter le botteur du renvoi aux vingt-deux mètres, de lui faire face et de le distraire autant qu'il le pouvait. J'ai donc galopé jusqu'à la ligne des vingt-deux mètres de l'opposant, mes chaussures aussi lourdes que celles d'un plongeur sous-marin, mon souffle s'échappant en halètements rauques et des nuées de vapeur émanant de chaque partie de mon corps, de mes épaules et de mes genoux nus. Je ne sais toujours pas ce qui m'y a poussé mais, en voyant leur demi d'ouverture s'avancer pour s'emparer du ballon, je me suis jeté simultanément en hauteur et en avant, les bras levés en une tentative futile, à tout le moins, pour l'arrêter dans son élan. Ça a marché : il a mal shooté, bas et fort, et non pas haut et lentement, et le ballon est venu exploser sur le côté de mon visage à une telle vitesse qu'il est allé rebondir à quinze mètres, assez près de la ligne ennemie pour qu'un des plus rapides de nos trois-quarts se précipite, s'en empare et marque. Essai converti – cinq points – victoire au XV Soutar, quatorze-neuf.

Ma joue était en feu. Je me souviens qu'un jour ma mère m'a giflé à cause d'une bêtise quelconque avec pour résultat le même effet de chaleur vibrante, poivrée, génératrice de larmes. Le cuir humide strié du ballon m'a laissé une zébrure rouge cuisante sur la joue et sur le front au-dessus de l'œil gauche : mon visage était en fusion, ma chair brûlait, marquée au fer rouge.

Les gens, mes équipiers, me tapaient sur l'épaule et dans le dos. Smith mineur me hurlait dans l'oreille : « Espèce de foutu vieux dingue ! Espèce de foutu vieux dingue ! » Nous avions gagné et mon blocage inattendu avait assuré la victoire : et ma douleur diminuait, comme par magie. Même Whitt, pipe en avant, maigres mèches de cheveux dressées par le vent, criait : « Sacré bel effort, Mountstuart ! »

Plus tard, après m'être douché et changé, ma zébrure rouge réduite à un beau rose vif, je rejoignais ma bande quand j'ai rencontré le jeune Montague. « Bravo, Mountstuart », a-t-il lancé. « Bravo pour quoi, petite courtisane de merde ? » ai-je répliqué (pas très charitablement, je le confesse). « Mais enfin, ton contre de coup de pied ! Tout le monde en parle. »

Mon « contre de coup de pied »… C'est donc ainsi que naissent mythes et légendes. Je me rends compte maintenant, avec le vague sentiment d'une révélation absolue, de ce qu'implique la suite du chemin. La seule route possible pour le premier XV et le championnat m'est désormais évidente : il me faut jouer avec une stupidité désinvolte, insouciante, la témérité la plus crasse. Plus absurde je serai, plus je risquerai ma peau, plus je serai reconnu et acclamé.

Tout ce que j'ai à faire, c'est de jouer au rugby comme un maniaque suicidaire.

5 février 1924

Lettre de Mère annonçant que la famille Mountstuart ira en Autriche pour Pâques, à Bad Riegerbach plus précisément, où Père doit faire une cure. « Il souffre d'une sorte d'anémie, écrit Mère, qui le fatigue beaucoup et le fait maigrir. » Il est donc maintenant officiellement malade, ce n'est plus simplement une affaire confidentielle entre lui et moi, mais qu'est au juste, je vous le demande, « une sorte d'anémie » ?

Ben a eu hier sa première séance avec le père Doig qu'il décrit comme « sinistre ». Le récit de Ben m'a paru bien coller à Doig, l'homme plein d'une satisfaction mal cachée devant ce butin potentiel et sans le moindre souci d'explorer les doutes religieux du jeune Leeping. Ils doivent continuer à se rencontrer au moins une fois par semaine chez Mrs Catesby. Selon Ben, Doig n'a pas pu dissimuler son énorme déception en apprenant qu'il était un juif non pratiquant. Un juif anglican, c'est de la petite bière. En tout cas, a-t-il dit à Ben, vous avez *l'air* juif. Je pense qu'il s'attendait à un genre de personnage rabbinique barbu avec de longues boucles se balançant autour des oreilles. Ben croit que son défi va être maintenant d'une simplicité biblique, tant Doig désire le convertir. Il reconnaît avec moi que, de nous trois, c'est moi qui ai de loin la tâche la plus lourde.

Ai rédigé une ode spencérienne sur la perte de la foi. Pas très bonne. J'ai bien aimé le vers : « Quand la foi est morte, il nous revient de peindre le ciel. »

11 février 1924

Scabius, moi, Lacey Ridout, Sandal et Tothill nous sommes tous rendus par le train à Oxford passer nos examens pour l'obtention d'une bourse. Onze autres sont allés à Cambridge – les élèves d'Abbey ont toujours été bien vus par les collèges de Cambridge. Mais nous représentons une quantité moins connue dans la Cité des Flèches rêveuses. Peter et moi avons fait exprès de descendre du train au dernier moment, afin de nous séparer des autres, puis nous avons loué un poney et un cabriolet (plutôt une carriole et un cheval, en fait) pour nous rendre avec nos bagages dans nos collèges respectifs. On nous a déposés dans Broad Street – le Broad, comme je dois apprendre à l'appeler – et Peter a filé sur Balliol tandis que je remontais Turl Street avec ma valise à la recherche de Jesus College. Il se trouve que j'ai choisi le mauvais bâtiment (pourquoi ces collèges ne mettent-ils pas leur nom sur la porte d'entrée ?) et le portier de Lincoln – une brute revêche – m'a montré la bonne direction.

Jesus n'a rien ni d'inspirant ni de décevant : deux petits rectangles assez élégants et une chapelle tout à fait acceptable, mais aucun collège, aussi majestueux fût-il, n'aurait pu paraître à son mieux par un après-midi de février humide et pluvieux, les façades couvertes de suie et peintes en noir par la pluie, et les pelouses en touffes mal tondues. On m'a conduit à ma chambre et j'ai dîné au réfectoire. Un tas d'étudiants barbus et moustachus s'y trouvaient et on m'a expliqué qu'il s'agissait d'anciens combattants reprenant leur place à l'Université à la fin de leur engagement dans l'armée. J'ai quitté discrètement le collège pour aller à Balliol voir Peter, mais j'ai trouvé les lieux fermés à double tour. Un mauvais début pour Oxford, à mon avis : un endroit sinistre, sale, verrouillé. Je sens que je pourrais me trouver plus d'âmes sœurs à Abbey, j'ai chagrin à le dire. Et Jesus, avec tous ces hommes mûrs – leurs allures avunculaires, leurs pipes, leurs tweeds et leur système pileux –, ne m'inspire guère. Peut-être Leeping a-t-il raison : pourquoi vouloir gaspiller trois précieuses années de notre vie dans ces institutions ?

12 février [1924]
Une matinée et un après-midi consacrés aux examens d'histoire qui semblent s'être assez bien passés. J'ai répondu à des questions sur le second gouvernement de Palmerston, la Révolution française et les réformes financières de Walpole (sujet ennuyeux mais plein de faits obscurs) et je crois m'être montré à la hauteur. En fin d'après-midi, j'ai été convoqué chez le professeur d'histoire, Le Mayne – P. L. Le Mayne, est-il indiqué sur sa porte. C'est l'« ami » dont H.-D. avait parlé. Un type barbu, râblé, pugnace. Il m'a examiné avec ce que je ne peux décrire que comme un mélange de dégoût et de vague curiosité.

– Holden-Dawes affirme qu'on devrait vous accepter quoi qu'il arrive. Pourquoi ?

– Pourquoi quoi ?

– Pourquoi devrions-nous vous accepter, élève d'Abbey ?

J'ai marmonné quelques platitudes – Oxford, collège distingué, immense privilège, l'honneur – mais il m'a interrompu :

– Vous êtes en train de le perdre.

– Perdre quoi ?

– Le reste de bonne opinion que, poussé par James, j'avais de vous. Pourquoi voulez-vous faire des études d'histoire à Oxford ? Convainquez-moi.

Je ne sais pas ce qui m'a pris – peut-être le sentiment que tout était déjà fichu, peut-être l'indifférence abrasive de Le Mayne, pour ne pas dire son antipathie déclarée à mon égard – et j'ai répliqué sans me soucier des conséquences :

– Je n'ai pas le moindre intérêt pour l'histoire. Ma seule raison de vouloir venir dans cet endroit déprimant, c'est que ça me donnera du temps. Du temps pour écrire.

Le Mayne a grogné, a rejeté la tête en arrière et s'est caressé la barbe.

– Le ciel me préserve, a-t-il dit, encore un foutu écrivain !

J'ai songé à filer puis j'ai décidé d'aller jusqu'au bout de mon propos.

– J'en ai peur, ai-je répondu soudain, plein d'une audace nouvelle. Ne vous attendez pas, s'il vous plaît, à des excuses.

Loin d'être troublé, il a gardé le silence en me regardant d'un air las, puis il a feuilleté mes copies d'examen.

– Oh, très bien, a-t-il dit d'un ton fatigué. Vous pouvez partir.

Plus tard. Scabius m'a raconté qu'il avait vu trois professeurs et même serré la main du doyen de Balliol, Urquhart lui-même. J'ai passé cinq minutes – au grand maximum – chez Le Mayne. Ma carrière à Oxford, semble-t-il, ne connaîtra même pas un début de commencement. Avant que je vienne ici, Père m'a écrit qu'il y aurait toujours un poste de jeune cadre chez Foley. Je crois que je préférerais m'ouvrir les veines.

13 février [1924]

Peter et moi avons déniché au bord du canal un pub où nous avons bu une bière en mangeant du pain et du fromage avant de reprendre notre train pour Norwich. Le directeur d'études de Peter lui a serré la main à la fin de son entrevue et a dit qu'il attendait avec plaisir de le revoir en septembre. Moi, j'ai vu Le Mayne traverser la cour ce matin et son regard m'a traversé de même sans le moindre signe de reconnaissance.

J'écris ceci dans le train, tout en luttant contre un sentiment croissant de dépression. Ridout et Tothill jouent au rami. Peter dort, dort comme un bienheureux. Si je n'entre pas à Oxford, que vais-je faire ? Aller à Paris avec Ben ? Entrer dans l'entreprise de Père ? Tout ceci est trop diablement frustrant. Dieu merci, nous avons eu la bonne idée de nous lancer ces défis ce trimestre : c'est presque honteux de l'avouer, mais, pour l'heure, la seule chose dans ma vie que j'envisage avec une certaine excitation, c'est la perspective du match de demain contre O'Connor. Younger a dit qu'il viendrait peut-être y assister. Serait-ce là le premier pas ?

14 février [1924]

Scabius et la lubrique Tess se sont tenus par la main pendant quelques minutes tout en marchant le long d'un sentier quelque part après déjeuner. Peter dit qu'elle lui a pris la main mais qu'il n'a pas osé faire plus, qu'elle avait été obligée de le lâcher en atteignant un échalier, et que ça s'était arrêté là. Un excellent signe, lui ai-je déclaré : il faut à l'avenir qu'il profite davantage d'occasions de ce genre.

Entre-temps, pendant que nous étions à Oxford, Leeping (il affirme que Mrs Catesby est très charmante) a eu avec Doig une seconde rencontre qui ne s'est pas aussi bien passée : il pense que Doig a déjà commencé à le soupçonner. « Mais pourquoi ça, que diable ? me suis-je exclamé. Il était si impatient de te convertir. » « Le problème, je pense, c'est que je n'ai pas de doutes. » Je lui ai dit que tout ce qu'il avait à faire, c'était d'en avoir et que l'affaire serait dans le sac. Mais Ben n'arrive pas, prétend-il, à inventer des doutes convaincants : il n'a aucune idée de ce dont douterait un candidat à la conversion au catholicisme romain et il m'a donc demandé de faire quelques suggestions. Je crois que le sujet de la transsubstantiation est trop évident, il est peut-être plus sûr de se centrer sur le purgatoire et l'enfer. L'enfer est toujours une sacrée colle. Je vais inventer quelque chose, quelque chose d'une épaisseur doctrinaire propre à calmer Doig, et à lui faire plaisir.

Mes propres progrès continuent, un véritable triomphe. Younger et Brodrick (qui est aussi en première division) ont assisté cet après-midi au match entre Soutar et O'Connor. Vers le milieu de la seconde mi-temps d'une partie très quelconque (nous menions 11-3) au cours de laquelle je n'avais rien accompli d'exceptionnel, on m'a soudain passé le ballon et, au moment où je le recevais, il a été intercepté dans un tacle et il est tombé sur ma tête. J'ai dû perdre un instant connaissance parce que tout est devenu noir et, quand je suis revenu à moi, le jeu s'était transporté à l'autre bout du terrain sur la ligne O'Connor.

Je me suis remis debout, en me sentant soudain nauséeux et groggy, et, juste alors, il y a eu une contre-attaque venant du côté O'Connor sous la forme d'un coup de pied à suivre. Un groupe entier d'avants a foncé vers moi, tout en dribblant ou en tapant dans le ballon sur lequel notre arrière (un type malingre nommé Gilbert) a alors tenté de se précipiter pour, bien entendu, le rater, me laissant seul comme dernière ligne de défense.

Je devais, je pense, être encore un rien abruti, car, dans mon esprit, tout a semblé se passer avec une lenteur précise et logique. J'ai vu arriver la masse grondante des avants O'Connor et j'ai eu conscience que notre équipe détalait pour tenter de regagner du terrain. Une grosse brute, noire de poil, en tête de la charge O'Connor, a shooté trop fort dans le ballon devant lui et j'ai compris, avec une clarté absolue, ce que j'avais à faire. Sans trop savoir comment, j'ai forcé mes jambes à l'action, j'ai foncé tout droit à mon tour et, juste comme la brute s'apprêtait à flanquer un autre coup de pied dans le ballon, je suis tombé dessus et je l'ai saisi dans mes bras.

J'ai entendu le craquement mais n'ai senti aucune douleur. J'ai serré le ballon contre ma poitrine tandis que des corps me tombaient lourdement dessus. Le sifflet a retenti. Le gros avant d'O'Connor (Hopkins ? Pugh ? Lewkovitch ? Impossible de me rappeler son nom) gémissait et pleurait : il s'était cassé la jambe droite, méchamment : la ligne normalement rigide de son tibia sous sa chaussette présentait maintenant une sorte d'ondulation. Et du sang, je m'en suis vite rendu compte, coulait aussi sur mon visage. J'ai réussi à me relever et l'arbitre a tenté d'arrêter l'hémorragie avec son mouchoir, tandis qu'on appelait d'urgence un brancard pour emmener le blessé. Le match a été abandonné.

Au dîner, ce soir, des applaudissements ironiques ont accueilli mon arrivée et ma tête bandée (quatre points de suture). C'est moins ma propre blessure qui m'a valu l'admiration de mes pairs que le dommage que j'avais par inadvertance causé à mon opposant : « Il a cassé la jambe de l'autre type, tout net », est le vrai symbole de ma célébrité temporaire plutôt que : « Il s'est fait salement ouvrir le crâne au-dessus de l'œil. » Une fois de plus on s'est joyeusement gaussé de ma prétendue folie, de mes envies de mort, de mon désir suicidaire de périr sur le terrain de rugby. Après dîner, Younger m'a abordé : je dois me présenter à l'entraînement de la deuxième équipe de XV dès que ma blessure sera cicatrisée. Je n'arrive pas à croire qu'il a suffi de deux matches pour monter si vite sur l'échelle du rugby, mais c'est ainsi : peut-être l'équipe de l'école a-t-elle besoin d'un talonneur fou. Toutefois, un vague souci émerge sous ma suffisance : je me suis construit, à une vitesse étonnante, une réputation de courage maniaque autodestructeur et jusqu'ici mon seul et unique signe d'honneur est une estafilade, en fait très désagréable, mais je suis un peu troublé à l'idée des futures blessures que je pourrais subir dans l'exercice de ces obligations particulières. Il m'est difficile désormais de me montrer tout timide et raisonnable. Leeping me prédit joyeusement des tas de catastrophes horribles : colonne vertébrale brisée, coma, oreille arrachée. Mais, tout en étant préoccupé, je sais que je dois continuer. J'en sortirai victorieux : je remporterai ce défi.

21 février 1924

Les lettres de Lucy me paraissent soit étrangement abstraites soit d'un prosaïque à rendre fou. Je lui écris et lui parle de ce qui s'est passé entre nous à Noël et lors de la soirée au club de golf et elle répond par l'interminable récit d'une soirée de chant grégorien à laquelle elle a assisté à la cathédrale Saint Giles. J'écris – d'une manière poignante, et si convaincue – combien je ressens son absence et combien je déteste ma vie à l'école et elle réplique par des plans détaillés de sa vie future comme archéologue ou philosophe ou (ça, c'est nouveau) vétérinaire.

Ben L. annonce que ses nouveaux doutes quant au purgatoire ont fait merveille auprès de Doig. Ils ont passé un après-midi entier à débattre du temps que lui – Ben – aurait à y traîner après une vie de débauche ordinaire, suburbaine. Il dit qu'il trouve ma religion « positivement bizarre » et s'étonne que j'apparaisse si équilibré malgré tout cet obscur jargon qui caractérise mon éducation. Oui, j'acquiesce, ce ne sont que des foutaises, pas vrai. H.-D. serait fier de moi.

C'est mon anniversaire dans une semaine – j'aurai dix-huit ans. Je ne pense qu'à quitter l'école et à commencer une nouvelle vie à Oxford. Je sens que je ne peux faire aucun plan tant que je n'aurai pas quitté cet endroit : comme si les années ici avaient été une sorte d'apprentissage assommant et, en fin de compte, inutile de la réalité qui m'attend là-bas. En fait, ces défis sont la preuve de la profondeur de mon – de notre – ennui. Ce système doit être la façon la plus inique et la plus paralysante d'éduquer les jeunes garçons intelligents (il peut faire merveille sur les garçons stupides et attardés, pour ce que j'en sais). Les quatre-cinquièmes de ce que je suis obligé de faire ici me paraissent une totale perte de temps. Hormis la compagnie de mes rares amis, la littérature anglaise et l'histoire, et la non moins rare discussion avec quelque esprit plus élevé (H.-D.), cette école – et les frais qu'elle entraîne pour mes parents – est à mon sens un scandale national.

Colis envoyé par Mère – les livres que j'ai commandés : Baudelaire, De Quincey, Michael Arlen – du chocolat et un chorizo de deux pieds de long. N'oublie pas, Logan Gonzago Mountstuart, ton héritage unique. La saucisse est délicieuse : épicée, criante de poivre et d'ail, et irrésistible. J'en grignotais des bouts dans la chapelle et j'ai eu l'horrible sentiment que des miasmes alliacés se répandaient le long de la rangée de prie-Dieu. Ma blessure guérit vite : je serai très bientôt de retour sur le terrain de rugby. Elle prend l'allure d'une cicatrice fort intéressante.

Après le service religieux matinal, Peter et moi avions un peu de temps libre et nous en avons profité pour aller à Abbeyhurst prendre un thé et manger des *crumpets* chez Ma Hingley. Des *crumpets* chauds avec du beurre et de la confiture, quoi de plus proche de l'ambroisie ? Le jour où je ne pourrai plus jouir de ces délices marquera une sorte de mort de mon âme. L'endroit était vide à part deux vieilles biques potinant à propos de leurs cors aux pieds et de leur arthrite. Peter m'a déclaré qu'il pensait être en train de tomber amoureux de la délectable Tess. J'ai refusé de lui faire plaisir : ceci est une épreuve, un défi, ai-je dit, quelque chose de froidement objectif ; nous ne devons absolument pas y mêler les sentiments. Mais Peter a continué à soupirer sur la nature si douce de sa chère et tendre, sa sensualité innée, son corps plein et ferme, et la conscience qu'il a d'une étrange union avec elle quand ils s'occupent des chevaux, côte à côte et en silence. Je l'ai cuisiné un peu plus : elle préfère, semble-t-il, pour ses travaux d'écurie, les vêtements d'homme : culotte de cheval en drap sergé, bottines en caoutchouc, et, sous sa veste, elle porte des bretelles. En l'écoutant parler, j'ai compris que c'était cette image d'une fille transformée en garçon d'écurie qui le stimulait, cette absence même d'allure sexuelle qui l'excitait. Je le lui ai dit et il a paru déconcerté : « Vous êtes deux travailleurs manuels, ai-je poursuivi, elle te voit comme une sorte d'ouvrier agricole, un palefrenier pareil à elle. Comment pourrez-vous jamais devenir amants si tu laisses les choses continuer ainsi ? »

C'est alors qu'il s'est confessé, ou plutôt il a rougi et a lampé son thé bruyamment : « Elle me permet de l'embrasser quand on a fini, a-t-il avoué. En fait, c'est Tess qui a pris l'initiative. Elle me permet de lui caresser les seins, mais seulement quand on en a terminé avec les chevaux. »

« S'il te plaît, Peter, ne me mens pas. Ce serait trop honteux. » Mais il a protesté et j'ai bien senti, à son attitude, qu'il ne mentait pas. Il m'a juré que tout ce qu'il me disait était vrai et que c'était la raison pour laquelle il était tombé amoureux d'elle. « C'est un esprit rare, audacieux », a-t-il ajouté, et j'ai senti l'étau d'une amère envie me serrer le cœur. Eh bien, lui ai-je dit, tu as gagné le défi, félicitations. Il ne te reste plus maintenant qu'à trouver un moyen de nous permettre à Ben et à moi d'être les témoins de vos ébats. Il a opiné du chef, l'air grave, vraiment soulagé de m'avoir raconté tout ça. En fait, il paraissait complètement à la dérive, perdu dans cette étrange romance avec la fille du fermier. Un peu plus tard, Ben et moi, nous en avons bien et finement ri, mais je me suis aperçu que Ben était aussi surpris – et vaguement irrité – que moi. Ce genre de choses, cette veine fantastique n'était pas censée être destinée à Peter mais à nous. Nous nous sommes cependant accordés pour le plaindre : ce pauvre vieux Peter Scabius tout à coup confronté au sexe… Peut-être lui avons-nous rendu service.

25 février 1924

Match du deuxième XV contre Uppingham. Journée froide, glaciale, avec un fort vent d'est. J'étais remplaçant, j'ai traîné sur la
ligne de touche et j'ai distribué les quartiers d'orange à la mi-temps.
Ce que j'ai accompli, je suppose, au cours de ces quelques courtes
semaines est extraordinairement suffisant (même le Lézard m'a félicité pour mon « zèle sportif inattendu »), mais, comme toujours,
mon sentiment prédominant est la déception. Le talonneur du
deuxième XV est un mufle blondinet du nom de fforde que je pourrais, j'en suis certain, supplanter si le temps m'en était laissé : il
n'a rien de mon panache, de mon audace folle. Mais derrière lui se
trouve le premier XV dont le talonneur, un type appelé Vanderpoel
– petit, nerveux, sportif – est aussi le capitaine de l'équipe de squash.
Il ne reste que quelques semaines avant la fin du trimestre et je
me demande si je pourrai avancer au-delà de la position que j'ai
atteinte, si je serai capable de supplanter un véritable athlète. Je me
demande si c'est même vraiment la peine d'essayer… Une horrible
pensée : cela pourrait-il être la préfiguration de la vie qui m'attend ?
Chaque ambition étouffée, chaque rêve mort-né ? Mais un instant de
réflexion me dit que ce que j'expérimente en ce moment est partagé
par tous les êtres humains sensibles et souffrants à l'exception
d'un tout petit nombre : les êtres vraiment talentueux – le très rare
génie –, et, bien entendu, les cochons de veinards.

A l'heure où j'écris, Peter Scabius semble extrêmement bien placé
dans la seconde catégorie. Il est même allé jusqu'à spécifier un endroit
pour « le baiser attesté ». Qui prendra place, selon lui, après-demain
dans l'allée cavalière d'un bois près de la ferme. Il nous dira où exactement nous poster. Entre-temps, Ben se sent aussi frustré que moi :
Doig est devenu hostile et a insisté pour que le lieu des rencontres se
déplace de chez Mrs Catesby au presbytère de Saint James. Ben est
convaincu que ceci n'est qu'une manière d'épreuve, l'idée (évidente
selon Ben) de Doig étant que si Ben est vraiment sincère, alors l'effort
de se rendre au presbytère ne lui sera pas un obstacle.

H.-D. m'a dit cet après-midi que Le Mayne m'avait trouvé « manquant d'assurance mais pourvu d'une intelligence et d'un charme
sous-jacents ». Pure absurdité ! Je ne peux pas imaginer une description plus inexacte de ma personnalité.

26 février 1924

Ben et moi nous nous sommes hâtés après le thé d'aller observer le fameux « baiser attesté ». Peter nous avait donné des indications très précises et nous avons trouvé le chemin creux – pas très loin de la ferme –, puis le chêne foudroyé et le petit coin herbeux sur sa gauche. Ben et moi nous sommes cachés à quelque quarante mètres de là, plus haut, derrière un écran de buissons sans feuilles mais pourvus de méchantes épines. Pelotonnés dans nos manteaux, nous avons partagé une cigarette en nous demandant comment Peter pourrait amener le moment érotique. Ben, fidèle à lui-même, avait apporté des jumelles d'opéra afin que nous ayons une excellente vue de la scène. Nous avons discuté de nos défis respectifs et de leurs difficultés, mais nous nous sommes accordés pour déclarer qu'ils avaient été de louables exercices et qu'ils avaient au moins un peu animé le trimestre le plus ennuyeux, le plus mortel de l'année. Mrs Catesby, ai-je appris, a invité Ben à venir prendre « le thé et des petits gâteaux », et – détail intéressant – sans Doig…

Au bout d'une demi-heure d'attente, nous avons vu Peter et Tess émerger du chemin creux. Peter a étalé son manteau sur l'herbe et ils se sont assis le dos contre le chêne foudroyé. Tess a produit un paquet de cigarettes et tous deux en ont allumé une. Nous pouvions saisir quelques bribes inintelligibles de leur conversation et entendre le rire de gorge très profond (et très séduisant) de Tess. Un soleil pâle s'est soudain mis à briller et le décor hivernal a pris des allures bucoliques vaguement idylliques. Ils ont continué à parler un moment, bien que l'ambiance ait paru se faire plus sérieuse, les rires ayant cessé, puis Tess s'est débarrassée aussi de son manteau et a mis sa main dans la poche de Peter pour y prendre quelque chose.

Il s'agissait de son mouchoir, et c'est alors que Ben – qui regardait à travers les jumelles – a chuchoté : « Je ne peux pas le croire ! Elle est en train de lui déboutonner sa braguette ! »

Nous les avons observés, Ben et moi, en brefs aperçus de cinq secondes, tandis que Tess, pleine de sollicitude, plongeait la main dans la braguette ouverte de Peter et en sortait son pénis blanc et mou. Qu'elle a enveloppé ensuite avec le mouchoir avant de se mettre à le branler – ce qui n'a paru durer guère plus de trente secondes (Peter, la tête rejetée en arrière, les yeux fermés à double

48

tour). L'affaire terminée, le visage de Peter a exprimé plus d'étonnement que d'extase et quand – l'acte accompli – Tess lui a rendu son mouchoir plié avec soin en un épais carré de cinq centimètres, il l'a remis simplement dans la poche de son manteau sans un mot ni un regard. Puis, allongés sur le manteau, ils se sont embrassés pendant environ dix minutes, mais Ben et moi n'avions plus envie de regarder : nous étions trop stupéfaits et aussi – nous en sommes tombés d'accord plus tard – trop furieux. Furieux d'avoir imaginé ce défi pour Scabius (alors que nous aurions pu le garder pour nous) et furieux qu'il l'eût, semblait-il, réussi si facilement, avec de surcroît, telle une cerise sur le gâteau, le bonus dont nous venions d'être les témoins.

Nous sommes partis avant eux, nous frayant un chemin dans le sous-bois plein d'embûches, tandis qu'ils continuaient à se vautrer sur le manteau de Peter, à se bécoter, se caresser et s'embrasser. Nous avons décidé que Scabius était le salaud le plus veinard de toute l'école, pour ne pas dire des Iles britanniques.

Plus tard. Tout au long du dîner, Peter n'est pas parvenu à effacer de son visage un sourire imbécile. Il n'arrêtait pas de se pencher pour nous dire : « Elle l'a touchée, vraiment touchée, elle l'a prise dans sa main. » Nous lui avons chacun payé la livre due au vainqueur – ce qui me laisse en un sérieux manque de fonds ce trimestre (il me faudra emprunter à Ben). Mais Ben et moi avons décidé tous deux de persévérer dans nos défis, plus par souci de probité que par enthousiasme. Il ne s'agit pas simplement d'un pari – cette entreprise entière a une importance et une teneur plus philosophiques. Alors que nous quittions le réfectoire, Peter a déclaré qu'il était maintenant « certain d'être amoureux » de Tess. Je trouve cette idée totalement répugnante.

29 février 1924
Ben est revenu très tôt de son entretien avec Doig à Glympton, en annonçant que Doig l'avait mis à la porte. Je lui ai rappelé que nous avions tous deux fait le pacte de poursuivre l'accomplissement de nos défis. « Mais Peter a déjà gagné, m'a-t-il rétorqué avec une certaine lassitude. Je ne voyais vraiment pas l'intérêt de rester là en face de ce dépravé à parler d'anges et d'immaculée conception. »

Difficile de ne pas être d'accord, je suppose. Il appert que Ben n'a pas cessé de ramener la discussion sur le vœu de célibat des prêtres et les problèmes que pose son maintien. Doig a fini par perdre patience et lui a ordonné de prendre la porte, Ben protestant que, dans la mesure où il se sentait sincèrement appelé à la prêtrise, il avait tout de même le droit d'en examiner le pour et le contre. Doig s'est mis dans une rogne terrible et l'a pratiquement flanqué dehors.

En tout cas, je lui ai déclaré que je persévérerais quoi qu'il arrive, et maintenant qu'il n'a plus rien à faire, peut-être pourrait-il m'aider : le trimestre se termine dans peu de semaines, je n'ai toujours pas réussi à entrer dans la première équipe de XV, et encore moins à jouer assez bien pour gagner le championnat. Il m'a dit que j'étais un crétin enragé, mais que si je voulais continuer je pouvais compter sur son plein et indéfectible soutien.

Dimanche [2 mars 1924]
Après la messe, juste comme j'essayais de quitter l'église en douce, Doig m'a foncé dessus et m'a ramené à l'abri du porche.

– Que se passe-t-il, Mountstuart, avec vous et votre petit juif de copain ? m'a-t-il lancé, visiblement furieux.

– Voilà qui n'est pas très charitable, mon père, ai-je répliqué.

– A quoi jouez-vous, mon garçon ?

– On ne joue à rien.

– Petit menteur de peigne-cul !

– Leeping était tout à fait sincère dans son désir de se convertir. En fait, je crois que c'est vous qui l'avez déçu. Je songe d'ailleurs à écrire à l'évêque pour lui faire part de votre piètre prosélytisme…

Alors là, il a vraiment explosé et il m'a menacé de me traîner devant le Lézard. J'ai gardé une mine grave et pieuse tout du long. Quand je le leur ai raconté, Ben et Peter m'ont aussitôt attribué une autre hypomagnificence. Nous nous sommes accordés à trouver l'histoire d'une drôlerie folle.

Après la bagarre, tandis qu'on attendait le bus pour rentrer à Abbey, Holden-Dawes est passé devant moi avec une jeune femme à son bras – une très jolie jeune femme. Je lui ai dit « Bonjour » et il m'a gratifié de son habituel regard ironique sans, toutefois, me présenter à sa bien-aimée. Je les ai regardés poursuivre leur promenade dominicale, en songeant qu'il était bizarre de voir H.-D. avec une femme : je l'ai toujours trouvé très asexué.

4 mars [1924]

Ben a procédé à une enquête discrète sur Vanderpoel, en vue de découvrir s'il y avait une possibilité de chantage, mais à son avis le type est sans péché et n'a aucune évidente passion pour aucun des moutards. Je m'étais demandé si nous pourrions envoyer le petit Montague se prostituer pour nous mais Ben, sagement, a conseillé la prudence – corruption de mineurs et le reste. C'est alors que j'ai eu ma grande idée : pas de chantage, mais un pot-de-vin. J'achèterai Vanderpoel pour qu'il feigne une blessure, et m'ouvre ainsi une brèche dans la première équipe. Mais combien d'argent nous faudra-t-il afin de séduire Vanderpoel le sans-péché ? Ben a été mandaté pour jouer mon messager.

Lettre de Mère apportant des nouvelles agréables : Lucy nous accompagnera dans notre expédition autrichienne. Mère suggère que nous pourrons nous amuser à « remonter les montagnes ». De quoi peut-elle bien parler ?

7 mars [1924]

Enfin, je suis sélectionné comme talonneur dans le deuxième XV pour le match de demain contre Walcott Hall (fforde souffre d'une ffluxion…). Ben a sondé Vanderpoel et découvert qu'il n'était pas riche (son père est clerc de notaire), mais demeure malgré cela persuadé que seul un pot-de-vin munificent pourra le tenter. A quel point munificent ? je m'enquiers. Cinq guinées, dit Ben. Désastre : même à nous deux, impossible d'en réunir un tiers. Je vais écrire à Père et demander si je peux emprunter la somme – à condition de penser à une bonne et convaincante raison. A la réflexion, je vais écrire à Mère.

8 mars [1924]

Dieu sait comment, nous avons battu Walcott Hall 64-0, une sorte de record scolaire. Une épidémie de varicelle avait décimé leurs rangs, les contraignant à utiliser comme remplaçants des incapables et des invalides. Ce fut une joyeuse raclée, en fait, et j'ai failli marquer moi-même, plaqué par trois ou quatre types juste à portée de la ligne. Le deuxième XV se pavane dans l'école. fforde se ffait ffort d'être en fforme samedi prochain, mais seul un idiot se risquerait à changer cette équipe gagnante.

Lucy écrit qu'elle viendra en Autriche à la seule condition qu'il soit entendu que notre « romance imaginaire » est terminée. Je répondrai à contrecœur, avec une agréable mélancolie, que j'accepte. Une fois que je la tiendrai là-bas, ce sera différent. L'enrageant succès de Scabius avec la fille du fermier m'a donné de l'audace. Lucy sera mienne.

A ma vague surprise, je me découvre songeant de plus en plus à samedi prochain et je me rends compte que j'attends avec impatience ce match : Harrow à domicile. Il ne me faut rien perdre de mon esprit bolchevique.

11 mars [1924]

Ben et moi avons encaissé le mandat de cinq guinées envoyé par Mère (bénie soit-elle : j'ai prétendu que je voulais acheter à Lucy un cadeau d'anniversaire vraiment spécial) et nous nous sommes offert un thé et des toasts aux anchois chez Ma Hingley. Ben a dit que Vanderpoel acceptait de se faire porter pâle pour un seul match, mais qu'il tenait d'abord à rencontrer la personne prête à payer un tel prix. « Il soupçonne que c'est toi, bien entendu. Ou il pourrait penser simplement qu'il s'agit de ce crétin de fforde, je suppose – il faudra que tu t'y résignes. » Il a raison, je dois l'admettre. A propos, nous avons fait match nul avec Harrow 9-9, tandis que notre premier XV était battu à plate couture 3-27. Je sens que mon étoile monte.

Ben m'a annoncé qu'il partirait directement pour Paris à la fin de l'année scolaire : on lui a offert un job dans une galerie d'art, semble-t-il, et il veut devenir marchand de tableaux. J'ai éprouvé un petit élan de jalousie. Peut-être a-t-il raison ? Peut-être sommes-nous idiots de retarder de trois ans à l'université notre vie d'adulte, notre vraie vie ? Trois ans qui, pour autant que je sache, pourraient se révéler aussi frustrants que l'existence à l'école…

La seule nouvelle vraiment agréable, c'est que Clough s'est aperçu du rapprochement Tess-Peter et, soupçonneux, s'est arrangé pour les séparer. Au cours de ses trois dernières visites à la ferme, Peter a été mis au découpage des betteraves, ou une tâche domestique de ce genre (ses mains sont pleines d'ampoules affreuses), sans le moindre aperçu de la délicieuse Tess en guise de distraction ou de compensation. Ben et moi nous en réjouissons en privé, même si je reconnais qu'une telle attitude ne nous fait pas honneur.

Plus tard. Suis allé à Foster après l'étude trouver Vanderpoel. C'est un type pas très grand, nerveux, avec un vilain gros nez. Nous nous sommes un peu chicanés sur le prix et j'ai réussi à le faire baisser à cinq livres.

« Attention, un match, c'est tout », répétait-il, en empochant son billet. Puis il m'a regardé, soupçonneux :

– Pourquoi est-ce si important pour toi ?

– Mon père est mourant, ai-je répliqué spontanément. Il jouait au rugby pour… l'Écosse. C'était son souhait le plus cher que de me voir dans le premier XV. Marcher sur ses traces et tout le reste. Avant qu'il ne s'en aille.

Vanderpoel a été si ému qu'il a insisté pour me rendre mes cinq livres – ce que, bien entendu, j'ai accepté (mais je ne le dirai pas à Ben). Vanderpoel m'a assuré qu'il se tordrait la cheville ou quelque chose durant la séance d'entraînement vendredi avant le match. Un match contre Oundle, dit-il, une équipe très brutale. « Je suggérerai même que tu me remplaces, toi et non pas ce cul-terreux de fforde. Ne t'en fais pas, Mountstuart, ton vieux sera fier de toi. »

Pourquoi est-ce que je mens autant ? A Mère, à Lucy, à Vanderpoel, à Ben… Est-ce normal, je me demande ? Tout le monde ment-il autant que moi ? Nos vies sont-elles la somme des mensonges que nous inventons ? Est-il possible de vivre raisonnablement sans mentir ? Les mensonges forment-ils la base naturelle de tout rapport humain, le fil qui relie nos différentes personnalités ? Je vais aller fumer une cigarette derrière les courts de squash et continuer à réfléchir à de grandes idées.

13 mars [1924]

De la neige – quinze bons centimètres – et toutes les activités sportives sont annulées. Pourtant les journaux disent qu'il fait beau à Londres, il n'a neigé, semble-t-il, que dans la misérable East Anglia. Pourquoi suis-je aussi frustré à la pensée du match contre Oundle remis à plus tard ? Impatient de me retrouver sur le terrain

– je dois être en train de tourner au véritable fanatique. Vanderpoel s'est approché de moi dans le cloître et m'a demandé comment allait mon père. J'étais sur le point de lui enjoindre de s'occuper de ses oignons quand je me suis souvenu.

– Va-t-il y arriver ? a-t-il dit.

– Arriver à quoi ?

– A survivre jusqu'au prochain week-end – ou jusqu'à la date du match contre Oundle ?

– Je l'espère. Ma mère m'affirme qu'il s'accroche.

Je me suis vraiment senti un peu coupable à ce propos – d'autant que Père est réellement malade. J'ai craint, en le mettant ainsi à l'article de la mort, de lui lancer un genre de mauvais sort. Et puis je me suis dit : ce ne sont que des mots en l'air. De simples mots ne vont pas accélérer ou retarder le cours d'une maladie. Toutefois, ce soir lors de la séance de prières, j'ai prié pour lui, hypocrite que je suis. H.-D. se moquerait rudement de moi : je veux le beurre et l'argent du beurre, accomplissant machinalement, à l'instar de tous les croyants paresseux, les rites de piété quand ça me convient. Peut-être devrais-je insister pour que Vanderpoel reprenne les cinq livres.

Vendredi [22 mars 1924]

Ça a marché comme sur les proverbiales roulettes. On était à l'entraînement quand Younger et, à ma surprise, Barrowsmith arrivent au trot du terrain du premier XV. « Mountstuart ! » Je cours vers eux, l'air innocent. « Vanderpoel est éclopé, il s'est tordu le genou, es-tu candidat pour le match de demain ? » « Je ferai de mon mieux », dis-je, modeste. « Brave type ! » me congratule Barrowsmith en me tapant sur l'épaule.

Vague alarme à l'idée de mériter l'approbation de Barrowsmith. J'avais oublié qu'il était dans le premier XV – plus question de « salaud d'Irlandais », maintenant.

Ben et Peter paraissent sincèrement ravis pour moi – et un tantinet admiratifs aussi, je crois, devant ma persévérance obstinée. Ben jure de briser l'habitude de toute une vie et de venir de son plein gré assister à une compétition sportive. Peter me dit qu'il a eu un rendez-vous clandestin avec Tess : le père Clough a interdit tout contact entre eux (Peter était au bord des larmes en me racontant ça). Il pense que Clough les a vus se tenir par la main. Il parle comme un fou de s'installer dans une pension de famille à Norwich pendant les vacs de Pâques dans l'espoir qu'ils pourront se voir en douce. Nous lui avons conseillé de ne pas être idiot à ce point.

Ben, de son côté, dit que Mrs Catesby lui a écrit, pour lui proposer de lui donner des leçons de catéchisme en lieu et place de Doig. « Je crois qu'elle a dans l'idée de me séduire, affirme Ben. Quel drôle de cocos vous faites, vous les catholiques ! » « Comment est-elle, ta Mrs Catesby ? » je demande. « Du genre grassouillette, rose et poudrée, dit-il en frémissant. Je préférerais sodomiser le petit Montague. » En fait, je crois bien qu'il le ferait. Nous avons échangé des cochonneries pendant une agréable demi-heure.

Dimanche de Pâques [20 avril 1924]. Bad Riegerbach
J'ai dit à Mère que mon bras me faisait mal et j'ai donc été dispensé de la messe de Pâques. Avec Lucy et Père, ils ont pris le funiculaire pour descendre dans la vieille ville où l'église attendait leurs dévotions. Aussitôt après leur départ, j'ai commandé une bouteille de hock à Frau Dielendorfer et je me sens déjà bien mieux – rien de plus charmant que d'être plaisamment ivre un dimanche matin à 10 h 30 –, et j'ai donc pensé que j'allais me remettre à mon journal.

Le match contre Oundle n'aurait pas pu se présenter sous de meilleurs auspices : une journée claire, ensoleillée, aux ombres nettes, une mince couche de gel qui avait fondu à l'heure du déjeuner. Dans le vestiaire, j'ai à peine entendu les exhortations du capitaine : j'étais grisé, comme si j'avais eu trop de bulles d'oxygène dans mes veines. Je me frottais les genoux et les cuisses avec du liniment pour chevaux, je tapais le sol carrelé de mes grosses chaussures et je souriais comme un idiot à mes coéquipiers. Et quand nous sommes sortis en courant, et que l'école – rassemblée tout entière, semble-t-il, sur la ligne de touche – s'est mise à crier d'enthousiasme, j'ai cru que mon cœur allait exploser tant il battait fort.

L'arbitre a lancé une pièce en l'air entre les capitaines. Nous avons perdu et nous nous sommes préparés à faire face au coup d'envoi. J'ai traversé au petit trot le terrain pour rejoindre les avants de mon équipe. J'ai entendu Ben et Peter hurler mon nom sur la ligne de touche et je les ai salués d'un geste rapide et confiant.

Le sifflet a retenti, le ballon est parti haut dans les airs puis est retombé droit dans ma direction. J'ai senti, plutôt que vu, la charge des avants de l'équipe adverse et j'ai attrapé le ballon juste au moment où les trois ou quatre premiers me fonçaient dessus. J'ai à peine eu le temps de fourrer le ballon sous mon aisselle droite et de tendre le bras gauche pour écarter le gros type de la seconde vague qui soudain se trouvait sur moi. Il est tombé et j'ai baissé la tête à la seconde même où la vague entière des avants d'Oundle venait s'écraser contre moi.

Je n'ai rien senti. L'arbitre a sifflé et je me suis retrouvé enterré sous un tas de corps empilés. Peu à peu, ils se sont détachés de moi, se remettant debout un à un. « Arrêt de mêlée, faites un en-avant », a dit l'arbitre et je me suis rendu compte que je n'avais plus le ballon. J'avais le souffle coupé, un peu étourdi par la série de collisions. Bientôt, je suis resté seul étalé sur le sol et j'ai levé la tête, conscient que Barrowsmith et d'autres me contemplaient avec inquiétude. Puis Younger (je crois) a dit : « Hé, Mountstuart, est-ce que ton bras va bien ? » J'ai regardé : il n'allait manifestement pas bien : l'avant-bras gauche avait une grosse bosse dessus comme s'il y avait une balle de golf sous la peau, et il prenait déjà une étrange couleur. On m'a aidé à me lever, ma main droite soutenant mon coude gauche comme si mon bras était fait d'une porcelaine translucide des plus fragiles. Puis la douleur a surgi et je me suis senti tituber tandis que des flashs de lumière jaune et verte se mettaient à clignoter devant mes yeux. Des cris d'appel pour un brancard. Tout mon être sensible s'est comme contracté et concentré sur cette fracture de mon radius fracassé et martyrisé. J'ai compris, même au travers de la douleur, que mon époque rugby était terminée.

Mercredi 23 avril
Lucy et moi sommes allés à Innsbruck hier, principalement sur les instances de Mère, qui nous a pourvus à cet effet de fonds généreux. Il pleuvait. Nous nous sommes assis dans un parc humide et dégoulinant, des parapluies ouverts au-dessus nos têtes, et nous avons écouté un orchestre militaire jouer du Strauss sans beaucoup d'enthousiasme. Je meurs d'envie de visiter Vienne, mais Mère prétend que c'est trop loin pour un aller-retour dans la journée. Je meurs d'envie d'entendre du Wagner à l'Opéra, de voir la Votivkirche et de

me promener sur le Korso. Innsbruck m'a paru très calme, très peu d'automobiles, juste le clic-clac des calèches et le crépitement de la pluie. Lucy était d'humeur taciturne, peu communicative, et je lui ai donc demandé ce qui se passait. Elle a répliqué qu'errer dans une ville inconnue en compagnie d'un garçon avec un bras en écharpe n'avait rien de drôle. J'ai protesté : ce n'était tout de même pas ma faute, ce n'était pas comme si j'essayais de lancer une nouvelle mode en faveur de gilets de soie, de bérets multicolores ou de choses de ce genre. « Les gens vont me prendre pour ton infirmière », a-t-elle dit. Grotesque. Quelle fille difficile et inconstante peut-elle être !

Finalement, nous avons décidé d'aller nous abriter dans un café et en avons trouvé un avec une véranda vitrée où nous avons bu d'interminables tasses de café. Lucy a écrit des cartes postales tandis que je me débattais avec mon Rilke. J'aimerais parler l'allemand mais ça me paraît si horriblement compliqué : si seulement il y avait un moyen d'atteindre à un niveau modeste de conversation (c'est tout ce que je demande) avec un minimum d'effort. Peut-être ne suis-je pas un linguiste... J'ai soudain eu envie de nourriture anglaise : tourte de veau et jambon, épaule de mouton aux oignons, pudding à la confiture. Nous avons mangé un gâteau et décidé de rentrer tôt.

A la pension, aucun signe de Mère. Lucy et moi sommes donc allés au sanatorium chercher Père après sa journée de bains, massages et douches à l'eau salée. Quand il émerge de ces séances, il donne pendant un moment l'illusion d'une santé éclatante : il rayonne presque, les joues rougies, les yeux brillants. Mais il a, je dois admettre, considérablement maigri depuis les dernières vacs et, le matin, il a les traits tirés et l'air fatigué. Il ne peut pratiquement pas dormir, dit-il, à cause d'une étrange pression sur ses poumons. Il a cependant conservé un bon coup de fourchette et tape dans les morceaux de fromage, le jambon et le pain de seigle de Frau Dielendorfer avec un appétit qui semble désespéré.

Nous avons alors été témoins d'une curieuse scène. Tandis que nous approchions de l'entrée principale du sanatorium (un portique qui ressemble à l'entrée d'une galerie d'art provinciale), nous avons aperçu Mère qui attendait là, avec à ses côtés, sur les marches, un homme de haute taille vêtu d'un imperméable et coiffé d'un chapeau mou : ils se parlaient avec une certaine animation. Il est parti alors que nous arrivions. Mère a été visiblement très surprise de nous voir si tôt de retour. Elle est incapable de feindre l'indifférence, Mère : la colère, oui, le détachement, non.

– Que faites-vous ici ? a-t-elle lancé, furieuse, en dépit de ses efforts pour ne pas le montrer. Vous n'allez à Innsbruck que pour deux heures ? Quel gaspillage.

– Qui était cet homme, ai-je demandé non sans audace, je l'avoue. Un médecin ?

– Non. Oui. Un peu, oui. Un, ah, un physiothérapeute. Je lui demandais un conseil. Très obligeant.

Elle mentait de manière si inepte que nous avons eu du mal à ne pas éclater de rire. Plus tard, en comparant nos soupçons et intuitions, Lucy et moi nous sommes accordés à dire que l'homme était un admirateur. L'humeur de Lucy, je suis heureux de le noter, s'est améliorée avec la découverte de ce subterfuge. Nous avons fait une partie de canasta dans le salon et elle m'a laissé l'embrasser (sur la joue seulement) en me disant bonsoir.

Vendredi 25 avril

Ai passé la matinée à pousser péniblement Père dans son fauteuil roulant à travers les rues de Bad Riegerbach. Un fauteuil roulant peut être une chose excessivement difficile à manœuvrer si vous ne disposez que d'une main à cet effet. Père faisait fonctionner les roues de son mieux mais je lui ai demandé de s'arrêter, car dépenser toute son énergie de cette manière annulait l'avantage d'être promené dans son fauteuil. Je l'ai donc garé dans le petit parc près du bureau de poste et je lui ai fait la lecture des articles du *Times* de mercredi dernier. Il était bien emmitouflé et la journée n'était pas froide, mais chaque fois que je le regardais il avait l'air transi et mal à l'aise.

Je lui demandais de temps à autre comment il se sentait et ses réponses ne variaient jamais. « Absolument en pleine forme ! » « Comme un charme ! » Mon humeur oscillait constamment d'une ineffable tristesse à une intense irritation. Triste que son fils soit obligé de le pousser dans un *fauteuil roulant**, irrité que je sois

---

* Les mots en italique suivis d'un astérisque sont en français dans le texte.

contraint de passer mon précieux temps à le faire. Et pourtant, je ne peux pas rester très longtemps en colère contre lui. Je lui en ai furieusement voulu quand, à notre arrivée, il a offert à Frau Dielendorfer, en guise de cadeau, des pâtés, corned-beef, jambons en aspic et autres gâteries de la marque Foley. Père, ai-je protesté, nous ne sommes pas des représentants de commerce, il n'y a vraiment pas lieu de distribuer les produits Foley dans toute l'Europe. Ne sois pas aussi prétentieux, Logan, s'est-il contenté de me répondre, et je me suis senti très honteux. Je lui ai présenté mes excuses un peu plus tard – il a ce genre d'effet sur moi.

Mère m'avait ordonné de sortir Père pendant « trois bonnes heures », mais quand nous sommes rentrés à la pension, elle n'était pas là. « Elle est partie aussitôt après vous, a dit Lucy, et elle n'a pas réapparu de toute la matinée. »

Père a pris une soupe et puis s'est hissé lui-même dans l'escalier pour aller faire une sieste. Et pour la première fois je suis frappé par l'horrible pressentiment qu'il ne se rétablira peut-être jamais et je m'en veux soudain beaucoup de mon incapacité chronique à penser plus souvent aux autres et à ce qu'ils peuvent ressentir.

J'écris ceci seul, dans le salon de la pension, en écoutant le *concerto pour piano n° 1* de Brahms sur le gramophone. L'adagio est vraiment apaisant et, devant sa sereine beauté, je me demande pourquoi Lucy se montre désormais non pas exactement froide, mais d'une certaine tiédeur à mon égard. J'ai tenté de lui prendre la main dans le train en revenant d'Innsbruck, mais elle me l'a arrachée. Pourtant, cinq minutes après, elle bavardait comme une pie (au sujet du nouveau dada de son père : la lépidoptérologie) et comme si nous étions les meilleurs et les plus vieux amis du monde. Mais je ne veux pas être son « ami » : je veux être son amant.

Samedi 26 avril

Père de retour au sanatorium pour sa routine de bains de boue bouillante, litres d'eau sulfureuse et dieu sait quoi d'autre. Après le petit déjeuner, Lucy est venue dans ma chambre et m'a annoncé, à ma surprise, qu'elle avait conçu un plan, que nous avons dûment réalisé. Nous avons dit à Mère que nous allions prendre le train pour Lans où se déroulait une fête locale (une fête de quoi, nous ne l'avons pas spécifié : ç'aurait pu être une fête de la culotte de peau, pour ce que ça l'intéressait). Elle a jugé l'idée excellente. Franz, le maître d'hôtel et homme à tout faire de la pension, nous a donc conduits dans la carriole à la gare d'où, dès qu'il nous a eu quittés, nous avons regagné la vieille ville par le funiculaire.

Nous avons attendu dans une boutique de souvenirs avec vue sur la pension, faisant semblant de choisir des cartes postales pendant une bonne demi-heure avant que Mère n'émerge, splendidement attifée dans sa zibeline (« Vise-moi ça ! » a sifflé Lucy) et portant chapeau et voilette. Elle est passée devant le sanatorium en se hâtant pour gagner le Goldener Hirsch Hotel. Lucy et moi lui avons donné cinq minutes avant de pénétrer, l'air dégagé, dans le hall. Nous l'avons presque aussitôt repérée dans le salon réservé aux résidents, au fond, à demi cachée par un palmier en pot. Penchée en avant sur son fauteuil, elle parlait au type grand et maigre que nous avions vu devant le sanatorium.

Lucy a fait signe à un chasseur et lui a indiqué discrètement l'homme : « Voulez-vous avertir Mr Johnson que je suis ici, a-t-elle dit. » « Ce n'est pas Mr Johnson, l'a corrigée aussitôt le chasseur. C'est Mr Prendergast. Un Américain. » Lucy s'est excusée pour son erreur et nous sommes partis.

Je dois dire que je me sens étrangement neutre quant à la conduite de Mère. J'ai été plus impressionné par la manière rusée dont Lucy a obtenu le nom de Prendergast. Mais je dois accepter le fait (Lucy refuse d'admettre toute autre interprétation) que, en pleine maladie de mon père, sa femme semble avoir entamé une liaison avec un admirateur.

Mardi 29 avril

Lors du déjeuner, aujourd'hui, j'ai observé mon père en train de mastiquer un bout du veau rôti de Frau Dielendorfer. Il a surpris mon regard et m'a gratifié machinalement de son pauvre sourire contrit, comme s'il avait fait quelque chose de mal. J'ai éprouvé un élan douloureux pour lui et j'ai aussi senti des larmes me monter aux yeux. Mère, en pleine forme, déchaînée, irrépressible, était engagée dans une discussion bruyante avec Lucy. Pour une raison quelconque, elles s'empoignaient à propos de tissus à pois, Mère proclamant qu'au-dessus de l'âge de dix ans personne ne devrait être autorisé à en porter. « Autrement, c'est bon pour les domestiques ou les danseurs. » Plutôt sévère dans la mesure où Lucy portait une blouse à pois jaunes (dans laquelle elle était très séduisante, ai-je pensé). Mère a persévéré en ajoutant que les imprimés à pois convenaient aussi aux clowns dans les cirques. Père m'a regardé de nouveau et a cligné de l'œil. Soudain, j'ai su qu'il allait bientôt mourir.

Vendredi 16 mai. Abbey.
J'ai trouvé aujourd'hui H.-D. plus condescendant encore que de coutume quand il m'a complimenté pour la bourse d'histoire que m'a attribuée Jesus College. On aurait cru, à voir son air d'autosatisfaction, qu'il avait acquis cette place pour moi lui-même, à la façon dont on achète un brevet d'officier dans l'armée. Je vous avais dit que Jesus était le collège qu'il vous fallait, n'est-ce pas ? Et ainsi de suite, comme s'il m'avait fait bénéficier d'une immense grâce royale. « Je n'y serais pas arrivé sans vous, monsieur, ai-je dit, sans la moindre trace de sourire. Merci infiniment, monsieur. » Je crois qu'il a reçu le message. En manière d'excuses, il m'a invité à venir prendre le thé dans son cottage dimanche prochain, et m'a promis de m'en dire plus sur Le Mayne.

Peter a eu confirmation de sa place à Balliol, ce qui fait que j'aurai au moins une âme sœur à Oxford. Nous sommes allés dans le bois pendant l'heure de sport fumer une cigarette apaisante. Nous sommes tous deux d'avis qu'il est étrange et un peu dommage que Ben soit braqué à mort contre l'Université. Remarque, ai-je dit, si j'avais le choix entre Paris et Oxford, je ne crois pas que j'hésiterais longtemps. Nous avons décidé que Ben devait avoir une sorte de revenu personnel, encore que nous avons été incapables d'en calculer le montant. D'évidence, il ne s'agit pas d'une fortune ou alors il n'aurait pas besoin de travailler. « Juste assez pour ne pas avoir à s'en faire », a dit Peter sur un ton de regret. L'idée d'avoir à gagner notre vie un jour nous paraît un peu étrangère pour l'heure, mais, tous deux, nous sommes très impatients de quitter Abbey. J'ai déclaré que je finirai probablement dans la peau d'un enseignant et j'ai demandé à Peter ce qu'il rêvait de devenir : « Un romancier célèbre, a-t-il répondu. Comme Michael Arlen ou Arnold Bennett avec son yacht. » Ce qui m'a un rien surpris. Peter, un écrivain ? On croit rêver !

Le dernier trimestre s'étire, interminable. Je me rends compte, à la réflexion, à quel point les « défis » ont été revigorants, à quel point ils ont transformé l'ennui et la banalité de notre vie de pensionnaires. H.-D. m'a prêté un poème intitulé *La Terre vaine* d'Eliot, en me conseillant de le lire. Il y a quelques très beaux vers mais le reste est incompréhensible. Si je veux de la musique en vers, je m'en tiendrai à Verlaine, merci beaucoup.

Samedi 17 mai
A la préparation militaire, le sergent Tozer était d'une humeur massacrante. A le voir nous hurler dessus sur le terrain de manœuvres, on aurait cru qu'il allait exploser. Tozer nous intrigue, nous le trouvons comique, et nous saisissons donc toutes les occasions pour le questionner sur la guerre et le nombre d'Allemands qu'il a tués. Il est toujours très vague quant au nombre exact, mais donne l'impression d'en avoir occis plusieurs douzaines. De toute évidence, il n'a jamais approché du front. Aujourd'hui, je lui ai raconté que j'avais été en Autriche pour les vacances et que Karl, le majordome de la pension, avait fait la guerre aussi « face aux troupes britanniques ».
— Et quel rapport ça a avec le prix de la bière, Mountstuart ?
— Eh bien, c'est drôle de penser que vous auriez pu vous trouver face à face, monsieur, de chaque côté du no man's land.
— Drôle ?
— Vous auriez pu lui tirer dessus et lui sur vous.
— Ou bien, intervint Ben, quand vous avez attaqué le front allemand, vous auriez pu vous retrouver nez à nez.
— Je m'en serais débarrassé sans ménagement, je vous le dis. Salauds de Boches !
— Vous en auriez fait de la chair à pâté, pas vrai, monsieur ?
— Tout juste !
— Vous lui auriez enfoncé votre baïonnette dans les tripes tout de suite en le voyant, hein, monsieur ?
— J'aurais fait ce que j'avais à faire, Leeping.
— Tuer ou être tué, monsieur.
On peut continuer sur ce ton pendant une éternité, avec pour résultat que Tozer nous aime bien et nous assigne des tâches aimables. Mais il était en rogne aujourd'hui parce que les manœuvres de nuit

approchent et qu'il découvre quelle troupe d'incapables nous faisons (Abbey est opposé à Saint Edmunds). Ben déclare que la mise en boîte ne suffit plus : il faut que nous inventions un acte de sabotage mémorable.

Lundi 19 mai

Je suis allé en bicyclette à Glympton. Une chaleur immobile – une chaleur estivale, mais avec un restant de fraîcheur printanière. Nous nous sommes installés au soleil sur des transats dans le jardin de H.-D., et nous avons mangé du gâteau roulé à la confiture et bu du thé. J'ai complimenté H.-D. sur son gâteau et lui ai demandé où il l'avait acheté. Il a dit qu'il l'avait fait lui-même et je ne pense pas vraiment qu'il ait menti. Il a voulu savoir ce que je pensais du poème *La Terre vaine* et j'ai répliqué que je le trouvais un rien prétentieux. Il a trouvé ma réaction très amusante. Il m'a interrogé sur mes préférences en fait de poésie, et je lui ai dit que j'avais lu Rilke – en allemand. « Et vous trouvez que ça, ça n'est pas prétentieux ? » s'est-il écrié. Puis il s'est excusé : « J'ai hâte de lire vos propres œuvres. » Comment savait-il que je voulais écrire ? Il a répliqué que ce n'était qu'une intuition avisée, avant d'admettre que Le Mayne lui avait raconté ce que j'avais dit lors de mon entrevue.

— Montrez tout ce que vous faites à Le Mayne, m'a-t-il conseillé. Il sera franc avec vous. Et c'est ce dont on a le plus besoin quand on débute : la franchise.

— Et vous, monsieur ? ai-je dit soudain, spontanément. Pourrai-je vous montrer quelque chose ?

— Oh, je ne suis qu'un humble maître d'école. Une fois installé à Oxford, vous oublierez tout de nous.

— Vous avez sans doute raison, ai-je répondu.

Ce n'était pas mon intention, mais H.-D. me pousse à ce genre d'attitude. Il vous taquine et puis brusquement vous rabroue ; paraît vous accepter dans son cercle amical et puis vous claque la porte au nez. Ça m'est arrivé beaucoup trop souvent et maintenant je le vois venir : je lance alors une réplique dure, méchante, juste pour qu'il sache. En l'occurrence, ça n'a réussi qu'à le faire rire de nouveau.

Puis on a sonné et il est revenu dans le jardin en compagnie de la jeune femme avec qui je l'avais vu, le trimestre dernier, à l'arrêt de l'autobus. Jolie, très brune, arcs de sourcils très marqués. Il l'a présentée comme Cynthia Goldberg.

– Et voici Logan Mountstuart, a-t-il dit. Nous attendons de lui de grandes choses.

Elle m'a jeté un regard perçant avant de se tourner ver H.-D.

– James ! s'est-elle écriée. Quel terrible fardeau infligez-vous à ce jeune homme ! Je passerai les journaux au crible tout le reste de ma vie !

– Mountstuart a besoin de fardeaux, a répliqué H.-D.

– … dit-il tandis que le chameau s'écroulait, ai-je ajouté.

Sur quoi, ils ont tous deux éclaté de rire, et, un instant, je me suis senti ridiculement content de moi, et si raffiné, à l'idée de faire rire ces adultes, comme si j'étais leur égal, et j'ai éprouvé un soudain élan de chaleur pour H.-D. et l'intérêt distant teinté d'ironie qu'il me témoignait. Peut-être avait-il raison : c'était là la seule manière dont un professeur pouvait entretenir un rapport avec un de ses pupilles : à coups de piques, de provocations, de mises à l'épreuve, mais avec un intérêt sincère.

Et, nom d'une pipe, j'ai été fort impressionné par Cynthia Goldberg. H.-D. est allé quérir du sherry et elle m'a offert une cigarette. J'ai failli oser l'accepter, mais j'ai décliné l'offre en expliquant le règlement de l'école.

– Vous ne permettez pas à vos garçons de fumer ? a-t-elle demandé à H.-D. quand il a refait surface. Le pauvre Logan dit qu'il n'y est pas autorisé.

– Le pauvre Logan fume bien assez comme ça, pour l'instant. Tenez – il m'a tendu un verre de sherry.

Il a levé le sien en manière de félicitations et a parlé de mon obtention d'une bourse pour Jesus. Nous avons trinqué.

– Et, je vois, intelligent avec ça ! a dit Cynthia, l'œil plissé et moqueur.

Un moment quasi magique que cet après-midi. H.-D. a allumé sa pipe, Cynthia a fumé sa cigarette, et j'ai bu trois verres de sherry tandis que nous parlions de choses et d'autres. Un soleil tardif éclairait de l'arrière les feuilles nouvelles des pommiers en leur donnant un reflet vert acide, et les hirondelles s'étaient mises à voler en piqué et à virer sur l'aile au-dessus de nos têtes. Cynthia Golberg est une pianiste – « pauvre et qui se bat », dit-elle. Je la trouve d'une grande et émouvante beauté, intelligente, douée, à l'aise. Ah, si seulement le monde ne contenait que des Cynthia Goldberg ! J'éprouve une jalousie croissante à l'égard de H.-D. – du fait qu'il la connaisse, qu'elle fasse partie de sa vie (sont-ils amants ? Peuvent-ils l'être ?). Et que se rappellera-t-elle de notre rencontre ? Rien, sans doute. Qui ? Mountquoi ? Oh, l'*écolier* ! Un écolier. Misère ! Il faut que j'entame ma vraie vie très vite, avant de périr d'ennui et de frustration.

Vendredi 23 mai

Peter, qui n'a pas vu la succulente Tess depuis des semaines, a finalement réussi à organiser un moyen de communication. Ils se laissent des mots doux derrière une brique descellée sur un vieux montant de portail. Peter essaye d'arranger un rendez-vous aussi loin que possible d'Abbey et, ensemble, nous en sommes venus à la conclusion que le mieux serait qu'il se déroule lors de l'exercice de nuit, lequel, selon Tozer, devrait avoir lieu dans les bois autour de Ringford. Ben a cuisiné un jardinier de l'école qui habite Heringham et qui lui a parlé d'un agréable pub de Ringford appelé The Lamb & Flag. Peter a laissé un mot au portail pressant Tess de le rencontrer dans ledit pub à 9 h 30 le soir du 4 juin. Peter nous a invités à venir aussi, ce que j'ai trouvé indûment civil de sa part, mais c'est comme ça.

La séance théâtrale de l'école a eu lieu hier soir, j'ai oublié d'en parler. *Volpone*, épouvantablement mauvais. Cassell dit qu'il a une place à Christ Church – peut-être Oxford ne sera-t-il pas si mal après tout.

Jeudi 29 mai

Le sergent Tozer, Dieu le bénisse, nous a confié dans l'exercice de nuit un rôle d'une merveilleuse paresse : six d'entre nous doivent garder un poste d'aiguillage sur la ligne secondaire de Ringford quelque part sur le flanc gauche des défenses d'Abbey. La section est sous les ordres d'un type nommé Crowhurst-Joyce (un caporal) et les deux autres sont des élèves de seconde de Swinton – tous malléables, pense Ben, encore que je sois un peu inquiet quant à Crowhurst-Joyce : il fait preuve d'un peu trop de zèle soldatesque et je ne crois pas qu'on puisse le suborner aisément. Il ne nous sera peut-être pas si simple de nous échapper.

A la séance de préparation militaire, aujourd'hui, Tozer crachait le feu. Abbey est censé défendre un dépôt de munitions imaginaire dont Saint Edmund essayerait de s'emparer. Tozer était déçu d'avoir été confiné dans un rôle défensif, mais ainsi qu'il n'a cessé de le répéter comme s'il avait inventé le dicton lui-même : « Le meilleur moyen de se défendre, c'est d'attaquer. » Des patrouilles de reconnaissance offensives seront l'arme secrète d'Abbey, a-t-il insisté, de cette manière nous les garderons à distance, sans leur permettre jamais d'approcher.

— Offensives jusqu'à quel point, monsieur ? s'est enquis Ben avec l'enthousiasme voulu.

— A vous de faire preuve d'initiative, Leeping.

— Quoi… jusqu'à plus d'un kilomètre à l'avant de nos positions ?

— Le but, mon garçon, est de semer la pagaille dans les rangs ennemis.

— Donc plus vite nos patrouilles offensives établissent le contact avec l'adversaire, mieux c'est.

— Z'apprenez vite, Scabius.

Nous avons poursuivi sur ce thème une minute ou deux encore, autant pour la gouverne de Crowhurst-Joyce que pour celle des autres, afin de nous assurer que l'idée d'une patrouille offensive était fermement ancrée dans l'esprit de tout un chacun.

Jeudi 5 juin

Eh bien, ça a marché comme sur des roulettes – pour commencer. On nous a passés en revue après déjeuner et on nous a donné des fusils avec dix cartouches à blanc chacun. Puis Mr Gregory, qui avait triste mine dans son uniforme (comment a-t-il jamais pu être nommé capitaine ?) – nous a fait un discours sur l'importance de ce que nous allions accomplir. « Ceci n'est pas un jeu, a-t-il répété. Vous, mes garçons, vous serez peut-être appelés un jour à vous battre pour votre pays. Ce que vous apprenez ici vous sera d'une grande utilité. » Puis on nous a emmenés en bus dans les bois de Ringford – un mélange de boqueteaux de chênes et d'ormes, de lande broussailleuse et de quelques récentes plantations de conifères.

La section assignée au poste d'aiguillage a été déposée sur la ligne de chemin de fer. Le poste lui-même était situé sur le haut d'un remblai et nous avions une très bonne vue de la campagne au sud – d'où devaient venir les forces de Saint Edmund. La consigne était que si nous décelions la moindre activité du côté de Saint Edmund, nous devions expédier un messager à la base, et une patrouille offensive serait alors envoyée pour intercepter l'avance ennemie. Crowhurst-Joyce avait été pourvu d'une paire de jumelles.

L'après-midi et la soirée ont été frisquets et nuageux. Nous étions allongés sur le remblai (sous l'œil curieux et amusé de l'aiguilleur, qui nous a obligeamment fait un peu de thé), tandis que l'un de nous scrutait sans cesse les bois et les champs au-delà. D'après la carte dont nous disposions, nous pensions être à une demi-heure à pied de Ringford et du Lamb & Flag.

A 19 h 30 environ – et aux premiers indices du crépuscule –, Ben, qui avait les jumelles, a annoncé qu'il avait décelé des mouvements à la frange d'un bosquet d'ormes. Crowhurst-Joyce s'est précipité pour regarder à son tour :

– Peux rien voir, a-t-il dit.

– Non, ils étaient à peu près une douzaine, a insisté Ben. Je les ai juste aperçus un instant.

– Je suis volontaire pour aller vérifier, ai-je déclaré.

– Tu ne peux pas y aller seul, a protesté Peter. Je viens avec toi.

– On y va tous les trois, a dit Ben. Je vous montrerai exactement où ils étaient.

– Minute ! est intervenu Crowhurst-Joyce, sentant son autorité menacée.

– On n'attaquera pas, l'a rassuré Ben. On cherchera et puis on reviendra au rapport. Et tu pourras alors envoyer un de ces bleus à Gregory.

– Mais c'est moi qui suis en charge de cette section, a gémi Crowhurst-Joyce.

– Tu es toujours en charge, Crowhurst, ai-je dit. Mais rappelle-toi que Tozer nous a ordonné de faire montre d'initiative.

– C'est toi qui en récolteras les honneurs, a ajouté Ben. T'en fais pas.

Nous avons donc pris nos fusils, traversé la voie ferrée, glissé sur l'autre versant du remblai avant de nous enfoncer dans les bois. Une fois hors de vue, nous avons fait le tour pour rejoindre la ligne secondaire – à trois ou quatre cents mètres du poste d'aiguillage – et l'avons suivie jusqu'à ce qu'on aperçoive au loin le clocher de l'église de Ringford. Notre plan – pour expliquer notre disparition de l'exercice de nuit, ou au cas où nous serions découverts – était de prétendre que nous nous étions perdus dans les bois et avions décidé de rejoindre le gros du bataillon, ne réussissant qu'à nous perdre davantage à la nuit tombée. Nous avons caché nos fusils dans un buisson de mûriers sauvages et défait nos bandes molletières. Nous avions nos propres chemises sous nos tuniques et nos cravates dans nos sacs. Nous avions l'air un peu étrange, je dois l'avouer : pas tout à fait de soldats, et pas non plus de véritables civils. Mais Ben a affirmé qu'aucun bistrotier n'allait s'interroger sur notre tenue : nous ne ressemblions pas à des écoliers, et nous n'étions certes pas des déserteurs. Nous avons obligé Peter à ôter sa tunique, juste pour nous différencier, puis nous avons traversé une haie avant de suivre un sentier menant à Ringford. A 8 h 20, nous étions installés au Lamb & Flag autour d'une table.

Un pub agréable, ce Lamb & Flag, pas surpeuplé, et nous avons commandé des œufs marinés et des sandwiches aux sardines avec nos pintes de bière. Non sans nous attirer quelques regards bizarres de la part de familiers des lieux, tandis que l'un ou l'autre d'entre nous allait au bar repasser commande : nos pantalons kaki et nos souliers cloutés faisaient un peu « militaire », je pense, mais personne n'a posé de question sur notre présence. Le patron nous a demandé si on avait à faire avec les fouilles archéologiques de Little Bradgate et Ben – très astucieux – a répondu qu'on était en route pour aller y prêter main-forte, ce qui a paru régler le problème de notre identité.

Tess est arrivée tôt, vers vingt et une heures, et a réclamé un porto-citron. Ben et moi sommes allés au bar chercher les boissons afin de laisser aux amoureux un moment de tête-à-tête. A notre retour, ils étaient assis serrés l'un contre l'autre et se tenaient la main.

Jamais nous n'avions été aussi près de Tess et, étant donné que nous avions été les témoins de ses tendres soins, nous éprouvions, Ben et moi, du mal à dissimuler notre curiosité. Elle nous est apparue comme une brave fille rondelette avec un visage carré au teint pâle et une toute petite ombre d'un léger duvet foncé sur sa lèvre supérieure, mais une toison soyeuse un peu plus luxuriante sur ce qu'on pouvait voir de ses avant-bras. Au moment où Peter nous a présentés, elle a dit d'un ton doux : « Comment va ? » à chacun de nous, les yeux pudiquement baissés.

Peter et elle se sont parlé à voix basse, de manière précipitée et presque inaudible. J'ai deviné au ton aigu de ses propos qu'elle était tendue – une crise en gestation à la ferme – et que le plan qu'ils discutaient avait de toute évidence un caractère d'urgence. Ben et moi sommes retournés au bar chercher une troisième pinte. Je commençais à me sentir un peu ivre.

– Vise-les donc, ai-je dit. Je ne peux pas y croire. C'est comme un rêve.

– Un cauchemar, a rétorqué Ben. Comment Peter en est-il arrivé là avec cette fille ? Que lui avons-nous fait, Logan ? A quoi pensions-nous jouer ?

Nous avons continué à parler, pétris de ressentiment, tout en jetant de temps à autre un coup d'œil sur les tourtereaux, sans nous donner la peine de cacher notre jalousie. C'est presque avec haine que je regardais Peter tenant la main de sa solide campagnarde.

– Je ne peux plus supporter davantage ce spectacle, ai-je déclaré.

Ben a consulté sa montre :

– Dix heures moins dix. Il vaudrait mieux téléphoner à l'école pour leur dire qu'on est perdus.

C'est alors que la porte du pub s'est ouverte et que le capitaine Gregory, accompagné du sergent Tozer, est entré.

Vendredi 6 juin

Dans une demi-heure je dois me présenter au Lézard. Nous avons été séparés comme des prisonniers et déménagés chacun dans de nouvelles salles d'étude. Je me sens curieusement indifférent à mon sort – en fait, je crois que j'aimerais bien être expulsé. Ben est comme moi : plus tôt il pourra s'en aller à Paris, mieux ce sera, dit-il, et il m'a invité à l'accompagner. Seul Peter est en état de choc, terrifié de ce que son père pourrait faire s'il est mis à la porte.

L'unique coup de veine que nous avons eu, c'est que Tess n'a pas été découverte. Peter s'était séparé d'elle d'un bond dès qu'il a repéré Gregory et Tozer (qui s'avançaient sur nous, au bar). D'ailleurs, ils n'auraient jamais pu imaginer qu'il y avait une fille avec nous. Ils étaient d'une humeur de chien : Saint Edmund s'était emparé du dépôt de munitions avec une facilité ridicule.

Les choses ont empiré quand nous nous sommes montrés incapables de retrouver le buisson de mûres derrière lequel nous avions
caché nos fusils. Tozer s'est mis à jurer horriblement jusqu'à ce que
Gregory lui ordonne de cesser.

Parker vient juste de passer son vilain museau par la porte pour
m'annoncer que le Lézard m'attendait.

Plus tard. Je vais rester calme en racontant ceci. Je vais exposer
les faits et narrer la suite des événements dans l'ordre où ils se sont
déroulés tant qu'ils sont encore frais dans ma mémoire. Je ne dois
jamais oublier ce qui s'est passé.

J'ai frappé et on m'a ordonné d'entrer. Debout, le Lézard regardait mélancoliquement par la fenêtre, en tirant fort sur sa pipe. Il a
continué à tirer des bouffées avec moi planté là, à entendre ses
lèvres émettre des petits bruits désagréables comme ceux d'un man-
chon à gaz mal réglé.

— J'ai de mauvaises nouvelles pour vous, Mountstuart, a-t-il dit,
sans cesser de regarder par la fenêtre. Mais je ne vais pas vous
mettre à la porte, ni vous, ni Leeping, ni Scabius. Il faudrait que je
vous renvoie tous les trois. Je ne peux pas en renvoyer deux et pas le
troisième.

— Oui, monsieur.

J'aurais voulu répliquer quelque chose d'audacieux, quelque
chose du style que voulez-vous que ça me fasse, quelque chose
d'une indifférence hautaine — mais je n'ai rien trouvé.

— La mauvaise nouvelle dont je dois vous faire part m'empêche
de vous renvoyer, voyez-vous.

J'ai compris avant qu'il n'articule les mots.

— Je suis désolé de vous annoncer que votre père est mort ce
matin.

Sur ce, ce FOUTU puant de salaud m'a fouetté. Douze coups de
canne. Il m'a dit que j'étais consigné pour le reste du trimestre et
que j'aurais à rembourser le prix du fusil manquant. Puis il a ouvert
la porte et m'a jeté dehors. Il n'a pas prononcé un seul mot de com-
passion. J'espère qu'il périra dans la douleur et pourrira en enfer.

Les carnets d'Oxford

Logan Mountstuart entra à Jesus College au premier trimestre de 1924. Le journal d'Oxford commence au cours du deuxième trimestre, le 24 février 1925. Entre-temps, après la mort de Francis Mountstuart, son épouse Mercedes avait vendu la maison de Birmingham et déménagé à Londres dans le quartier de South Kensington où elle avait acheté, Sumner Place, une maison en stuc blanc de quatre étages qu'elle avait richement meublée. Peter Scabius était aussi à Oxford, à Balliol College, et Ben Leeping, ainsi qu'il avait toujours juré de le faire, était installé à Paris où il travaillait dans une galerie d'art et apprenait son métier de marchand de tableaux.

1925

Mardi 24 février

A Balliol pour déjeuner avec Peter. La nourriture de Balliol est tellement meilleure que celle de Jesus : trois sortes de fromages, du pain, des crackers et un pichet de bière. Je me suis senti en proie à une étrange dépression, je ne sais pourquoi. Je pense que c'est parce que Peter adore sans réserve ni critique Oxford et ce qu'il en tire, alors que je trouve l'endroit décevant et étouffant. Il a aussi reçu une lettre de Ben, et j'ai pensé, jaloux, pourquoi Ben écrit-il à Peter et pas à moi ?

J'ai ensuite assisté à King's à la conférence sur la réforme de la Constitution – inaudible, et par conséquent une perte de temps. En sortant de Balliol, j'ai rencontré Quennell[1] qui m'a dit qu'il écrivait un livre sur Blake. Je ne lui ai pas parlé du mien sur Shelley. Pourquoi ? Ai-je eu peur d'avoir l'air présomptueux ou prétentieux ? Que Quennell ait déjà publié un recueil de poèmes ne rend pas ses ambi-

1. Peter Quennell, écrivain et historien (1906-1988).

73

tions supérieures aux miennes. Je dois vraiment faire plus d'efforts pour au moins *apparaître* confiant en moi : toute cette dissimulation de mon talent sous le boisseau est pathétique.

Jeudi 26 février

Le Mayne m'a beaucoup complimenté à propos de mon essai sur Cavour et le Risorgimento, et il m'a invité à un de ses célèbres déjeuners, samedi. Stevens[1] m'a aimablement rappelé que je devais assister à l'appel demain ou risquer d'être consigné. Cet endroit ressemble tellement à l'école : une école où l'on peut boire et fumer, mais néanmoins un prolongement de l'école.

Vendredi 27 février

Les Invalides[2] était calme pour un vendredi. Mrs Anderson n'était pas encore ivre et m'a donc reconnu. Elle m'a préparé une assiette de sandwiches au foie gras et j'ai bu une bouteille de bordeaux en lisant le journal. Cassell a débarqué avec deux amis et m'a demandé si je voulais faire le quatrième au bridge, mais, comme ils étaient déjà à moitié éméchés, j'ai pensé qu'il valait mieux décliner l'offre – ils jouent à des tarifs trop élevés, surtout quand ils ont beaucoup bu.

Suis allé au cinéma (le Super) et vu pour la troisième fois Diana Vale dans *Sunset Melody*. Elle est pour l'heure mon idéal de beauté féminine. En rentrant, suis passé par Wadham boire un whisky avec Dick Hodge[3] – plus je le connais, plus j'aime son âme généreuse.

Samedi 28 février

A ma vague surprise, la « fiesta » de Le Mayne m'a bien plu. Quelques jeunes professeurs, un journaliste londonien (je n'ai pas saisi son nom) et une douzaine d'étudiants triés sur le volet. La maison de Le Mayne est sur Banbury Road. Nous nous sommes rassemblés dans le salon (aucun signe de la mystérieuse Mrs Le Mayne) et de là nous avons pu nous promener dans une vaste bibliothèque donnant sur une pelouse qui descend vers la Cherchwell.

---

1. Stevens, le domestique ou *scout* de LMS au collège.
2. Un club, autrefois une société de débats fondée en 1914.
3. Richard Hodge, un nouvel ami de LMS à Oxford.

La nourriture était servie dans la bibliothèque : viandes froides et tourtes avec des salades de pommes de terre, de betteraves et ce genre de choses. Suivaient des fromages et des tartes aux pommes et à la crème. Deux servantes circulaient avec des bouteilles de vin du Rhin et de bordeaux. On remplissait son assiette puis on mangeait debout ou perchés sur des bras de fauteuil ou encore assis autour de petites tables rondes – très sans cérémonie. Un peu comme à un mariage avec Le Mayne en hôte affairé et expérimenté, circulant, faisant déplacer les gens, les présentant les uns aux autres ou amorçant une conversation avec une remarque ou une observation pertinente : « Ah, oui, Toby, vous avez passé quelque temps à Rome », ou : « Logan a une opinion très controversée quant au nouveau bâtiment d'Oriel. » C'était un peu raide et guindé au début mais bien mieux qu'un dîner prié (comme chez Bowra[1]) et, à mesure que le vin coulait et que Le Mayne s'activait, on se rendait très vite compte qu'on avait rencontré et parlé à pratiquement tout le monde.

Et il y avait des femmes. Un professeur de Sommerville et deux étudiantes. Le Mayne m'en a présenté une, mais je n'ai pas compris son prénom : quelque chose Fothergill. Je lui ai demandé de le répéter.

– Land, a-t-elle dit.

– Land ? C'est un diminutif ?

– Non. Simplement Land.

Donc : Land Fothergill. Elle a dit qu'elle faisait une licence de « lettres modernes » – ce qui s'est révélé être philosophie, politique et économie. Elle est petite, avec une frange courte et sévère qui ne convient pas vraiment à son large front. Elle a d'étranges yeux vert olive et fume avec une ostentation agressive.

– Que faites-vous ? a-t-elle demandé.

– Je meurs d'ennui.

– Alors, je ne vais pas vous ennuyer davantage.

– Non ! me suis-je hâté de protester. (J'étais déjà assez séduit par elle.) Je veux dire ici, à Oxford. Je ne peux pas supporter l'endroit. Je fais une licence d'histoire, vaguement.

– Ah, une des jeunes étoiles de Le Mayne ! Eh bien, si ça peut vous consoler, je n'aime pas Oxford non plus.

---

1. Maurice Bowra (1898-1971), savant et critique. Son hospitalité à Wadham College (dont il devait devenir plus tard le directeur) était légendaire.

Elle a l'impression, m'a-t-elle expliqué, de vivre dans un genre de prison ou de caserne pour femmes. Son père est peintre (j'étais, de toute évidence, censé avoir entendu parler de lui) et ils habitent Hampstead. Je lui ai dit que j'écrivais un livre sur Shelley. Nous avons échangé nos cartes.

– Jesus College, a-t-elle lu.

– Peut-être pourrions-nous prendre un café un de ces jours ?

– Si je peux échapper à mon chaperon.

En repensant à elle maintenant, je la trouve plutôt attirante. Ces yeux étranges sont certainement capables de vous hanter.

[Note rétrospective. Pourquoi Shelley ? Je ne peux vraiment pas m'en souvenir aujourd'hui. J'avais lu ses poèmes lyriques à l'école et, comme tous les adolescents, j'étais persuadé de les avoir compris. Je me rappelle une citation de Teresa Guiccioli, la maîtresse de Byron. Elle avait connu Shelley à Pise, peu de temps avant qu'il meure, et le décrivait comme étant très grand, avec une légère voussure et des cheveux tirant sur le roux, une très mauvaise peau mais d'impeccables manières. Je crois que c'est ce bref portrait – m'offrant un Shelley que je ne reconnaissais pas – qui me stimula. Shelley devenait tout à coup réel, et pas le génie blond et mignard de l'imagerie populaire. Je voulais en savoir plus à son propos et, à mesure que j'en apprenais davantage, j'ai souhaité présenter au monde mon Shelley à moi comme le seul exact et véridique. Quels que soient les défauts du livre que j'écrivis par la suite, personne ne peut prétendre qu'il idéalisait son sujet ou faisait du sentiment autour. Et puis Shelley est mort jeune – il avait vingt-neuf ans – et la mort prématurée des surdoués a toujours fasciné les jeunes écrivains.]

Mardi 3 mars

Peter a téléphoné ce matin, à l'évidence dans tous ses états. Il a refusé d'en donner la raison, mais il m'a demandé d'aller en bicyclette avec lui jusqu'à Islip. J'ai mis de côté mon essai sur le chartisme et suis parti à la recherche de mon vélo.

A notre arrivée à Islip (en moins d'une heure – nous avons pédalé dur), nous sommes allés droit au pub. Peter est resté le regard vissé sur la mousse de son demi de bière comme s'il portait tout le poids du monde sur ses épaules.

– Mauvaises nouvelles ? ai-je fini par lui demander.

– Tess est ici.

— Tess ? Ici ? Où donc ? (C'est ainsi que l'on parle quand on est surpris).

— Ici, à Islip. Elle a loué un cottage et travaille dans une pépinière à Waterperry. Elle s'est enfuie de chez elle.

— Nom de Dieu !

— Que vais-je faire ? Elle dit qu'elle m'aime.

— Évidemment qu'elle le dit. Tu dois comprendre, Peter, les femmes…

— Et moi aussi je l'aime, Logan. Du moins je le pense. En tout cas, je veux l'épouser.

Il n'y avait rien à répondre à ça. Nous avons quitté le pub et pris une ruelle menant à une rangée de modestes cottages au toit de chaume. Peter a frappé à une porte et Tess a ouvert. Tess Clough, vue pour la dernière fois au Lamb & Flag de Ringford, voici des siècles. L'intérieur était propre et chichement meublé : une ou deux chaises, une table en chêne et un feu brûlant dans l'âtre. Tess a paru contente de me voir et m'a serré vigoureusement la main.

— Tellement heureuse de vous voir, Mr Mountstuart. Oxford paraît moins étrange quand on sait que vous et Peter êtes là juste au bout de la rue.

J'ai insisté pour qu'elle m'appelle Logan. Elle est allée faire du thé dans une petite arrière-cuisine.

— Qu'est-ce que c'est que ce bruit ? ai-je demandé. Des bruissements, des grattements un peu partout.

— L'endroit est infesté de souris.

Elle est arrivée, m'a raconté Peter, la semaine dernière, s'est installée, a acheté les quelques meubles (je suppose qu'il y a un lit à l'étage) et lui a laissé un mot chez le portier de Balliol.

— Elle a dit au propriétaire que j'étais son frère.

— Oh, très convaincant ! ai-je commenté. Tu sais ce qui se passera si le collège entend parler de ça. Les autorités vont s'en donner à cœur joie.

— Après ses petits achats, il ne lui restait d'argent que pour une semaine de loyer. Alors j'ai versé trois mois d'avance.

— Tu es pire qu'Alfred Duggan[1]. On va penser que tu entretiens

---

1. Alfred Duggan, beau-fils de Lord Curzon, un contemporain de LMS à Balliol (1923-1926), célèbre parce qu'il se rendait presque tous les soirs à Londres « pour avoir une femme ».

une maîtresse : « Vous connaissez Scabius ? Le type de Balliol qui entretient sa maîtresse à Islip. »

Puis Tess est revenue avec le thé et nous avons parlé de choses et d'autres. J'ai découvert que, dans le village, Tess se faisait appeler Tess Scabius. Toute l'affaire va sûrement leur retomber d'ici peu sur la tête. Mais le loyer ne coûte qu'une livre par semaine et Peter peut se permettre ça. Il apparaît aussi que Tess est plus vieille que nous – elle a vingt-deux ans. Elle avait l'air plutôt jolie assise près du feu dans sa robe bleue imprimée. Peter affirme qu'il lui suffit d'attendre d'avoir vingt et un ans et qu'alors « son père pourra aller se faire pendre ». De belles phrases. Tout ceci lui est plutôt monté à la tête : cette histoire me semble trop riche et trop romantique pour arriver à Peter. J'ai veillé très tard et j'ai écrit une longue lettre à Ben afin de l'informer de ces nouveaux et excitants développements.

Mercredi 18 mars

Café avec Land Fothergill au Cadena. Elle portait un manteau de velours assorti à ses yeux. Nous avons échangé quelques propos guindés sur Mussolini et l'Italie, et j'ai été embarrassé de constater combien elle est mieux informée que moi : des opinions fortes et nourries de détails précis, tandis que les miennes semblent sorties tout droit des éditoriaux du *Daily Mail* – du moins de ceux que je me suis donné la peine de lire. Je me pardonne en me rappelant qu'après tout elle étudie la politique, mais le fait demeure qu'ici, à Oxford, mon cerveau moisit, abruti et abasourdi par l'incessante clameur des cloches. Je dois chez Blackwell 18 £ de bouquins, 73 £ chez Halls pour des costumes ; auxquels s'ajoutent les 10 £ de faux frais d'intendance du collège et dieu sait ce que le marchand de vins va me faire cracher. Dick Hodge m'a demandé d'aller avec lui en Espagne à Pâques et je suis tenté. Il prétend que dix livres nous suffiront, tout y est si bon marché, surtout si on voyage en troisième classe. Peut-être attendrai-je l'été. L'idée de Londres me plaît assez – ce Londres encore virtuellement inconnu de moi, après tout.

Vendredi 10 avril
Sumner Place, South Kensington

Mère a transformé la maison. A l'extérieur, le stuc blanc resplendit.

A l'intérieur, tout n'est que murs laqués, rideaux et tissus d'une richesse et d'un éclat à faire pleurer. Elle a décoré le dernier étage à mon intention : ma chambre et mon dressing-room sont d'un orange brûlé sombre avec des rideaux vert émeraude, et j'ai aussi un petit salon où les couleurs sont inversées. Nous avons un maître d'hôtel, nommé Henry, un chauffeur (et une nouvelle automobile) nommé Baker, une cuisinière nommée Mrs Heseltine et deux (vieilles) servantes nommées Cecily et Margaret. Mère a aussi sa propre femme de chambre, Encarnación. Elles se parlent sur un ton vif et bruyant en espagnol, à la visible consternation des autres domestiques. De toute évidence, nous sommes riches : Père n'avait pas tort d'affirmer que nous serions bien pourvus.

Et, pour la première fois, sa très discrète présence dans ma vie me manque vraiment. C'est aujourd'hui vendredi saint et mère m'a demandé si je voulais aller assister au chemin de croix au Brompton Oratory, mais j'ai décliné l'offre. Le jour de l'enterrement de Père, ma foi – ce qu'il en était – est partie avec lui dans sa tombe. Shelley avait tellement raison : l'athéisme est une nécessité absolue dans le monde qui est le nôtre. Si nous devons survivre en tant qu'individus, nous ne pouvons nous appuyer que sur les ressources fournies par l'esprit humain – les appels à une ou des divinités ne sont qu'une forme de comédie. Autant hurler à la lune.

Ce soir, au dîner, Mère a annoncé qu'elle partait lundi passer une semaine, ou peut-être dix jours, à Paris. J'ai dit qu'elle méritait des vacances après tous ses travaux de décoration.

– J'y rencontrerai un ami, a-t-elle ajouté sur un ton d'une atroce mièvrerie. Un gentleman américain de ma connaissance – Mr Prendergast.

Ah ! Le fameux Mr Prendergast, ai-je pensé. Mais j'ai feint l'ignorance :

– Qui est ce Mr Prendergast ?

– J'espère que vous deviendrez amis.

– Je ne peux pas vous empêcher d'espérer, Mère.

– Ne fais pas d'histoires, Logan. C'est un homme très gentil – *muy simpático*. Il me donne de très bons conseils pour mes investissements.

J'ai dit que je serais ravi de le rencontrer. Peut-être tous ces domestiques, tout cet étalage ostentatoire sont-ils le résultat des talents financiers de Prendergast. Je lui ai demandé si je pouvais inviter Dick Hodge à venir habiter ici pendant son absence. Elle n'a pas fait d'objection.

Samedi 18 avril

Mère est encore en voyage et Dick Hodge est toujours ici, bien que, aujourd'hui, lui et moi soyons tous deux très mal en point. Hier soir, nous sommes allés au Café Royal boire du champagne. Puis à l'Alhambra, assister au spectacle. Après quoi, au club 50-50, nous avons continué à boire, du cognac cette fois, et nous avons bavardé avec deux prostituées, Dick très direct avec elles – c'était du plus haut comique.

DICK : Combien ?

PREMIÈRE PROSTITUÉE : Ça dépend de ce qu'on est amenées à faire, pas vrai ?

DICK : Je veux connaître vos tarifs.

DEUXIÈME PROSTITUÉE : Qu'est-ce que tu crois qu'on fait ? Qu'on travaille aux pièces ?

DICK : Je ne m'assiérais pas dans un restaurant sans savoir ce que va me coûter le repas, si ?

Elles ont eu vite assez de nous et se sont éloignées. Dick m'a raconté qu'il avait été dans un bordel de Madrid et que le résultat de l'expérience « n'avait rien de bien notable ». Nous sommes rentrés à la maison, j'ai déniché du porto et nous sommes restés à boire jusqu'à tard dans la nuit. J'ai fumé la moitié d'un cigare et c'est pourquoi, je pense, je me sens si bizarre ce matin. Dick m'a demandé si j'avais jamais embrassé un garçon. J'ai confessé que je n'éprouvais aucune passion pour les garçons. Il a dit qu'il en avait embrassé des douzaines à l'école (Harrow) mais, a-t-il ajouté, il n'y avait pas d'autre perspective et chacun désirait charnellement quelqu'un. Je lui ai raconté mon affaire avec Lucy et il a paru très impressionné. « Je refuse le sexe sans amour », est la dernière phrase que je me rappelle lui avoir entendu dire.

Lundi 20 avril

Dick est parti ce matin pour Galashiels. J'ai demandé à Baker de nous conduire à King's Cross et j'ai éprouvé un grand élan d'affection pour lui (Dick, pas Baker). Je pense qu'il est bon que j'aie un autre ami à côté de Ben et Peter, quelqu'un qui ne m'a pas connu à l'école et qui me prend tel que je suis aujourd'hui. Mais, au moment de passer la barrière pour aller attraper son train, il ne m'a même pas serré la main : il a fait un signe avec son chapeau en disant « retour au bercail ! » et s'en est allé sans un regard en arrière.

Il me déconcerte, Dick. Il est d'une intelligence profonde, pénétrante – il prétend, par exemple, détester Shakespeare – mais cette intelligence semble engagée dans une bataille permanente avec son franc-parler sans complaisance. Dieu sait ce qu'il pourrait sortir à Mère. C'est cette totale sincérité qui m'attire chez lui, et, me connaissant, il est facile de comprendre pourquoi un tel trait de caractère me fascine. Mais que voit Dick Hodge en Logan Mountstuart ? Si l'on doit en juger par sa manière de me laisser tomber, la réponse est : pas grand-chose.

Mère a télégraphié qu'elle revenait de Paris demain. Mr Prendergast sera du voyage mais il descendra au Hyde Park Hotel.

Vendredi 22 mai

Peter et moi avons pédalé jusqu'à Islip pour aller prendre le thé avec Tess. Étonnant, mais le ménage continue à être ignoré de tous : des parents de Peter, des autorités de l'université et des bons bourgeois d'Islip. Cela est dû en partie au fait que la pépinière de Tess est suffisamment éloignée du village pour empêcher tout ragot de se propager. Dans la pépinière, elle est simplement une gentille fille qui habite Islip et s'y connaît en plantes. Et ce que les gens d'Islip voient d'elle, quand elle n'est pas au travail, ne suscite aucun soupçon. Elle paie ses factures et, de l'avis général, est très aimée de ses voisins. Les visites occasionnelles de son « frère » étudiant à Oxford ne provoquent aucun commentaire. Peter m'a raconté qu'il avait passé un long week-end avec elle pendant les vacances. Ils ont vécu maritalement, a-t-il ajouté (il n'avait nul besoin d'entrer dans les détails). Il lui voue un amour sans limites.

Le cottage avait un air pimpant, immaculé, avec toutes sortes de fleurs dans le jardin (il faut que j'apprenne le nom des fleurs, ça m'ennuie cette ignorance. Si je peux identifier une douzaine d'arbres, les fleurs ne devraient pas être hors de ma portée). Les lattes du plancher viennent d'être revernies, avec de petites carpettes çà et là, des rideaux aux couleurs vives pendent aux fenêtres, il y a un petit buffet et, devant la cheminée, deux fauteuils. Peter, toutefois, avoue que Tess et le cottage pèsent lourd sur ses finances, et il m'a emprunté dix livres pour l'aider à boucler le mois.

Nous avons bu du thé et dévoré des piles de sandwiches aux anchois, Tess très charmante et, à sa manière de fille du grand air, plus jolie que jamais, à mon avis. Peter est sorti chercher des cigarettes et elle m'a dit qu'elle ne savait pas s'il était possible d'être plus heureux. Elle ne demandait rien d'autre à la vie que ce qu'elle avait maintenant : son travail à la pépinière, son cottage et Peter. Combien c'est enviable ! Peut-être est-ce là la réponse, peut-être est-ce là la manière de trouver le vrai contentement : vivre votre vie à l'intérieur d'horizons confinés. Avoir des buts modestes, des ambitions réalisables. Hélas, peu d'entre nous en sont capables.

Mercredi 3 juin

Le Mayne a donné hier soir, dans un cabinet particulier au Mitre, un dîner en l'honneur d'Esmé Clay[1] et de son mari. Une réception très chic qui doit avoir coûté un paquet. L'ambition de Le Mayne est, je crois, de voir son cercle jugé plus mondain et sophistiqué que ceux de Bowra et d'Urquhart, et son influence s'étendre au-delà d'Oxford et du monde universitaire, sans devoir être composé soit d'homosexuels vachards soit d'intellectuels austères. D'autres de ses amis étaient venus de Londres et je devrais, je suppose, me sentir flatté d'avoir été invité. Esmé Clay est en pleine répétition, au Palace, d'*Antoine et Cléopâtre* (« Dieu, que je déteste cette pièce », s'est écrié Dick quand je lui ai parlé de l'invitation).

Land Fothergill était là aussi, vêtue de noir transparent, éblouissante de strass et coiffée d'une sorte de petite tiare en plumes. Maquillée, elle semblait très différente. Elle m'a présenté à Esmé Clay elle-même (une amie de la famille) avec qui j'ai longuement bavardé. Je tremblais comme un enfant, tant j'étais excité de parler avec cette belle et célèbre actrice – c'était abject. J'avais mis mon nouveau smoking et mon gilet blanc à double boutonnage, et je me sentais à la fois très chic et très mal à l'aise : je mourais de chaud. J'ai à peine remarqué ce que nous mangions – je dévorais du regard

---

1. Esmé Clay, actrice (1898-1947). A péri noyée au cours d'une promenade en bateau au large de Minehead, Dorset. Elle connut ses grandes heures de gloire dans les années vingt.

Land, assise à côté de Le Mayne, ce que j'ai noté avec inquiétude.

Plus tard, au moment du café, je lui ai demandé si elle voulait venir avec moi prendre un cocktail ou une coupe de champagne aux Invalides, mais elle m'a rappelé qu'elle était obligée de rentrer au collège.

« Nous, les filles, au contraire de vous, les garçons, nous ne devons pas être corrompues par Oxford, a-t-elle lancé en me regardant droit dans les yeux. Rien de fâcheux ne nous arrivera jamais à Oxford. » Elle a soufflé un panache de fumée de sa cigarette en direction du plafond. « C'est parfait pour vous, mais nous, on nous surveille de très près. » J'ai répliqué quelque chose d'idiot, du genre : quel dommage, ou, comme c'est absurde. Elle m'a alors dit : « Pourquoi ne venez-vous pas me voir à Londres ? » Et elle m'a donné l'adresse de ses parents à Hampstead.

C'est une étrange jeune femme, Land, mais j'éprouve une puissante attraction sexuelle pour elle – et je crois qu'elle le sait.

Jeudi 4 juin

Ma vie de Shelley marche bien – plus de cent pages écrites –, mais j'ai plutôt négligé mes cours d'histoire. Le Mayne a dit que mon dernier essai était insuffisant, en dessous de la moyenne, et il m'a rappelé que la bourse que m'avait octroyée le collège n'était pas un simple prêt sans intérêt. Je pense que j'intitulerai mon livre *Les Imaginations de l'esprit*[1]. Quennell m'a raconté qu'il avait abandonné sa biographie de Blake.

Mère m'a écrit qu'elle se rendait à New York (avec Mr Prendergast) pour « consolider ses investissements américains » – quoi que cela signifie.

J'ai dormi...
sous des tonnelles de mousse verte et pourpre
les bras doux et laiteux de notre jeune Ione
noués alors comme à présent derrière mes cheveux noirs
humides...

[Shelley : *Prométhée délivré*]

---

1. D'après le poème de Shelley, « Mont Blanc » : « Et que serais-tu, et la terre et les étoiles et la mer,/ Si pour l'imagination de l'esprit humain/ Le silence et la solitude n'étaient que vide. »

Je ne peux que penser à Land tandis que ces vers résonnent dans ma tête : « Des bras doux et laiteux… » Folie de désir sexuel, sombres rêves de son corps nu. Toute pensée de la cousine Lucy désormais de l'histoire ancienne.

Vendredi 19 juin

Nuit d'orgie aux Invalides. Dick et moi avions dîné au Spread Eagle dans Thame, une soirée d'adieu et de célébration de la fin du trimestre. Sur le chemin du retour nous avons fait arrêter le taxi dans Iffley Road et sommes entrés aux Invalides prendre un dernier verre. Alors que j'inscrivais Dick sur le registre, j'entendis un énorme brouhaha de rire, de cris et de musique. J'ai demandé à Mrs Anderson ce qui se passait. Elle était complètement ronde ; la bretelle de sa robe avait glissé de ses épaules, laissant entrevoir un horrible dessous.

« Certains jeunes gens se sont habillés en dames », a-t-elle éructé.

En fait, il n'y avait que deux « dames » que nous avons vues en montant et j'en ai reconnu une, Udo von Schiller, un ami allemand de Cassell. Cassell était là aussi, déguisé en grand veneur et nous a expliqué qu'ils avaient assisté à un bal masqué dans une maison près de Burford mais avaient été jetés dehors pour décadence par le père de leur hôte. Il nous a demandé, à Dick et à moi, de nous joindre à leur groupe et je ne sais trop pourquoi nous avons accepté. Dick s'est mis au piano (il est remarquablement doué), on a commandé encore à boire et les choses sont allées de mal en pis.

Udo – qui, je dois dire, était extraordinairement mignon en perruque et robe de cocktail –, m'a emmené dans la bibliothèque où se déroulait une partie de strip-poker. Je ne me suis pas attardé. Un type se promenait à poil, la verge en l'air, et rafraîchissait les boissons. Alors que je tournais les talons pour regagner le chœur autour du piano, un petit homme blond, complètement ivre, m'a attrapé par le bras et m'a dit : « Embrassez-moi : vous me rappelez un ami qui est parti. » Je l'ai donc embrassé et il a fourré sa langue dans ma bouche, (comme Lucy l'avait fait) et s'est emparé de mon outil. Je l'ai repoussé assez brutalement et il est allé se cogner contre les lambris, l'air un peu abruti et nauséeux. « Vous avez eu votre baiser, ai-je dit, et ça s'arrête là ! » Udo, témoin de la scène, s'est mis à applaudir au moment où je sortais.

[NOTE RÉTROSPECTIVE. 1966. Je suis de plus en plus convaincu que ce blond jeune homme était en fait Evelyn Waugh [1].]

Mardi 21 juillet

A Hampstead aujourd'hui pour rencontrer Land et sa famille. J'éprouve un peu d'appréhension, n'ayant encore jamais rencontré un peintre célèbre (son père est Vernon Fothergill R. A. [2], fameux pour ses paysages anglais très colorés de style fauviste). Je m'inquiète aussi de ce que je vais porter. Mère a suggéré mon « magnifique tweed », mais il fait trop chaud. Je regrette de ne pas avoir un costume en coutil, mais je ne peux vraiment pas aller en acheter un maintenant. Vais-je envoyer Baker chez Harrods ou Army & Navy, voir ce qu'il pourrait trouver ? Ridicule. J'ai acheté tant de vêtements l'année dernière que je devrais trouver quelque chose d'approprié.

Plus tard. En fin de compte, j'ai mis un blazer avec un pantalon fauve, une chemise rayée et un nœud papillon (Abbey Premier XV). Land m'a ouvert la porte et a éclaté de rire : elle a décrété que je ressemblais à un représentant de commerce en goguette. Très comique, ai-je répliqué, en réussissant à glousser avec ironie, mais du coup je me suis senti trop habillé. Elle portait un genre de blouse de peintre et des culottes de golf. Elle avait les pieds nus. Elle m'a conduit à travers la maison jusqu'à une terrasse à l'arrière avec un grand figuier qui surplombait une pelouse en pente, le parc et au-delà, en flou, la ville immense, noyée dans la lumière légèrement brumeuse de midi. Une table était mise sous le figuier, complétant une scène enchanteresse. Trois ou quatre chiens de race indéterminée flânaient autour.

Son père était dans son atelier avec un ami, m'a-t-elle dit, tout en me versant un punch au cidre. Sa mère et son frère, Hugh, allaient nous rejoindre, et peut-être d'autres gens encore. « C'est toujours maison ouverte au déjeuner ici », a-t-elle ajouté comme si c'était la chose la plus naturelle du monde. La maison est très grande,

---

1. Ceci paraît peu probable. Le journal de Waugh ne couvre pas la date précise en question, mais il se trouvait de temps à autre à Oxford durant cette année-là.

2. R. A. : membre de la Royal Academy.

construite dans tous les sens, pas très ancienne, très genre artisanal, dirais-je, avec des prétentions faussement Tudor – cheminées de briques en spirale très hautes, fenêtres à petits carreaux et, à l'intérieur, poutres apparentes et tribune de musiciens dans le vaste salon. L'endroit est rempli de tableaux et de meubles de toutes sortes, très patinés par l'usage. Une demeure très habitée. J'ai adoré, bien entendu. L'antithèse de Sumner Place.

Hugh Fothergill, le frère, est arrivé, portant une chemise d'un écarlate éblouissant et pas de cravate. Il est grand, élancé, maigre, avec des cheveux en broussaille et une mâchoire proéminente. Il vient de terminer ses études de médecine et doit donc avoir dans les vint-cinq-vingt-six ans. Nous n'avions pas été présentés depuis cinq minutes qu'il m'informait qu'il était socialiste. Mrs Fothergill (« appelez-moi Ursula ») est grande aussi et un peu distante, comme perdue dans ses pensées, ne donnant à l'assistance que soixante-quinze pour cent de son attention. Puis le vieux Vernon a fait son apparition – corpulent et rougeaud –, ressemblant plus à un patron de pub qu'à un peintre. Avec lui se trouvait l'ami appelé Henry Lamb[1], un artiste lui aussi, je pense. Au cours du déjeuner, Lamb m'a demandé si je connaissais Lady Ottoline Morrell et si j'avais déjà été à Garsington[2]. « Je ne crois pas que Logan aurait une bonne opinion de Garsington », a lancé Land. Je n'ai pas compris pourquoi elle avait formulé ce jugement, puis n'avait plus dit un mot. Lamb m'a regardé un peu de travers après ça, comme si j'étais un vieil empaillé. Elle peut être vraiment exaspérante, Land. Nous avons eu du rôti de bœuf froid avec de la sauce au raifort, de la salade, et du vin ou de la bière, au choix. Pour montrer combien j'étais peu empaillé, j'ai bu de la bière.

Après le déjeuner, Land et moi nous avons pris deux des chiens et nous sommes partis nous promener dans le Heath. Assis sur l'herbe à l'ombre d'un arbre, nous avons fumé une cigarette. A un moment, elle s'est allongée, les bras en croix, et je pense qu'elle s'attendait à ce que je l'embrasse, mais, je ne sais pourquoi, j'avais perdu toute

---

1. Henry Lamb, peintre (1883-1960).
2. Lady Ottoline Morrell (1873-1938), hôtesse et protectrice des arts. Sa maison de campagne se trouvait à Garsington, non loin d'Oxford, où elle recevait écrivains et peintres.

audace. La journée avait été trop écrasante : j'étais trop déconcerté par cette famille.

J'ai donc dit :

– Pourquoi est-ce que je n'aimerais pas Garsington ? Je pense que j'adorerais.

– Oh, sûrement pas. Qui que vous soyez, Logan, vous n'êtes pas un snob.

– Est-ce que Yeats est un snob ? Et D. H. Lawrence ? Huxley ? Strachey ? Virginia Woolf ?

– Peut-être, pour ce que j'en sais. De toute manière Garsington est si *passé* maintenant, tellement avant-guerre.

– Comment savez-vous que je ne suis pas un snob ?

Elle m'a regardé de sa façon directe habituelle.

– Je le devine. J'abomine le snobisme. Je ne vous aurais jamais invité à déjeuner si je vous en avais soupçonné un seul instant.

– Je pourrais être un snob intellectuel, ai-je dit.

– Eh bien ça, c'est pardonnable. Ça concerne le cerveau, pas la classe sociale. C'est le snobisme de classe qui corrompt ce pays. C'est ce que dit Hugh, en tout cas.

Nous sommes rentrés en flânant à l'heure du thé. Nous avons décidé d'aller ensemble un soir au cinéma. Peut-être l'embrasserai-je là-bas, maintenant que j'y pense, dans l'obscurité, quand je ne pourrai pas voir ce regard dans ses yeux.

Vendredi 24 juillet

Mr Prendergast à dîner. Il commence à bien me plaire – un homme mince, sobre, pensif. Il se montre d'une incroyable politesse, soupesant chacune de mes remarques comme s'il s'agissait d'un aphorisme philosophique d'une grande profondeur. « Oui, il fait vraiment un froid absolument hors de saison, Logan. » « Oui, en effet, pourquoi seuls les Anglais servent-ils de la sauce à la menthe avec l'agneau ? » Impossible de s'en offenser, mais je n'arrive absolument pas à comprendre ce qu'il voit en Mère et vice versa.

Un télégramme surprise suivi d'un appel téléphonique de Roderick Poole. Nous déjeunerons ensemble la semaine prochaine. Ça doit bien faire dix ans que je l'ai vu pour la dernière fois, à Montevideo, ma maison perdue, mon pays natal. Et puis une carte postale de Land. Elle est en Cornouailles. Que fait-elle là-bas ? Pourquoi ne m'a-t-elle rien dit ? Et notre séance de cinéma ? Et je serai parti pour l'Espagne avec Dick avant qu'elle ne revienne. Que c'est ennuyeux !

Mercredi 29 juillet

Roderick est devenu très soigné de sa personne. Il est plus rond, perd ses cheveux, mais il voit toujours le monde à travers son filtre de cynique paresseux. Nous sommes allés à l'Étoile dans Charlotte Street, très agréable aussi. Il travaille dans une maison d'édition du nom de Sprymont & Drew, où il est responsable des manuels scolaires et des livres pour enfants. Selon lui : « Il faut vraiment voir l'égocentrisme de l'auteur de livres d'enfants pour le croire ! »

Il m'a examiné sous toutes les coutures, m'obligeant à me tourner sur le trottoir devant le restaurant avant d'entrer.

— Eh bien, tu t'es certainement amélioré, a-t-il déclaré, et tu es très bien habillé par-dessus le marché.

Nous avons commencé par des huîtres.

— Comment marche ton bouquin ? s'est-il enquis.

— Quel bouquin ?

— Tu dois sûrement être en train d'écrire un livre, non ?

— Il se trouve que oui. Comment avez-vous deviné ?

— Parce que quand tu avais dix ans tu m'as dit que tu voulais être un écrivain.

— Vraiment ?

Savoir cela m'a obscurément fait plaisir : comme si un élément de ma destinée avait été confirmé. Ou bien suis-je simplement un jeune idiot sentimental ? Roderick était en bonne forme. Il exige que j'envoie *Les Imaginations de l'esprit* à Sprymont & Drew ou il ne me parlera plus jamais.

Lundi 3 août

Le bonheur mêlé de Paris en août : touristes et chaleur sur les boulevards, mais le restaurant où Ben et moi avons dîné était pratiquement vide. Après quoi, nous avons marché le long des quais de la Seine, étreints par la touffeur nocturne. Ben paraît déjà dix ans plus vieux que moi. Il a semblé réellement intéressé par les nouvelles d'Oxford et l'imbroglio Peter/Tess.

Il travaille pour une galerie petite mais plutôt chic – Auguste

Dard – dont la politique est très moderne : Gris, Léger, Pinsent, Brancusi, Dax, etc., et, bien entendu, tout Picasso ou Braque sur lequel ils peuvent mettre la main. Il pense que je suis fou d'aller en Espagne en août et n'a pas été convaincu par l'argument (de Dick, je l'admets) que les pays étrangers ne peuvent être vraiment connus que dans leurs conditions climatiques les plus extrêmes : la chaleur torride de l'été ou la main de fer de l'hiver.

Mardi 4 août

Dans le train Paris-Biarritz. Avant mon départ, Ben a insisté pour que j'achète une petite huile sans cadre de Derain. Il m'a avancé les sept livres nécessaires et s'est chargé de l'emballer et de l'envoyer à Sumner Place (j'ai télégraphié à Mère de rembourser Ben). Je lui ai dit que je ne pouvais pas réellement me le permettre, surtout avec toutes les dettes que j'ai à Oxford, mais il a insisté. Fais-moi confiance, répétait-il, tu ne le regretteras jamais. C'est notre énorme chance, a-t-il ajouté, d'être ici à Paris en ce moment avec ces artistes, même sans beaucoup d'argent. La manière dont il parlait m'a convaincu qu'il ferait fortune. J'ai remarqué que sur ses cartes de visite il s'appelle « Benedict » Leeping – plus de Benjamin. Il a voulu savoir pourquoi j'étais si peu argenté, et je lui ai expliqué que c'était délibéré de ma part. Je voyage avec dix livres seulement, encore une restriction de Dick. Trop d'argent, selon Dick, vous coupe du pays que vous visitez. Un peu de vie à la dure, l'obligation d'économiser, voire un rien de souffrance vous rapprochent de lui et de l'âme de son peuple. « J'espère que tu n'es pas l'esclave de ce Dick Hodge », a dit Ben. Pas de crainte à ce propos, l'ai-je rassuré. Dick est avec sa famille à Ostende – je me demande pourquoi il a voulu que nous nous retrouvions à Biarritz ?

Mercredi 5 août

Biarritz. Dick arrive ce soir. En attendant je me promène dans cette délicieuse *station balnéaire** pour acheter des provisions de dernière minute. Nous voyageons très léger : un sac à dos chacun contenant de la lecture, une grande bouteille d'eau de Cologne (nous n'aurons guère d'occasions de prendre un bain, a déclaré Dick, et nous ne tenons pas à sentir comme des romanichels), de la brillantine (pour la même raison), deux chemises de rechange, deux cravates, une paire de chaussures ordinaires, des chaussettes et des sous-vête-ments, et, soigneusement pliés, les pantalons de lin assortis aux vestes que nous allons porter. J'ai un panama pour me protéger du soleil, Dick préfère un béret. De jour, nous voyageons en short et chaussures de marche mais nous pouvons, le soir, nous transformer en jeunes gens relativement bien habillés.

Notre plan est de traverser à pied les Pyrénées par un des cols et puis soit de continuer à marcher, soit de prendre l'autobus jusqu'à Ségovie. De là embarquerons dans le train pour Madrid, puis poursuivrons vers le Sud en nous arrêtant où bon nous semblera, jusqu'à la Méditerranée. J'ai acheté une outre et un solide saucisson gras dont on m'a affirmé qu'il se conserverait plusieurs jours. De la fenêtre de notre hôtel, à travers une trouée dans l'échelle de secours, je vois les rouleaux crémeux des vagues venir s'écraser sur la *grande plage**. C'est cette libération qu'apporte le voyage, le sentiment de nettoyage, de purification, de débarras. Oxford n'est plus qu'un lointain souvenir, Londres est pratiquement oublié. Et Land… Qui est cette Land Fothergill en train de moisir quelque part dans de banales Cornouailles ?

Jeudi 13 août

Je suis épuisé, une épave. J'ai dû perdre trois kilos et ma peau brûlée par le soleil est brun foncé. Ségovie, Madrid, Séville et main-tenant Algésiras. Il va me falloir réfléchir à ce voyage dans le calme et la solitude. Dieu sait où est Dick.

Tout a commencé gaiement. Je l'ai retrouvé à la gare à Biarritz, nous avons dîné dans un bistrot sur le *vieux port**, puis nous avons fait un tour au casino sans oser jouer. Très tôt le lendemain matin, nous avons pris un bus qui nous a menés au pied des Pyrénées et nous avons entamé notre marche vers le col. A midi, nous nous sommes arrêtés pour déguster notre pain et notre fromage, et nous bavardions de choses et d'autres, ravis d'être dans la montagne quand, à propos de rien en particulier – non, en fait nous parlions des *Vies des poètes* de Johnson (que Dick avait apporté avec lui), j'ai dit :

– Savais-tu que le chien du Dr Johnson s'appelait Hodge ?

Il m'a regardé d'un air très bizarre :

– Qu'essayes-tu de me dire ? Vas-y, accouche.

J'ai ri.

– C'était juste une phrase en l'air, pour l'amour de dieu !

Il a jeté un œil autour de lui, puis a estourbi une mouche qui s'était posée sur son avant-bras et me l'a tendue pour que je la voie :

– Et cette mouche s'appelle Logan.

– Ne fais pas l'enfant ! ai-je dit.

– Si j'ai l'air d'un chien, eh bien toi tu as l'air d'une mouche écrasée.

– Je n'ai pas dit que tu ressemblais à un chien, pauvre gamin !

– Très bien ! a-t-il rugi. (Il s'est levé. Il était fou de rage.) Je te verrai à Avignon, le 28 !

Et là-dessus il est parti vers le sommet. J'ai attendu une demi-heure, convaincu qu'il allait revenir à la raison, mais il n'y a plus eu le moindre signe de lui, il semblait parti pour de bon. Pas question que je lui coure derrière – c'était lui qui connaissait le chemin –, je suis donc revenu sur mes pas et j'ai attrapé un bus pour rentrer à Biarritz.

Depuis, je me suis déplacé en train – troisième classe, Dick approuverait –, suivant vaguement la route que nous avions choisie à travers l'Espagne en direction du Sud. J'ai regardé autour de moi, visité églises et mosquées, palais et galeries, m'attendant toujours à moitié à le voir, son gros visage souriant sous son béret, mais rien. Et j'ai voyagé plus comme un automate qu'un touriste curieux ; ce n'est pas dans cet esprit que cette expédition était censée se dérouler et je sens que l'expérience est d'une certaine manière gâchée. Mais je serai en Avignon le 28 à l'hôtel de Londres, quoi qu'il arrive. Demain, je pars pour Barcelone, puis Perpignan, Narbonne, Arles et finalement Avignon. Mes pensées se concentrent plaisamment sur la France. L'Espagne était l'idée de Dick. Je reviendrai ici quand j'en aurai envie, quand ça me conviendra. Ben avait raison : j'ai été trop esclave des exigences excentriques de Dick et de son itinéraire. Désormais, je ne voyagerai qu'à ma propre instigation.

Vendredi 28 août

Avignon. J'ai déjeuné sur la place en face du palais des Papes, puis j'ai longé un petit canal jusqu'à l'hôtel. Et Dick était là en train de signer le registre à la réception. On aurait cru qu'il sortait d'un accident : son visage tout rouge n'était qu'ampoules et pelades. Il m'a accueilli avec une ferme poignée de main et un large sourire, sans faire la moindre allusion à notre dispute. Il m'a raconté que trois jours avant, un après-midi, il s'était assoupi sur une plage dans ce qu'il avait cru être un large coin d'ombre. Et, bien entendu, il avait dormi plus longtemps qu'il n'en avait eu l'intention, le soleil avait bougé et peu à peu l'ombre l'avait abandonné. Son visage et ses genoux en avaient pris un sacré coup, mais la douleur commençait à s'atténuer. Nous reprenons la route du retour demain. Je lui pardonne son éclat enfantin – il a été suffisamment puni.

Mardi 8 septembre
Sumner Place
Aujourd'hui j'ai embrassé Land dans un cinéma (le film s'appelait *Chevaux de bois*). Nos lèvres se sont touchées une demi-seconde avant qu'aussitôt elle me repousse et siffle : « Ne recommencez plus jamais ça ! » Chez Kettners, nous avons dégusté notre premier plat dans un silence presque total. Finalement, j'ai dit :

– Écoutez, je suis désolé. C'est juste que vous me plaisez et j'ai pensé que je vous plaisais aussi.

– Oui, a-t-elle répliqué. Vous me plaisez. Mais...

– Il y a quelqu'un d'autre.

Je me suis senti soudain très mûr, comme dans une pièce de Noël Coward.

– Qui vous a dit ?

– J'ai deviné. Qui est-ce ? Quelqu'un que vous avez rencontré en Cornouailles ?

– Oui. C'est très irritant, cette manière que vous avez de conduire la conversation.

Je l'ai donc laissée me raconter l'histoire et, à mesure qu'elle le faisait, je me suis senti de plus en plus déprimé, en même temps que je la trouvais de plus en plus belle. Pourquoi la vie doit-elle être si prévisible ? L'homme s'appelle Bobbie (c'est répugnant !). Bobbie Jarrett. Son père est Sir Lucas Jarrett, membre du Parlement.

– Sir ? Je suppose que c'est un baronnet, ai-je dit d'un ton las.

– Oui.

– Maintenant je comprends. « Lady Land Jarrett. » Oui, ça sonne plutôt bien. Et il est beau ?

– Je crois qu'on peut dire ça.

– Et riche comme Crésus ?

Un instant, j'ai cru qu'elle allait me lancer à la figure les restes de son œuf mayonnaise, mais finalement elle s'est mise à glousser. J'ai souri en retour et la vieille atmosphère d'affection a été rétablie entre nous mais je me suis senti malade : la plupart des filles seraient parties ou m'auraient insulté ou fait une scène quelconque. Mais Land m'a trouvé drôle – et c'est pourquoi je l'aime, je suppose. Voilà, c'est écrit. Et je n'avais jamais pensé non plus que j'écrirais cela : il me tarde de retourner à Oxford.

Dimanche 10 octobre
Jesus College

Je me suis rendu à l'aumônerie catholique aujourd'hui pour assister à la messe et me confesser, mais le son sinistre des cloches de tous les côtés (pourquoi y a-t-il autant de fichues cloches dans Oxford ?) et la noirceur scrofuleuse des bâtiments humides (il tombait des hallebardes) m'ont rebuté. En fait, je suis content de rester sans absolution, avec mes péchés tout à moi et à moi seul.

Je suis, en secret, devenu membre de la Golf Society du collège et, cet après-midi, je suis allé faire neuf trous à Kidlington avec un type ennuyeux du nom de Parry-Jones. La pluie avait cessé et j'ai facilement battu Parry-Jones, trois et deux. Il m'a affirmé que je pourrais entrer dans l'équipe de l'université. Je pourrais même remporter un championnat – ou est-ce un demi-championnat ? Ça pourrait en valoir la peine, juste pour pouvoir l'annoncer à Le Mayne.

Ben m'a invité à venir à Paris en janvier. Shelley et le golf m'aideront à survivre jusque-là. A Balliol ce soir pour dîner avec Peter. Il aura vingt et un ans dans quatre mois.

1926

Mardi 26 janvier

Je ne cesse de penser à Paris et de me demander si, de fait, mon avenir ne serait pas là-bas. Ma visite a été sublime, le temps froid, pluvieux et d'autant mieux. J'ai dormi sur un divan dans l'appartement de Ben, rue de Grenelle – guère plus qu'une vaste pièce, en réalité, avec un poêle dans un coin en guise de chauffage et, sur le palier, un répugnant cabinet partagé par les autres locataires. Ben dépense tout son argent en tableaux et les toiles s'entassent sur quatre ou cinq épaisseurs contre les murs de sa chambre. La plupart sont médiocres, il l'admet, mais, comme il dit, il faut bien commencer quelque part. Je crains que la peinture abstraite ne me laisse froid, sans un lien humain dans un tableau on ne parle plus que forme, dessin, couleur – et ça ne suffit pas pour une œuvre d'art. J'ai acheté un minuscule dessin de cafetière par Marie Laurencin pour trente shillings afin d'argumenter mon point de vue. J'ai dit à Ben que je ne lui échangerais pas toutes ses toiles pour ce petit bout de papier. Il a été très amusé : « Attends de voir », a-t-il répliqué.

James Joyce habite juste à côté de la rue de Grenelle et Ben le connaît vaguement, ils se croisent souvent dans la rue. Un soir, dans un restaurant du coin, Ben me l'a montré du doigt. Il portait un bandeau sur un œil et avait l'air fatigué, tendu – mais tiré à quatre épingles. Il a une toute petite tête, j'ai remarqué, plus petite que celle de son épouse qui l'accompagnait. Le lendemain, nous sommes allés chez Shakespeare & Co et j'ai acheté un exemplaire d'*Ulysse*. Ça commence bien mais je dois avouer que je m'y suis un peu embourbé et je n'en ai lu qu'environ un tiers.

Mercredi 27 janvier

Je suppose qu'il me faut noter ça. Nous quittions un restaurant de Saint-Germain-des-Prés – *Chez Loïck* – quand Joyce est entré avec trois amis dont l'un connaissait Ben. Nous nous sommes arrêtés pour bavarder et on m'a présenté. Ben, qui parlait en français, m'a décrit comme « Mon ami Logan, un scribouillard », à l'étonnement de Joyce – qui de toute évidence ignorait le mot. « Un quoi ? » a-t-il demandé. Je me suis avancé : « Un scribe », ai-je dit. « Un gribouilleur ? » a-t-il répliqué, tournant son regard à moitié aveugle vers moi. « Un genre de, ai-je approuvé, disons un gribouillitard. » Joyce m'a gratifié d'un petit sourire. « Le mot me plaît, a-t-il dit, et attention, je pourrais bien vous le voler. » Le sourire a transformé son visage pâle aux lèvres minces, et j'ai soudain pris conscience de son accent irlandais : « Piourrais – a-t-il dit. Je piourrais bien vous le voler. »

Jeudi 28 janvier

Jesus College. Horriblement froid. En allant aux toilettes ce matin, j'ai mis un chapeau, mon manteau et une écharpe pour traverser la cour, et il m'a fallu casser la glace dans le seau. Ces bâtiments sont moyenâgeux.

Les dettes de Peter augmentent de façon alarmante. Il semble que Tess ait eu une bronchite à Noël et qu'elle n'ait pas pu aller travailler pendant trois semaines : bien entendu, elle n'a pas été payée. Peter a demandé un prêt à son père, mais son père a refusé et, en fait, exige d'inspecter le compte personnel de Peter à qui j'ai encore prêté cinq livres (jusqu'ici, le nid d'amour de Tess et Peter m'a coûté vingt-cinq livres).

Je suis descendu avec mes clubs à Port Meadow et j'ai tapé quelques douzaines de balles en direction d'Osney. Les noues sont toutes gelées et j'entendais la glace se briser sous les balles. Mon drive a encore tendance à dévier, mais mes longs fers sont incroyablement fiables. J'étais seul, à part pour quelques poneys tremblants de froid – et, au début, le craquement sec de mes coups et le lointain tintement de la glace, au moment où la balle atterrissait, étaient merveilleusement exaltants. Mais le golf me rappelle constamment Père. Je me suis retrouvé songeant à ses derniers mois, aux coups de canne que m'avait infligés le Lézard le jour de sa mort, et je me suis senti de plus en plus déprimé. Ce qui fait qu'un après-midi censé être de distraction a tourné à la morosité amère. Je suis là en train de boire du whisky et de me demander si je vais aller voir Dick, à Wadham, juste à une centaine de mètres d'ici. Il me réconforte toujours, Dick, mais notre été désastreux a causé une certaine froideur entre nous et il passe la majeure partie de son temps, ces jours-ci, à New College avec un groupe d'anciens élèves de Harrow.

Samedi 30 janvier

Mr Scabius est venu à Oxford voir le principal et le doyen de Balliol. Peter est dans tous ses états parce que Tess est de nouveau alitée avec la grippe et qu'il n'ose pas approcher du cottage. Il m'a demandé d'aller au village expliquer ce qui se passait et dire qu'il ne savait pas quand il pourrait la revoir. Il a raison : après la visite de son père, les autorités du collège vont le surveiller de très près. Je

95

lui ai promis d'empaqueter quelques friandises et d'aller les porter demain en bicyclette.

Dimanche 31 janvier
Ceci n'est pas facile à écrire mais ce doit être fait. Ma main tremble.

Monter jusqu'à Islip a été très pénible, dans le froid et contre un vent vif et mordant, avec en outre la pluie qui s'est mise à tomber à plus d'un kilomètre du village. Tess ne m'a pas paru très malade (elle pensait couver un rhume). Le cottage était douillet et bien chaud, le feu allumé et les rideaux tirés. Tess s'est beaucoup activée : elle a pris mon manteau mouillé, l'a étalé sur une chaise, a préparé du thé, m'a offert des biscuits. Me retrouver seul avec elle pour la première fois était étrange, et la voir aux petits soins pour moi très agréable, comme s'il m'était donné d'apercevoir un instant ce que ce serait d'avoir une épouse : quelqu'un vers qui revenir le soir, quelqu'un qui vous débarrasserait de votre manteau pour l'étaler sur une chaise devant le feu et vous offrirait du thé. Le tableau est devenu plus excitant, sexuellement excitant, je veux dire, tandis que nous parlions sans détours de Peter, de son père et des soupçons de ce dernier. Tess m'était très reconnaissante, m'a-t-elle affirmé, de ma grande franchise et de mon aide – elle savait tout de mes contributions financières à leur ménage. J'étais, selon elle, exactement ce qu'un « véritable ami » devait être.

Au contraire de son habitude, elle s'est montrée très bavarde, contente de ma compagnie et de la possibilité de s'épancher. Elle avait complètement abandonné ce ton de distance polie qui, d'ordinaire, marquait ses conversations avec moi. A un moment, elle s'est penchée pour remplir ma tasse de thé, les pans de son châle se sont écartés et je me suis retrouvé contemplant son corps, la plénitude de ses formes... zut, pourquoi suis-je en train d'écrire comme un quelconque auteur romantique ? Ce journal exige une sincérité parfaite, une honnêteté totale. J'ai regardé en douce ses seins et sa croupe et j'ai tenté de l'imaginer nue. Elle paraissait une « gentille » fille, Tess, pudique et s'exprimant bien. Mais elle ignorait que je l'avais vue se comporter autrement avec Peter, que je l'avais vue déboutonner son pantalon et prendre sa queue en main. Il existait une autre Tess qui m'intéressait bien plus.

Puis elle m'a demandé quand Peter reviendrait et j'ai répondu que je ne savais pas, peut-être d'ici une quinzaine, peut-être plus, un mois ? Juste le temps que les soupçons de chacun se dissipent un peu. Ce qui l'a décontenancée. Elle s'est tournée pour faire face au feu et elle s'est mise à pleurer doucement, en disant : « Un mois ? Tout un mois ? » Je me suis senti vraiment navré pour elle. Elle était seule, sans amis ni famille, c'était elle qui s'était enfuie, après tout, qui avait fait le sacrifice, qui avait vécu avec les pressions quotidiennes de maintenir la fiction d'une « Miss Scabius » avec son « frère » à Oxford.

Je me suis agenouillé près d'elle et j'ai passé un bras autour de ses épaules, et, là, ses pleurs étouffés ont dégénéré en gros sanglots hoquetants et elle m'a attiré contre elle, et a enfoui sa tête au creux de mon épaule.

Je suis désolé, mais je dois avouer que le contact avec son corps a été puissamment stimulant. Cette fille chaude, jolie, en larmes dans mes bras – je n'ai pas pu m'en empêcher. Je l'ai serrée contre moi, mes lèvres se sont posées sur son cou, et avant que je puisse réfléchir ou agir davantage, nous nous embrassions avec un abandon quasi animal.

En y repensant maintenant (je viens de me verser un autre whisky), je suis certain que j'exprimais avec Tess toutes mes frustrations concernant Land, et je crois qu'elle laissait libre cours à toutes ses frustrations concernant Peter. Nous étions là, proches, intimes, partageant un secret... Nous avions besoin d'une sorte de corrélation physique à nos états d'humeur respectifs. Besoin et occasion – les ingrédients de toutes les trahisons.

Dieu sait où cela aurait pu aller, mais je suis revenu à la raison : je me suis gentiment écarté. Je me suis levé et aussitôt l'abandon l'a cédé à la gêne et à l'embarras. Nous étions tous deux hors d'haleine. Elle a rajusté son châle autour d'elle et lissé le corsage froissé de sa robe en dessous. Mais durant une brève seconde, avant qu'elle ne détourne la tête, j'ai entrevu l'autre Tess. Elle m'a regardé, je dirais, avec une expression de pure et vibrante lubricité.

Je me suis excusé. Elle s'est excusée. J'ai dit que nous avions été tous deux bouleversés, que nous nous étions laissé emporter. Elle l'a reconnu. J'ai dit qu'il fallait que je m'en aille et j'ai remis mon manteau chaud et humide.

— Reviendrez-vous, Logan ? a-t-elle demandé. Enfin maintenant que Peter… ?

— Je peux passer de temps en temps, ai-je répliqué, avec prudence. Mais seulement si cela vous fait plaisir.

— Je reviens de mon travail après dix-huit heures, mais j'ai toujours mes dimanches de libres.

— Eh bien, dimanche est une possibilité. Écoutez, je ne peux pas vous dire combien je suis désolé.

— N'y pensez plus. Ça restera entre vous et moi. Personne d'autre n'a besoin de savoir.

— Je viendrai dimanche, alors, ai-je dit, ma voix soudain mystérieusement sèche et rauque.

Je suis rentré en bicyclette au collège dans un rêve de luxure.

Bien entendu maintenant, tandis que j'écris, les doutes se sont installés – et la honte. Comment saurais-je ce qu'est un regard de pure lubricité ? Et que fais-je à avoir ces pensées fiévreuses au sujet de la jeune femme dont mon meilleur ami Peter est amoureux ? Pour ce que j'en sais, tout ce que j'interprète comme de la séduction peut bien n'avoir été que sympathie et inquiétude.

Mardi 2 février

Le Mayne s'est montré très hostile à propos de mon dernier essai sur Pitt le Jeune. « Bêta-gamma, gamma-double-plus, a-t-il décrété. Très médiocre. Que voulez-vous dire, il est mort de la goutte ? On ne meurt pas de la goutte et, de toute manière, qu'est-ce que cela a à faire avec sa carrière ? Continuez ainsi et je peux vous garantir une mention à peine passable. Que vous arrive-t-il ? »

J'ai marmonné une fausse excuse à propos de problèmes familiaux. Il a compris que je mentais.

— Mais vous ne faites pas le moindre effort ! Je peux le voir à des kilomètres. Vous pourriez vous tromper ou vous montrer têtu, ça serait permis. Mais je refuse de tolérer quiconque ne fait pas d'effort.

J'ai exprimé les habituelles promesses confuses. Il m'effraie et m'irrite à la fois, Le Mayne : je me trouve en même temps dans la situation de vouloir lui plaire et celle de vouloir lui dire que je me fiche comme de ma dernière chemise de son approbation. Est-ce là la définition d'un bon professeur ? Il me rappelle H.-D.

J'ai pris le thé avec Peter à Balliol et je lui ai donné une version revue et corrigée de ma visite à Tess. Son père, dit-il, a pensé qu'il faisait partie d'une bande de joueurs, ou qu'il buvait comme un trou : pas une seconde il n'a soupçonné qu'il menait une double vie. Mais il va falloir qu'il y aille très très prudemment. Je me suis offert à garder les lignes de communication ouvertes entre Tess et lui. Nous avons été interrompus par un type nommé Powell[1], un autre historien apparemment, que je connais un peu. Son tuteur est Kenneth Bell. Peter semble très lié avec les anciens élèves d'Eton à Balliol – où s'en trouvent des douzaines. J'ai commencé à me plaindre de Le Mayne et de l'ennui débilitant du cours d'histoire, et Powell a suggéré que je change pour la littérature anglaise. Il a un ami qui fait une licence d'anglais et qui parle avec enthousiasme d'un jeune prof du nom de Coghill, à Exeter[2]. « Juste en face de chez vous », a-t-il ajouté. Il m'a invité à venir prendre un verre : son ami pourra me renseigner.

Pas une mauvaise idée, ce changement. J'ai très envie d'envoyer balader l'histoire, quoique je perdrais ma bourse, je suppose. Est-il trop tard ?

Mercredi 3 février

Carte postale de Tess : « Cher Logan, je vous en prie, essayez de venir avant le déjeuner dimanche. J'aurai à faire dans l'après-midi. Bien à vous. Tess Scabius. » Elle ne me veut pas dans les parages à la tombée du jour. Je peux lire les signes. Et voilà pour la « pure lubricité » de son regard.

Verre avec Powell et son ami Henry Yorke, dans leur appartement de King Edward Street. Powell, affable ; Yorke a cette réserve un peu hautaine assez répandue chez les Etoniens. Je ne sais jamais si c'est le résultat d'une timidité chronique ou d'une royale assurance. Yorke a raconté qu'il écrivait un roman – « Comme tout le monde à Oxford », ai-je lancé, ce qui m'a valu un regard furieux de sa part. Il trouve Coghill merveilleux. Je pense qu'il vaut mieux que je tâte Le Mayne à propos de ce changement avant de rencontrer ce Coghill.

---

1. Anthony Powell (1905-1999). Son ami était Henry Yorke, plus connu sous son nom de romancier, Henry Green (1905-1974).
2. Nevill Coghill (1899-1980), jeune professeur influent d'Exeter College, et qui comptait Auden parmi ses protégés.

Jeudi 4 février

Une journée à la bibliothèque à écrire mon essai sur Henry VIII pour Le Mayne – je vise un alpha. Je veux qu'il comprenne que ce changement en faveur de la littérature anglaise n'a pas pour cause une incapacité de ma part à faire Histoire. J'ai rencontré Dick au King's Head – la vieille amitié est rétablie. Il avait un pied dans le plâtre et se déplaçait avec une canne. Il m'a dit qu'il s'était cassé deux orteils. Quand je lui ai demandé comment, il m'a répondu : « A la pêche. »

Dimanche 7 février

J'ai pédalé jusqu'à Islip. J'avais avec moi – cadeaux de Peter – une cartouche de cigarettes, une bouteille de gin, cinq boîtes de ragoût, un pot de confitures de prunes et un billet de cinq livres. Tess m'a prié de couper quelques bûches pour le feu et j'ai donc passé une heure dans le jardin derrière le cottage à débiter un tas de bois de chêne verdâtre que lui avait donné un voisin. Un autre voisin a montré sa tête au-dessus du mur du jardin pour demander si j'étais Mr Scabius.

– Je suis un ami de Mr Scabius. Mr Scabius est malade.

– Désolé d'entendre ça, a-t-il dit, puis, baissant la voix, il a ajouté : Miss Scabius est une charmante jeune demoiselle. Nous l'aimons tous beaucoup dans notre petite rue. Quel choc terrible que de perdre vos parents de cette manière – et si jeune en plus.

J'ai acquiescé, perplexe, avant de retourner à mes bûches.

Quand mon dos et mes épaules ont commencé à me faire mal, et que j'ai senti des ampoules me venir dans les paumes, j'ai décidé de m'arrêter.

Tandis que je me lavais les mains dans la petite arrière-cuisine, j'ai crié par-dessus mon épaule :

– Si j'étais vous, Tess, je rentrerais ces bûches, elles ont besoin de sécher un peu avant de pouvoir brûler convenablement.

J'ai entendu la voix de Tess tout près : « Pas besoin de crier, Logan. Je suis juste derrière vous. » Et j'ai senti le poids doux de son corps se presser contre mon dos et ses bras m'enlacer. J'ai fermé le robinet – le bruit de l'eau avait couvert celui de ses pas. Ses lèvres ont effleuré mon cou. « Viens au lit, Logan, a-t-elle chuchoté. »

La première fois a été terrible. Nous nous sommes glissés nus entre les draps, nous nous sommes enlacés et j'ai éjaculé presque aussitôt sur la literie. Tess est alors allée chercher le gin de Peter, nous avons bu un verre et fumé une cigarette. Je n'ai pu que m'extasier devant sa nudité. Il me semble qu'être nus ensemble pour la première fois est un souvenir bien plus durable que l'acte sexuel. Sentir le corps doux, chaud et plein de Tess contre le mien – ses seins, ses cuisses, son ventre –, c'est l'empreinte sensuelle que je garde de notre rencontre. La deuxième fois a été mieux : rapide (il semble que je n'aie été en elle que quelques secondes et que je n'aie pas pu me retenir), mais ç'a été fait : c'était réel ; « Je me sens si seule » est la seule phrase qu'elle ait prononcée en manière d'explication. Je n'ai pas posé la moindre question : j'avais mis en veilleuse le côté rationnel, analytique et moralisateur de mon cerveau. Nous nous sommes agités sous les couvertures et la courte-pointe tandis que nous nous embrassions, et que, blotti contre elle, j'explorais les possibilités tactiles de son corps. Puis elle m'a poussé hors du lit sans beaucoup de cérémonie. « Peux pas passer toute la journée ici », a-t-elle dit. Nous avons fait chauffer une boîte de ragoût, elle a beurré quelques tranches épaisses de pain et nous avons bu du gin pur. Le plus délicieux des déjeuners dominicaux de ma vie. En repartant sur ma bicyclette vers Oxford, j'étais ivre dans tous les sens du mot, mais je me souviens d'avoir pensé : maligne, la fille – le débit de bûches, un déjeuner le dimanche, un départ tôt dans l'après-midi –, aucun voisin ne jetterait la suspicion sur sa réputation sans tache.

Et me voici dans ma chambre ; j'entends le claquement des bottes dans mon escalier tandis que les cloches d'Oxford sonnent comme pour fêter cette soirée d'hiver. Je me dis : Logan Mountstuart, tu n'es plus vierge. J'ai mal aux testicules – à mes couilles, comme dit Dick Hodge – et j'essaie de ne pas entendre la voix insistante, agaçante qui me ressasse à l'oreille, c'est la fille qu'aime ton meilleur ami, la fille qu'il affirme vouloir épouser… Et je réplique : ça n'arrivera plus, ça a été un de ces moments de folie dont personne ne saura rien et nous retournerons tous deux sans problème à ce que nous étions. Peut-être qu'en le répétant je finirai par le croire. 7 février 1926. La date est marquée au fer rouge, gravée, imprimée sur l'histoire de ma vie.

101

Dimanche 21 mars

Les « dimanches Tess » sont terminés : mes dimanches sexuels relégués au rang des souvenirs. Peter est allé là-bas aujourd'hui. Il estime qu'il s'est écoulé assez de temps. J'ai eu cinq dimanches avec Tess... Nom de dieu ! j'ai presque envie de pleurer. Mais je savais que ça finirait : je n'aime pas Tess et elle ne m'aime pas. Mais, bizarrement, je suis très contrarié de savoir Peter là-bas, à ma place. Mangera-t-il du ragoût en buvant du gin ? C'était devenu un rite avec nous : d'abord séance de baise, puis gin, puis déjeuner. Je repartais toujours entre deux et trois heures de l'après-midi. Bon dieu, Tess, ton visage carré imperturbable, tes cheveux bruns épais, la manière maladroite dont tu fumes tes cigarettes. Tu aimais me masturber, comme si tu conduisais une nouvelle et fascinante expérience avec ma queue, poussant toujours un petit cri de plaisir en voyant mon sperme gicler. « Le voilà ! tu disais, je sens que ça vient, ça y est ! » Que vais-je faire sans toi ?

Mercredi 14 avril

Une impression de premier jour de printemps aujourd'hui, et Dick et moi sommes allés à pied à Whytham prendre le thé. Les routes étaient sèches et les bas-côtés pleins de pissenlits, les pointes blanches tout en volutes d'écume.

En chemin, je lui ai parlé de Tess et de nos rendez-vous du dimanche. Il m'a alors demandé qui elle était et, je ne sais pas pourquoi, je lui ai raconté toute l'histoire.

— Est-ce que Peter se doute de quelque chose ?

— Bon dieu, non ! en tout cas j'espère que non.

— Eh bien, tout ce que je peux dire (Dick s'est arrêté pour donner un coup de pied dans un caillou), c'est que c'est une manière de se conduire assez répugnante.

— Tu ne comprends pas, elle n'est pas ce genre de fille...

— Pas elle, mon vieux. Toi. Je trouve ton comportement parfaitement méprisable. (Il m'a regardé :) Tu descends rudement dans mon estime, oui rudement. Tu dois le reconnaître. C'est une histoire foutrement moche.

Et pour la première fois j'ai eu honte, un moment. Puis Dick, ayant exprimé son opinion en toute franchise, en est resté là, et nous

102

avons parlé de la grève qui se préparait et de la possibilité pour le gouvernement de la laisser vraiment se produire.

Rentré au collège et lu *North by Night* de Butler Hughes au lieu de travailler sur mon essai. Un roman racoleur mais fascinant.

Mardi 4 mai
Sumner Place
La grève a lieu – le *Daily Mail* n'est pas sorti aujourd'hui. Old Brompton Road est très calme, sans bus ni travaux de construction. Pas un ouvrier sur la grande excavation au coin de Bute Street, où on est en train de réparer les égouts ou dieu sait quoi. Juste deux pioches et une pelle abandonnées, symboliquement couchées au fond.

Je me suis rendu à la mairie de Chelsea pour me porter volontaire comme gardien de la paix auxiliaire. J'ai prêté serment et on m'a donné un brassard, un casque en acier, une matraque, et l'ordre d'aller prendre mes instructions au commissariat. Là, on m'a mis sous les ordres d'un vrai policier, le *constable* Darker. Darker est un bel homme dans le genre un peu brute, avec une grosse fossette au menton et d'épais sourcils soyeux. Quatre heures durant nous avons arpenté les rues de Knightsbridge, mais sans rencontrer le moindre signe de bagarre ou de désordre. Je n'ai connu qu'un seul instant d'angoisse quand Darker est allé explorer une ruelle à côté d'un pub en me laissant planté devant. Quatre hommes qui entraient dans le pub – des gens de la classe ouvrière, je dirais – se sont arrêtés pour me regarder fixement. « Vise-moi donc un peu ça ! Un *con– stable* spécial ! ! » Et ils ont tous éclaté de rire. Je me suis éloigné de quelques mètres en faisant tourner ma matraque au bout de sa lanière et en essayant de paraître à l'aise, tout en priant pour le retour de Darker, mais ils sont entrés dans le pub sans plus d'histoires. Darker est revenu peu après, m'a regardé et m'a dit : « Vous allez bien, Mr Mountstuart ? On dirait que vous avez vu un fantôme ! » Je ne lui ai pas parlé de ma rencontre avec ces hommes. Étrange et un peu inquiétant de penser à quel point ma peur était inscrite sur mon visage. J'ai demandé à Darker, par solidarité, de m'appeler Logan. Il m'a répliqué, un rien gêné, que son prénom à lui était Joseph. Je pense qu'il préférerait que je l'appelle *constable* ou Darker.

Téléphone de Dick Hodge : il apprend à conduire les trains à

Édimbourg. Certains trams ont été démolis par des grévistes à Hammersmith, apparemment, et selon la rumeur un agent auxiliaire aurait été lynché à mort par la populace à Leeds.

Samedi 8 mai

Darker et moi avons passé la matinée à faire la circulation au carrefour de King's Road et de Sydney Street, ce qui n'était pas très compliqué vu que les rues sont encore très calmes. Quoi qu'il en soit, Darker, ayant décidé d'aller prendre une tasse de thé et fumer une cigarette, m'a demandé si je pouvais m'occuper du carrefour tout seul pendant dix minutes. Certainement, l'ai-je assuré.

Tout se passait très bien jusqu'à ce que j'indique d'un signe à une petite automobile qu'elle pouvait tourner à gauche dans King's Road. Elle s'est aussitôt arrêtée devant le Palace Theatre et le conducteur est descendu : c'était Hugh Fothergill. La conversation s'est déroulée à peu près de la manière suivante :

MOI : Hello, Hugh. Comment va Land ? Je ne l'ai pas vue depuis…

HUGH : Qu'est-ce que vous foutez donc là ?

MOI : Je suis un auxiliaire…

HUGH : Vous êtes un jaune. Croyez-vous que cette grève est un petit jeu ?

MOI *(inquiet)* : Je pense simplement que quand le pays traverse une crise, il faut essayer de s'unir…

Sans me laisser achever, il m'a craché au visage, m'a montré du doigt et s'est mis à crier à tue-tête : « CET HOMME EST UN SALE JAUNE PUANT ! » Quelques passants se sont arrêtés et retournés. Un type en chapeau melon a hurlé : « Laissez-le faire son devoir ! » Quelqu'un a encore crié : « Jaune ! » Hugh m'a jeté un regard furibard, il est remonté dans sa voiture et il est reparti tandis que King's Road revenait à la normale. J'ai essuyé le crachat de Hugh et une minute plus tard Darker a tranquillement réapparu. « Comment ça se passe, Logan ? s'est-il enquis. Tirez-vous et allez en fumer une si ça vous fait plaisir. Y a une petite buvette au bout de Shawfield Street. » Il semble que chaque fois que Darker m'abandonne quelque chose de déplaisant m'arrive. Peut-être prétendrai-je avoir la grippe demain… Quand, plus tard, je me suis retrouvé devant la buvette avec une cigarette et ma tasse de café, mes mains se sont mises à trembler très visiblement. Choc à retardement, je suppose. Quelque chose me dit que je ne suis pas taillé pour la politique.

Mercredi 12 mai

La grève est finie. Un peu la douche froide en fin de compte. Je venais juste d'arriver au poste de police (il y avait deux autos blindées garées dehors, et des soldats autour, arme à l'épaule) quand Darker m'a dit que tout était terminé – « Le gouvernement est en pourparlers avec les syndicats », a annoncé la radio (il faut vraiment qu'on en achète une : je pense que Mère adorera à la folie). J'ai rendu mon casque et ma matraque, mais j'ai gardé mon brassard rayé en souvenir.

Ainsi la grande grève est finie et qu'ai-je à dire de cet important mouvement de notre histoire contemporaine dans lequel j'ai joué un rôle minuscule ? Je n'ai aucun commentaire très fondé à faire : mes sentiments au cours de ces neuf jours ont été en majeure partie tissés d'un ennui seulement interrompu par deux moments de peur et de honte. Pourquoi suis-je devenu un agent auxiliaire ? Je me suis proposé sans réfléchir, parce que tout le monde à Oxford était décidé à « faire quelque chose ». Ai-je donc si peur de la classe ouvrière ? Est-ce l'ombre de la Révolution russe qui incite les jeunes gens d'Oxford à s'engager ? Ironie du sort, le seul bénéfice durable que j'aurai retiré de l'affaire sera une sorte d'amitié avec un travailleur : Joseph Darker. Il m'a invité à venir prendre le thé dimanche pour me présenter à sa femme.

Une lettre de Dick. Un train qu'il conduisait a déraillé près de Carlisle et deux passagers ont été tués. Très « Dick » en quelque sorte.

Lundi 28 juin
Jesus College

Suis resté au collège pour confirmer ma location de l'année prochaine. J'ai bien aimé l'allure d'un endroit dans Walton Street, pas loin du canal, et je devrais donc pouvoir tout régler avec l'économe d'ici mercredi. Je suis impatient de déménager, mais Le Mayne est contre : « Ça ne vous incitera pas à travailler dur », a-t-il dit, en ajoutant d'un ton sinistre que, selon son expérience, les étudiants qui déménageaient hors du collège au cours de leur dernière année n'obtenaient que rarement la sorte de diplôme qu'ils méritaient. J'ai essayé de le rassurer, lui ai expliqué que je déménageais parce que je voulais travailler beaucoup mieux et que c'était la vie autour de moi au collège qui me distrayait de ma tâche.

Hier, Land et moi nous sommes rencontrés à Headington et nous avons pédalé le long des sentiers de campagne en direction de Stadhampton. Elle m'a apporté un mot de Hugh s'excusant pour sa conduite (je suppose que ce n'est pas souvent qu'on crache à la figure d'un ami de votre sœur), mais toujours désapprobateur quant à mon comportement de briseur de grève. Nous nous sommes assis sur la pelouse de Great Milton pour manger nos sandwiches. Il est clair, d'après la manière dont elle en a parlé, qu'elle est encore très portée sur Bobbie Jarrett. Je lui ai donc laissé entendre de façon détournée que j'avais eu « une liaison » moi-même mais que c'était maintenant terminé. « Une vraie liaison ? » a-t-elle demandé. « Aussi vraie que ça peut l'être », ai-je répliqué avec mon air le plus homme-du-monde.

En fait, Tess m'a sauvé de Land (et de Lucy, si on y pense). Maintenant que j'ai eu une liaison vraie et mûre avec une autre femme, je peux considérer Land avec une objectivité nouvelle – sans risquer d'avoir la vue brouillée par ces brumes rosées de passion adolescente. Dans cet esprit, je peux dire que je suis encore très attiré par elle, je l'avoue sans détour, mais si elle préfère l'honorable Bobbie Jarrett, eh bien qu'il en soit ainsi.

Nous descendions en roue libre la pente menant à Garsington quand un homme sur le bas-côté de la route a crié. Nous nous sommes arrêtés : c'était quelqu'un que Land connaissait et dont le nom – autant que j'ai pu comprendre, était Siggy (Sigismund ?) Clay [1]. Vêtu d'un costume de gros tweed qui paraissait trois fois trop grand pour lui, il trimballait un cahier de croquis et des aquarelles. Il était, avons-nous appris, invité au Manoir. Une large moustache de corsaire compensait sa calvitie précoce. Il nous a invités à venir prendre le thé au manoir – et n'a rien voulu entendre de notre refus (ce qu'on appelle une personnalité énergique). Nous avons poussé

---

1. Siegfried Clay (1895-1946). Peintre, marié brièvement à l'actrice Pamela Lawrence. Mort à Tanger après une courte maladie.

nos bicyclettes en haut de la colline et les avons garées devant la maison, à l'abri d'une des plus grandes haies d'ifs que j'aie jamais vues. Siggy nous a conduits vers une très belle terrasse en pierre sous une arcade au flanc de la maison. De là on pouvait voir jusqu'à Didcot tandis qu'à nos pieds le jardin descendait vers une pièce d'eau ornée de statues et ombragée par d'antiques chênes verts. Sigismund a sonné pour commander le thé à une servante qui lui a répliqué que le thé avait déjà été servi et débarrassé. « J'exige mon thé », a dit Sigismund, et le thé est dûment venu, accompagné de quelques sandwiches et de la moitié d'un cake aux fruits. Tandis que nous le dégustions, Sigismund nous a désigné les autres invités qui se promenaient autour du petit lac : Virginia et Leonard Woolf[1], Aldous Huxley et une certaine Miss Spender-Clay (aucun lien de parenté avec Sigismund, a insisté celui-ci, ajoutant qu'il voulait l'épouser car elle était l'une des femmes les plus riches d'Angleterre). Puis Ottoline Morrell est sortie sur la terrasse et a morigéné Siggy-chéri pour avoir commandé un second thé. « Un des plus maigres seconds thés imaginables », s'est-il plaint en retour (elle semble s'amuser de ses brusques remontrances). On m'a présenté – elle connaissait Land : qui Land ne connaît-elle pas ? Lady Ottoline portait une robe violette et un châle de cachemire. Elle a des cheveux d'un roux vif. Elle s'est montrée d'abord très charmante avec moi, a dit qu'il fallait que je revienne à Garsington et m'a demandé quel était mon collège. Quand j'ai répondu Jesus College, elle est restée un instant interdite, comme si j'avais annoncé Tombouctou ou la Chine, puis elle s'est ressaisie :

– Jesus ? a-t-elle répété. Je ne connais personne à Jesus.

– Peut-être connaissez-vous mon tuteur, Philip Le Mayne ?

– Oh, lui ! Je changerais de tuteur, si j'étais vous, Mr Stuarton.

Les autres invités remontaient à présent du lac un à un et à mesure de leur apparition je leur ai été présenté (par Siggy qui se rappelait mon nom) et j'ai donc serré la main des Woolf, de Huxley et de l'une des femmes les plus riches d'Angleterre.

– Ce jeune homme a pour tuteur Philip Le Mayne, a annoncé sur un ton éloquent Lady Ottoline à Virginia Woolf.

– Ah ! L'araignée sanctimonieuse ! s'est écriée celle-ci.

1. Voir le *Journal* de Virginia Woolf, vol. 3, 1925-1930, note du 1er juillet 1926.

Sur quoi tout le monde a éclaté de rire sauf moi. Mrs Woolf m'a toisé de la tête aux pieds.

– Je vous ai choqué, je le vois bien. Vous le vénérez, sans doute.

– Pas du tout.

Mais avant que j'aie pu ajouter quelque chose, Lady Ottoline a décrété qu'ils devaient tous monter se changer. Et donc, Land et moi, nous nous sommes éclipsés.

Jeudi 30 septembre

Mouvements : juillet, Deauville (avec Mère et Mr Prendergast). Maison agréable, temps affreux. Puis un séjour à Londres, où nous avons étouffé de chaleur. Août chez Dick, à Galashiels. Ai tiré beaucoup de gibier, n'ai rien tué, je suis heureux de dire. Ai repris la route le 20 août. Trois jours à Paris avec Ben, puis Vichy, Lyon, Grenoble, Genève. Enfin Hyères où j'étais l'invité de Mr et Mrs Holden-Dawes dans la villa qu'ils avaient louée. Hyères très jolie avec son château et ses palmiers, mais trop remplie d'Anglais. Il y a même un vice-consul anglais (un vieil ami de régiment de H.-D.), une église anglaise et un médecin anglais. James, comme il me faut maintenant appeler H.-D., aussi ironique et désabusé qu'autrefois, a interdit toute conversation ayant trait à Abbey. Cynthia est absolument délicieuse : en tant que couple, ils semblent très heureux, et leur bonheur est contagieux – je ne crois pas avoir jamais passé de toute ma vie dix jours aussi détendus. Le matin, Cynthia travaillait son piano et moi en général je partais me baigner à Costabelle. Ils avaient une très bonne cuisinière et nous dînions à la maison la plupart du temps. On bavardait, on buvait, on écoutait de la musique sur le gramophone (très diverse : Massenet, Gluck, Vivaldi, Brahms, Bruch). James a dit qu'il viendrait me voir à Oxford avant que j'en parte : j'arrive difficilement à me faire à l'idée que je vais entamer ma dernière année.

En tout cas mon meublé est très bien. J'ai une chambre et je partage un petit salon et une salle de bain avec un type appelé Ash qui fait Physique-Chimie. Par conséquent nous avons peu, voire aucun sujet commun de conversation et, quand il n'est pas dans sa chambre, il est en général au Victoria Arms, au bout de la rue, ou bien dans un laboratoire de chimie près de Keble. Notre propriétaire et son épouse, Arthur et Cecily Brewer, vivent au rez-de-chaussée.

Mrs Brewer fournit le petit déjeuner et le dîner, Le déjeuner doit être commandé vingt-quatre heures à l'avance et coûte un shilling et six pence de supplément. Je ne serai pas heureux ici, mais satisfait.

En août, Peter m'a invité à les accompagner, Tess et lui, dans un tour de l'Irlande en automobile. Je n'ai pas revu Tess depuis notre dernier dimanche ensemble et l'idée de tenir la chandelle à « Mr et Mrs Scabius » m'était insupportable. J'ai inventé une excuse, mais Peter devient soupçonneux. Il m'a demandé si Tess et moi n'étions pas un peu brouillés. « Chaque fois que je mentionne ton nom, elle change de sujet. » Absolument pas, ai-je protesté, c'est une fille épatante. Je pense à elle en écrivant ces lignes, à sa sexualité généreuse et sans complication. Elle a libéré quelque chose en moi et, même à présent, il me vient à l'esprit que la nature de votre première et dévorante expérience sexuelle détermine d'une certaine manière vos besoins et vos appétits pour le restant de votre vie. Passerai-je des années à chercher une autre Tess ? Des ongles rongés au sang seront-ils toujours pour moi un signe, une forme de marque-page sexuel ?

Vendredi 12 novembre

Dîner au George avec Le Mayne et James Holden-Dawes. Cynthia donnait un récital à Anvers et nous étions donc exclusivement entre hommes. Tous un peu sur nos gardes au début, et j'ai perçu dans l'air un climat de compétition, de possession, généré par les deux autres : qui me connaissait le mieux, à qui devais-je le plus, d'où venait l'influence la plus grande et la plus durable ? Mais nous ne cessions de boire et, après la soupe et le poisson, la détente a été perceptible. Le Mayne et H.-D. se sont mis à échanger des histoires sur des amis communs – celui-ci un membre du Parlement, celui-là un sous-secrétaire d'État, un troisième « ayant mal tourné ». Je me suis déclaré très impressionné par ce réseau de relations, le côté chef des services secrets à Oxford avec ses myriades d'espions à l'étranger, et H.-D. a dit : « Ah, oui, la toile que Philip a tissée avec soin est bien plus vaste que ne le réalisent les gens. » Puis je me suis rappelé la désagréable remarque de Virginia Woolf et j'ai raconté ma rencontre en relatant à Le Mayne l'hostilité que son nom avait provoquée à Garsington. Il s'en est montré ravi – vraiment ravi – de l'entendre et il nous a expliqué l'origine de ce ressentiment.

Il avait été invité à Garsington à deux occasions : la première n'avait rien eu d'exceptionnel (« j'avais été inspecté et reçu »), mais la seconde, en 1924, s'était révélée très difficile.

« Nous attendions d'entrer dans la salle à manger quand, d'un groupe derrière moi, j'ai entendu une femme lancer d'une voix criarde : "Non, je peux mettre une date précise dessus : en décembre 1910, le caractère humain a changé." »

Le Mayne s'est alors tourné vers la personne à côté de lui et a dit, sans réfléchir : « Si vous voulez l'exemple en une phrase d'une idiotie stupide, vous ne trouverez pas mieux que ça. » Et n'y a plus repensé. « Non, a-t-il ajouté, je crois avoir été un peu plus emphatique. » En tout cas, la remarque a été rapportée à Ottoline Morrell qui – en bonne amie – l'a aussitôt répétée à la femme à la voix criarde : Virginia Woolf.

« Celle-ci venait juste de donner une conférence à Cambridge et, fort contente d'elle, avançait son idée devant tout un chacun. Mais soudain je suis devenu *persona non grata*. A la fin du repas, Keynes est venu vers moi et m'a demandé ce que j'avais fait à Virginia. Au moment de mon départ, Ottoline a refusé de me serrer la main. »

Je me suis étonné que Woolf, une éminente romancière, réagisse aussi mal à la critique.

– Apparemment, elle est d'une susceptibilité incroyable, obsessionnelle, a répliqué Le Mayne.

– C'est la sorte d'esprit qu'elle a, a commenté H.-D. L'insécurité fondamentale de l'autodidacte. (Il a souri à Le Mayne :) Elle pense sans doute que vous êtes un peu trop intelligent pour votre bien.

– L'ultime condamnation en Angleterre, a dit Le Mayne. Je plaide coupable.

Nous avons donc continué à parler de l'intelligence et de ses multiples bienfaits (Mrs Woolf en prenant un peu plus pour son grade au passage).

– Mais on peut être trop intelligent, ai-je dit. Parfois ce n'est pas un atout mais une malédiction.

– A vous de vous tirer du problème, a rétorqué Le Mayne.

Je n'étais pas d'accord mais il ne m'a pas lâché.

– Ne dénigrez pas votre intelligence, Logan. Vous avez de la chance – vous ne savez pas à quel point vous en avez : l'ignorance n'est pas un bienfait.

Puis H.-D. a mis la conversation sur mon avenir, un peu trop habilement, ai-je pensé, comprenant que quelque chose se tramait. J'ai dit que je voulais terminer mon livre sur Shelley.

— Faites ça à vos heures de loisir, a conseillé Le Mayne. Que diriez-vous de All Souls ? Vous pourriez tenter d'obtenir un poste de chargé de cours.

J'ai repoussé l'idée en riant et le repas est devenu trop arrosé pour une conversation sérieuse. Mais alors que nous enfilions nos manteaux (Le Mayne était encore dans la salle à manger en train de parler à une connaissance), H.-D. a dit :

— Songez-y, Logan. Il est rare que Philip se montre aussi encourageant.

— Vous voulez dire que l'araignée veut un de ses hommes à All Souls ?

— Eh bien, il y a de ça, mais c'est tout de même une idée. De toute évidence, il pense que vous en êtes capable. Vous ne voulez pas finir en vieux maître d'école comme moi.

— Mais vous êtes heureux ! ai-je lâché, en repensant à Hyères et à sa vie avec Cynthia.

Il n'a pas pu s'empêcher de sourire.

— Oui, a-t-il dit. Je suppose que je le suis.

Samedi 13 novembre

Ash a frappé à ma porte ce soir et m'a offert une bouteille de stout. Nous avons donc bu de la bière et bavardé. C'est un type étonnamment plaisant : j'ai découvert qu'il jouait au golf et que — chose incroyable — il venait de Birmingham. Il déteste Oxford. Son père, juge itinérant, aurait voulu qu'il suive ses traces. Nous avons parlé longtemps, surtout de Birmingham que nous connaissons tous les deux. Maintenant qu'il est parti, je me sens indiciblement triste sans savoir pourquoi. Et puis je me rends compte que toutes ces histoires de golf et de Birmingham m'ont fait repenser, inconsciemment, une fois de plus, à mon père.

1927

Lundi 7 février

Je commence à me demander si je suis malade. Je trouve presque impossible de me concentrer. Je n'arrive à faire qu'une seule journée de travail soutenu – et ce quand je produis mon essai hebdomadaire pour Le Mayne. Je n'assiste plus aux amphis et je passe la majeure partie de mon temps au cinéma. C'est comme une drogue – serais-je en proie à une sorte de dépression nerveuse ? Le problème est né à la fin de l'année dernière et je me demande si je suis victime d'un genre de maladie de lassitude. Je me sens moins fatigué – je ne m'endors pas au cinéma – que profondément apathique et totalement sans enthousiasme. Pourtant j'ai bonne mine et bon appétit. Grâce à Ash, j'ai acquis le goût de la bière et on peut me trouver souvent, le soir, en train d'en siroter au Victoria Arms. Je préfère l'anonymat renfermé du pub au minable chaudron des Invalides dont j'ai cessé d'être membre.

Ash pense qu'il s'agit d'un malaise intellectuel : je n'aurais jamais dû faire Histoire, d'après lui. On n'apprend bien que lorsqu'on adore la matière qu'on étudie, et l'acquisition du savoir se fait alors sans effort parce qu'elle est aussi un plaisir. Il raconte beaucoup d'âneries, Preston Ash. Le Mayne ne se doute de rien : les essais satisfaisants niveau A continuent de sortir de la chaîne de production, mais depuis que je lui ai dit que All Souls ne m'intéressait pas, je soupçonne qu'il m'a un peu laissé tomber. Ash juge symptomatique aussi mon désir de plaire à Le Mayne. Il a probablement raison : pourquoi devrais-je me soucier de Le Mayne et de son opinion ? Pour être honnête, c'est parce que j'ai toujours eu assez peur de Le Mayne.

Vendredi 4 mars

J'ai calculé que, durant cette dernière semaine, j'avais été au cinéma vingt-deux fois. J'ai vu trois fois Diana de Vere dans *Automne fatal* – elle a supplanté Laurette Taylor dans mon panthéon. De tous les cinémas d'Oxford, c'est l'Electra que je préfère, mais cette semaine je suis allé en bicyclette au New, à Headington. Ash m'a dit que des bus vous déposaient à la porte, de sorte que je peux l'ajouter à mon circuit. Mercredi, j'ai assisté à deux séances d'*Automne fatal* à l'Electra, puis j'ai pédalé jusqu'au New voir *It's All Over* et suis revenu à temps pour la projection de *Secrets* au Super.

Mardi 8 mars

Je faisais la queue, après déjeuner, au cinéma de George Street quand on m'a tapé sur l'épaule. C'était Tess. J'ai failli tomber à la renverse. Elle était très élégante avec son tailleur noir et son chapeau. Elle m'a expliqué qu'elle était devenue acheteuse pour la pépinière et voyageait dans tout le sud de l'Angleterre. Elle a tendu ses mains : « Pas de terre sous mes ongles, a-t-elle dit. Regarde. » Ce que j'ai fait : ses ongles étaient manucurés et vernis. En dépit du changement, j'ai eu exactement la même réaction en la voyant : une envie folle de me retrouver au lit à Islip, à boire du gin et à baiser. Je lui ai demandé, en essayant de paraître calme, si elle voulait venir prendre un café, mais elle a répondu qu'elle devait rentrer à Waterperry.

– Pourquoi ne viens-tu pas nous rendre visite, Logan ? a-t-elle ajouté. Peter ne sait pas ce qui s'est passé – il ne le saura jamais. Il n'y a aucune raison pour qu'on ne se voie pas.

– Je ne pourrais pas, ai-je répliqué. Je deviendrais fou, d'être là sans pouvoir te toucher, te serrer contre moi.

Mes paroles lui ont fait monter les larmes aux yeux. De toute évidence, j'ai trop vu *Automne fatal*. Nous nous sommes donc dit adieu et j'ai repris place dans la file d'attente. Tout au long du film, j'ai éprouvé pour elle une pure souffrance de désir, pareille à un douloureux point de côté.

Mercredi 27 avril

Preston a une voiture dans un garage à Osney Meade – il ne cesse de me surprendre. Il m'a emmené à Buckingham et nous avons fait un dix-huit trous. Preston est un golfeur ambitieux et désinvolte : chacun de ses coups brillants se paye de trois ou quatre loupés. J'ai gagné facilement notre pari de cinq shillings.

La journée était fraîche, un peu venteuse, les sycomores et les marronniers presque en fleur, une impression générale de verdure d'une luxuriance presque obscène. Au milieu de cette abondance de jeunes pousses, j'ai été frappé par un sentiment de gaspillage, la conviction profonde d'avoir perdu mon temps à Oxford d'une manière fondamentale. Quand je pense à la dernière année d'Abbey et combien nous avions – combien j'avais – rêvé de venir ici... Nous nous sommes arrêtés à Wendlebury où nous avons bu de la bière et mangé des friands. J'ai vu un écriteau indiquant Islip et j'ai failli craquer. Preston, en revanche, et grâce à ma compagnie, s'amuse à Oxford pour la première fois depuis trois ans.

Vendredi 10 juin
Eh bien, c'est fait. Les examens sont finis, il n'y a pas à y revenir. Je crois que je m'en suis bien tiré : je suis content de la plupart des épreuves – pas de surprises effarantes, pas de crises de panique, réponses à toutes les questions. Histoire de la politique anglaise jusqu'en 1485, particulièrement bien – tout comme Chartes et droit constitutionnel ancien. Histoire économique – pas mal. Version française : étonnamment facile, j'ai trouvé. Droit constitutionnel tardif – très bon. Science politique était le dernier examen ce matin – j'ai donné des réponses concises nourries de faits.

J'ai quitté la salle d'examens avec un soulagement joyeux, pour ne pas dire d'un pas léger. Peut-être aurais-je dû travailler plus dur ces derniers mois, mais j'ai senti toute mon ancienne confiance en mes capacités naturelles revenir après les deux premières épreuves. Le Mayne m'a demandé comment je pensais que ça s'était passé. « Aussi bien qu'on pouvait s'y attendre », ai-je répondu. Il a simplement souri et dit : « Et nous attendons tous deux de grandes choses. » Il m'a serré la main. J'ai l'intention de me cuiter à mort ce soir.

Premiers carnets londoniens

Logan Mountstuart quitta Oxford avec un diplôme d'Histoire sans mention. Il fut incapable d'expliquer pourquoi il avait si mal réussi et s'était autant trompé dans sa prédiction des résultats. Il se consola en se disant qu'il n'aurait que faire d'un diplôme d'Histoire dans sa vie future et que le résultat n'avait donc pas la moindre importance. Il repartit s'installer à Londres, chez sa mère à Sumner Place, où, grâce à la rente que celle-ci lui servait, il était libre de continuer à travailler sur sa biographie de Shelley. Cependant, il se mit à voyager plus fréquemment à l'étranger et passa de plus en plus de temps avec Ben Leeping à Paris. A la différence des deux premiers carnets intimes, ce premier Journal de Londres est extrêmement vague quant aux dates. Toutes celles figurant entre crochets sont des approximations. Le journal commence vers la fin de 1928.

1928

[octobre]
Sumner Place
La pluie de Londres picotant les vitres fait rêver à Paris. Je suis étendu sur un divan, imaginant que le nouvel appartement de Ben est à moi et que je le redécore.
Couleur préférée : vert/taupe
Meuble préféré : un écritoire Louis XIV
Tableau préféré : le Vlaminck de Ben
Moment préféré : cocktails au crépuscule

Je chante l'Europe, ses chemins de fer et ses théâtres
Et ses constellations de cités...

[Valery Larbaud]

117

Mère me rend fou, à s'agiter comme une mouche à propos de mes repas et de ce que je mange : « Je me suis absenté six semaines, dis-je, vous n'avez aucune idée de ce que je mange. » « *Exactamente*, réplique-t-elle, je m'en fiche : dans ma maison, tu manges comme une personne normale. » Ce matin, au petit déjeuner, elle oblige Henry à me servir une énorme assiette de bacon, d'œufs et de champignons. J'ai un véritable haut-le-cœur. Je lui explique qu'un café et une cigarette sont à peu près tout ce que je peux supporter avant le déjeuner.

Anna[1]. L' Annamania s'installe bel et bien et je ne suis de retour que depuis hier. La dernière fois a été si bonne et si triste. *Liebesträume* – rêves d'amour ? Amours de rêve ? Rêves d'amour d'Anna. Tandis qu'elle se lavait sur le bidet, je suis allé à la fenêtre regarder dans la rue et j'ai vu le colonel attendant patiemment : la petite lueur orange de sa cigarette s'illuminant au moment où il inhalait.

[NOTE RÉTROSPECTIVE. 1955. Anna travaillait dans une *maison de tolérance** de haut vol appelée *Chez Chantal*, rue d'Assas à côté du boulevard Montparnasse. Une maison propre et bien tenue, avec en général une demi-douzaine de filles à disposition. Anna travaillait les vendredis, samedis et lundis. Elle devait friser la quarantaine quand j'ai commencé à fréquenter la maison au cours de l'été 1928. Je me souviens de ses cheveux bruns très fins que je lui demandais toujours de lâcher – ce qu'elle faisait à contrecœur. Elle avait une peau très blanche qui perdait déjà un peu de sa fermeté. Elle était gênée sans raison de son petit ventre dodu. Elle avait un large front et un long nez mince. Elle parlait bien le français et passablement l'anglais. Son mari, le colonel, arrivait à la fin de sa période de travail et l'attendait dans la rue qu'il pleuve ou qu'il neige. Ils avaient tout perdu pendant la Révolution russe et la guerre civile. Quand elle sortait, il lui offrait son bras et ils partaient tous les deux vers la station de métro Montparnasse, tel un couple de bourgeois d'âge moyen en promenade. Je me suis souvent demandé si ces premières expériences sexuelles avec Tess et Anna m'ont irrévocablement perverti.]

[Novembre]

Je remets à Roderick le tapuscrit des *Imaginations de l'esprit*. Il le feuillette comme on feuilletterait un annuaire du téléphone et lit des phrases au hasard. « J'ai le sentiment qu'avec ça je vais me faire un

1. Anna Nikolaevna Brogusova. La prostituée que fréquenta régulièrement LMS à Paris en 1928-1929.

nom » dit-il. « N'est-ce pas de mon nom à moi que tu devrais te soucier ? » Il rit un peu nerveusement et s'excuse d'avoir une ambition si manifeste. Nous parlons un instant de Maurois[1], et de savoir s'il posera un problème. Roderick pense que Maurois nous a rendu service – il a ouvert le chemin, le pionnier idéal.

Un jour, en entrant dans la chambre d'Anna, j'ai trouvé un peigne oublié sur le bord du lavabo. Elle s'est montrée tout à fait consternée – ce qui n'est pas dans sa nature –, rougissant comme une ingénue, tout en étant furieuse et tracassée. Elle a jeté l'objet dans la corbeille à papier. Cette preuve du passage de son client précédent l'a dérangée bien plus que moi. Un autre jour, j'ai voulu savoir son âge et elle a répliqué en riant : « Oh, je suis très très vieille ! » Je me suis demandé ce que le colonel et elle avaient vécu depuis 1917. « Assez vieille pour être ma mère ? » Elle a réfléchi un instant gravement, puis, avec un froncement de sourcils : « Oui, si j'avais été une très vilaine fille. » Elle refuse de me rencontrer en dehors de *Chez Chantal*, sous le prétexte que ce ne serait pas bien vis-à-vis du colonel. Ce qu'elle fait *Chez Chantal* est discret, à l'abri des regards, et s'arrête à la porte d'entrée. *Chez Chantal* représente simplement une source de revenus, aussi modestes soient-ils, pour sa vie de couple (pourquoi le colonel ne travaille-t-il pas, je me demande ? Ou peut-être le fait-il, après tout). Je suis un vrai fidèle – je ne veux aucune des autres filles – et, quand je viens, j'attends dans le salon qu'Anna soit libre. Je paye Madame Chantal cinquante francs, ce qui au taux de change actuel fait moins de deux livres. Je donne à Anna vingt francs de supplément. Elle plie le billet avec soin et le glisse dans un petit porte-monnaie en cuir à fermeture Éclair. J'aime à penser que je contribue à leur vie commune. Je sens qu'ils me font souci tous les deux, Anna et son mélancolique colonel.

Mardi 25 décembre
En cadeau de Noël, Mère a porté ma pension à cinq cents livres par an. Je pense que nous devons être très riches. Mr Prendergast a certainement exercé ses talents de magicien aux États-Unis. Je

---

1. André Maurois (1885-1967) avait publié en 1924 sa biographie romancée de Shelley, *Ariel*.

peux vivre à Paris (visites à Anna exceptées) pour une livre par jour. J'attends toujours des nouvelles de Roderick.

Mercredi 26 décembre

J'écris à Ben pour lui demander si je peux venir passer la fin de l'année avec lui. Je songe à commencer un roman inspiré par ce que je sais de la vie d'Anna. La prudence me dicte d'attendre d'abord le sort réservé aux *LIE (Les Imaginations de l'esprit).*

1929

[Mardi 1er janvier]

LMS décide :

De quitter la maison et de trouver son propre appartement, de préférence à Paris.

De voir Land davantage.

D'être plus implacable, moins docile.

De travailler, d'écrire, de vivre.

Jeudi 24 janvier

Rencontre Land pour un cocktail au Café Royal. Je suis en avance mais ravi de m'installer avec mon verre et mon livre en observant du coin de l'œil le spectacle. Je sens que mon séjour à Paris m'a donné une merveilleuse distance à l'égard de ce qui passe pour le milieu intellectuel ici à Londres. Nous avons le choix, me semble-t-il, entre des journalistes chauvins et poivrots ou alors des esthètes snobs dans leur cercle enchanté (Bloomsbury). Je surveille les *scribouillards** qui se déplacent de table en table : ils n'accordent aucune attention au mince jeune homme assis dans son coin avec un exemplaire de Proust.

Land arrive et, comme d'habitude, est accueillie par une personne sur trois. Elle paraît fatiguée et m'annonce presque aussitôt qu'elle a rompu avec Bobbie Jarrett. Je compatis – sincèrement. Elle me caresse la main et me dit : vous êtes gentil, Logan. Je lui suggère que son travail (secrétaire non rémunérée d'un député travailliste[1]) a

---

1. Oliver Lee, député de Stockwell South, 1927-1955.

pu poser un certain problème à Bobbie, fils d'un baronnet et conservateur éminent. Elle reconnaît que je pourrais avoir raison mais elle pensait que Bobbie « était au-dessus de ça ». Rien n'est plus décevant que les défauts d'un amant, je lui rappelle. Et n'est-ce pas un peu gaspiller son diplôme (elle a eu une mention très bien, naturellement) que de le consacrer à coller des timbres sur des circulaires ou à taper des lettres ? Au contraire, affirme-t-elle : elle prédit un gouvernement travailliste après les prochaines élections. Je l'accompagne prendre son métro pour Hampstead, et, en l'embrassant pour lui dire au revoir, je la serre un instant contre moi.

Plus tard. Mère et Mr Prendergast donnent un petit dîner et j'entends les rires monter d'en bas. D'un moment à l'autre, Mère va mettre un disque de rumba sur le gramophone – oui, ça y est. Revoir Land m'a ramené à Oxford et à l'affaire, encore irritante, de mon médiocre diplôme. Je ne peux pas expliquer comment j'ai réussi à aussi mal apprécier ma prestation. Il m'avait vraiment semblé avoir fait du bon travail ; et j'ai maintenu mon opinion devant Le Mayne quand il m'a convoqué – il a été incapable de cacher sa déception. H.-D. m'a écrit une gentille lettre me disant que le résultat d'un diplôme ne demeurait un facteur important que quinze jours au maximum ; après quoi, comme il est vrai de n'importe quel aspect de la condition humaine, tout dépendait de l'individu. Dick Hodge a eu une mention bien ainsi que Peter. Cassell n'a même pas passé les examens. Preston a obtenu un très bien et il a décidé de rester à Oxford et de faire un doctorat. Mère ne m'a jamais demandé quelle sorte de diplôme j'avais obtenu : que croit-elle que j'ai fabriqué à Oxford pendant ces trois années ?

L'Annamania, il est intéressant de le noter, a diminué depuis que j'ai revu Land. Soudain je suis content de rester à Londres un peu plus longtemps.

Vendredi 15 février

Ai retrouvé Dick à la gare de Norwich (quel flot de souvenirs !) et nous avons voyagé ensemble jusqu'à Swaffham. Un gel épais sur les champs mais le soleil bas brillait fort, si fort que nous avons baissé les stores dans le compartiment. Angus [Cassell] était à la gare pour nous accueillir avec une très élégante Darracq. Dick avait refusé de me prêter son second fusil (« Pourquoi ? » – « Achète-t'en un. ») et j'ai été obligé de m'adresser à Angus (j'ai prétendu que le mien était en réparation). Angus a répliqué que la maison était pleine de fusils – et donc pas de problème.

La maison, laide, possède un vaste bâtiment d'écuries. Elle a été construite au milieu du siècle dernier par le grand-père d'Angus (le premier comte d'Edgefield), mais le parc est joliment arrivé à maturité, les groupements d'arbres (un peu trop de conifères à mon goût), les allées et les panoramas sont exactement tels qu'ils ont été prévus. Le grand avantage d'une maison récente est que tout y fonctionne bien : eau chaude, chauffage central, électricité. J'ai pris un bain, me suis changé et suis descendu. Le comte paraît plutôt inoffensif – très ventripotent, jovial, ne cessant de fredonner et de siffloter. Il m'a dit de l'appeler Aelthred, ce qui est au-delà de mes possibilités, j'en ai peur, même si j'ai remarqué que Dick répondait libéralement à l'invitation. La comtesse, Lady Enid, donne l'impression d'avoir avalé du poison : un visage mince, revêche, sillonné de rides, des cheveux teints en noir. Nous étions une douzaine, les jeunes – Angus, sa sœur, Dick et moi – et divers gens du cru. Au dîner j'étais placé entre Lady Enid et la sœur d'Angus, Lady Laetitia (« Lottie, s'il vous plaît »). Lottie, petite, est habillée à la dernière mode londonienne, mais quelque chose dans ses traits – la largeur du nez, la minceur des lèvres (héritée de sa mère), l'écartement trop grand des yeux – l'empêche d'être vraiment jolie. Elle s'est cependant montrée vive, bavarde et très avide d'entendre parler de Paris. (« Êtes-vous allé à un bal nègre ? Avez-vous rencontré des lesbiennes ? Les femmes sont-elles trop trop belles ? ») Lady Enid, en revanche, m'a interrogé à la manière d'un fonctionnaire de l'immigration. Où êtes-vous né ? A Montevideo. Où est-ce ? En Uruguay. Et devant son air de ne toujours pas comprendre : Amérique du Sud. Ah ? Que faisait votre famille là-bas ? Mon père était dans les affaires (je ne tenais vraiment pas à prononcer les mots « bœuf en conserve » au milieu de ces gens). D'où est votre mère ? De Montevideo. J'entendais son cerveau travailler. Elle est uruguayenne, ai-je ajouté. Comme c'est merveilleusement exotique pour vous, a-t-elle répliqué avant de se tourner vers la personne assise à sa droite.

Après dîner, Angus s'est excusé : sa mère, m'a-t-il expliqué, interrogeait toujours les gens comme un procureur. J'ai répondu qu'à mon sens elle avait été un peu déconcertée de se découvrir à côté d'un sang-mêlé. Angus a trouvé ma réflexion très comique : « Eh bien, si ça peut te consoler, a-t-il dit, Lottie te trouve super ! »

Le lendemain – d'un froid à transpercer les os – nous avons tiré sur du gibier ramené dans les bois par les rabatteurs. Puis nous avons fait un pique-nique dans une hutte et nous avons repris notre chasse. J'ai été incapable de tuer quoi que ce soit, mais j'ai continué à tirer énergiquement afin de sauver les apparences. Dick est un as – les oiseaux pleuvaient du ciel. Dimanche, je me suis décommandé en prétextant un commencement de rhume et je suis resté dans la bibliothèque toute la matinée à jouer à la canasta avec Lottie (qui, je dois dire, devient plus jolie à mesure qu'on la connaît – elle est mieux sans trop de maquillage). Mais, ô ! l'ennui abrutissant de la vie à la campagne. De temps à autre, lady Enid faisait une incursion pour s'assurer que je n'étais pas en train de violer sa fille sur le canapé Chesterfield. Juste avant le déjeuner, le maître d'hôtel a annoncé qu'il y avait un appel pour Mr Mountstuart. C'était Mère, Roderick Poole lui avait téléphoné : « Il m'a dit de te dire qu'il aime ton livre. »

Après ça, j'aurais pu survivre à n'importe quoi – tout ce que la pseudo-gentry anglaise aurait pu me jeter de pire à la figure. J'ai senti que je m'étais élevé au-dessus de cette bande de gens stupides et sans charme (amis exceptés, cela va sans dire), avec leurs assommantes histoires de chiens, de chasses et de familles. Au dîner, j'étais assis entre la femme d'un médecin et une cousine quelconque de Lady Enid et je leur ai tenu le crachoir comme un vieil ami (je ne me rappelle pas le moindre mot de ce que j'ai raconté). Je ne pensais qu'à une seule chose : mon livre. MON LIVRE ! Mon livre allait être publié et ces gens stupides m'entouraient sans savoir ceci : qu'ils pouvaient mariner dans leur jus de philistins durant des millénaires pour ce qui me concernait.

Le lendemain matin, au moment où nous allions partir, Lady Enid m'a pris à part. Elle m'a en fait souri : sa cousine avait trouvé ma compagnie charmante, a-t-elle dit avant d'ajouter qu'elle donnait au printemps un bal pour Lottie – à Londres – et elle considérerait comme une faveur spéciale, personnelle, que je consente à l'escorter. Que pouvais-je dire ? Mais j'ai fait en silence le vœu de ne plus accepter ces invitations, ces racolages : ces gens ne sont pas les miens, ceci n'est pas un monde que je souhaite habiter. Va pour Dick : ici il est chez lui – une version anglaise de son tourbillon social écossais –, mais pour moi non. Angus est certes agréable, mais pourquoi devrais-je l'inscrire sur la liste de mes vrais amis simplement parce que nous étions ensemble à Abbey ? Ce sont là de tristes compromis anglais : Paris m'a dessillé les yeux. Tout ceci sera bientôt derrière moi.

[Février]
Sprymont & Drew me payera une avance de cinquante guinées sur des droits de quinze pour cent. J'ai demandé à Roderick si c'était le tarif habituel pour un auteur débutant (soyons honnête, je m'en fichais un peu, tout ce qu'on veut dans des moments pareils c'est avoir en main le livre terminé). Il m'a conseillé de prendre un agent littéraire et suggéré un homme du nom de Wallace Douglas qui vient de monter sa propre affaire après plusieurs années chez Curtis Brown. Roderick et moi sommes allés dans son club, The Savile, sabler le champagne. On me publiera à l'automne. The Savile est très civilisé : peut-être devrais-je demander à Roderick de poser ma candidature ?

Wallace Douglas est un jeune type bien en chair (trente-deux ? trente-trois ans ?) qui parle lentement avec un grasseyement écossais prononcé. « Logan Mountstuart ? a-t-il dit, curieux. Origine écossaise ? » Remontant à plusieurs générations du côté de mon père, ai-je répliqué. Les Écossais sont très soucieux d'établir ce fait dès le début, j'ai remarqué. Il s'habille comme un banquier : costume trois pièces, chemise blanche, cravate institutionnelle, cheveux gominés avec une raie bien nette. Il ressemble à un T. S. Eliot costaud. Il a accepté de me prendre pour client et, sur mes cinquante guinées d'avance, m'en a soulagé de cinq.
— Alors, a-t-il dit, et quoi maintenant ?
— Je vais à Paris pour un certain temps.
— Eh bien, que diriez-vous de quelques articles ? *The Mail* ? *The Chronicle* ? Les magazines américains sont preneurs de n'importe quoi sur Paris. Est-ce que je tente pour vous ?
J'ai soudain éprouvé un élan chaleureux pour ce pragmatiste obèse et sûr de lui. J'ai le sentiment que nous allons devenir de bons amis.

– Oui, s'il vous plaît, ai-je répondu. Je ferai n'importe quoi.

Je sens que ma vie d'écrivain – ma vie d'écrivain, ma vraie vie – a réellement commencé.

Lundi 11 mars

Je téléphone à Land et suggère que nous déjeunions. Nous nous retrouvons au Napoletana dans Soho, et dégustons des spaghetti aux boulettes de viande arrosés d'une bouteille de chianti. Je lui raconte mon histoire et l'expression de plaisir sur son visage est celle d'une joie authentique. Elle est si sincèrement contente pour moi. Aurais-je fait preuve d'autant de générosité si les positions avaient été inversées ?... Nous commandons une autre bouteille de chianti et, le vin me montant à la tête, je commence à parler de Paris et lui explique qu'elle devrait y venir une fois que je serai installé dans mon appartement, que mon agent littéraire (ah, que j'adore dire ça : mon agent littéraire) va me trouver du travail pour les journaux et les magazines américains, et puis que, quand mon livre sera publié... Je m'arrête pour reprendre haleine et elle me sourit. Je n'ai envie que d'une chose : l'embrasser.

[Mars]

Wallace – je l'appelle Wallace désormais – m'a obtenu des contrats : trois articles pour *Time & Tide* et aussi, plus remarquable, pour le *Herald Tribune* (sur la « scène littéraire parisienne »). Trente livres pour le premier et quinze pour le second. Si, affirme-t-il, ces papiers sont bien accueillis, il devrait y en avoir plein d'autres. Je suis très impatient et, en même temps, je n'arrête pas de trouver des tas d'excuses pour retarder mon départ. Le problème Land n'est toujours pas résolu : je ne peux pas aller à Paris sans que quelque chose soit entendu, sans que quelque chose soit établi entre nous.

Mardi 2 avril

Il est tard : onze heures du soir et je suis assis seul dans un compartiment vide en train de siroter le whisky de ma flasque tandis que le train-ferry sort de Waterloo pour traverser en grondant les faubourgs crasseux et mal éclairés de Londres en direction de Tilbury. Je serai à Paris à l'aube.

Land et moi avons dîné chez Previtali, après quoi elle m'a accom-

125

pagné à la gare. J'ai encore tenté de lui faire fixer une date pour sa visite, mais elle ne parlait que des élections, Ramsay MacDonald, Oliver Lee, la circonscription et le reste. Le train allait partir quand je l'ai attirée derrière un trolley débordant de sacs postaux et je lui ai déclaré : « Land, pour l'amour de Dieu, je vous aime », et je l'ai embrassée. Eh bien, elle m'a embrassé, elle aussi : nous n'avons cessé que quand deux porteurs se sont mis à nous siffler. « Venez à Paris, ai-je dit. Je vous ferai signe dès que je serai installé. » « Logan, j'ai un travail. » « Venez pour un week-end. » « On verra. » « Écrivez-moi. » Alors elle a pris mon visage entre ses mains et m'a embrassé le bout du nez. « Logan, nous avons tout le temps au monde. » *Nunc scio quid sit Amor* [Maintenant je sais ce qu'est l'amour].

[Avril]

Je suis allé voir Anna hier *Chez Chantal*, mais d'une certaine manière ça n'a pas été pareil et elle l'a senti. « *Tout va bien ?** » s'est-elle enquise. Je l'ai assurée que oui et l'ai serrée contre moi comme pour le lui prouver, mais il était évident qu'il ne se passerait rien de plus. Je me suis levé et j'ai arpenté la chambre de long en large. Puis je me suis versé un verre de vin. Anna s'est redressée dans le lit, ses seins dénudés, me contemplant avec patience.

— Aimes-tu quelqu'un d'autre ? a-t-elle demandé. Ici à Paris ?

— Non. Il y a une fille à Londres… (J'ai décidé de tout lui raconter.) Je la connais depuis des éternités. Nous étions ensemble à l'Université. Elle n'est pas particulièrement belle. Elle est intelligente – bien entendu. Sa famille est fascinante. Je n'arrive pas à ne pas penser à elle.

— Viens ici m'en parler.

Je me suis donc assis sur le lit, nous avons bu du vin, fumé une cigarette et j'ai parlé de Land pendant une demi-heure. Mon temps était fini et quand je l'ai embrassée pour lui dire au revoir et que je me suis serré contre elle, j'ai su que mon énergie sexuelle était de retour et j'ai regretté de ne pas avoir utilisé au mieux mes deux heures. Je lui ai promis de la revoir d'ici après-demain (elle travaille cinq jours par semaine maintenant). Mais le charme Land avait été rompu.

[Avril]

Suis descendu à l'hôtel Rembrandt, rue des Beaux-Arts. Pour cinquante francs par jour, j'ai une petite chambre et un salon sous les combles, et, pour cinq francs de supplément, je peux avoir un tub d'eau chaude quand je veux. C'est presque aussi bien qu'un appartement. Ben a quitté le sien rue de Grenelle et vit maintenant dans une chambre au-dessus de sa nouvelle galerie, il n'y a tout bonnement pas de place pour moi. La galerie est située rue Jacob et s'appelle Leeping Frères. Ben prétend que le « Frères » traduit un sentiment de longévité, l'idée d'une affaire de famille. Il a en effet un frère, Maurice, bien plus âgé que lui, avocat ou comptable à Londres, je crois. Wallace a réussi à m'avoir un article mensuel dans le *Mercury* à dix guinées pièce. Je ne suis pas fou du *Mercury*, – avec l'odeur de pipe, de bière et de tweed mouillé qui traîne autour –, mais nécessité fait loi.

Mercredi 8 mai

Vernissage de Leeping Frères. J'arrive à sept heures du soir – personne. Ben est très nerveux, il s'inquiète de la qualité de l'exposition. Il a un Derain, deux petits Léger, un tas de trucs russes criards et un petit dessin de Modigliani. Durant les deux heures suivantes, une douzaine de gens peut-être vont et viennent, mais rien n'est vendu. J'achète le Modigliani pour cinq livres et refuse une réduction. Ben est démoralisé et je marmonne les platitudes habituelles, du genre Rome n'a pas été bâtie en un jour, etc.

Quoi qu'il en soit, je l'emmène boire du champagne au Flore.

– Regarde ce que tu as accompli, Ben.

– Regarde ce que tu as accompli, toi. Tu as écrit un livre.

– Bon dieu, tu as ta propre galerie à Paris. Et nous ne sommes que des bébés.

– J'ai besoin de cash, dit-il l'air sombre. Il faut que j'achète maintenant. Tout de suite.

– Patience, patience.

Je parle comme une vieille tante.

Un couple – qui connaît Ben – s'arrête à notre table. Ben les présente comme Tim et Alice Farino, américains tous deux. Il est beau et bronzé, en passe de devenir chauve. Elle est petite et jolie, avec un visage tendu et renfrogné, comme fonctionnant avec un trop-plein d'énergie.

— Vous n'êtes pas venus à mon vernissage, se plaint Ben – d'évidence, il les connaît bien.

— Bon dieu, je croyais que c'était la semaine prochaine, dit Farino, mentant sans vergogne.

— Nous avons oublié, corrige Alice. Nous nous sommes disputés. Une méchante dispute – il fallait qu'on se réconcilie. Vous n'auriez pas voulu de nous dans votre jolie galerie toute neuve.

Farino rougit aussitôt, pas aussi languissant qu'il affecte de l'être. Nous rions tous, la tension désamorcée.

Ils ont rendez-vous avec d'autres Américains et nous proposent de nous joindre à leur groupe, au fond du café. Dans la confusion de l'arrivée, et parce que j'ai trop bu, je ne saisis aucun des noms qui me sont lancés à la figure. Je suis assis à côté d'un grand gaillard moustachu au visage carré. Il est très saoul et n'arrête pas de hurler à un type plus petit avec un menton pointu, au bout de la table : « Tu déconnes à pleins tubes ! Tu déconnes trop ! » Il semble qu'il s'agisse d'une plaisanterie infantile entre eux : ils sont tous les deux morts de rire. Ben se lève en voyant une fille qu'il connaît assise seule dans un coin. Je continue à boire en silence, très content, sans que personne me prête beaucoup d'attention, de nouvelles bouteilles de vin arrivant comme par magie sur la table. Puis Alice Farino se glisse à côté de moi et me demande comment j'ai connu Ben et ce que je fais ici à Paris. Quand je lui dis que j'attends la publication de mon livre, elle tend le bras par-dessus mon épaule, tire la manche du type au visage carré et nous présente. Logan Mountstuart – Ernest Hemingway. Je sais qui il est mais je le garde pour moi. Pour l'heure, il peut à peine aligner deux mots à la suite et donne de manière offensive dans l'anglais ridicule, tout en « vieille branche, vieux pote, vieux schnok ». « Arrête de jouer les foutus emmerdeurs, Hem, dit Alice. Tu nous fais une mauvaise réputation. » Je décide que j'aime beaucoup Alice Farino. Je file rejoindre Ben qui est en compagnie d'une jeune Française au visage long et pâle, l'air modeste et sérieux, appelée Sandrine – je n'ai pas entendu son nom de famille. Je soupçonne, avec la clarté de vue qu'un excès de boisson produit parfois en moi, que Ben lui porte un grand intérêt. Il me le confirme tandis que je le ramène rue Jacob. Il est épris d'elle, ce qui lui cause une angoisse mentale parce que son père n'a pas un sou et qu'elle est divorcée et mère d'un jeune enfant, un garçon. « Je ne peux pas me marier par amour, dit-il, ça ne fait pas partie de mon plan. »

Il va vomir dans les cabinets et je tourne dans sa chambre en inspectant les toiles entassées. Une chambre encore plus petite que celle de la rue de Grenelle : un lit, un bureau, une chaise et un classeur. Tout en traînant, j'avise sur le bureau une enveloppe avec une écriture familière.

— Tu as eu une lettre de Peter ? je demande à Ben quand il revient.

Sous sa pâleur, Ben me paraît un peu fuyant :

— Oui, j'allais te le dire – mais entre une chose et l'autre... Il a épousé Tess.

Il me tend la lettre. C'est vrai : ils sont mariés et vivent à Reading où Peter travaille comme secrétaire de rédaction au *Reading Evening News*. Tess est toujours fâchée avec ses parents et le père de Peter lui a coupé les vivres. Peter affirme qu'il n'a jamais été plus heureux de sa vie.

Je sens un flot de verte jalousie s'infiltrer en moi, suivi par un pincement d'inquiétude. Pourquoi Peter a-t-il écrit à Ben et pas à moi ? Tess a-t-elle tout confessé ?

— Il y a probablement une lettre qui t'attend à Londres, m'assure Ben, brave type.

— Probablement, dis-je.

Jeudi 9 mai

Je sors de ma banque (avec l'argent pour le Modigliani) quand je me cogne à Hemingway. « Paris est un village », lance-t-il. Après quoi il s'excuse pour sa conduite de la veille, expliquant que la présence d'un certain ami[1] l'incite toujours à se saouler « bruyamment et méchamment ». Nous marchons le long du boulevard Saint-Germain, jouissant du soleil printanier, et il me demande comment je connais les Farino. J'explique. « Tim est le type le plus paresseux d'Europe, déclare-t-il, mais elle est vraiment mignonne. » Nous échangeons nos adresses (il est marié, je découvre) et décidons de

---

1. Scott Fitzgerald (1896-1940) était à Paris à cette époque.

nous revoir. Nous avons tous deux un livre qui paraîtra à l'automne[1] – il me semble fort aimable, après tout.

Vendredi 7 juin

L'été est arrivé à Paris. Je suis allé voir Anna, mais on étouffait de chaleur dans sa chambre et nous avons fait en sorte d'en finir rapidement avec notre affaire. J'ai commandé une bouteille de chablis, un seau de glace, et nous sommes restés au lit à bavarder et à boire. J'ai annoncé à Anna que je repartais pour Londres dans quelques jours et elle a répondu, presque machinalement, que j'allais lui manquer et qu'elle espérait que je reviendrais bientôt à Paris.

– Nous sommes amis, n'est-ce pas, Anna ?

– Bien sûr. Des amis spéciaux. Tu viens ici, *on fait l'amour**. Nous sommes comme de vrais amants, excepté que tu payes.

– Non, je veux dire, c'est plus que ça, c'est différent. Tu sais tout de ma vie. Je sais pour toi et le colonel.

– Bien sûr, Logan. Et tu es très généreux.

Je me suis demandé s'il s'agissait d'une sorte de règlement imposé par Madame Chantal : chaque déclaration d'affection, sincère ou non, doit être contrebalancée par un gentil rappel de la véritable nature (fiscale) de la relation. J'ai été un peu blessé.

Et, je ne sais pourquoi, après avoir quitté Anna, j'ai décidé d'attendre. Il était tôt dans la soirée. Je me suis caché sous un porche jusqu'à l'arrivée du colonel. A vingt heures, Anna est sortie de *Chez Chantal* et les deux époux sont partis sans un mot, bras dessus, bras dessous. Je les ai suivis jusqu'à la station de métro et, à la dernière minute, je suis monté dans le compartiment derrière le leur. Je les ai vus descendre aux Halles et, en prenant soin de ne pas être découvert, je les ai observés tandis qu'ils regagnaient leur immeuble. J'ai noté le numéro et le nom de la rue. Maintenant, je me demande pourquoi j'ai fait ça. Qu'est-ce que j'espère y gagner ?

Décris ton état d'esprit. Anxieux. Incertain. Fiévreux.

Passe brièvement en revue tes sentiments. Obsession sexuelle. Culpabilité. Intense plaisir physique d'être seul à Paris. Haine du temps : souhaitant rester à cet âge à ce jour de cette semaine de ce

---

1. Celui de Hemingway : *L'Adieu aux armes*.

mois de cette année pour l'éternité. Ne peux qu'imaginer la longue pente déclinante qui m'attend. La fièvre Anna le dispute à la fièvre Land. Mais je peux remédier à la fièvre Anna cinq fois par semaine si nécessaire. Ce qui semble provoquer la fièvre Land.

Pourquoi es-tu si obsédé par Paris ? A Paris, je me sens libre.

Jeudi 13 juin

Je rentre à Londres demain. Ce matin, juste avant le déjeuner, je suis retourné aux Halles et j'ai attendu une heure devant l'immeuble d'Anna en espérant qu'elle sortirait. Je voulais simplement la rencontrer une fois loin de l'ambiance et des contraintes de *Chez Chantal*. Je voulais que nous nous croisions en passant, dans la rue, je soulèverais mon chapeau, nous nous dirions bonjour, et nous échangerions des banalités sur le temps avant de repartir chacun de notre côté. J'avais besoin d'ajouter une dimension différente à nos rapports, quelque chose qui n'ait rien à faire avec un bordel ou le sexe payant. Mais, bien entendu, elle ne s'est pas montrée, j'ai commencé à avoir mal aux pieds et je me suis senti idiot.

Je passais devant un petit bistro dans le coin, à la recherche d'un arrêt de bus, quand, en regardant à l'intérieur, j'ai aperçu le colonel assis en train de lire un journal, un verre de pastis devant lui. Sans réfléchir, je suis entré, j'ai commandé une bière et je me suis installé d'un air dégagé à la table voisine. De près, il paraissait beaucoup plus vieux qu'Anna – dans les cinquante ans, je dirais. Ses vêtements étaient miteux mais propres et il arborait un nœud papillon jaune avec une pochette assortie qui débordait de sa poche de poitrine. Un petit côté dandy, donc. Sa mince moustache relevée aux coins était plus grise que noire, comme ses cheveux gominés et rejetés en arrière sans raie. Alors qu'il se levait pour remettre le journal dans le porte-revues, je suis allé m'en emparer à mon tour. Les manchettes concernaient toutes le mauvais état de santé de Poincaré.

« Triste d'être malade par un si beau jour », ai-je lancé en français.

Il m'a regardé et a souri, sans savoir qui j'étais, naturellement. Je me suis senti gêné en songeant que j'avais fait l'amour – que j'avais baisé – sa femme plusieurs douzaines de fois. J'aurais voulu tout lui raconter : comment nous nous souciions d'Anna chacun à notre manière, comment nous la partagions, comment tous les pourboires que je lui donnais étaient destinés à l'aider lui autant qu'elle, comme si tout cela aurait dû aider quelque part à nous mieux connaître.

Il a fait une remarque au sujet de Poincaré qui n'était plus dans la course, mais je n'ai pas bien compris parce qu'il maniait comme une mitraillette un français familier – impeccable en fait.

Nous avons regagné nos chaises et entamé une conversation décousue. Il avait deviné que j'étais anglais, a-t-il dit, à mon accent, ajoutant, avec cette politesse qu'ont tous les Français, que je parlais leur langue remarquablement bien. J'ai été un peu à la pêche, et j'ai dit que je croyais déceler chez lui aussi un léger accent. Je l'ai surpris : il était né et avait été élevé à Paris, a-t-il affirmé. J'ai amené la conversation sur un article du journal rapportant des émeutes communistes en Allemagne, j'ai dit que le gouvernement aurait à faire appel à l'armée, et j'en ai profité pour le questionner sur sa propre expérience militaire. Il m'a raconté qu'il s'était engagé en 1914 mais avait été réformé à cause de ses mauvais poumons. Je lui ai payé un autre verre et j'en ai appris un peu plus : il avait été voyageur de commerce mais sa compagnie avait fait faillite, et depuis lors… Il a regardé sa montre, annoncé qu'il devait partir, m'a serré la main et a filé. Il est donc clair qu'il n'a jamais été colonel dans l'Armée blanche russe.

Lundi 24 juin
Sumner Place

En mon absence, Mère a redécoré mes appartements (quelle étrange manie est-ce là?) et semble dans la foulée avoir égaré la moitié de mes livres. «Oh, je touche jamais tes livres, mon chéri, proteste-t-elle. Peut-être le peintre, il les a volés.» Je les retrouve dans un débarras – et elle a accroché mon Marie Laurencin dans les toilettes du rez-de-chaussée. Je le récupère. Nous avons une nouvelle voiture aussi, une Ford.

Le matin, je vais chez Sprymont & Drew et, au cours d'un déjeuner dans une gargote, Roderick m'annonce qu'ils sont obligés de retarder la publication des *Imaginations de l'esprit* jusqu'au printemps 1930. Programmes trop chargés, trop de nouveaux auteurs, mauvaises excuses de ce style. Cela est vexant : je me sens dans une sorte de vide, un auteur mais pas tout à fait, la qualité d'auteur n'étant vraiment conférée que par la publication physique d'un livre, une chose que l'on peut tenir dans sa main, acheter dans une librairie. Roderick dit qu'il a beaucoup aimé mes articles sur Paris, peut-être que si j'en écrivais d'autres ils pourraient être rassemblés en un livre.

— Et que dirais-tu d'un roman ? je m'écrie avec fougue.

— Eh bien, on, heu, bien sûr on adorerait un roman... (sa prudence est éloquente.) Quoique, je dois dire, je ne t'ai jamais vu comme un romancier.

— Tu me vois comme quoi, Roderick ?

— Un écrivain extrêmement doué qui pourrait se mettre à écrire un roman en un instant.

Sa suavité fait un retour en force.

Je crois que c'est son scepticisme qui m'inspire vraiment. J'écrirai mon roman en attendant la publication de *LIE*. Il aura pour sujet un jeune écrivain anglais vivant à Paris, sa relation avec une prostituée russe, très belle mais plus âgée, et le mystérieux « colonel » qu'elle prétend être son mari. Mais quel titre ?

Je sors du métro à South Kensington et qui est là, en train de faire sa ronde ? Joseph Darker. Nous sommes tous deux contents de nous revoir, nous nous serrons la main chaleureusement et nous évoquons les grandes journées de la grève générale. Il me raconte qu'il a maintenant deux enfants et m'invite à venir prendre le thé, toujours à la même adresse dans Battersea.

[Juin]

Darker est tout à fait détendu avec moi mais son épouse, Tilda, est très mal à l'aise, du moins me semble-t-il. Il en a été de même quand nous nous sommes rencontrés la première fois. Elle ne cesse de s'excuser : de la qualité du thé, du bruit que font les enfants, de l'état du jardin. Le petit garçon s'appelle Edward — « en l'honneur du prince de Galles » — et la petite fille Ethel. Nous sommes installés en manches de chemise sur des chaises longues dans le jardin et regardons les gamins jouer. Le soleil est chaud, mon estomac plein de cake aux fruits et je sens une sorte de paix banlieusarde m'envahir. Peut-être est-ce ainsi que la vie devrait être vécue ? Une maison modeste, un travail sûr, une femme et des enfants. Tous ces efforts et ambitions inutiles...

— Désolée pour le cake, Mr Mountstuart. Il est un peu sec.

133

– Il est délicieux. Et, je vous en prie, appelez-moi Logan.

– Préféreriez-vous quelques sandwiches ? Je n'ai que du pâté de poisson, j'en ai peur.

Quand elle emmène les enfants à l'intérieur, Darker à son tour s'excuse pour elle ce qui ne fait qu'empirer les choses. « C'est une bonne mère, dit-il. Elle travaille dur, tient la maison bien propre. » Puis il se tourne vers moi : « Et je l'aime profondément, Logan. Rencontrer Tilda a fait de moi ce que je suis. » Je ne sais comment répondre à cette déclaration. « Tu es un veinard, Joseph, finis-je par dire. J'espère avoir la moitié de ta chance. » Il pose la main sur mon épaule qu'il pince un peu. « J'espère bien », réplique-t-il, visiblement content.

C'est un homme sincère, Joseph Darker, mais je m'interroge sur mes propres attitudes, non à cause des doutes qu'elles pourraient m'inspirer mais pour les mettre à l'épreuve. Je ne le traite pas avec condescendance, je n'essaye pas de prouver quel brave égalitariste je suis, ici, en prenant le thé avec un humble policier. Je ne me vanterai pas de cette visite – ainsi que le ferait, je le sais, un type tel que Hugh Fothergill, affichant cette amitié comme un insigne à la boutonnière. Alors pourquoi es-tu ici ? Il m'a invité et j'ai accepté. Et je suppose que j'ai accepté parce que tous deux nous tirons quelque chose de notre compagnie réciproque.

[Septembre]

Voyages d'été. Juillet : Berlin avec Ben, visites de galeries. Sur son conseil j'ai acheté un petit bijou d'aquarelle par un artiste inconnu de moi et nommé Klee. Bataille de rues enragée entre des bandes politiques une nuit. Ensuite par le train, vers Vienne, voyages dans le Tyrol, Kufstein, Hall, Kitzbühel. Puis Salzbourg, Bad Ischl, Gmunden, Graz. Août : l'Écosse comme d'habitude, à Kildonnen en passant par Galashiels. La partie de chasse de Dick plus nombreuse que jamais. J'ai abandonné toute feinte et me suis déclaré non-combattant. J'ai passé mon temps à marcher, pêcher ou à faire des excursions en car le long de la vallée de la Tweed jusqu'aux solides petites villes de filatures installées sur les collines. Abondance de boisson et de gaieté nocturne. Angus Cassell et Lottie étaient là. Lottie visiblement éprise de moi. Un soir, nous étions seuls dans le salon et, un peu ivre, je l'ai embrassée. Je m'en

134

suis excusé discrètement le lendemain matin, mais elle n'a rien voulu entendre.

Souvenir : un jour de chaleur intense mais vivifiante. Une canne à pêche à la main, je marche le long d'une rivière rapide, peu profonde, un affluent de la Tweed, à la recherche d'une crique. Vue sous l'éclat du soleil, l'ombre au-delà des arbres qui frange la rivière paraît du noir d'encre d'une bouche de caverne. Je trouve ma crique, coince ma bouteille de bière dans un remous près de la rive, pêche pendant une heure et attrape trois truites que je rejette. Je mange mon pain et mon fromage, bois ma bière glacée et rentre à pied à Kildonnen à travers champs, avec le soleil dans mon dos. Un jour de solitude totale, de beauté tranquille et parfaite au bord de l'eau. Une forme de bonheur que je dois tenter de retrouver plus souvent.

Mardi 22 octobre
Progresse pas mal sur le roman : il ne sera pas long mais il devrait être très intense et émouvant. Toujours pas la moindre idée de la façon dont il finira, pas plus que du titre. Arrivée des épreuves de *LIE*. J'y serai bientôt – bientôt.

Je vais à Hampstead dîner chez les Fothergill. Land paraît fatiguée, dit qu'elle travaille trop – Lee est très occupé par le nouveau gouvernement[1]. Elle me présente à un type appelé Geddes Brown, la trentaine, un peintre. Sonnette d'alarme : il est souple et musclé comme un boxeur, avec des cheveux blonds frisés. Quelque chose dans son maintien traduit une énorme confiance en soi.

Je me sens très détendu avec les Fothergill – ma famille de rechange idéale. Combien différent aurais-je été, élevé dans cet environnement ? Je parle à Vernon de mon voyage à Berlin et lui raconte mon achat d'un Paul Klee (Paul qui ? demande-t-il – l'insularité bénie de la culture anglaise). Geddes Brown sait parfaitement qui est Paul Klee, et nous avons droit pendant dix minutes à une conférence impromptue. Brown me félicite de mon goût : soudain je lui parais très bien. Puis Hugh me parle politique : je hoche la tête et conviens que Mussolini est un monstre, tout en tendant le bras

---

1. Ramsay MacDonald avait formé en juin le second gouvernement travailliste.

pour allumer la énième cigarette d'Ursula. Mais où sont Land et Geddes Brown ? Sur la terrasse, en train de contempler les étoiles. Ah-ha.

Mercredi 30 octobre

Mère a semblé un peu alarmée par un télégramme de Mr Prendergast qui est à New York. Elle l'a lu tout haut : « Chaos financier à la Bourse. Besoin urgent de liquidités. » « Liquidités ? a-t-elle dit. Je n'ai pas de liquidités. » « Empruntez-en à une banque », lui ai-je conseillé avant de monter travailler à mon roman. Et tout à coup le titre m'est venu : *L'Usine à filles*.

1930

Mercredi 1er janvier

J'accueille la nouvelle année et la nouvelle décennie avec une légère gueule de bois. (Hier soir : cocktails chez les Fothergill, dîner au Savoy avec Roderick, minuit au Club des 500. Au lit à trois heures du matin.)

Revue de 1929. Histoire d'amour avec Paris. Le bonheur de ma suite à l'hôtel Rembrandt. L'Annamania et l'énigme Anna/colonel. Concentration de sentiments pour Land. « Concentration de sentiments » Pouah ! *Amour* grandissant pour Land. Acceptation de *LIE*. Commencement de *LUF*. Les frustrations du retard. Journalisme sérieux, assez lucratif.

Amis nouveaux : Alice Farino, Joseph Darker, Lottie Edgefield(?)

Amis négligés : Peter, Tess, Hugh Fothergill

Amis perdus : aucun

Conclusion : une année de promesse – accomplissement encore fâcheusement hors d'atteinte. Le vrai début de ma carrière d'écrivain. Argent gagné. 1929 prouve que je peux vivre de ma plume.

Samedi 5 janvier

Mère annonce dramatiquement à l'heure du dîner que nous avons perdu l'appartement de New York.

MOI : Quel appartement, voulez-vous me dire ?

MÈRE : Mon appartement sur la 62e Rue. Mr Prendergast dit qu'il est perdu.

MOI : Vous avez égaré votre appartement ?

MÈRE : On ne peut pas payer l'emprunt. La banque l'a pris.

MOI : Dommage. Comme j'aurais aimé le voir un jour. Pourquoi ne demandez-vous pas à Mr P. de vendre quelques-unes de vos actions ?

MÈRE : Ça, je ne comprends pas. Nous avons toutes ces actions, mais il dit qu'elles valent rien. Rien du tout.

MOI : Voulez-vous que je vous prépare un cocktail ?

[Mars]

85A Glebe Place, Chelsea. Ma nouvelle adresse. J'ai loué un appartement meublé, un rez-de-chaussée-jardin juste à côté de King's Road. Chambre, salle de bains, cuisine, salle à manger et une seconde chambre qui sera mon bureau. Je me suis fait envoyer mes livres et mes tableaux. Tout ce dont j'ai besoin maintenant, c'est de quelques tapis et jetés de lit pour m'approprier ces lieux. Une certaine Mrs Fuller vient trois fois par semaine « faire » le ménage, son mari, dit-elle, s'occupera du jardin, et tout cela pour six livres par mois. Je tire les rideaux, allume le feu et ouvre une bouteille de vin. Cyril Connolly[1] et sa femme sont, paraît-il, de proches voisins. *L'Usine à filles* progresse bien.

Jeudi 27 mars

Les Imaginations de l'esprit est publié aujourd'hui. En un geste symbolique, je suis allé en ville et j'ai acheté un exemplaire chez Hatchards. Un élégant petit livre avec une couverture mauve passé et en frontispice un portrait idéalisé de Shelley par Vernon Fothergill. Déjeuner à L'Étoile avec Roderick et Tony Powell, qui travaille chez Duckworth. Dans le métro qui me ramène à la maison, je ne cesse de sortir le livre et de le regarder, de le soupeser, de l'ouvrir au hasard et d'en lire une phrase ou deux. Je reviens constamment à la quatrième de couverture : « Mr Mountstuart est diplômé de

---

1. Cyril Connolly (1903-1974), critique et écrivain. Lui et son épouse Jean vivaient alors au 312A King's Road.

l'université d'Oxford et écrit en ce moment un roman. » Mais pour-quoi donc les éditeurs se sentent-ils obligés de faire de la publicité à d'autres livres au dos de la couverture ? Je trouve que cela porte atteinte à l'intégrité du mien. Je ne veux pas savoir que Cuthbert Wolfe a écrit « une surprenante et importante » nouvelle biographie de Disraeli. Que fais-tu sur mon joli livre tout neuf, Cuthbert Wolfe ?

Ceci est typique de mon humeur du moment, à la fois à plat – pas un seul article jusqu'à présent – et exaltée – j'ai le livre en main : je l'ai acheté dans une librairie. Mais soudain, je voudrais être avec Land, ou Anna, ou même Lucy. Au lieu de quoi je vais voir Mère qui, après avoir juré d'être inconsolable si je partais, a déjà le projet de transformer mes appartements en un studio pour elle.

– Un studio ? Pour quoi faire ?

– Je ne sais pas, mon chéri. Pour peigner, pour sculpturer, pour danser.

Dimanche 13 avril

Gentille critique dans le *Times Literary Supplement* de la semaine dernière : « Vif et engageant. » Dans le *Herald* : « Shelley tel que nous pouvons croire qu'il fut vraiment. » Le *Mail* : « Bat Maurois à plate couture. Enfin un Shelley anglais. » Je téléphone à Roderick et découvre que les ventes sont décevantes : trois cent vingt-trois exemplaires écoulés à ce jour. « Mais avec cette presse, dis-je, vous ne pourriez pas faire un peu de publicité ? » Il marmonne je ne sais quoi à propos de budgets saisonniers et d'un manque à gagner printanier. Lettres de félicitations de H.-D. et, très étonnant, de Le Mayne. Le seul problème, c'est que j'ai, me semble-t-il, perdu tout intérêt pour mon roman. J'en ai écrit deux cents pages environ. Je crois que je vais faire mourir le personnage d'Anna de tuberculose ou de quelque chose du genre.

[Avril]

Premier dîner à Glebe Place. Les Connolly, Land, H.-D. et Cynthia, Roderick et un jeune poète dont il s'est entiché, nommé Donald Coonan. Un joli succès, je crois : soupe, gigot d'agneau, charlotte, fromages. Boissons en abondance. Et beaucoup de choses flatteuses à propos de *LIE*, dont les critiques continuent d'être bonnes. Connolly dit qu'il essayera de faire un papier dessus pour le *New*

Stateman. Il se montre irritable pour commencer, mais s'adoucit très vite. Nous avons été fort amusés tous deux de découvrir que nous avions l'un et l'autre quitté Oxford avec un diplôme de troisième classe en Histoire. « Il faut échouer très tôt, on ne peut alors que monter », ai-je dit.

Land est partie la dernière et nous nous sommes embrassés sur le pas de la porte. Un baiser tendre – un baiser d'amants potentiels ? Je l'ai accompagnée dans King's Road et nous avons hélé un taxi. Elle m'a annoncé qu'elle passerait le mois d'août à Paris afin de tenter d'améliorer son français. Quelle coïncidence, ai-je dit, moi aussi.

Jeudi 22 mai

Suis allé chercher *L'Usine à filles* chez les dactylos et l'ai apporté à Roderick chez S & D. Il a paru surpris de le voir terminé. « J'aime beaucoup le titre, a-t-il déclaré, puis, sa prudence de couard refaisant surface : mais ce n'est pas trop leste, non ? Nous ne pouvons pas nous permettre le risque de nous voir interdire un livre. » J'ai répliqué que c'était extrêmement leste mais délibérément situé dans les limites des convenances. Il a suggéré que j'écrive maintenant une vie de Keats. « Shelley marche très gentiment », a-t-il dit.

Mercredi 28 mai

J'aurais dû mentionner que Wallace était en fait mécontent que j'aie livré en personne le tapuscrit. « C'est comme m'enlever mon épée pour la remplacer par une dague. » J'ai dit que je ne comprenais pas. « Je peux encore faire saigner, mais ce n'est pas aussi facile. » Quoiqu'il en soit, Sprymont & Drew a offert cent livres pour *L'Usine à filles*, mais Wallace a réussi à les faire monter jusqu'à cent cinquante en leur racontant que Duckworth ainsi que Chapman & Hall voulaient tous deux absolument le lire. Forts de cela, nous avons déjeuné chez Quaglino. Wallace m'a trouvé d'autres travaux avec le *Week-end Review* et le *Graphic*. Nous avons noté un certain nombre de sujets pour lesquels je me sens qualifié : les poètes romantiques anglais, le golf, l'Amérique du Sud, Paris, l'Espagne, Oxford, le sexe, l'histoire d'Angleterre depuis la conquête normande jusqu'au protectorat de Cromwell, l'art moderne et le corned-beef. « Quel type à multiples facettes vous faites », a dit Wallace avec plus qu'une trace de sa sécheresse habituelle. Plus je le connais, plus il me plaît.

Il traite son travail, me semble-t-il, comme une sorte d'amusant défi, une source de divertissement. Son ton est très pince-sans-rire, très Buster Keaton... Les ventes des *Imaginations* commencent à grimper – plus de mille maintenant. J'ai l'impression qu'on en parle beaucoup. Cyril [Connolly], en me présentant l'autre soir, a dit : « Vous connaissez sûrement le livre de Logan sur Shelley. »

Lundi 21 juillet

Très grande soirée chez Lady Cunard[1]. Je me suis senti un peu dépassé : ma première vraie sortie dans la haute société. Waugh était là, Harold Nicholson, Dulcie Vaughan-Targett, Oswald Mosley, Imogen Grenfell... Waugh m'a félicité pour mon Shelley. Je l'ai félicité pour son *Déclin et Chute*. Il m'a montré du doigt William Gerhardi et m'a dit qu'il était le plus brillant écrivain vivant. Il m'a raconté en long et en large qu'il se faisait instruire dans la religion catholique en vue d'une conversion et s'est mis à discourir sur l'infaillibilité et le purgatoire. Il m'a fallu l'interrompre et lui dire que je savais tout cela. Il a paru stupéfait de découvrir que j'étais catholique. Je l'ai assuré que je ne pratiquais absolument plus et il s'est carapaté d'un air penaud. Pourquoi diable un homme tel que lui veut-il changer de religion à son âge[2] ?

Vendredi 8 août

Paris. De retour dans ce bon vieil hôtel Rembrandt. Une pluie pas du tout de saison noircit les pavés et un vent lancinant fait battre les volets. Land arrive la semaine prochaine. *Tu ne me chercherais pas si tu ne m'avais trouvé**. Je suis sorti à dix-huit heures, ai pris un verre chez Lipp et puis suis descendu à pied vers Montparnasse pour rencontrer Ben à La Closerie des lilas. Il était tôt et je n'avais pas songé à aller *Chez Chantal* (je n'avais que Land à l'esprit), mais puisque j'étais dans le voisinage, j'y suis néanmoins passé. Madame Chantal m'a accueilli chaleureusement et m'a offert le choix de trois filles qui se baladaient en petite tenue de satin.

– Vous savez bien que je n'aime qu'Anna, ai-je dit.

– Mais Anna est partie, a-t-elle répliqué, expliquant qu'Anna

1. Lady Emerald Cunard (1872-1945), hôtesse célèbre, mère de Nancy.
2. Waugh avait vingt-sept ans et venait de divorcer de sa première femme.

140

avait déclaré qu'elle s'en allait et qu'elle n'avait plus besoin de « travailler ». Elle n'avait pas la moindre idée de l'endroit où elle vivait à présent.

Je me suis senti choqué, puis triste. La vie vous joue ce genre de tours parfois – elle vous entraîne sur un chemin et puis vous laisse tomber dans la merde, pour filer des moitiés de métaphore. J'ai pensé à mes jours d'Annamania, à la manière dont elle avait inspiré *L'Usine à filles*. J'ai compris que j'avais cru, égoïstement, qu'Anna serait toujours là, qu'elle ne pouvait tout simplement pas disparaître, comme par enchantement. Je me suis montré un peu abattu au dîner mais Ben était en bonne forme – la galerie commence à s'animer et il a beaucoup parlé de Sandrine. Son petit garçon, semble-t-il, est charmant. J'entends au loin sonner les cloches du mariage.

Samedi 9 août

Aux Halles. Je demande à la concierge d'Anna si elle habite toujours là mais on me dit qu'elle et son « oncle » ont déménagé, destination inconnue. Je m'assois dans le petit bistro où j'ai rencontré le colonel en me sentant à la fois chagriné et déconcerté, et aussi, après avoir réfléchi, un peu fâché avec moi-même. M'attendais-je à ce qu'Anna fasse suivre sa nouvelle adresse à ses fidèles clients ? Avoir échappé à cette vie doit représenter un bonheur sans mélange. Anna ira bien, elle a sa propre vie à mener. Je devrais me concentrer sur Land.

Mardi 12 août

Me sens très mal. Je me demande si ce que j'ai mangé hier soir (blanquette de veau) en est la cause ? Quoi qu'il en soit, quand je suis allé aux toilettes ce matin, c'était comme évacuer de l'acide sulfurique. Une blessure à l'anus qui m'a brûlé, démangé toute la sainte journée sans avoir beaucoup diminué à l'heure où je suis arrivé pour dîner chez Land. Elle habite pour un mois chez un homme d'affaires et collectionneur du nom d'Émile Berlanger (un grand protecteur de Vernon Fothergill), sous le prétexte d'améliorer son français. Les Berlanger vivent dans un vaste appartement, avenue Foch, rempli de paysages médiocres parmi lesquels ceux de Vernon, au moins, se remarquent. Les cheveux de Land sont différents de la dernière fois : elle les a teints en noir d'encre, ce qui, curieusement, lui donne l'air d'une ravissante adolescente de seize

141

ans. Les Berlanger ont été charmants, leurs terriblement bonnes manières leur font une armure sociale inhibante – on avait le sentiment de pouvoir à peine bouger, qu'un grattement ou un reniflement seraient l'ultime faux pas. J'étais donc douloureusement conscient de mon derrière en feu. Était aussi présent un homme appelé Cyprien Dieudonné[1] qui s'est présenté comme écrivain. « Mais il y a beau temps que je suis passé de mode, a-t-il dit en excellent anglais. Si nous étions, oh, en 1910, vous auriez peut-être été un peu curieux de me rencontrer. » Replet et cordial, avec un visage presque parfaitement rond, des cheveux blonds légers déjà clairsemés. Il m'a donné sa carte.

[Août]

Ai emmené Land rencontrer Ben à la galerie. Il semble que ça se soit bien passé : Ben lui a dit : « Il faut que nous échangions nos impressions, j'ai besoin de mettre mon dossier Logan à jour. » Tandis que Land se promenait en regardant les tableaux, elle a dit :

– Geddes adorerait. Il faut qu'il vienne.

– Geddes ?

– Geddes Brown, idiot. Il est à Paris aussi.

Voilà une mauvaise nouvelle. Ben va à Bandol pour quinze jours et m'a demandé de l'y rejoindre. Je suis très tenté. Mais je ne peux pas laisser Land à Paris avec Geddes Brown.

[Août]

Déjeuner à la brasserie Lutétia avec Land et Geddes Brown. Ils m'ont paru très à l'aise l'un avec l'autre, et une plaisanterie qu'ils ont échangée – quelque chose à propos de Hugh et un des chiens – les a fait une fois de plus pleurer de rire. Quand je leur ai demandé de quoi il retournait, ils m'ont répliqué que ce serait trop difficile à expliquer.

Plus tard, Land a parlé à Brown de la galerie de Ben et a suggéré que Ben pourrait être le marchand idéal pour lui – et à Paris, rien de moins.

---

1. Cyprien Dieudonné (1888-1974) , poète et amateur de belles-lettres. Membre d'un groupe connu sous le nom de « Cosmopolites » qui comptait aussi Valery Larbaud, Léon-Paul Fargue, Henry Levet, etc.

— Est-ce que ça ne serait pas formidable, Logan ?

— Comment ? Ah… Oui, formidable.

— Allons le voir. Maintenant, cet après-midi.

Tout ce zèle pour Geddes Brown, qui restait là placide à mastiquer son steak. J'ai dit à Land que Ben était parti dans le Midi, au bord de la Méditerranée. En fait, il doit revenir dans deux jours mais je veux bien être pendu si je vais rendre le moindre service à Brown. Au lieu de quoi, nous sommes allés dans son studio, un petit truc minable près de la Bastille. Tout ce qu'il peint, semble-t-il, ce sont de sombres petits portraits de ses voisins : de forts visages angulaires, stylisés, avec beaucoup de noir. Je dois avouer qu'ils ne sont pas mauvais.

Lundi 25 août

Ça devient ridicule. Me voilà en train d'étouffer de chaleur dans Paris pour essayer de trouver le bon moment avec Land, et perdant simplement mon temps. Les Berlanger ont une maison à Trouville où ils passent le mois d'août, Mr Berlanger revenant à Paris pour un jour ou deux selon les exigences de ses affaires, ce qui fait que Land est rarement ici. Mais au moins, si elle est absente, je me console en la sachant également loin du détestable Geddes. Je crois que c'est cette combinaison d'une musculature svelte et d'une abondance de bouclettes blondes angéliques que je trouve si répugnante.

Je devrais dire que j'ai dîné avec Dieudonné, un homme très détendu, sophistiqué et pourtant manquant de confiance en soi. Il avoue être *follement anglophile**, mais on comprend que tout ce qu'il aime en nous est passé au crible du regard le plus fin. Il a parlé des Cosmopolites, de la scène littéraire en France avant la guerre, et évoqué leur obsession de voyages à l'étranger, leur dandysme, leur célébration du *style anglais**, leur goût des conforts qu'un peu d'argent peut apporter, le frisson presque sexuel d'être hors de son propre pays : un outsider, déraciné, nomade, ayant l'expérience du monde. J'ai été emballé et envieux. Il me présentera, a-t-il dit, à Larbaud qui a traduit *Ulysse* et est très proche de Joyce (« un homme difficile à connaître »). Dieudonné est de toute évidence riche et indépendant, on le voit dès l'abord à ses vêtements : tout, jusqu'à ses bottines deux tons, est fait sur mesure. Il écrit « deux

143

trois petits articles par an », et a abandonné la poésie, « une vocation de jeunesse ». Sa vie est ancrée dans la culture, l'amour de son confort et l'exotisme. Il a passé la moitié de l'année dernière au Japon et dit que c'est un endroit complètement fascinant. Je l'ai poussé davantage sur les Cosmopolites. Ah, ce monde n'existe plus, a-t-il dit, la guerre a tout changé. Quand je songe à ma jeunesse, à ce que nous tenions pour acquis, à ce que nous présumions comme certain pour toujours, permanent à jamais... J'ai été captivé : voilà la vie littéraire que j'aurais aimé mener ; j'aurais dû naître vingt ans plus tôt. Imaginez ce que j'aurais fait avec mes cinq cents livres par an ! J'aurais pu avoir un valet en permanence à mon service. Je perçois une lueur d'idée pour mon prochain livre.

[*Août*]

Toujours ici à Paris. J'ai décidé de repartir à la fin de la semaine. Quel mois gaspillé ! Je cours les bouquinistes sur les quais le long de la Seine et j'achète tout ce que je peux trouver de Larbaud, Fargue, Dieudonné, Levet et compagnie. J'ai déniché les *Poèmes par un riche amateur* de Larbaud, totalement captivant. *Les Cosmopolites* par Logan Mountstuart – je trouve que ça sonne bien. Je me demande ce que Wallace va en penser ? Geddes Brown m'a en fait invité à dîner, mais j'ai trouvé une excuse : j'ai prétendu avoir un rhume.

[*Août*]

> *Viens dans mon lit*
> *Viens dans mon cœur*
> *Je vais te conter une histoire.*
> [Blaise Cendrars]

Rêves sexuels autour de Land. *Chez Chantal* ne m'offre plus rien maintenant. J'erre seul dans cette superbe ville poussiéreuse, baignée de soleil, contemplant les touristes comme s'il s'agissait d'extraterrestres venus d'une lointaine planète. Je transporte avec moi ma petite pile de minces volumes et lis les œuvres des Cosmopolites dans des cafés et lors de mes dîners solitaires, perdu dans un monde de wagons-lits, de Transsibérien, de cités nordiques embrumées, l'idylle parfaite d'îles peu peuplées sous le soleil. Je rêve d'être dans un wagon-lit avec Land, tous deux étendus côte à côte nus sur notre couchette, fonçant vers le Sud dans la nuit, la bouteille de champagne tintant dans le seau à glace, bercés par le raclement rythmique des roues sur les rails. *« Le doux train-train de notre vie paisible et monotone. »*

Land a écrit : elle vient lundi à Paris pour un rendez-vous chez le dentiste. Pourrait-on déjeuner ensemble ?

Lundi 31 août

J'ai donc décidé de rester juste pour voir Land une fois de plus. Je l'ai retrouvée devant l'immeuble du dentiste (rue du Faubourg-Saint-Honoré) où elle venait de se faire remplacer un gros plombage. Nous sommes partis du côté de la Rive gauche et avons déjeuné au Flore : omelette, salade, une bouteille de vin. Je lui ai parlé de Dieudonné et des Cosmopolites. Le vin – et le fait que je repartais en Angleterre le lendemain – m' a rendu audacieux :

– Land, ai-je dit, il faut que je sache pour Geddes.

– Que voulez-vous dire ? C'est un ami. Et il se trouve que je l'admire énormément.

– Mais l'aimez-vous ?

– Je suppose que oui. En toute amitié.

– Et il vous aime, sans aucun doute. Comme c'est chou !

– Je déteste quand vous donnez dans le sarcasme, Logan. Vous n'êtes plus le même.

– Vous ne pouvez quand même pas m'en vouloir.

Elle m'a regardé avec résignation et pitié :

– Que se passe-t-il ?

– Vous savez mes sentiments à votre égard, et pourtant vous me jetez ce Geddes Brown à la tête. S'il est l'homme de votre vie, alors faites votre choix. Ne me torturez pas de la sorte.

– Je croyais que vous étiez censé être l'écrivain-homme du monde sophistiqué, m'a-t-elle interrompu en essayant de ne pas sourire. Geddes est homosexuel.

– Homosexuel ?

Je n'oublierai jamais cet après-midi. Land et moi sommes revenus à l'hôtel Rembrandt. Les volets étaient clos à cause de la chaleur. Les draps avaient été changés. Nous nous sommes déshabillés et, un instant, nous avons joui de la fraîcheur amidonnée du lit sur nos corps nus avant que notre sueur ne l'entache. Land, avec sa frange

145

et ses seins dressés de petite fille. L'embrasser et goûter sur ma langue le parfum métallique mentholé de l'intervention dentaire du matin. La regarder s'habiller et noter que ses fesses et ses hanches sont plus lourdes que je ne l'avais imaginé. Je savoure le fait d'être désormais un familier de toutes les singularités de Land. Je l'ai accompagnée à son train pour Trouville, tandis qu'un oratorio retentissait dans ma tête.

C'est maintenant seulement, alors que je suis assis ici à ma table, que je me demande si je suis le premier. Il n'y a pas de petite fleur de sang sur les draps. Je n'ai aucune idée.

[Septembre-octobre]
Mouvements : Après Land, je n'ai pas pu retourner à Londres. Suis allé à Bandol rejoindre Ben. Puis à Londres pour une quinzaine, ensuite à Vienne – une commande pour *Time & Tide*. Retour nonchalant : Berlin, Amsterdam, Bruxelles, Paris (recherches supplémentaires sur les Cosmopolites). Land partage un appartement avec deux amies à Islington.

Mercredi 31 décembre
Land est en bas. Elle a raconté à ses parents que ses amies et elle étaient invitées à une réception chez des gens dans le Carmarthenshire. Nous avons trois jours à nous. Assez de nourriture et de boisson pour soutenir un siège d'un mois, et pas la moindre intention de nous aventurer dehors.

1931

Dimanche 22 février
Ai passé la journée à revoir les épreuves de *L'Usine à filles*. Je me sens curieusement distant du livre : il a un côté mélodramatique, voyou (mon héros, Lennox Devane, est totalement sous la coupe de Lydia – le personnage d'Anna –, il pourrait se brûler au fer rouge si elle le lui demandait) et je crois avoir capté l'authentique atmosphère de Paris mais, fidèle à l'histoire de sa composition, il se termine en queue de poisson. Il y a une jolie allusion à un thème incestueux : le colonel est connu comme « l'oncle » dans le livre et dirige une série de nièces – d'où le titre – dans d'autres

*maisons de tolérance** de la ville. A la fin du roman, Lennox réussit à le livrer à la police, ce qui permet à Lennox et Lydia de s'enfuir à Innsbruck (! ! !), où Lydia meurt de tuberculose.

Land a téléphoné ce matin : on lui offre la chance de partir en Inde avec un quelconque comité parlementaire d'enquête – quelque chose en rapport avec Gandhi et le Parti du Congrès[1]. Magnanime, j'ai décrété qu'elle devait y aller, qu'elle ne devait pas laisser passer une telle occasion, etc. Elle me manquera, bien entendu, mais j'ai vraiment besoin de me concentrer sur mon travail – j'ai près de quatre articles en retard, dont un long papier très important sur le cubisme pour le *Burlington Magazine.*

Je me sens content à traînasser simplement dans Glebe Place toute la journée. Feu allumé, épreuves étalées sur la table de la salle à manger. Land était ici vendredi et la maison semble encore imprégnée de sa présence, qu'évoquent d'autant plus le parfum puissant du pot de jacinthe qu'elle a apporté et l'écharpe qu'elle a oubliée. Souvenirs de nos amours samedi matin aussi et de notre dégustation de toasts et de marmelade sur notre lit froissé, la théière fumante sur la table de chevet. Après son départ, je suis descendu à pied jusqu'à la Tamise à l'heure du déjeuner, et j'ai mangé un pâté en croûte arrosé d'une pinte de bière aux Eight Bells. Puis retour aux épreuves. J'ai plus de huit cents livres en banque et la perspective de l'arrivée d'un supplément de cinquante à la parution (moins la commission de Wallace, naturellement). J'aime Land et elle m'aime. J'ai publié un livre, mon second va l'être incessamment, et je n'ai pas encore vingt-cinq ans. Quand je songe combien tout allait mal à ma sortie d'Oxford ! H.-D. avait raison : au bout de quinze jours votre diplôme cesse d'avoir la moindre influence sur votre ascension dans la vie. Voyez Waugh, voyez Connolly, voyez Isherwood et moi-même : il semblerait qu'il soit presque de rigueur d'avoir un mauvais classement afin de faire son chemin en qualité d'homme de lettres.

A Sumner Place, aujourd'hui j'ai été présenté à un vieux couple, le major et Mrs Irvine qui, je le découvre, occupent désormais mes appartements au dernier étage. « Hôtes payants », dit ma mère qui

---

1. Le Mahatma Gandhi (1869-1948) venait d'être libéré de prison et participait à une table ronde avec le vice-roi des Indes.

me parle aussi d'autres problèmes engendrés par la crise de 29. Mr Prendergast a, semble-t-il, investi presque tout son capital en actions américaines – qui sont désormais plus ou moins sans valeur.

– Alors, que vous reste-t-il ?

– Eh bien, j'ai la maison mais le revenu est faible. J'emprunte beaucoup à la banque. Comme tu m'as dit.

Je l'ai convaincue de vendre l'automobile et de renvoyer tout le personnel, Encarnación exceptée. Elle a même, je découvre, emprunté de l'argent pour me payer ma rente. Je lui ai dit que je n'avais plus besoin d'aucune subvention de sa part et lui ai fait un chèque de cent livres pour parer à toute nécessité immédiate. J'ai demandé l'adresse de Prendergast – il est encore à New York en train d'essayer de sauver ce qu'il peut du désastre.

– C'est un homme brisé, dit-elle avec des larmes dans les yeux.

– Ne pleurez pas, Mère. Tout ira bien.

– Oh oui, je sais. Mais je n'arrête pas de me demander ce que ton père penserait.

[Avril]

Parution de *L'Usine à filles*. Le succès des *Imaginations* a suscité des critiques immédiates. « Indigne et scandaleux » *(The Mail)*, « Un petit livre à sensation, désagréablement obscène » *(The Times)*. « Le talent de Mr Mountstuart est manifeste dans le domaine de la biographie. Nous suggérons qu'il laisse la fiction en des mains plus sûres » *(The Criterion)*. Dieu merci, Land est en Inde.

Lundi 27 avril

Déjeuner de célébration au grill du Savoy : LMS, Wallace, Roderick et Mr Sprymont de Sprymont & Drew lui-même, venu voir de ses propres yeux sa vache à lingots. Wallace et moi nous laissons agréablement caresser par le flot des compliments. Près de 11 000 exemplaires vendus en trois semaines, une cinquième réimpression en route. Fort de quoi Wallace a vendu le livre aux États-Unis (Decker, Pride et Wolfson) et en France (Cahier noir). Sprymont & Drew réclame à genoux un autre roman. Wallace, malin, lui laisse entendre que ce pourrait être en effet une considération, mais suggère que Logan tient d'abord à écrire un livre intitulé *Les Cosmopolites*, n'est-ce pas Logan ?

– J'aime beaucoup le titre, dit Roderick.

– Moi aussi, lui fait écho Mr Sprymont cherchant déjà ou presque son carnet de chèques. De quoi s'agit-il ? De voyages luxueux ? Du style de vie des millionnaires ?

– C'est l'étude d'un groupe de poètes français avant la Grande Guerre.

A la fin du repas, ils ont compris qu'ils n'ont aucun espoir de me dissuader et ils feignent une sorte d'enthousiasme. Wallace leur a permis de penser qu'il y avait un autre roman sur le feu (dans ces cas-là, moi, l'empereur, je laisse parler mon grand vizir). Tandis que nous sommes dans la cour du Savoy, la fumée de nos cigares aussi épaisse qu'un ectoplasme dans le soleil printanier, Wallace affirme qu'il est impatient d'entamer les négociations : il a l'intention d'établir un nouveau record pour une avance consentie à un livre de critique littéraire.

[Avril]

Land est revenue mais presque aussitôt repartie – avec Lee – dans le Nord, à Durham, Sheffield ou dieu sait où, parler aux familles affamées des mineurs au chômage. Cinq cents livres d'avance pour *Les Cosmopolites*. 17 500 exemplaires vendus de *LUF* et aucun signe de ralentissement. Je suis méprisé par mes pairs – mais je m'en arrange…

Jeudi 14 mai

Déjeuner au Ritz avec Land. Je veux célébrer mon succès, mais elle dit qu'elle aurait préféré un sandwich dans Green Park ou un pâté à la viande dans un pub – n'importe où sauf au Ritz. Elle me régale d'horribles histoires de misère dans le Nord, ce qui fait que l'ambiance est plutôt fraîche – elle ne semble pas le moins du monde intéressée par mon succès ou ma nouvelle fortune. Lee, dit-elle, l'a avertie que les banques allemandes étaient sur le point de s'effondrer [1] et que si cela se produisait l'Europe entière pourrait se désagréger. Je l'écoute et la laisse discourir tandis que je bois pratiquement tout le champagne. Elle rentre avec moi à Glebe mais on ne peut pas décrire notre nuit comme très satisfaisante. Je suis trop

1. En fait, elles s'effondrèrent en juillet.

149

amoureux et, étant rabroué, me montre indifférent. Elle part ce matin à six heures en disant à peine au revoir. Je vais lui donner un peu de temps.

Lundi 1er juin

Aujourd'hui, j'ai demandé à Land Fothergill de m'épouser et elle a refusé.

[Ici, le premier Journal de Londres s'arrête durant seize mois. Entre-temps, *L'Usine à filles* continua à se vendre. LMS alla pour la première fois à New York en septembre à l'occasion de la parution du livre en Amérique et, en octobre, il en céda les droits cinématographiques à British Clarion Film Co pour mille livres. Il passa la majeure partie des premiers six mois de 1932 en France où il poursuivit ses recherches pour *Les Cosmopolites*. Au cours de l'été, il rendit visite à Cyprien Dieudonné dans sa maison de Montaigu-de-Quercy. Il repartit en août à Londres et, comme il en avait pris l'habitude, rejoignit en Écosse Dick Hodge pour sa partie de chasse à Kildonnen près de Galashiels. Lady Laetitia Edgefield (Lottie) et son frère Lord Angus Cassell étaient aussi présents. Dans les semaines et les mois qui suivirent, LMS sortit beaucoup avec Lottie Edgefield. Ils devinrent un couple très en vue dans les cercles mondains de Londres, fréquemment cité dans les colonnes de potins (« Qui est la Fille dans *L'Usine à filles* de Logan ? »). Il la demanda en mariage en mars 1932. Les fiançailles devaient être très courtes, et le mariage fut fixé au samedi 26 novembre 1932 dans l'église de Saint Andrew, à Edgefield, Norfolk.]

1932

Lundi 31 octobre

Chez Byrne et Milner[1] pour le dernier essayage de mon habit. Comme toujours, les flatteries de Samuel Byrne n'arrivent pas tout à fait à convaincre : « Voyons, c'est ce que j'appelle vous aller comme un gant, Mr Mountstuart. » J'ai quand même profité de ces visites pour commander quatre autres costumes, un gris foncé rayé, droit ; un bleu nuit, croisé : un trois-pièces en tweed vert pomme et un en tissu léger prince-de-galles. Trois cents livres le

---

1. Les tailleurs de LMS dans Maddox Street.

tout. Déjeuner avec Peter au Ivy. Tess et le bébé[1] vivent dans un cottage aux environs de Henley et Peter fait la navette entre Henley et Londres où il couche quand il est en permanence de nuit. Je lui ai offert mon divan de Glebe Place, mais il a un accord avec une petite pension près de la gare de Paddington. Il déborde des joies de la vie conjugale, et le plaisir pour moi a été de noter que le cours de notre vieille amitié avait repris tout naturellement sans réserve ni rancœur. C'est vrai : les vies se séparent sans raison évidente. Nous sommes tous des gens très occupés, nous ne pouvons pas passer notre temps à rester en contact. La preuve d'une amitié, c'est de pouvoir souffrir ces creux inévitables. Peter est dévoré de curiosité pour Lottie : « Une fille de comte ! Bon dieu, tu fais ton chemin dans le monde, Logan ! » Et Tess, ajoute-t-il, brûle d'impatience d'assister au mariage. Peter a un petit édito à écrire sur Mosley et le BUF[2]. Je lui ai dit que j'avais rencontré Mosley et que j'avais été impressionné par l'homme, – remarque, il était alors membre du Parti travailliste. Pourquoi les politiciens adorent-ils les uniformes ? – tous ces drôles de petits bonshommes en Europe dans leur costume de pantomime. Quand même, dans le climat actuel, beaucoup de ce que dit Mosley ne peut pas être écarté comme ressortant au fanatisme ou à la grandiloquence – il n'a rien d'un Mussolini. Peter n'est pas convaincu.

Puis thé au Claridge avec Lottie et Enid (comme il me faut désormais apprendre à l'appeler). Enid est tout sourires – pourquoi devrais-je m'inquiéter de ce qu'elle m'aime autant ? Le mariage approche. Comme j'ai hâte que la journée soit finie et bien finie ! Mère s'affole pour sa toilette (et je n'arrive pas à lui expliquer que je ne vais pas devenir lord en épousant une lady). Le Norfolk entier semble avoir été invité. Dick Hodge a déclaré que, selon lui, je commettais une « bourde de premier ordre » en épousant Lottie. On s'attend à ce genre d'opinion brutale de la part de Dick, mais pas à la veille du mariage – il va vraiment trop loin, parfois.

---

1. LMS et Scabius s'étaient de nouveau rencontrés en 1932. Peter était maintenant rédacteur-adjoint du *Times*. James, le fils de Peter et de Tess, était né en 1931.
2. L'Union fasciste britannique.

Vendredi 25 novembre

Derniers préparatifs terminés. Mère et moi sommes dans un hôtel à Swaffham. Nous avons eu beaucoup d'invitations, mais je n'aurais pas pu supporter d'habiter en ce moment chez des inconnus. Journée froide et venteuse, les feuilles d'automne sont balayées des arbres. En revenant d'une promenade cet après-midi, j'ai vu une immense volée d'étourneaux, pareille à un énorme banc de poissons, filant d'un côté puis de l'autre, se déplaçant et changeant constamment ensemble de direction comme si une intelligence unique gouvernait l'esprit de tous ces oiseaux.

Et je suis assailli de doutes terribles. Lottie est une fille douce et adorable, mais je ne cesse de m'interroger sur Land : je voudrais, plus que tout, savoir ce qu'elle ressent en ce moment. De propos délibéré, je n'ai invité aucun Fothergill mais, tout aussi délibérément, j'ai convié Geddes Brown (il n'a pas pu venir, mais a envoyé un assez joli dessin en cadeau de mariage). Je crois, je dois croire, que je n'épouse pas Lottie simplement pour blesser Land. J'épouse Lottie parce que je suis mûr pour le mariage et que je l'aime et que Land m'a repoussé. En tout cas, ce n'est pas sous le coup de la déception. Quand, l'été dernier, Lottie et moi nous sommes revus, j'avais complètement surmonté le refus de Land.

Mercredi 30 novembre

Monte Carlo. Hôtel Bristol et Majestic. Lottie fait une sieste dans notre chambre et c'est dans le foyer que je griffonne ces lignes. La lune de miel suit son plein et excellent cours. Elle est si gentille et si jolie, ma jeune épouse. Nous avons passé notre première nuit au Claridge (Lottie était vierge : elle s'est plainte d'avoir mal. Land n'a jamais rien dit de la sorte. Je dois cesser de songer à Land et d'écrire à son propos). Le lendemain, nous avons pris le train-ferry pour Paris et sommes arrivés après une nuit en wagon-lit dans cette curieuse petite principauté.

Le mariage s'est… bien passé, je suppose. J'ai pris Angus comme garçon d'honneur afin de ne pas avoir à choisir entre Ben, Peter et Dick (qui étaient tous placeurs). Le plus étrange a été de revoir Tess, désormais si épanouie et si élégante avec son immense chapeau et son manteau de fourrure. Tout en parlant, elle me regardait droit dans les yeux et chacun de nos échanges semblait avoir un contenu secret sous-jacent. Je sais qu'elle n'a jamais rien raconté à Peter, de même que je la sais encore très attirée par moi. Je dois dire que les gens du cru sont sinistres. Quelques-uns des amis londoniens de Lottie semblent plus intéressants, mais je redoute la perspective de voir, après notre installation, ces gens devenir notre cercle mondain. Je viens de commander un cognac-soda. Je ne devrais pas boire si tôt dans l'après-midi mais après tout, zut, c'est ma lune de miel.

[Décembre 1932-janvier 1933]
Déplacements : Monte-Carlo, La Spezia (pour voir la maison de Shelley à Lerici), Pise, Sienne, Rome, Paris (en avion, c'est ainsi que nous voyageons). Paris-Londres. Londres-Thorpe-Geldingham.

1933

[Février]
Château de Thorpe, Thorpe le Hongre, Norfolk. Notre maison est entre Swaffham et Norwich. « Château » sonne un peu trop grandiose pour ce qui est en fait une grosse ferme géorgienne de brique rouge à un étage, parfaitement agréable, mais avec des baies et un porche ajoutés au siècle dernier pour lui donner un air plus cossu et justifier du nom de château. C'est le cadeau de mariage d'Aelthred et d'Enid. Le jardin s'étend sur un hectare et possède au fond une rivière qui alimente un vaste étang aujourd'hui complètement gelé. On est au point mort de l'hiver, et l'humeur est moribonde elle aussi.

Lottie et sa mère passent leurs journées à acheter des meubles et à rencontrer des décorateurs, tandis qu'enfermé dans mon bureau je prétends travailler. J'ai dû abandonner Glebe Place (impossible de justifier la dépense de garder une maison vide à Londres) et tous mes livres et tableaux, mes tapis et jetés de table sont rassemblés dans cette petite pièce avec sa vue sur le jardin gelé gris. Je me rends compte que je possède très peu de choses. Tout ce que nous avons ici, à Thorpe, ou presque, a été fourni par mes beaux-parents : la maison, les meubles, l'automobile dans la grange. Lottie est adorable, si excitée de créer ce foyer pour nous deux. Elle s'est mise à

153

m'appeler Logie, ce que je peux tout juste supporter dans l'intimité de notre couche conjugale ; mais j'ai entendu Enid dire ce matin : « Peut-être le dressing-room de Logie devrait-il être lambrissé ? » Je ne pourrais pas tolérer d'être Logie Mountstuart pour le Norfolk tout entier.

Je fais le tour de « mon » jardin. Nous avons un jardinier, une cuisinière et une femme de chambre. Je vais dans mon bureau, et j'étale mes dictionnaires et mes livres pour *Les Cosmopolites*. J'ai l'intention de traduire une grosse partie de leurs poésies. Au bout d'une heure de travail, je constate que j'ai réussi à traduire deux vers – qui riment très mal. Je vais donc dans le salon me verser un whisky-soda et je fume une cigarette. J'entends la cuisinière et la femme de chambre se parler dans la cuisine. Il est 3 h 30 de l'après-midi et déjà dehors tombe la nuit. Peut-être irai-je à Londres la semaine prochaine, voir Mère, travailler à la bibliothèque, déjeuner avec Peter s'il est libre. Le pasteur soupe avec nous ce soir, je ne sais pour quelle raison.

[Mars]

A Edgefield pour le week-end. Le troisième que nous ayons passé avec mes beaux-parents depuis le début de l'année. Je l'ai gentiment reproché à Lottie en lui demandant pourquoi nous devions aller si souvent chez eux alors que sa mère vit pratiquement chez nous. Lottie a pris sa mine « blessée » et m'a rétorqué qu'Edgefield était sa maison à elle – et que, n'ayant jamais eu de vraie maison, je ne pouvais pas comprendre. Je me suis tu.

[Mai-juin]

Thorpe le Hongre. Bien nommé. Je suis l'écrivain châtré : le chapon, le bouvillon, le castrat. Je n'arrive tout bonnement pas à travailler ici. Je me lève tard, je fais les mots croisés du *Times*, je m'offre un gin-tonic à onze heures, et une bouteille de vin au déjeuner. Puis je vais dans mon bureau sommeiller sur mes bouquins. Je fais une petite promenade et je bois un whisky-soda dans l'après-midi, je prends un bain, je me change, me fais un cocktail, dîne, bois encore du vin, et finis avec un cognac et un cigare. Lottie semble au septième ciel. J'ai vingt-sept ans et ma vie m'a tout l'air d'être tombée dans une sorte d'embuscade. Là-bas, loin dans le monde, mes deux livres se vendent, mon nom apparaît au-dessus d'articles de journaux et de magazines tandis qu'ici je marine dans ce purgatoire rural. Je vois mes beaux-parents beaucoup trop souvent. De temps en temps, Angus descend de Londres passer quelques jours avec nous, mais je n'ose rameuter aucun autre de mes amis. Nous invitons et nous sommes invités à des dîners où j'essaye de boire le plus possible. Je monte à Londres une fois par quinzaine voir Wallace, Roderick, ma mère et ceux de mes amis qui sont libres à déjeuner. Je ne suis plus convié à aucune réception à Londres – comme si mon mariage et mon installation dans le Norfolk avaient effacé mon nom de toutes les listes mondaines de la ville.

> *Que je m'ennuie*
> *Dans ce cabaret du Néant*
> *Qu'est notre vie.*
> [Léon-Paul Fargue]

Lundi 10 juillet

De retour à l'instant d'une visite chez le médecin à Norwich, Lottie m'a informé qu'elle était enceinte. L'enfant devrait naître début décembre – conçu en mars, donc. Que faisais-tu en mars, Logan ? Aucune idée. Comment te sens-tu ? Sois honnête. Je me sens hébété, choqué, affolé, furieux. Es-tu heureux de savoir que tu vas être papa ? Je m'en veux – je n'ai pas utilisé de préservatifs, et pourtant j'en ai un plein tiroir dans ma salle de bains. Je dois rester calme. Nous n'avons jamais parlé de fonder une famille.

Lottie était ravie, mais en voyant ma tête elle s'est mise à pleurnicher. Je l'ai rassurée, je lui ai expliqué que c'était pour moi un choc, mais que je ne pouvais pas être plus heureux. Elle a cessé de gémir et a téléphoné à sa mère. Elle est revenue m'annoncer qu'Aelthred et Enid insistaient pour que nous allions ce soir chez eux célébrer la nouvelle par un dîner. J'ai gentiment interrogé Lottie sur son contraceptif. Elle oublie parfois de le mettre, a-t-elle confessé, mais ça ne fait rien, n'est-ce pas, chéri ? Ce doit être le destin. Destin fatal.

[Août]

Lottie est malade. Elle est délicate. La santé du bébé passe avant tout. Premier été depuis des années sans voyage à l'étranger. Je me tords dans les douleurs de la bougeotte. Londres est vide, tout le monde est parti. D'étranges rêves d'Espagne dominent mon esprit. Alicante. Carthagène. La route de Séville à Grenade.

Cante andaluz résonne dans mon tympan. Goût huileux de morue salée et de tortilla. Cette fille au nez aquilin dans le bordel d'Almeria qui a ouvert sa robe de chambre alors que je passais devant elle pour me laisser voir son corps nu.

Un nouveau gramophone. Un cadeau que je me suis fait. Liszt, Chopin toute la journée. Brahms est si beau que ça me rend suicidaire. Debussy : terrible *envie de Paris**.

Comment s'appelait cet hôtel à Juan-les-Pins ? Hôtel du Midi ? Central-Moderne ? Beau Séjour ?

Tous les écrivains devraient être pauvres dans leur jeunesse. La soif de gagner sa vie génère une vigueur et des ressources d'énergie énormes.

Je n'écris pas mais, dieu merci, j'ai soudain découvert les joies de la lecture.

Auteurs du moment : Sterne, Gerhardi, Tchekhov, Tourgueniev, Mansfield.

Suis passé à du Monteverdi, jour et nuit. Lottie irritable et grincheuse, déteste le son de la musique le matin. « Pourquoi ça, ma chérie ? » « Ce n'est pas normal d'écouter de la musique avant le déjeuner. » Définissez normal.

Il est plus facile de lire à la campagne qu'en ville. Commentez.

Tchekhov : « Je ne suis ni libéral, ni conservateur, ni gradualiste, ni moine, ni indifférentiste. Je voudrais être un artiste libre, et rien de moins. »

Logan Stuart, ses humeurs :

(a) normale – extérieurement calme, intérieurement stoïque.

(b) anormale – sentimentalité provoquée par la boisson. Tout dans la vie est doux et charmant.

(c) dangereuse – extérieurement taciturne, intérieurement une haine de soi déchaînée.

Je me souviens d'Evelyn [Waugh] disant qu'Oxford était la pire des préparations à la vie adulte. Il était, affirmait-il, bien plus mûr à la fin de ses études scolaires qu'à la fin de ses années universitaires. Ne s'applique pas à moi. EW, tout comme Peter, a adoré Oxford. Moi, je brûlais d'en partir.

Gracias a la vida que me ha dado tanto. [Merci à la vie qui m'a tant donné.]

Je me force à lire chaque jour une page de *La Promenade au phare* et je trouve ça incroyablement difficile. Ça paraît un livre tellement idiot : comparée à Katherine Mansfield, Virginia Woolf est si « chochotteuse » dans son écriture. Idiote. Chochotteuse. Bon sang, quel impressionnant vocabulaire critique, Mountstuart ! Si c'est tout ce que je peux faire, il vaut mieux que je me remette à écrire des chroniques. Je dois être en train de perdre la main.

Premier frisson dans la soirée. Envie d'avoir un feu allumé dans mon bureau. L'interminable été est terminé. Cet après-midi, un rayon de soleil tardif a frappé le vaste nuage de moucherons au-dessus de la mare du jardin. L'air plein de poussière d'or en mouvement.

Samedi 9 décembre
Notre fils est né ici à la maison, à Thorpe juste avant midi. J'étais dans le salon, plein de crainte et d'appréhension, quand la sage-femme est entrée, tout sourire, et m'a emmené voir Lottie. Lottie épuisée mais heureuse. J'ai comme une brique coincée quelque part dans ma cage thoracique qui me rend la respiration très difficile. Le sentiment que ma vie échappe entièrement à mon contrôle – et non pas, nuance, à tout contrôle. Nous l'appellerons Lionel Aelthred Mountstuart.

Analyse de l'année. Je n'ai presque pas envie d'écrire ça. Pas de voyage. Norfolk-Londres-Norfolk. Haine croissante de l'Angleterre et de sa campagne, haine des déplacements en chemin de fer, haine des clochers d'église aperçus à travers les vitres des wagons. Haine de......... (merci de remplir le blanc).

157

J'ai une belle maison, trois domestiques (quatre, si on compte la nurse), une épouse riche et jolie, et un fils tout neuf.

Ambitions : voir Venise, la Grèce. Terminer *Les Cosmopolites*.

Travail : deux mauvais chapitres des *Cosmopolites*. Cinq articles, deux critiques de livres. Pathétique. Pourtant mes chèques de royalties me disent que je suis un écrivain à succès. *LIE* et *LUF* continuent à prospérer et à créer ainsi une illusion d'activité et de succès. Combien de temps cela peut-il durer ?

Amis acquis : aucun.

Amis perdus : aucun.

Amis retrouvés : Peter (Tess ?).

Amis tombés dans l'oubli : Angus (il est foncièrement superficiel – *un nul**).

1934

Jeudi 25 janvier

Moment terrible, affreux, hier, devant les fonts baptismaux quand je me suis soudain rendu compte que jamais un de mes fils ne devrait s'appeler Lionel, encore moins Lionel Aelthred, mais il était trop tard. Quel héritage, Lionel Mountstuart. Il va me falloir songer à un surnom pour lui : Budge, Midge, Bobo – n'importe quoi. Peter était un des parrains avec Angus ; Brenna Aberdeen et Ianthe Forge-Dawson étaient les marraines. Brenna est en fait très marrante (à petites doses). Je ne peux pas souffrir Ianthe – la meilleure amie de Lottie.

Peter a passé la nuit ici. Nous avons veillé tard en compagnie de la carafe de porto et nous avons parlé. Tess n'a pas pu venir, car elle attend d'un jour à l'autre l'enfant numéro deux. Quelque chose dans le ton de Peter – il habite Londres du lundi au vendredi maintenant – m'amène à soupçonner que le mariage est en difficulté. Il m'a dit qu'il écrivait à temps perdu un roman policier – suivant ainsi mon exemple.

Vendredi 16 février

Suis resté dix bonnes minutes au pied du berceau de Lionel à le regarder dormir. J'ai essayé d'analyser mes sentiments le plus honnêtement possible, mais n'ai pu trouver en moi autre chose que des banalités telles que : tous les bébés se ressemblent dans les trois premiers mois ; il est étonnant qu'ils aient de si minuscules ongles aux mains et aux pieds ; et quel dommage que la parole leur vienne si tard. Paradoxalement, c'est surtout maintenant que j'aimerais lui parler. Imaginez que, par miracle, un bébé puisse s'exprimer dans les premières semaines de sa vie – nous verrions le monde bien autrement, d'un œil tout neuf.

Au souper, Lottie s'est interrogée sur l'endroit où nous pourrions aller cet été et a déclaré que nous aurions besoin d'une maison assez grande pour disposer d'une chambre d'enfant et d'une chambre pour la nurse – et qu'il nous faudrait au moins deux chambres d'amis au cas où « Maman et Papa » viendraient ou si les Forge-Dawson décidaient de passer. Les Cornouailles pourraient être amusantes, n'est-ce pas, Logie ?

[Février]

Voilà mon problème, voilà pourquoi mon travail stagne. J'ai passé tout l'après-midi à essayer de traduire cinq vers de « Afrique occidentale » d'Henry Levet :

> *Dans la véranda de sa case, à Brazzaville,*
> *Par un torride clair de lune congolais*
> *Un sous-administrateur des colonies*
> *Feuillette les Poésies d'Alfred de Musset...*
> *Car il pense encore à cette jolie Chilienne...*

Ça ne marche qu'en français. En anglais, ça devient banal, lourd, ça perd tout son romantisme douloureusement mélancolique. C'est ainsi que les Cosmopolites me hantent – la chaleur, l'Afrique, la littérature, le cafard, le sexe... Mais ça ne marche qu'en français. « *In the torrid Congolese moonlight/ A minor colonial official/ riffles through the Poems of Alfred de Musset.* » Non, non, non. Laisse tomber, Mountstuart.

Mercredi 21 février

Hier, après le déjeuner, ne faisant pas le moindre progrès sur le chapitre trois des *Cosmopolites*, j'ai décidé d'aller en voiture à

Norwich acheter une rame de papier pour machine à écrire – au moins une chose vaguement liée à l'écriture à faire un mercredi après-midi. J'ai dit à Lottie que je serais de retour pour le dîner et j'ai filé. Juste comme j'arrivais à Norwich, il s'est mis à grêler, fortement, pendant quelques seconde, et puis le soleil est revenu très vif et très clair. Des travaux – des conduites de gaz – détournaient la circulation par la gare et, spontanément, je me suis arrêté dans le parking de la gare. Je suis resté là un bout de temps à songer à ma vie, à ce que j'allais faire et puis je suis parti prendre un aller simple pour Londres.

Je me suis avancé sur le quai en me rappelant mes fins de trimestre à Abbey et combien cette gare ne symbolisait pour moi qu'échec et déception. Mais aujourd'hui, alors que j'attendais le train pour Londres, les mains vides et sans bagages – à part mon imperméable et mon chapeau, je me suis senti plus libre et plus excité que je ne l'ai jamais été. La gare de Norwich : la porte du monde. Une forme d'égoïsme d'une divine pureté : je ne pensais à personne mais à moi seulement – ni à Lottie, ni à Lionel, ni à ma mère. Tout ce que je souhaitais, c'était de me débarrasser de ma vie présente et d'en entamer une autre, toute neuve.

Wallace m'en a dissuadé. Je suis allé le voir dans son bureau du Strand, je lui ai raconté ce que j'avais fait et je lui ai demandé de me trouver un journal ou un magazine prêt à m'envoyer à l'étranger, n'importe où, tout de suite. Il m'a calmé et a voulu savoir ce qui s'était passé. Je le lui ai dit.

– Et votre voiture ?

– Elle est sur le parking devant la gare.

– Et les clés sont dans votre poche ?

– Ah... oui.

Je les lui ai montrées : preuve que je n'avais pas eu de plan préconçu.

– Passeport ?

– Chez moi.

Ce brave Wallace. Solide, raisonnable, pragmatique. Nous avons donc organisé un plan B. J'ai téléphoné à Lottie, je lui ai dit que j'étais à Londres, j'ai inventé une histoire selon laquelle j'avais appelé Wallace, qu'il m'avait fait venir toute affaire cessante pour un problème urgent, et que je rentrerais demain à la maison. Wallace m'a invité à passer la nuit chez lui à Wandsworth et là, pour la première fois, j'ai rencontré sa femme (Heather), leurs trois fils et leurs deux filles, âgés de neuf à quinze ans. Je n'avais jusque-là jamais eu la moindre curiosité à l'égard de la vie privée de Wallace et je l'ai regardé avec un certain étonnement au milieu de cette vaste et charmante famille.

Après le dîner, nous nous sommes installés au salon, tapissé des diverses éditions des œuvres de ses clients. Il m'a demandé où je souhaitais aller : l'Afrique, le Japon, la Russie, ai-je répondu. Mais où vraiment ? a-t-il insisté gentiment. L'Espagne. Bien, a-t-il dit, ça ne devrait pas être trop difficile à arranger.

Mars

Hôtel Rembrandt. Paris. Wallace a réussi à m'avoir un contrat pour trois articles dans le *Graphic* : cinq livres pour cinq cents mots sur Grenade, Séville et Valence. Pas de notes de frais. Un peu au-dessous de mon tarif habituel, mais je n'étais pas en position de marchander. Je me suis débrouillé aussi pour arracher la commande de deux papiers pour *Art Review* : je devrais donc sortir de mon expédition avec un petit profit. J'ai dit au revoir à Lottie et Lionel en réussissant à ne pas sourire bêtement de joie. Pourquoi ai-je attendu si longtemps ? Il ne faut plus jamais que je laisse se développer ainsi ce sentiment de frustration. Il faut que je reconnaisse que je ne suis simplement pas équipé, par tempérament, pour rester à la maison et mener une vie à l'anglaise, rurale et limitée. J'ai un besoin absolu de variété et de surprise : j'ai besoin de la ville dans mon existence – je suis essentiellement citadin de nature –, et aussi de la perspective et de la réalité des voyages. Sans quoi, je vais me dessécher et mourir.

Hier, Ben m'a emmené voir Picasso dans son atelier. Ben ne le connaît pas si bien que ça et Picasso m'a paru un peu grincheux et plutôt laconique jusqu'à ce que Ben mentionne par hasard que j'étais en route pour l'Espagne. Picasso s'est montré alors plus chaleureux et m'a donné l'adresse de deux excellents restaurants à Barcelone. Je lui ai demandé sur quoi il travaillait et il m'a répliqué : « Vous verrez. » Il parle le français avec un fort accent espagnol. Il portait une chemise et une cravate – ça paraît drôle de mettre une cravate pour peindre. C'est, semble-t-il, un petit homme agressif, et j'ai senti chez lui une certaine circonspection à notre égard, à

Ben et à moi. Que faisaient donc ces deux jeunes Anglais dans son atelier ? Ils devaient avoir une arrière-pensée. Je suppose qu'il avait raison, dans un sens. Non que je m'en sois soucié : j'étais simplement heureux d'être hors de l'Angleterre.

J'ai dîné avec Pierre Lamartine, mon éditeur au Cahier noir. Un homme mince, pensif, avec une mèche de cheveux lui barrant le front dans le style de Herr Hitler. Il est enclin à de longs silences dans la conversation. Je lui ai parlé des *Cosmopolites* et il a réussi à montrer un intérêt poli bien que, visiblement, à l'exemple de tous mes autres éditeurs, il souhaite un autre roman. « *Les Cosmopolites sont…* (longue pause) *… un peu vieux jeu** », a-t-il dit avec un haussement d'épaules contrit.

Demain, je prends le train à la gare d'Orsay, direction le Sud. Je devrais arriver à Bordeaux à temps pour dîner au Chapon fin. Puis je prévois de faire Bordeaux-Toulouse-Perpignan, de passer la frontière à Port-Bou et de là descendre la côte vers Barcelone-Valence-Grenade-Séville. Je pense même aller à Lisbonne après Séville et peut-être attraper un bateau pour rentrer en Angleterre par Southampton.

> *Là, tout n'est qu'ordre et beauté*
> *Luxe, calme et volupté.*
> [Baudelaire]

Mercredi 4 avril
Hôtel Métropole, Lisbonne. Hier j'ai pris le train pour Cintra. La journée était froide, brumeuse, et la vue d'autant plus enchanteresse à cause de ce flou des contours. Mais, à un moment, et je ne sais comment, on m'a volé mon manteau qui contenait dans ses poches à la fois mon portefeuille et mon passeport. C'est arrivé au Castelo da Pena. J'ai posé mon manteau sur le mur de la galerie extérieure et me suis engagé dans une sorte de balcon en saillie pour photographier le paysage au sud des montagnes d'Arrabida. J'ai pris mon cliché et, à mon retour, le manteau avait disparu. J'ai erré autour du château en scrutant un visiteur sur deux et les gens dans le parc, mais je n'ai vu personne ni rien de suspect. Un mystère, et fichtrement gênant. Je suis donc allé ce matin au consulat expliquer mon problème. On me donnera cet après-midi un passeport provisoire. J'ai télégraphié à ma banque de m'envoyer de l'argent.

Plus tard. Voici ce qui s'est passé :

Au consulat (rua do Ferregail de Baixo), on m'a demandé de patienter dans une antichambre – quelques chaises en bois, une table couverte de vieux magazines et d'exemplaires du *Times* datant de la semaine dernière. La porte s'est ouverte et j'ai levé la tête, m'attendant à voir le fonctionnaire de service, au lieu de quoi a surgi une jeune femme. Étonnant à quel point l'effet est soudain : ce doit être le résultat d'un besoin atavique d'accouplement enfoui profond en nous. Un coup d'œil et vous vous dites : « Oui, c'est celle-là, celle-là est faite pour moi. » Tous vos instincts semblent chanter à l'unisson. Quels sont les facteurs qui se combinent pour vous donner ce sentiment ? L'arc d'un sourcil ? L'avancée d'une lèvre ? Le tour d'une cheville ? La minceur d'un poignet ?… Nous avons échangé un sourire poli – deux étrangers aux prises avec la bureaucratie – et j'ai tapoté mon journal en la regardant consciencieusement par-dessus.

De prime abord, elle avait un visage aux traits marquants, long et mince. Sourcils très arqués, épilés et redessinés. Rouge à lèvres. Cheveux épais et indisciplinés, châtain avec des mèches plus blondes aux tempes et sur le front. Je l'imaginais très bien passant et repassant une brosse dans cette masse le matin et puis abandonnant tout autre effort pour le reste de la journée. Elle portait un tailleur en lin vert pâle, très élégant. Elle a sorti un étui à cigarettes de son sac et a allumé une cigarette avant que je puisse me précipiter avec mon briquet. Bien, ai-je pensé, voilà ma chance : je pourrais lui demander du feu, et j'ouvrais tout juste mon propre étui quand la secrétaire du consul a fait son apparition et a dit : « Mr Mountstuart, le consul va vous recevoir. » Je suis entré dans le bureau du consul et j'ai signé ma demande de passeport dans une sorte d'étourdissement. J'ai passé la tête dans l'antichambre en sortant, mais elle n'était plus là.

J'ai été pris de panique, d'une inquiétude inexplicable, absurde. J'ai fait aussitôt demi-tour chez la secrétaire pour demander où était partie la jeune femme. Voir un autre fonctionnaire, m'a-t-on répondu. Il semble que, voyageant avec son père en voiture, ils aient eu un accident, que son père ait été blessé (une jambe cassée) et que des problèmes d'assurances compliqués restent encore à résoudre.

Je suis retourné dans l'antichambre et j'ai attendu, la porte entrouverte de façon à pouvoir surveiller le couloir.

Je l'ai vue sortir d'un bureau et je me suis avancé l'air aussi dégagé que possible. J'ai souri. Je n'avais pas la moindre idée de ce que j'allais dire. Elle m'a regardé en fronçant ses sourcils dont les arcs parfaitement dessinés se sont déformés.

– Seriez-vous Logan Mountstuart, par hasard ?

– Oui, c'est moi.

Une chance incroyable. Une lectrice.

– C'est ce que je pensais.

Sur quoi, elle m'a gratifié de ce qu'on ne peut décrire que comme un ricanement méprisant avant de me passer devant à grands pas. Je l'ai suivie dans l'escalier menant à la rue.

– Attendez une seconde ! Comment savez-vous ? Nous sommes-nous déjà rencontrés ?

– Certainement pas. Mais il se trouve que je sais que vous ne vous déplacez pas à Londres pour moins de dix guinées.

J'ai réussi à la convaincre de s'arrêter dans un café avec moi. J'ai commandé un verre de *vinho tinto*, elle de l'eau minérale, et j'ai découvert le fond de l'histoire. Elle est secrétaire à la BBC dans la section des débats, avec la responsabilité d'établir la liste des invités : ils avaient essayé de m'avoir pour une causerie sur « Les nouveaux courants de la peinture européenne » et avaient été informés du montant de mes honoraires. Que tout le département avait jugés absurdes, a-t-elle dit.

– Enfin quoi, pour qui vous prenez-vous ? Stravinsky ? Galsworthy[1] ?

– Ah mais ça, c'est la faute de mon agent. Il passe son temps à augmenter mes tarifs sans ma permission. Scandaleux.

– Il ne vous rend pas service, je peux vous le dire, a-t-elle lancé, agressive. Vous êtes allé droit sur la liste noire. Dix guinées ? Sacrément ridicule. Je le virerais, à votre place.

C'est ce que je pensais faire depuis des éternités, ai-je affirmé. Puis je lui ai demandé son nom.

– Freya Deverell.

Freya Deverell. Freya Deverell. J'ai cette sensation de cœur battant,

1. John Galsworthy avait reçu le prix Nobel de littérature en 1932.

de fièvre, de souffle coupé, juste en écrivant son nom. Et sa beauté a un côté agressif. Ses lèvres s'avancent légèrement, moins en une moue que comme si elle était sur le point de lâcher une phrase brutale. Elle est grande et mince, et je dirais qu'elle n'a guère dépassé vingt ans, et qu'elle a beaucoup d'assurance pour quelqu'un de si jeune. Son père, m'a-t-elle raconté, s'est cassé la jambe assez méchamment : il ne sortira pas de l'hôpital et ne sera pas en état de voyager avant une semaine.

« Je prends le bateau demain pour Southampton, mais puis-je vous inviter à dîner ce soir ? Voyons si je peux vous convaincre de me retirer de la liste noire du département des débats. »

J'écris ceci en attendant d'aller la chercher à son hôtel. Ça me terrifie, la fragilité de ces moments dans nos vies. Si je n'avais pas perdu mon passeport. Si son père n'avait pas eu un accident et ne s'était pas cassé une jambe. Si elle ne s'était pas rendue au consulat à cette heure précise... Sur le devant, la scène est vide et déserte : seule la vue en arrière-plan vous montre à quel point ces rencontres essentielles sont aléatoires et dues au hasard.

[Avril]

SGTM *Garudja*. Navire français. Équipage portugais. La moitié des cabines sont vides. J'ai fait mes trois papiers pour le *Graphic* et en supplément j'ai écrit un récit de ma visite à l'atelier de Picasso que, j'en suis certain, Wallace pourra placer quelque part. J'ai passé la matinée – fraîche et ensoleillée –, à faire les cent pas sur le pont, en essayant de rassembler mes pensées, d'y mettre de l'ordre, de donner une sorte de forme et de cohérence à mon avenir immédiat.

Le dîner avec Freya s'est bien passé et j'en ai appris un peu plus sur elle. Son père, veuf, vit avec son frère dans le Cheshire. Une fois par an, Freya et son père prennent des vacances ensemble. Leur destination préférée est l'Allemagne ou l'Autriche, mais elle refuse désormais d'y aller à cause de la situation là-bas[1] – d'où le malheureux voyage au Portugal. Freya est beaucoup plus à gauche que moi et je me rends compte à quel point je me suis désengagé de la politique. Je me sens vaguement honteux de mon indifférence et de mon apathie. Elle a vingt et un ans et travaille à la BBC depuis deux

---

1. Hitler devint chancelier du Troisième Reich en 1933.

ans. Elle veut devenir productrice de programmes en titre. « Pas facile là-dedans, je peux vous le dire. » Elle s'est montrée violemment en opposition avec moi sur certains des sujets dont nous avons discuté. Picasso, « un charlatan » ; Virginia Woolf, « notre plus grand écrivain vivant » ; Mosley, « un désastre pour le pays ». Je l'ai raccompagnée à son hôtel et elle m'a serré vigoureusement la main en guise d'au revoir. Je lui ai demandé si je pourrais la voir à Londres et elle m'a donné son adresse. Elle vit dans une sorte de meublé avec huit autres jeunes filles à Chiswick. Elle sait que je suis marié et père d'un enfant. Je lui ai dit que je reprendrais contact avec elle dès son retour. Je lui ai donné ma carte et elle a lu tout haut : « Thorpe le Hongre. Ça paraît très loin. » Je cherche un appartement à Londres, ai-je précisé.

— Avez-vous lu un de mes livres ? je lui ai demandé à un moment, au cours de la soirée.

— Non.

— Pourquoi me vouliez-vous pour votre programme ?

— Je ne sais pas. Quelqu'un avait lu un de vos articles. Je crois que j'ai été intriguée par votre nom.

Pas la plus prometteuse des bases pour une relation durable, mais je suis captivé par cette femme. Freya. Freya. Freya.

Mardi 15 mai

De retour à Chelsea. Je viens de verser trois mois de loyer d'avance pour un petit appartement à moitié meublé dans Draycott Avenue. Un salon de bonne taille qui peut me servir de bureau, une chambre minuscule, des toilettes (pas de baignoire) et une étroite kitchenette avec une table pliante. Il m'a fallu acheter quelques meubles— un lit (à une place, un plus grand n'aurait pas tenu), un divan — et des casseroles. Une couturière polonaise d'âge mûr vit à l'étage au-dessus et, au-dessous, il y a deux fonctionnaires que je soupçonne d'être « très musiciens ». La rue est sombrement anonyme, chacun se tient chez soi. Je crois que ça va se révéler idéal pour ma nouvelle vie.

Freya adore les ballets et nous sommes donc allés voir *Giselle* vendredi dernier. Je suis un *ignoramus* patenté quand il s'agit de danse (pourquoi en est-il ainsi ? Je me le demande. Toute autre forme d'art me fascine), mais j'ai retiré beaucoup de plaisir de ma soirée — comment résister à la grâce, à l'élégance et à une exquise musique ? Ensuite, au restaurant, Freya m'a fait subir un véritable interrogatoire : elle a été atterrée par mon ignorance. « Et si je disais que je ne suis pas curieuse d'art ou de littérature ? a-t-elle lancé. Que penseriez-vous de moi ? » J'ai été ravi de m'avouer vaincu. Ravi d'être assis en face d'elle et de m'avouer vaincu.

J'ai aussi ouvert un nouveau compte sur lequel Wallace transférera tous mes gains littéraires. Aelthred nous verse – verse à Lottie – une allocation de trois cents livres par mois, ce qui devrait suffire à assurer notre train de vie dans le Norfolk. J'ai annoncé à Lottie que j'allais passer « beaucoup plus, considérablement plus » de temps à Londres, mais ça n'a pas paru l'affecter outre mesure – du moment que je suis à la maison pour les week-ends, c'est sa seule condition. J'ai profité de cette complaisance pour déménager discrètement la plupart de mes livres et de mes tableaux à Draycott Avenue. Je ne crois pas qu'elle l'ait remarqué. Wallace a vendu mon article « Rencontre avec Picasso » à *Life* pour deux cents dollars.

[Mai]

Je fais une cour prudente et sans hâte à Freya. Je sollicite gentiment nos rendez-vous, très en avance, sans rien prendre pour acquis. Elle aime beaucoup dîner au restaurant et boit autant que moi. J'ai évité pour l'instant mes lieux de prédilection habituels – donc pas d'Ivy, de Café Royal, de Previtali – je ne veux pas faire jaser. Nous allons au cinéma, dans les galeries d'art, au théâtre et au ballet. La semaine dernière, avant le théâtre, nous avons pris un verre à Draycott Avenue et elle a admiré l'appartement. Un « jeune homme » de la BBC s'intéresse à elle, mais je ne pense pas qu'il soit un rival.

Vendredi 8 juin

Hier, un des patrons de Freya dans la section Débats donnait un cocktail et elle m'a demandé de l'accompagner. Elle s'est changée à Draycott (elle a semblé soudain très sophistiquée avec une robe en crêpe bleu marine et des talons hauts) et nous nous sommes rendus en taxi chez lui à Highgate. Il s'appelle Turville Stevens, la quarantaine mais avec une grosse tignasse de cheveux blanc neige. Il faisait chaud et les invités se sont égaillés dans le jardin. Je ne sais pourquoi, la boisson m'est montée à la tête (j'avais bu un coup de gin avant l'arrivée de Freya, histoire de me calmer les nerfs) et je me suis un peu éloigné seul pour tenter de me dégriser. Et là, dans ce jardin anglais, dans cette nuit d'un été naissant, j'ai senti un élan de pur bien-être m'envahir, un courant frémissant de bonheur et de bienveillance traverser tout mon corps. J'ai regardé autour de moi et, de l'autre côté de la pelouse, j'ai vu Freya qui me regardait aussi. C'est l'amour. C'est ce que l'amour peut vous faire. Nous nous sommes regardés et le message est passé entre nous, à travers nos yeux. Puis Turville l'a appelée et elle a dû détourner son regard.

Je me suis avancé, comme un automate, vers un autre groupe de gens où j'avais cru voir Tommy Beatty. A ma vague surprise, Land était parmi eux. Nous avons conversé très aimablement : elle m'a annoncé qu'elle allait se présenter aux prochaines élections parlementaires. Elle a demandé des nouvelles de Lottie et de Lionel, a voulu savoir ce que j'écrivais et le reste, et moi, à mon tour, je me suis enquis des autres Fothergill. Étrange, après une telle intimité, de sentir cette froideur entre nous. Je suppose que si vous proposez à quelqu'un de vous épouser et qu'on vous inflige un refus, les choses ne peuvent plus jamais être pareilles – trop de dégâts : la race humaine ne peut tolérer qu'une petite dose de rejet. Puis, tandis que nous parlions, Freya est arrivée et je les ai présentées l'une à l'autre. Impossible de feindre dans ces situations : j'ignore à quels petits signaux (peut-être les femmes sentent-elles mieux que les hommes), mais j'ai aussitôt compris que (a) Land savait ce que j'éprouvais pour Freya et que (b) Freya savait que Land avait été ma maîtresse. La conversation à trois a été très embarrassée et nous nous sommes séparés dès que la politesse l'a permis.

Ce qui m'a plu aussi au cours de cette réception, c'était de constater combien mon petit caillou littéraire faisait encore de ricochets. Elizabeth Bowen a lancé, un peu rosse, j'ai trouvé : « Êtes-vous énormément riche ces temps-ci ? » et on a dû me demander une demi-douzaine de fois la date de parution de mon prochain livre. Turville Stevens s'est montré très flatteur à l'égard des *Imaginations*, et certain que nous pourrions faire quelque chose à la radio au moment de la publication des *Cosmopolites*.

Freya et moi nous sommes partis vers vingt et une heures et nous avons hélé un taxi dans High Street. Je lui ai demandé où elle voulait aller dîner. « Draycott Avenue », a-t-elle répliqué.

Freya nue. Encore plus belle. Des taches de rousseur sur la poitrine et les épaules. Les os de ses hanches font saillie. Je ne sais pas pourquoi – nous avons tous deux moins de trente ans, après tout –, je me sens beaucoup plus vieux qu'elle. Nous nous collons l'un à l'autre dans mon lit étroit : « Il ne faudra jamais en acheter un double, Logan, a-t-elle dit. Jamais. Nous coucherons toujours dans un lit à une place. »

Elle a passé la nuit ici et m'a quitté ce matin à huit heures pour aller travailler. J'écris ceci, vêtu de ma robe de chambre et assis à la table pliante de la cuisine, les miettes de son toast sur une assiette devant moi et j'exulte. Je pense à Lottie, à notre vie, à notre enfant et je me rends compte de l'abominable erreur que j'ai commise en l'épousant. Mais le passé ne peut être défait. Je ne veux être qu'avec Freya : le temps passé loin d'elle est du temps irrémédiablement perdu.

[Juin]

Thorpe. Cet été va être très difficile. Lottie a loué une maison à Fowey en Cornouailles pour les mois de juillet et d'août. Je lui ai dit qu'il me fallait aller en France pendant la plus grosse partie d'août pour procéder à des recherches sur les Cosmopolites, ce qu'elle a accepté tout en me faisant la tête pour le restant de la journée. Elle ne soupçonne rien, je le sais.

Quelques soucis d'argent aussi. Nous sommes dans le rouge à la banque et, quand Lottie a demandé une augmentation des versements paternels, j'ai eu droit à une petite conversation avec un Aelthred inquiet : il ne comprenait pas comment avec mes revenus et ceux de Lottie un jeune couple (sans emprunt immobilier) pouvait s'endetter. Lottie dépense sans réfléchir, lui ai-je expliqué, en ajoutant que pour l'instant je gagnais très peu d'argent – la vie d'un écrivain, vous comprenez, soit le festin, soit la famine. Bien entendu, rien de ce que je gagne ne va dans le compte commun. Je presse Lottie d'économiser mais l'idée lui est étrangère. Mes royalties sur *LIE* et *LUF* sont désormais modestes (quoique *L'Usine à filles* ait eu un succès surprenant en France) et l'argent de la vente des droits cinématographiques semble fondre comme neige au soleil. L'appartement de Draycott Avenue et les frais de ma vie londonienne avec Freya dévorent l'essentiel de ce que je

169

gagne grâce au journalisme et je ne toucherai pas d'autre avance avant ma livraison des *Cosmopolites* – environ cent cinquante livres. Pour tenir jusque-là et financer notre été, j'ai emprunté sur cette somme (grâce aux bons offices de Wallace). J'emmène Freya à Biarritz.

[NOTE RÉTROSPECTIVE, 1965. Fait non sans intérêt, c'est la première fois de ma vie que je me suis soucié d'argent et de l'obligation d'établir un budget. Jusqu'au mois de juin 1934, je peux dire que je n'avais jamais eu à me demander comment régler une facture qu'on me présentait.]

[Juin]
Lionel a le croup. Il me paraît être un bébé très maladif. Je l'ai mis sur mes genoux l'autre jour et il m'a regardé avec l'œil torve, boudeur, d'un inconnu.

D'après Wallace, il y aurait un poste de chef de rubrique littéraire à *artrevue* (oui, en un seul mot) à dix livres par mois. Plus un supplément pour tout grand article que je pourrais écrire. Mon papier sur Picasso a, semble-t-il, fait impression. C'est un magazine prétentieux, cher (financé, comme il convient, par un millionnaire philanthrope et prétentieux), mais qui au moins admet que des gens produisent de l'art à l'extérieur de cette petite île. J'accepte sans réfléchir – bien que je sache qu'il me faut finir *Les Cosmopolites* le plus vite possible. Mener une double vie revient très cher. Et puis que ferai-je après *Les Cosmopolites* ?

Lundi 30 juillet
Retour de Fowey. Bon dieu, quelle épreuve ! Quand nous n'étions que tous les trois je pouvais déjà juste à peine le tolérer, mais avec des invités c'était insupportable. J'ai eu le sentiment de subir une sorte de condamnation raffinée à la prison. Angus et Sally[1], puis Ianthe et sa famille. Heureusement, je ne serai pas là pour Aelthred et Enid. Je suis arrivé à Londres par le premier train et me suis rendu directement à la BBC pour retrouver Freya. Nous sommes allés dans un pub voisin et nous avons bu des gin-tonic en nous tenant la main. Elle ne peut venir que deux semaines – il lui faut garder une partie de ses vacances pour son père.

1. Sally Ross, sa fiancée.

Je vais voir Mère. Il y a maintenant quatre couples de pensionnaires à Sumner Place. Mère et Encarnación occupent le rez-de-chaussée. Les trois autres étages et le sous-sol sont loués. Pas le moindre signe de Prendergast depuis plus d'un an. J'oblige Mère à me montrer chaque document concernant ses transactions financières. Père lui a laissé la maison de Birmingham et des biens d'un montant d'environ quinze mille livres. Même avec l'achat et la décoration de Sumner Place, elle aurait dû avoir plus que le nécessaire pour jouir d'un joli revenu à vie (au moins mille livres par an) et me pourvoir de l'héritage que Père m'avait promis. J'entends encore ses mots : « Vous ne manquerez tous deux de rien. » Tous deux. Ce n'était pas seulement l'argent de Mère, c'était aussi le mien. Même si on prend en compte la prodigalité, les automobiles, les domestiques, ma rente, je calcule que la crise nous a coûté pratiquement tout ce que nous avions. Prendergast, avec ses investissements imprudents dans des actions américaines, nous a fait perdre huit mille livres – une fortune – sans parler de l'appartement de la 62e rue. Je devrais, je suppose, être très en colère, mais il est toujours difficile d'essayer d'imaginer la perte de ce qu'on n'a jamais eu. Au moins Sumner Place appartient-il encore à ma mère, aussi triste soit-il de la voir contrainte de la partager avec des étrangers – et elle tire assez d'argent de ses petits loyers pour suffire à ses besoins. Je remarque une bouteille de gin vide dans la cuisine, je vais en toucher un mot discrètement à Encarnación. Gémissements sans fin, inutile de dire, parce qu'elle ne voit pas assez son petit-fils.

J'écris ceci à Draycott Avenue. Freya a habité ici pendant que j'étais en Cornouailles. Il y a des fleurs dans les vases, l'appartement respire la propreté. Notre petit lit étroit a des draps neufs. J'entends la clé de Freya tourner dans la serrure. Mercredi, nous partons pour la France.

Mardi 31 juillet
Réunion à *artrevue*. J'aime bien Udo [Feuerbach, le rédacteur en chef], un réfugié allemand au teint basané, un type sophistiqué qui a enseigné un temps au Bauhaus à Dessau, et je crois qu'il est content de mes papiers. Les critères d'évaluation d'Udo se résument à deux phrases : un artiste ou une œuvre d'art est soit *ganz ordinär* (très quelconque), soit démontre une *teuflische virtuosität* (une

virtuosité diabolique). Je ne l'ai jamais entendu s'étendre davantage. Ça simplifie le jugement. Il m'a commandé un long article sur Juan Gris, à ma suggestion, qui ne doit rien au fait que je possède deux de ses dessins au fusain. Gris est très sous-estimé, et maintenant qu'il est mort les éblouissants rayons que projettent Picasso et Braque le confinent injustement dans l'ombre. Udo veut aussi que j'interviewe Picasso si je peux arranger une rencontre par l'intermédiaire de Ben. Je me prends de sympathie pour l'égalitarisme d'Udo. Les bureaux de la revue consistent en une grande pièce avec, au milieu, une table de réfectoire autour de laquelle chacun, rédacteur en chef, secrétaire, maquettiste, correcteurs et écrivains en visite, s'assied. Aucun magazine en Angleterre ne s'organiserait jamais de cette manière.

Je venais de sauter de l'autobus dans Brompton Road et je m'avançais vers Draycott Avenue, quand j'ai entendu crier mon nom. Je me suis retourné et j'ai vu Joseph Darker descendre d'une voiture de police. Nous avons un peu bavardé. Je lui ai parlé de Lottie, de Lionel, de notre installation dans le Norfolk et je me suis excusé d'avoir perdu le contact.

— Comment va la famille ? me suis-je enquis.

— On a eu du malheur de ce côté-là, a-t-il répondu en regardant par terre. Tilda est morte l'année dernière. Diphtérie.

Je ne sais pas pourquoi la nouvelle m'a choqué à ce point. J'ai même un peu reculé d'un pas ou deux, comme si on m'avait poussé. Je me suis rappelé cette femme timide, s'excusant en permanence, maintenant morte et partie pour toujours. J'ai marmonné une banalité quelconque, mais Darker a bien vu combien j'avais été secoué. Nous avons encore échangé quelques mots et je lui ai donné ma nouvelle adresse. Je suis rentré chez moi sincèrement attristé. J'ai raconté à Freya ma réaction et elle m'a dit : « Nous ne sommes pas prêts pour ça… la mort de gens de notre âge. Nous nous croyons à l'abri pour un bon moment, mais c'est un rêve. Personne n'est à l'abri. » Elle a passé sa main dans mes cheveux, m'a pris dans ses bras et s'est perchée sur mes chaussures. Puis elle a enroulé une jambe autour de la mienne. C'est quelque chose qu'elle fait, une de ses excentricités, un « jambisou ». « Je t'ai eu, s'écrie-t-elle, en t'accrochant à cette bonne vieille vie. »

Vendredi 3 août

Biarritz. Ben a loué une grande villa entre Biarritz et Bidart, à quelque huit cents mètres en retrait de la côte, avec un énorme jardin envahi par la végétation, des tas d'arbres et une piscine en béton. Outre Ben et Sandrine, la maison abrite Alice et Tim Farino, Freya et moi, Cyprien Dieudonné et sa petite amie Mita, une danseuse guadeloupéenne, Geddes Brown (maintenant un des poulains de Ben) plus son compagnon, un Italien – un peintre aussi, nommé Carlo.

Tous les jours un déjeuner pique-nique est organisé autour de la piscine pour ceux qui restent à la maison, mais nous sommes libres d'aller et venir à notre guise, soit de profiter des plages de Saint-Jean-de-Luz et de Biarritz, soit de nous promener dans la montagne.

Il y a eu un instant mémorable hier au déjeuner. Geddes et Carlo étaient absents et Cyprien était allé à Biarritz faire réparer ses lunettes. Nous avions tous beaucoup mangé et bu quand, soudain, Alice a ôté le haut de son maillot deux-pièces, et, tirant sa chaise au soleil, s'est installée là, poitrine nue.

– Tout va bien, chérie ? s'est enquis Tim, parfaitement impassible.

– Tu sais bien que j'adore faire ça, a-t-elle répliqué. C'est tellement plus agréable de sentir la brise sur les nichons.

Sur quoi toutes les autres femmes autour de la table se sont regardées et ont spontanément ôté leurs hauts et nous avons terminé notre repas avec tous ces beaux seins bien faits en étalage. J'ai commencé par trouver le spectacle excitant, mais au bout de dix minutes il m'a paru la chose la plus naturelle au monde. J'ai croisé le regard de Freya – elle était rayée comme un tigre par le soleil que filtrait le treillis de bambou sous lequel nous étions assis. Elle a tendu un bras en arrière pour rajuster une barrette dans ses cheveux et j'ai vu ses seins se soulever et s'aplatir avec son geste, les rayures d'ombre se déplaçant pour en épouser les nouveaux contours. Quand la compagnie s'est dispersée pour aller jouer aux boules, nous avons filé dans notre chambre.

Jeudi 9 août

Geddes et Carlo sont partis quelques jours peindre dans la montagne. « Trop de lumière océane », a dit Geddes. Je crois qu'il a du talent, il travaille certainement très dur, et je l'aime bien, ce type

173

brusque et austère, même si je pense qu'il se méfie un peu de moi. Il continue à voir Land, m'a-t-il raconté, en me laissant entendre qu'elle a une liaison avec Oliver Lee.

Le temps était un peu couvert ce matin et Tim Farino et moi sommes allés à Biarritz jouer au golf au club du plateau du Phare. Tim ne joue pas mal, mais nous sommes tous deux un peu rouillés par manque de pratique. Je venais de faire un birdie sur le huitième trou et je plaçais la balle sur le tee du neuvième quand un type en blazer et pantalon de flanelle blanche, s'annonçant comme le secrétaire du club, est venu nous demander si nous consentirions à laisser à un visiteur distingué la possibilité de jouer les neuf trous devant nous. Nos frais de parcours seraient remboursés, a-t-il ajouté en manière d'encouragement, et il a désigné d'un geste deux hommes qui, venant du clubhouse, descendaient le sentier de graviers, suivis de caddies.

– Êtes-vous anglais ou américains ? s'est enquis le secrétaire.

– Anglais, ai-je dit.

Il s'est penché et a chuchoté :

– C'est le prince de Galles.

Bien entendu, je l'ai reconnu dès qu'il s'est approché. C'est un petit homme d'allure délicate. Il portait des pantalons de golf immaculés, des chaussures deux tons, et une casquette en tweed sur des cheveux blonds épais brillantinés et séparés par une raie impeccable. Il était accompagné d'un homme plus vieux, plus grand, un peu vêtu n'importe comment, et qu'on ne nous a pas présenté. Un aide de camp, ai-je supposé.

Le secrétaire, se confondant en courbettes, a expliqué que ces gentlemen britanniques avaient gracieusement accepté de laisser le terrain.

Nous nous sommes serré la main. Je me suis présenté ainsi que Tim.

– Terriblement aimable à vous, a dit le prince. Nous voulons simplement expédier un neuf trous en vitesse avant le déjeuner. Nous ne voulons pas faire attendre les dames.

Nous nous sommes écartés et les avons regardés driver. Le prince a un swing raide, gauche – pas un sportif de nature, dirais-je. Ils se sont éloignés, et puis le prince est revenu au petit trot, une cigarette non allumée à la main.

– Avez-vous du feu ? a-t-il demandé.

J'ai sorti une boîte d'allumettes et j'ai allumé sa cigarette.

– Vous n'auriez pas une boîte de trop, non ? m'a-t-il dit en me gratifiant de son fameux sourire.

– Elles sont à vous, sir, ai-je répondu en lui tendant les allumettes.

– Merci. Quel est votre nom, déjà ?

Je le lui ai dit. Logan Mountstuart, sir.

Plus tard. Ben dit que le prince a loué une maison ici et que l'Américaine, Mrs Simpson, chaperonnée par sa tante, est avec lui. Se sont ensuivies des spéculations salaces. Tim a dit qu'il la connaissait vaguement avant qu'elle n'épouse Simpson – son premier mari, un épouvantable ivrogne, de l'avis général. Freya ne comprenait pas nos allusions et nous lui avons donc expliqué l'histoire de lady Furness[1] supplantée par la nouvelle favorite. Je me suis rendu compte que je tenais ces ragots d'Angus Cassell. Ben a affirmé que c'était de notoriété publique à Paris.

Ça vaut la peine, je trouve, de noter ces rencontres, aussi insignifiantes soient-elles – le don d'une boîte d'allumettes au futur roi d'Angleterre. Autrement, on oublie. Quoi d'autre ? Il ne portait pas de cravate.

Vendredi 17 août

Freya repart demain et j'ai l'intention de rester jusqu'à la fin du mois, peut-être de pousser jusque dans le Lot pour aller voir Cyprien.

– Pense à moi lundi matin me rendant à la BBC, a dit Freya, mi-grognon mi-gémissante alors que nous étions au lit. Et pense à moi pensant à vous tous ici. CE N'EST PAS JUSTE !

– Il faut que tu laisses tomber ton job, lui ai-je dit en la prenant contre moi.

– Et qu'est-ce qu'il me resterait à faire alors ? Devenir un écrivain ?

---

1. Mary Furness était la maîtresse du prince de Galles avant l'arrivée de Wallis Simpson.

Samedi 18 août

Freya dans le train pour Paris. Je l'ai suppliée de s'installer à Draycott Avenue, de considérer l'appartement comme le sien et elle a promis d'y songer. « Si j'y déménage, a-t-elle dit, je paierai ma part du loyer. » J'ai protesté à moitié – chaque shilling compte. « Je refuse d'être entretenue, Logan », a-t-elle ajouté, sévère. Comme elle va me manquer !

Ces jours ici sur la Côte ont été magiques. Je suis bronzé à mort mais Freya, ma déesse nordique, n'aime pas autant le soleil que moi. Se rappeler : main dans la main, nous deux pataugeant dans les grandes vagues à Hendaye. Debout nu à la fenêtre contemplant le jardin la nuit, sentant l'air frais sur mon corps, écoutant le bruit perçant des cigales, Freya me criant de revenir au lit. Les longues conversations autour de la table du déjeuner – tandis qu'on va chercher du vin que nous boirons durant tout l'après-midi –, Cyprien, Ben et moi nous disputant au sujet de Joyce ; Geddes soutenant Braque contre Picasso ; parlant de la méchanceté du groupe de Bloomsbury, Freya défendant dur comme fer Mrs Woolf contre tous ; analysant le nouveau roman de Scott Fitzgerald[1] (apparemment sa femme est folle, dit Alice). Les soirées au casino, dansant au son de l'orchestre de jazz. Freya gagnant mille francs au blackjack, sa joie sans égale devant cet argent immérité tombé du ciel.

Ben s'est montré un ami véritable et discret, étant donné qu'il était garçon d'honneur à mon mariage. J'ai essayé de lui expliquer la situation vis-à-vis de Lottie mais il n'a pas voulu écouter. « Ça m'est égal, Logan. Tu vis ta vie et je vis la mienne. Je refuse de te juger – du moment que tu es heureux. J'espère que tu en ferais autant pour moi. » Je l'ai assuré que oui.

Il m'a beaucoup raconté de choses sur Gris et en particulier combien il avait été malade à la fin de sa vie. Il pourrait, m'a-t-il dit, si ça m'intéresse, mettre la main sur une nature morte tardive, « petite mais exquise ». Combien ? Cinquante livres, comptant. Je n'en ai pas les moyens, mais quelque chose en moi m'a fait dire que je la prendrais. Il est immédiatement parti donner un coup de fil à Paris.

---

1. *Tendre est la nuit.*

Vagues idées dans la tête d'écrire un roman autour de ce décor, d'une maison de vacances et d'invités tels que ceux-ci.

[Novembre]
Le Juan Gris, *Pot de céramique et trois abricots*, est pendu au-dessus de la cheminée à Draycott Avenue. Les murs sont couverts de mes autres tableaux et dessins. En août, Freya a peint la pièce en vert olive et en ces soirées tristes, avec l'hiver qui approche, les lampes semblent diffuser plus de chaleur sur ce fond vert un peu terreux.

Freya a décidé d'habiter ici à condition de contribuer au paiement du loyer (cinq livres par mois), Elle me tend ponctuellement un billet de cinq livres le premier jour de chaque mois (je n'ai pas honte d'avouer que les petits ruisseaux font les grandes rivières – mais je vois que j'ai déjà dit ça plus haut, ce qui ne le rend pas moins vrai). J'ai maintenant emprunté la totalité de mon avance sur *Les Cosmopolites*. Tout l'argent que j'ai gagné avec *L'Usine à filles* est immobilisé en valeurs de premier ordre et en polices d'assurances que je ne peux pas vendre sans attirer l'attention de Lottie ou – pire encore – d'Aelthred. Wallace me presse de livrer *Les Cosmopolites*, mais je ne cesse de lui dire que je n'en ai pas le temps parce que je fais trop d'articles en ce moment afin de joindre les deux bouts. J'ai suggéré une monographie sur Gris, mais Wallace a aussitôt descendu l'idée en flammes en disant que j'aurais de la chance si j'en tirais dix livres.

Au déjeuner l'autre jour :
WALLACE : J'ai cru t'entendre dire que tu avais une idée pour un autre roman.
MOI : Juste une vague idée. Un groupe de jeunes gens, plusieurs couples, partageant une villa à Biarritz pendant l'été.
WALLACE : Ça me paraît excellent. Je lirais ça.
MOI : J'ai songé à l'appeler *L'Été à Saint-Jean*.
WALLACE : Tu ne peux pas rater avec *L'Été* dans le titre. Je pourrais t'avoir cinq cents livres demain matin.
MOI : Épatant. Mais quand suis-je censé l'écrire ?
WALLACE : Rédige un synopsis. Deux pages. Quelques lignes. Le temps presse, Logan.
Ça sonnait comme un avertissement. De toute évidence mon

crédit de *L'Usine à filles* est complètement épuisé. Je me suis donc assis pour essayer d'écrire quelque chose. Juste histoire d'expérimenter, j'ai pris notre situation à Biarritz, changé le nom de tout le monde, créé d'autres tensions, des pressions externes (épouses, ex-amants). Soudain, comme Wallace, j'ai vu un énorme potentiel dans cette idée – le sex-appeal, l'étranger, la liberté d'un été au bord de l'océan –, mais je n'ai pas pu lui donner libre essor, autant que je m'y sois efforcé.

1935

[Janvier]
Coincé à Thorpe par la neige entassée à la hauteur du rebord des fenêtres. Ce serait très beau et très romantique si j'étais ici avec Freya et non avec Lottie, et Lionel qui a, me dit-on, la coqueluche. J'entends l'appel rauque et moqueur des corbeaux dans les ormes. Freya – Freya – Freya, semblent-ils gémir.

Udo Feuerbach m'a demandé d'écrire un article sur le Bauhaus et m'a prêté des photographies de sa collection. Je m'émerveille des clichés des filles dans les salles de tissage – belles et libres. L'une d'elles ressemble à Freya. Je ne peux pas y échapper.

Mardi 4 mars
Nous avons dîné Chez Luigi et nous sommes allés ensuite au Café Royal. C'était très animé, plein de visages inconnus. Repéré et parlé avec Cyril et Jean qui étaient là avec Lyman? Leland? (non-identifié). Ils sont partis peu après. Puis Adrian Daintrey[1] est arrivé avec un groupe en tenue de soirée, dont Virginia Woolf[2] fumant un cigare. Je leur ai abandonné notre table et, pendant que tout le monde tournait un peu en rond, j'ai présenté Freya à Woolf.
– Êtes-vous venus tous les deux seuls ici? a-t-elle demandé à Freya. Quelle horrible foule. Comme ça a changé!
– Cyril Connolly était avec nous, il y a un instant, a répliqué Freya.

1. Un peintre ami de Duncan Grant.
2. Voir le *Journal* de Virginia Woolf, vol. IV, 6 mars 1935.

– Est-ce que son babouin noir l'accompagnait ? s'est enquise VW.
Freya ne saisissait pas ce qu'elle voulait dire.
– Sa petite femme crépue.
Je me suis tourné vers Freya.
– Maintenant, tu comprends la réputation de charme qu'a
Mrs Woolf. (Et, m'adressant à VW :) Vous devriez avoir honte.

Nous sommes sortis à grands pas et, en rentrant à la maison, nous
avons eu notre première sérieuse dispute. Freya était un peu choquée par la méchanceté de VW. On n'imaginerait pas, ai-je dit, que
la personne qui pond toute cette époustouflante prose lyrique baigne
dans autant de venin. « Au moins elle, elle écrit », a rétorqué Freya
sans réfléchir. Mais ça a fait mouche, nous avons donc cherché un
sujet de chamaillerie et l'avons dûment trouvé. J'écris ces lignes
avant d'aller dormir sur le canapé, et j'entends Freya sangloter à
côté, dans la chambre.

Mercredi 20 mars
Une assommante exposition de collages et de photos à la Mayor
Gallery. Animée par le seul fait que Mrs Woolf m'a snobé. Elle a
positivement tourné le dos pour m'éviter. De toute évidence, elle ne
m'a pas pardonné.

Suis allé ensuite à *artrevue* où j'ai bu du vin avec Udo. Il a écouté
avec patience tandis que je me déchaînais contre la médiocrité de
l'art anglais. Il m'a raconté qu'il y avait désormais dans toutes les
villes d'Allemagne des pancartes proclamant *Die Juden sind hier
unerwünscht* (pas de Juifs ici). Difficile à croire que ce soit possible.
Mais, selon Udo, ça remet les choses en perspective : on peut tolérer
une scène artistique moribonde sans trop de peine – la vie à Londres
offre d'autres consolations.

[Mars-avril]
Mouvements : Norfolk-Londres-Norfolk. Paris-Rome (pour Pâques.
Trois jours avec Freya. Nous faisons nos plans pour l'été : Grèce.
Que vais-je raconter à L. cette année ?).

[Avril]
Les Cosmopolites enfin terminés au prix d'efforts héroïques. J'ai
apporté le manuscrit à Roderick, qui a fait un commentaire un rien

acide sur son manque d'épaisseur : un peu moins de cent cinquante pages pour la version définitive. (J'ai expliqué que j'avais eu l'idée, avant de l'abandonner, d'ajouter une anthologie de poèmes traduits, ce qui lui aurait donné du volume.) Enfin, au moins, tu en as accouché, a-t-il dit. Et maintenant, *quid* de ce roman très sexy avec lequel Wallace m'a alléché ? Je lui ai laissé croire que c'était une possibilité.

Freya suit les développements de la liaison P. de Galles/Mrs Simpson avec fascination. Elle peut tout lire sur le sujet dans les journaux américains que reçoit la BBC. Elle trouve lamentable que la population dans son ensemble demeure d'une ignorance quasi totale à ce propos. « J'en parle à tout le monde, dit-elle. A tous les gens que je vois. » Je dois avouer moi-même un curieux intérêt pour cette affaire depuis ma rencontre avec le prince sur le terrain de golf. Angus, une source fiable (il doit connaître quelqu'un parmi les intimes), affirme que le Prince est complètement toqué de Mrs S. et qu'il la suit comme un petit chien.

[Juillet]
En fin de compte, j'ai menti. J'ai dit que j'allais en France travailler. J'ai retrouvé Freya à Paris et nous avons pris l'avion pour Marseille. De là à Athènes par bateau. Avons loué une voiture et sommes partis pour Delphes– Nauplie– Mycènes– et retour à Athènes. Une chaleur intense : nous mourions d'envie de pluie et de froidure. Nous avons résolu de ne plus jamais passer nos vacances ainsi, en déplacement constant. L'an dernier à Biarritz a été idyllique. Et je ne peux tout bonnement pas m'infliger un régime permanent de culture antique, enchaînant les visites guidées de ruines, aussi belles et chargées d'histoire soient-elles. Dans mon esprit, la Grèce se réduit à un vaste tas de marbre brisé, scintillant dans une brume de chaleur. Oliveraies poussiéreuses, chambres d'hôtel étouffantes, mouches. Nous avons fait le vœu de revenir une année au printemps. Des vacances incroyablement bon marché, cela dit. Athènes-Rome par avion. Puis le train pour Paris et Londres. Épuisés, irritables, pas la réussite que nous avions imaginée. Et maintenant j'ai à passer un mois avec ma famille. Je crois que Freya va se délecter de sa solitude.

[Août]

Dick [Hodge] vient à mon secours. Un mois tranquille à Kildonnen avec Lottie et Lionel. Angus et Sally aussi pendant une quinzaine. J'ai joué au golf à Gullane et Muirhead avec un ami d'Angus, Ian Fleming[1]. Il partait pour Kitzbuhel. Je lui ai raconté la chaleur caniculaire de la Grèce et il m'a conseillé les Alpes l'été – il adore le Tyrol. J'ai écrit à Freya en lui disant de choisir sa montagne préférée pour l'année prochaine.

Jeudi 26 septembre

Au déjeuner aujourd'hui, Peter Scabius m'a offert un exemplaire de son thriller (ou de son polar, ainsi qu'il l'appelle avec une modestie méprisante). Il a pour titre *Attention, chien méchant* et sera publié par Brown & Almay la semaine prochaine. Juste un truc un peu drôle, en fait, dit-il, pas du tout dans ta catégorie. Nous avons pas mal bu, histoire de fêter ça, et Peter m'a confessé qu'il avait une liaison avec la femme d'un autre journaliste qui travaille au *Times*. Il n'aime plus Tess, ajoute-t-il, mais il ne la quittera jamais à cause des enfants. « C'est une brave fille et une bonne mère, mais j'étais beaucoup trop jeune pour me marier. » Il m'a demandé comment les choses allaient avec Lottie et j'ai répondu à merveille. Veinard, a-t-il dit, ce n'est pas toujours : « Qui se marie en hâte se repent à loisir. » J'étais sur le point de lui raconter Freya, mais j'ai résisté : l'idée de parler à Peter ici et maintenant de notre histoire la déprécierait. Ma vie avec Freya n'est pas une « liaison », pas une aventure. Et je me suis senti vaguement blessé pour Tess ; blessé qu'elle soit trahie et j'en ai voulu à Peter de me faire son complice. Et tout ceci m'a conduit, bien entendu, à réfléchir à ma propre situation. Je n'éprouve aucun sentiment pour Lottie. Et je n'éprouve rien de négatif non plus. Sexuellement, notre vie est virtuellement à l'arrêt – encore que je remarque qu'elle a récemment commencé à parler d'un petit frère ou d'une petite sœur pour Lionel. Depuis la naissance de Lionel, je me suis toujours assuré de mettre un préservatif avant nos rares accouplements. La dernière fois (en Écosse), elle a dit : « Crois-tu que ce soit nécessaire, chéri ? Pas ce soir… » J'ai répliqué que nous

---

1. L'écrivain créateur de James Bond (1908-1964).

ne pouvions pas nous permettre financièrement d'avoir un autre enfant. Elle s'est mise à pleurer et la prophylaxie est devenue inutile.

Parallèlement, Freya et moi menons à Draycott Avenue cette vie curieuse, amoureuse, protégée. Quand je ne suis pas là, elle reprend ses habitudes de célibataire avec ses amies – je n'en connais aucune. Ensemble, nous menons l'existence égoïste, égocentrique, d'un couple de jeunes mariés. Elle part à son travail le matin et moi je m'occupe de mes affaires londoniennes : réunions, visites aux bureaux des magazines pour lesquels j'écris, recherches à la bibliothèque, déjeuners amicaux. Je suis toujours à la maison quand elle revient de la BBC. A un moment quelconque dans la journée, j'appelle Lottie et nous bavardons durant quelques minutes. Lottie paraît très contente et sans soupçons – de toute façon, elle n'aime pas vraiment Londres.

Mais cette situation dure maintenant depuis plus d'un an et je pense qu'il est mal de ma part de la laisser dériver ainsi. Quelque chose va brusquement changer, quelque chose va casser ou prendre une autre direction, et, avant que ça ne se produise, je devrais en fait agir moi-même.

Vendredi 11 octobre

Déjeuner avec Fleming au grill du Savoy. J'aurais dû dire que j'ai rejoué au golf avec lui à Huntercombe – il m'avait appelé de manière tout à fait inattendue pour m'inviter à faire un quatrième. Il avait un autre motif, je crois. Son métier d'agent de change ne le rend pas heureux et il est curieux de ma vie d'écrivain. Il m'a demandé si la pornographie m'intéressait et je lui ai répondu non, pas particulièrement. Il a une belle collection, m'a-t-il déclaré avec fierté. Alors, pour une raison quelconque, comme si ça devait expliquer mon indifférence fondamentale à l'art érotique, je lui ai parlé de Freya, de l'appartement et de notre vie secrète. Maintenant, je me dégoûte de lui avoir fait cette confession sans même savoir pourquoi. Peut-être parce qu'il est de ces hommes à l'aise avec les hommes – amateur de club, arrogant, d'une confiance en soi apparemment indestructible – et qui vous donnent envie de les impressionner d'une manière ou d'une autre. Et il a été très impressionné, c'était ça le pire. Bon dieu, m'a-t-il dit, vous avez une femme à la campagne et une maîtresse à la ville. J'ai répliqué que je ne voyais pas les choses exactement sous cet angle et, pour changer de sujet, j'ai suggéré qu'il lise le livre de Peter (qui n'est pas mauvais, d'ailleurs – je l'ai lu en deux heures). Il m'a alors invité à venir faire un bridge chez lui ce même soir ; je lui ai rappelé que je devais retourner à mon épouse et à mon enfant. « Donc, votre petite amie sera libre, a-t-il dit en riant pour montrer qu'il plaisantait. Peut-être aimerait-elle venir à votre place. » J'ai souri : Freya détesterait Fleming. Je n'arrive pas à percer la véritable nature de ce type. C'est un bel homme, brun, mince, mais c'est la sorte de beauté qui disparaît quand on y regarde de près et qu'on découvre les défauts : la bouche veule, le regard triste. Il est affable, généreux, semble s'intéresser à vous, mais il n'y a rien en lui qu'on ait envie d'aimer. Trop gâté, trop bien né, trop choyé : tout dans la vie lui est venu trop facilement.

[Novembre]
Freya, soudain, m'a demandé de rencontrer son père. Pourquoi ? ai-je dit. Pour qu'il puisse commencer à te connaître. Pourquoi voudrait-il commencer à me connaître ? Parce que tu seras un jour son gendre. J'ai ri mais Freya a continué à me regarder de cette manière implacable qu'elle a. Il faut que je fasse quelque chose.

1936

Mardi 21 janvier
Le roi est mort hier soir et Kipling[1] la semaine dernière. Il semble que toute la vieille Angleterre soit partie tout à coup et j'éprouve une vague crainte, je ne sais pourquoi. On s'habitue à la présence de ces vieux hommes, je suppose, on est conscient de leur présence permanente à l'arrière-plan de votre vie. Puis ils s'en vont, il y a un peu moins de bruit dans la pièce, et on regarde autour de soi pour voir qui manque.

Bizarre de penser au Prince – cette frêle silhouette sur le terrain de golf de Biarritz – comme à notre roi.

1. Le roi Georges V et Rudyard Kipling (1865-1936). Le prince de Galles devint alors le roi Edward VIII.

Jeudi 27 février

Le trentième an de mon âge*. Trente ans, mon dieu. Je devrais être
à Londres avec Freya mais Lottie m'a organisé une surprise – une
soirée dansante à Edgefield. Elle a réussi son coup en douce avec
beaucoup d'habileté : Ben a fait le voyage avec Sandrine et leur
enfant ; Dick Hodge est descendu de son Nord ; plus Angus et Sally
bien entendu, ma mère, Aelthred et Enid et une flopée de gens
du cru. Peter et Tess n'ont pas pu venir ce qui est aussi bien car c'est
déjà assez gênant de savoir que Ben et Sandrine sont au courant pour
Freya. Je me sens coupable et mal à l'aise. Et alors ? C'est ta faute,
non ? Tu ne peux pas d'un côté présenter Freya à tes amis et ensuite
te plaindre d'être embarrassé quand vous vous retrouvez dans la
même pièce que ton épouse. Tu l'as voulu, vis avec, cesse de gémir.

Trente ans donc et l'inévitable sentiment de déception, d'inachè-
vement s'insinue en moi comme un virus. Deux livres publiés, un
troisième sous presse, une certaine réputation journalistique. Je suis
en bonne santé, j'ai assez d'argent pour vivre confortablement (une
maison à la campagne, un appartement en ville), je suis marié et
j'ai un fils. Et j'aime une femme ravissante qui m'aime aussi. Mais
deux choses me tourmentent, sans arrêt. En premier lieu, aucun vrai
bon travail accompli ces dernières années. Je sens que l'énergie sans
limites de mes vingt ans n'a pas été exploitée. *L'Usine à filles* a été
un coup de chance et quant aux *Cosmopolites*, il a fallu pratiquement me les soutirer mot par mot. Et en second, tout mon véritable
bonheur dépend de Freya, mais ce bonheur est compromis, cor-
rompu, par le monde de mensonges et de dérobades, de duplicité et
de trahison qui l'entoure. Comme un beau tableau qu'on pendrait
dans une pièce obscure. Quel gaspillage, diriez-vous… A quoi ça
rime ?

[Mars]

Les Cosmopolites a été publié la semaine dernière, jusqu'ici dans
un silence assourdissant. Je sens que le monde littéraire se tâte,
ne sachant pas quoi dire de ce livre : impossible d'assortir l'auteur
de *L'Usine à filles* à cet examen affectueux, sans prétention savante,
d'une demi-douzaine de poètes français inconnus. Est-ce un canular ? Qui sont Larbaud et Levet, Dieudonné et Fargue ? Et je me

demande si ça n'a pas été une perte de temps, tous ces efforts pour produire ce petit jeu de l'esprit… Non, absolument pas. Je me suis toujours efforcé de faire ce que je voulais faire et non ce que je pense que je devrais faire. Ce qui est un mensonge. Wallace a vendu le futur *Été à Saint-Jean* à Sprymont & Drew pour une avance de mille livres, cinq cents à la signature, cinq cents à la remise du manuscrit. Une somme énorme, d'un montant alarmant, et soudain je suis pris d'inquiétude en me demandant si je vais pouvoir livrer la commande. Bien entendu, je me sens de nouveau riche – enfin, plus riche. Lottie ne sait rien de ce contrat. Je dis à Freya : qu'allons nous faire de tout cet argent ? Et elle réplique : pourquoi n'achetons-nous pas une jolie petite maison ?

Je suis tombé sur Peter hier chez Quaglino. Il était avec une jeune femme qu'il a présentée sous le nom d'Ann Wise. Alors qu'elle nous avait laissés un moment pour aller se refaire une beauté, je lui ai demandé si c'était la dame dont il m'avait parlé. Oh non, s'est-il écrié, cette histoire-là est terminée, il s'agit d'une autre. Son livre *Attention, chien méchant* s'est vendu à dix mille exemplaires. Il en a presque fini un autre intitulé *Train de nuit pour Paris* et si celui-ci a autant de succès il abandonnera le journalisme. Il a beaucoup aimé *Les Cosmopolites*, et, dit-il, il ne s'était jamais douté de mon immense sophistication – tout le monde, affirme-t-il, est terrifié par cette profonde érudition, honteux d'avoir à avouer ce manque dans leur culture. Très gentil à lui d'être aussi élogieux, et j'aurais aimé rester en sa compagnie mais j'avais rendez-vous avec Udo, et en outre la petite amie de Peter n'allait pas tarder à revenir. Peter, ce salaud de veinard. Je crois que je lui aurais parlé de Freya si nous avions déjeuné seuls. Deux auteurs à succès ensemble, deux vieux amis – absolument répugnant.

[En juillet 1936, des généraux espagnols se mutinèrent contre le gouvernement légitime mais de gauche du pays. S'ensuivit une guerre civile qui, en surface, semblait être un conflit classique entre les forces de gauche – les républicains – et celles de droite – les royalistes. La gauche, le Front populaire, constituée de diverses factions (communistes, anarchistes et syndicalistes pour n'en citer que trois) qui n'étaient pas toutes d'accord, fut toujours plus divisée que ses opposants. A mesure que la guerre progressait et que l'Espagne se scindait géographiquement, la fragile coalition de la gauche commença à montrer des signes de faiblesse et de fatigue. La droite fasciste, ainsi qu'elle était considérée, jouissait du soutien militaire des dictatures italienne et nazie. La France et l'Angleterre maintinrent une position de non-alignement. Seule l'Union soviétique envoyait de l'aide aux républicains assiégés.

Beaucoup de jeunes Européens convaincus s'engagèrent dans les Brigades internationales pour se battre contre le fascisme, et la cause du Front populaire reçut le soutien quasi général des écrivains, artistes et intellectuels.

Peu après le début des hostilités, Wallace Douglas passa contrat pour LMS avec une agence de presse américaine – le Dusenberry Press Service – qui l'expédia en Espagne avec mission d'expliquer le conflit aux lecteurs américains. Les termes du contrat étaient généreux et LMS fut trop content de les accepter. Il fit donc deux voyages en Espagne pour couvrir la guerre, un en novembre 1936 et un autre en mars 1937.]

Lundi 2 novembre

Barcelone. Désordre exaspérant au Bureau des étrangers. On m'a offert la visite d'un hôpital : j'ai expliqué que j'avais vu cet hôpital vendredi et que ce que je voulais c'était une expédition au front. Revenez demain, m'a-t-on dit – le quatrième jour d'affilée qu'on me fait la même réponse. Me voilà donc installé dans un café des Ramblas en train de boire un vermouth soda, et de regarder passer les filles. Étrange de voir en guerre cette ville que je connais. Toutes les fenêtres sont ornées de croisillons de papier collant pour les empêcher de se briser au cours des bombardements. Les drapeaux rouges et noirs flottent aux balcons. Un coin de rue sur deux arbore fièrement un grand portrait de Marx, Lénine ou Trotski, avec partout des initiales, CNT, UGT, FAI, POUM, PSU, en grafitti. Mais ici à Barcelone, en tout cas, CNT et FAI (les anarchistes) prédominent.

Et dans les rues règne une ambiance d'enthousiasme fébrile. Les gens paraissent presque malades d'excitation devant cette nouvelle société qu'ils ont créée – on croirait qu'il y a une révolution en marche au lieu d'une guerre civile. Le problème de Barcelone, c'est qu'elle est trop loin du front et que chacun a beaucoup trop de temps pour parler, analyser, comploter et intriguer. Et tous les mots prennent une forme audible dans les interminables annonces impérieuses diffusées par les haut-parleurs sur les immeubles et dans les arbres. Je vois autour de moi les jeunes gens fanfaronnant dans leurs blousons en cuir, le revolver à la ceinture comme des flingueurs. Et les filles, avec la même assurance, tête nue, lèvres rouges et regards effrontés. Barcelone en fête : plus une réjouissance de rue, une fiesta, que n'importe quoi de plus sérieux – ou de plus meurtrier.

Retour à l'hôtel. Je suis descendu, avec un bel à-propos, au Majestic de Ingliterra sur le paseo de Gracia. Il est bourré de journalistes, en majorité français et russes. J'évite les Anglais quand je le peux. Qu'ont donc les communistes britanniques ? *Ganz ordinär*, je dirais. Ils semblent avoir ici une suffisance et une arrogance qui ne leur réussiraient jamais à Londres. Très : « Vous voyez ? Je vous l'avais bien dit. »

J'écris mon papier pour le Dusenberry Press Service (mille mots sur l'atmosphère de la ville) et prends un tram pour aller au bureau de poste l'expédier. Il faut que j'atteigne le front avant de repartir.

Mercredi 4 novembre

On m'a donné un officier de liaison pour moi tout seul (c'est ce qui arrive quand on écrit pour des journaux américains). Un homme dans la quarantaine du nom de Faustino Angel Peredes. Lors de notre rencontre au ministère de l'Information, il portait l'uniforme anarchiste, bleu de travail et blouson de cuir, mais je dois dire qu'il avait l'air un rien mal à l'aise là-dedans. Ses cheveux grisonnants gominés sont coiffés en arrière en crans réguliers et il a un beau visage grêlé comme s'il avait eu la variole dans son jeune âge. Je lui ai parlé en espagnol et il m'a répondu en assez bon anglais – un intellectuel donc et pas un ouvrier. Je lui ai dit que je voulais me rendre sur le front le plus facile d'accès, soit celui de Madrid, soit celui d'Aragon. Il m'a répliqué poliment qu'il ferait le maximum pour s'assurer que mes souhaits soient exaucés.

Ai rencontré Geoffrey Brereton, l'envoyé spécial du *New Statesman*. Il m'a affirmé que Cyril Connolly était attendu ici d'un jour à l'autre.

Jeudi 5 novembre

Faustino, ainsi qu'il insiste pour que je l'appelle (nous sommes tous frères désormais), annonce qu'il nous a obtenu la permission de nous rendre par le train à Albacete. Pour fêter ça, je l'ai invité à déjeuner. Il est drôle mais réservé. Ce qu'il faisait avant la guerre ? Administrateur de La Lonja, l'École des beaux-arts. Administrateur, a-t-il souligné, pas professeur. Nous avons parlé de la peinture contemporaine et je lui ai dit que j'avais rencontré le plus célèbre ancien élève de La Lonja. « Ah, Pablito, s'est-il exclamé sans beaucoup de chaleur. Comment va-t-il ? Toujours bien à l'abri à Paris, je suppose. » Il m'a expliqué certaines des composantes du Front populaire qui combattent Franco et les fascistes. Oubliez les différents syndicats, a-t-il dit, ça ne ferait que vous embrouiller davantage. A la base, le côté républicain se compose des anarchistes, des communistes et des trotskistes.

— Ici, en Catalogne, a-t-il ajouté avec une sorte de regret, nous sommes très anarchistes. Et malheureusement nous nous méfions beaucoup les uns des autres. Factions à l'intérieur de factions à l'intérieur de factions. A Valence, les communistes nous traitent, ici à Barcelone, de fascistes. Et nous traitons aussi de fascistes les communistes de Valence.

Il a haussé les épaules.

— Mais vous êtes tous unis contre les fascistes, ai-je dit.

— Bien sûr. Et c'est une insulte très pratique.

— Que pensez-vous des communistes ? ai-je voulu savoir (je prenais des notes).

— *Buenos y bobos*, a-t-il répliqué avec un sourire. Des bons et des crétins.

J'ai tapé tout ça et je l'ai expédié aux bureaux de Dusenberry à New York. Pas de raison de câbler – il me faudrait une sorte de scoop pour justifier la dépense. Jusqu'ici, en une semaine, j'ai gagné trois cents dollars avec Dusenberry, le plus lucratif des journalismes. A ce taux, je gagne cent dollars tous les deux jours, et je vis sur les notes de frais.

Vendredi 6 novembre

A la gare dès l'aube pour nous entendre dire par la milice que nos documents ne sont pas en règle. J'ai suggéré à Faustino que nous allions à Valence voir si nous aurions plus de chance avec les autorités communistes là-bas. C'est, après tout, le siège du gouvernement républicain, et ce serait peut-être plus facile d'atteindre Madrid depuis Valence qu'Albacete à partir de Barcelone. Il a répondu avec son sourire poli que je pourrais bien avoir raison. « *En el fondo no soy imbecil, Faustino* », ai-je dit (au fond, je ne suis pas un imbécile). Il a vraiment ri et il m'a tapoté l'épaule. Je crois que je l'ai fait sortir de sa réserve.

Samedi 7 novembre

Nous avons atteint Valence hier soir après environ dix heures de train. Faustino avait abandonné ses bleus d'anarchiste pour le costume noir miteux d'un fonctionnaire. Valence grouille de monde, mais sans la ferveur un peu folle de Barcelone. On voit plus de soldats que de miliciens et de civils en armes, et des camions militaires sillonnent régulièrement les rues. Beaucoup d'immeubles sont protégés par des sacs de sable : le front n'est qu'à quatre-vingts kilomètres, après tout. Nous sommes à l'hôtel España et nous avons mangé hier soir un énorme steak-frites dans un restaurant appelé bizarrement l'Ideal Room. L'endroit était bourré d'hommes et de femmes bien habillés. Manifestement pas de restrictions dans cette ville. Nous nous sommes rendus aux bureaux du gouvernement où l'on m'a dit que je pourrais aller à Madrid avec un groupe d'autres journalistes étrangers dans dix ou quinze jours. Ce qui ne me convient pas du tout. Au déjeuner, nous nous sommes de nouveau goinfrés – moules et crevettes arrosées d'une cruche de bière. Faustino a repris un train pour Barcelone dans l'après-midi. Il n'est pas à son aise à Valence, et s'en rendre compte semble l'avoir troublé : « Et pourtant c'est mon propre camp », a-t-il constaté. Nous nous sommes dit au revoir avec une certaine affection et je lui ai promis d'être de retour d'ici un mois ou deux. Je vais prendre un bateau sur Marseille et de là un avion pour Paris. J'enverrai mon papier sur Valence à Dusenberry et j'essaierai de mieux organiser les choses depuis Londres. Autrement, je pourrais attendre ici des semaines sans résultat.

Suis allé au Museo provincial dans l'après-midi. Fermé. Je voulais voir l'autoportrait de Velasquez. Ça résume assez bien mon voyage.

Vendredi 27 novembre

A bord du train, en route vers Norwich et Thorpe pour le week-end. Le cœur lourd. Très déprimé d'être de retour à Londres après la passion et la ferveur de Barcelone. Ces jeunes hommes et ces jeunes femmes ont des convictions sincères, des valeurs claires, une cause, et veulent changer le monde où ils vivent pour un meilleur. Après ça, marcher dans les rues de Londres et voir notre populace transie, opprimée, au visage gris, me fait désespérer.

189

Un sentiment exacerbé par mon rendez-vous avec Angus pour un verre au White's[1]. Il m'a demandé si je voulais devenir membre (il poserait ma candidature). J'ai dit non, tout de suite, puis – pour atténuer sa surprise – j'ai ajouté que je ne pouvais pas me le permettre financièrement. Evelyn [Waugh] était au bar avec des gens et, au cours de notre conversation, je lui ai fait savoir que je revenais d'Espagne et que j'avais été très impressionné par la fougue des républicains. Il m'a contemplé avec pitié, de ses brillants et grands yeux bleu pâle. « L'Espagne ne nous concerne ni vous ni moi, Logan », a-t-il dit. Puis s'est aussitôt contredit en me demandant si j'avais vu des églises incendiées. J'en avais vu des fermées, ai-je répliqué, mais aucun signe d'anticléricalisme. Après quoi il a changé de sujet et s'est mis à me questionner sur Aelthred et les Edgefield. Parfois, je pense que je n'intéresse Evelyn que dans la mesure où j'ai épousé la fille d'un comte[2].

Au bar on ne parlait que du roi et de sa petite amie américaine, et il y a eu pas mal de conjectures grivoises et en fait plutôt dégoûtantes autour des « difficultés sexuelles » du roi et du talent de Mrs Simpson à les résoudre. Pourquoi me suis-je senti honteux pour lui ? J'ai l'impression qu'une sorte de lien absurde nous rattache à cause de notre brève rencontre, du cadeau que je lui ai fait de mes allumettes, et parce qu'il s'est enquis de mon nom. A l'évidence, je ne ferais pas un bon anarchiste à Barcelone.

Lundi 30 novembre

J'ai été abattu et déprimé durant tout le week-end et Lottie, fait inhabituel chez elle, m'a demandé ce qui n'allait pas. Je lui ai dit que je n'étais pas dans mon assiette, que je détestais l'Angleterre et voulais vivre à l'étranger, aussi loin de la Grande-Bretagne que possible. J'ai énuméré les possibilités : Australie, Canada, Malaisie, Afrique du Sud, Hong Kong… Mais nous sommes partout, impossible d'y échapper.

1. Le club dans Saint James.
2. Waugh était alors fiancé à Laura Herbert, qu'il épousa plus tard.

Mardi 8 décembre

Rien d'autre que la crise royale dans les journaux. Ça me rend malade. Laissez-le abdiquer par amour pour elle, je dis – bravo pour lui. En Espagne, on le comprendrait : il a décidé de se laisser guider par son cœur et non par sa tête, et notre monde petit-bourgeois est atterré.

Très gentille critique des *Cosmopolites* (anonyme, bien entendu) dans le *Times Literary Supplement* qui m'a remonté le moral. L'auteur semble comprendre pourquoi les Cosmopolites suscitent un si fort sentiment en moi. Ils ont tous pour sujet l'amour, l'excitation et l'aventure de la vie, sa tristesse et sa brièveté essentielles. Ils savourent tout ce qu'il y a de bon et de doux-amer dans ce que l'existence a à nous offrir – stoïques dans leur hédonisme. Un code admirable à imiter, il me semble. Les ventes se montent à trois cent soixante-quinze exemplaires. Vous parlez de tomber « mort-né des presses » ! Lors de nos rencontres, Roderick esquive le sujet du livre comme s'il s'agissait d'une crotte sur le trottoir et ne parle que de *L'Été à Saint-Jean* – dont je n'ai écrit que quelques pages hâtives. Je sens que je peux l'oublier pour le moment, renfloué financièrement comme je le suis par tous ces dollars gagnés en Espagne. J'ai le projet d'un autre voyage en mars. *Life* m'a commandé un long article sur les Brigades internationales (trois cent cinquante dollars). Ai vendu un de mes papiers sur Barcelone à *Nash's Magazine* pour trente livres.

Lundi 14 décembre

J'ai trouvé le discours radiodiffusé[1] du roi très émouvant, très sobre et mêlant avec beaucoup de justesse le regret personnel à un sens du devoir et du sacrifice conscient. La tension était audible dans sa voix. L'ex-roi, je veux dire, maintenant que nous avons Georges VI. Quelle année que 1936 ! Elle peut à tout le moins rester dans l'histoire de l'Angleterre comme une année durant laquelle régnèrent trois rois, même si ce fut brièvement. Freya, sans que je l'y incite, a exactement la même opinion que moi au sujet de l'abdi-

---

1. Le roi, ayant abdiqué, devint le duc de Windsor. Il donna le 11 décembre au cours d'une allocution radiodiffusée les raisons de son geste.

cation. Celle de Lottie est absolument à l'opposé. Alors, qu'aurait-il dû donc faire ? lui ai-je demandé dimanche (nous déjeunions à Edgefield – toute la table s'est tournée vers moi). Il était impossible qu'il songe même à l'épouser, a déclaré Lottie. On ne peut pas avoir une reine d'Angleterre deux fois divorcée – quel sorte d'exemple serait-ce ? Non, non, a dit Aelthred : il aurait dû la réexpédier en Amérique pour un an, prétendre que tout était fini, et quand tout le monde l'aurait oubliée il aurait pu l'installer discrètement dans un endroit non moins discret – et l'avoir de nouveau dans sa vie sans la moindre histoire. N'est-ce pas un peu cynique ? ai-je dit. Un rien ignoble, peut-être ? Aelthred s'est montré sincèrement surpris. Que diable voulez-vous dire ? Il est le roi. Il peut fichtrement faire ce qui lui plaît. Ils me rendent malade. Tous.

1937

[Mercredi 10 mars]

L'aéroport de Toulouse. J'attends le vol pour Valence – retardé d'une heure. Nous sommes mercredi. J'ai quitté Londres lundi soir. Je pense que je souffre encore du contrecoup : je n'ai aucune idée de ce que j'ai laissé derrière moi. Faux : tu sais exactement ce que tu as laissé derrière toi. Ce que tu ignores, c'est ce que tu trouveras à ton retour.

Voici ce qui est arrivé : j'ai passé le week-end à Thorpe, comme d'habitude. Je suis revenu tôt le matin par le train et je suis allé acheter aux Army & Navy Stores deux ou trois choses qui me seraient utiles en Espagne (une lampe de poche puissante, cinq cents cigarettes, des vêtements chauds supplémentaires). J'étais de retour à Draycott Avenue après déjeuner. J'ai étalé mes vêtements sur le lit et je m'apprêtais à faire ma valise quand on a sonné à la porte. Je suis descendu ouvrir et j'ai découvert Lottie et Sally [Ross] plantées sur le seuil et ravies de ma surprise. Lottie a dit quelque chose du genre : « Tu as oublié ton manuscrit et on s'ennuyait tellement que nous avons décidé de faire dans la journée une petite excursion à Londres. » Elle m'a tendu le dossier (vingt-quatre pages atterrantes de *L'Été à Saint-Jean*. Je n'avais aucun désir de l'emporter en Espagne et l'avais délibérément laissé à Thorpe). Sally a

192

dit : « Eh bien voyons, Logan, vous n'allez pas nous proposer de monter ? »

Que dire ? Que faire ? Une fois dans l'appartement Sally a immédiatement compris et elle s'est mise à parler comme une mitrailleuse. Il a fallu quelques secondes de plus à Lottie. Je l'ai vue se raidir et son « Comme c'est un joli… » lui rester dans la gorge tandis qu'elle regardait autour d'elle. Elles ne sont pas allées dans la chambre, la cuisine ni la salle de bains – c'était inutile. Elles avaient reconnu les marques d'une femme sur un logis. Que ce soit un palais ou une hutte, c'est palpable, inévitable. Une présence, un genre d'ordre très différent de ce que même l'homme le plus soigneux vivant seul peut avoir. Elles s'attendaient à un pied-à-terre sobre et fonctionnel, la description que je donnais de Draycott Avenue à quiconque se montrait curieux, le niveau juste au-dessus d'une cellule de moine. Nos quelques pièces sombres, chaleureuses, habitées étaient un témoignage éloquent de la sorte de vie secrète que je menais à Londres : mes livres, mes tableaux, les divers petits meubles intéressants. Lottie est devenue très silencieuse alors que Sally jacassait de plus en plus comme pour camoufler la situation avant de lancer finalement : « Tu sais, chérie, si on se presse, nous pourrons attraper le train de dix-sept heures. » La phrase de départ parfaite qui nous a permis à tous de nous précipiter en bas. Lottie s'est reprise et a réussi à dire : « Sois prudent en Espagne », et j'ai pu les embrasser toutes les deux et leur faire des signes d'adieu tandis qu'elles filaient dans Draycott Avenue.

Je suis resté assis sur une chaise pendant une heure histoire de calmer le tintamarre dans ma tête : les hypothèses guerrières, les lignes de conduite envisageables, les échappatoires, excuses, mensonges… Freya est rentrée et je lui ai raconté ce qui s'était passé. Elle en est demeurée bouche bée. Après quoi elle m'a gratifié de son regard et a déclaré : « Bien. Je suis ravie. Il est temps que nous cessions de nous cacher. »

Pour l'heure, me voilà à Toulouse en train de songer aux conséquences possibles et je comprends que, dans l'ensemble, Freya est sage et qu'elle a raison. Mais je sens – quoi ? – que cela m'a été imposé, que ça n'aurait jamais dû se passer ainsi. J'aurais pu me sortir de mon simulacre de mariage en mentant à Lottie d'une manière qui aurait mieux épargné ses sentiments et moins blessé son orgueil. Il n'en sera rien. On vient juste d'annoncer trois heures de retard pour notre vol.

Lundi 15 mars

Valence. Hôtel Oriente. Les choses ont changé ici en quelques mois. Les communistes (le PSUC) semblent avoir consolidé leur emprise et il s'ensuit que tout fonctionne mieux : au Bureau de la presse étrangère, on m'a délivré mes laissez-passer pour les fronts de Madrid et d'Aragon. Des journalistes anglais ont protesté en vain contre ce favoritisme : ils sont renvoyés au bout de la file d'attente — le gouvernement républicain est furieux de notre politique de non-intervention. L'un d'eux m'a dit que Hemingway était ici, installé dans une immense suite au Reina Victoria. J'irai lui présenter mes respects.

Plus tard. Hemingway a été très cordial ; il m'a raconté qu'il partait pour Madrid filmer un documentaire. Il n'a jamais entendu parler du Dusenberry Press Service. « Est-ce qu'ils vous payent ? C'est le seul critère. » Rubis sur l'ongle, ai-je dit. Il a aussi un contrat avec un machin du nom de *Newspaper Alliance*. Il est payé cinq cents dollars pour chaque article télégraphié et mille dollars pour chaque article expédié par la poste — jusqu'à mille deux cents mots. Nom de Dieu ! presque un dollar le mot ! Ça remet drôlement Dusenberry en perspective. « Gonflez les notes de frais », a conseillé Hem. Il s'est montré sous son jour le plus aimable, d'une humeur excellente, et nous avons bu pas mal de whisky. Le Florida est selon lui le seul hôtel convenable à Madrid. Je lui ai donné rendez-vous là-bas dans un mois. Je repars à Barcelone demain pour rencontrer Faustino. Je me rends compte que je suis heureux d'être de retour en Espagne et pas simplement parce que le pays est très excitant en soi. Ça m'empêche de penser — et de m'inquiéter — de ce que Lottie peut être en train de faire ou de dire. Ai écrit une tendre lettre à ma Freya pour lui affirmer que tout irait bien, mais sans spécifier une ligne de conduite particulière.

Jeudi 18 mars

Faustino et moi avons pris un train militaire ce matin qui nous a emmenés en teuf-teufant sur le plateau aragonais. Il fait sacrément froid et j'ai enfilé mes caleçons longs d'Army & Navy. Nous avons été logés pour la nuit à San Vicente, un petit village à quinze cents mètres du front. Ma provision de cigarettes me vaut une belle popularité. Nous avons eu droit à une grande tortilla chacun et du vin à volonté en échange d'un paquet. Faustino m'a conseillé de les rationner en m'avertissant : « Tout le tabac espagnol vient des îles Canaries. » J'ai compris : Franco tient les îles et bientôt il n'y aura plus de cigarettes pour les républicains.

Barcelone aussi a changé : l'exaltante ferveur révolutionnaire semble s'être dissipée et la cité paraît être tout simplement revenue à son état d'avant guerre. Les pauvres sont partout et les riches d'autant plus évidents. Les grands restaurants chers sont bondés, mais il y a d'immenses files d'attente pour le pain, tandis que mendiants et gamins des rues sont de retour devant les boutiques des Ramblas. La nuit on voit les prostituées hanter les porches et les coins de rue, et les cabarets refont de la publicité. Tout cela avait disparu l'année dernière. Faustino, que je questionnais là-dessus, m'a répondu que les communistes reprenaient peu à peu le contrôle de la ville aux anarchistes. « Gouverner les intéresse plus. Ils sont mieux organisés. Ils ont mis leurs principes de côté afin de gagner cette guerre. Tandis que tout ce que nous avons, ce sont nos principes. Voilà notre problème : tout ce que nous voulons, nous les anarchistes, c'est la liberté pour le peuple – nous avons soif de ça – et nous haïssons le privilège et l'injustice. Nous ne savons tout simplement pas comment y parvenir. » Il rit doucement en répétant comme une incantation : « Amour de la vie, amour de l'humanité. Haine de l'injustice, haine du privilège. » Entendre la manière sincère dont il a prononcé ces mots était étrangement émouvant. « Qui pourrait ne pas être d'accord avec ça ? » ai-je dit. Je lui ai cité Tchekhov qui ne demandait que deux choses : être libéré de la violence, et libéré des mensonges. Faustino préférait sa formule de deux amours et deux haines. « Mais tu as oublié l'amour de la beauté, lui ai-je fait remarquer. » Il a souri. « Ah, oui. L'amour de la beauté. Tu as absolument raison. Tu vois comme nous sommes romantiques, Logan. Profondément. » Je lui ai rendu son sourire : « *En el fondo no soy anarchista.* » Il a éclaté d'un rire plein d'une vraie joie et, à ma surprise, il m'a tendu sa main. Je l'ai serrée.

Vendredi 19 mars

On nous conduit au front. Dans la lumière brumeuse du petit matin, San Vicente se résume à quelques bâtiments de pierre et de boue, groupés n'importe comment, séparés par d'étroites allées que le passage des véhicules, des hommes et des animaux a transformées en bourbiers. Il fait un froid glacial. Nous avançons pesamment le long d'un sentier entre des petits champs misérables où percent les premières pousses d'orge, d'un vert acide ourlé de givre. Nous avons pour but la crête devant nous. La campagne est morne et pratiquement dépouillée d'arbres. Une broussaille battue par les vents (je reconnais des buissons de romarin) couvre la sierra et les escarpements au-delà.

Les tranchées se trouvent sur la crête : égratignures derrière des tas de rocs et de sacs de sable, ou alors trous plus importants creusés sur le côté abrité de la montagne. Au-delà des tranchées (qui ne s'étendent que sur une centaine de mètres), il y a une rangée de barbelés après quoi le terrain redescend en pente rude vers la vallée au-dessous. Sur la crête de la colline qui s'élève de l'autre côté de la vallée, j'aperçois quelques emplacements de canon et un drapeau orange et jaune – les positions fascistes, à environ un kilomètre, et je peux même discerner les silhouettes de fourmis des soldats. L'absence de menace est très évidente, personne ne se donne la peine de garder la tête baissée. Faustino me présente au *teniente*, un Anglais, un type maussade, soupçonneux, qui dit s'appeler Terence, en évitant ostensiblement de me donner son nom de famille. Il travaillait autrefois aux docks de Chatham. Il m'emmène faire une visite rapide de la position : pas rasés, sales et démoralisés, les hommes sont blottis autour de petits feux, leurs armes antiques couvertes de boue. Terence explique que cette section du front est tenue par la milice du POUM, les trotskistes. Seules les forces communistes reçoivent des armes russes neuves. « Les Russes refusent de nous fournir du matériel parce que nous sommes antistaliniens, dit-il avec beaucoup de véhémence. Assurez-vous de bien écrire ça dans votre journal. Je suis sûr que Franco leur est très reconnaissant. » Il a parlé du gouvernement de Valence avec plus de dédain qu'il n'en a montré pour l'ennemi en face.

Nous escaladons la tranchée et nous avançons aussi loin que

possible jusqu'aux barbelés. En regardant au pied du versant, je distingue ce que je crois être un cadavre. « Un Marocain, dit Terence. Ils nous ont attaqués en janvier. On leur a flanqué une raclée. » J'entends alors quelques détonations sèches, comme deux pierres qui se heurteraient.

— Est-ce qu'on nous tire dessus ? je demande.

— Oui, répond Terence, mais ne t'en fais pas, ils sont trop loin.

En partant, je lui donne deux paquets de cigarettes et il réussit à produire son premier sourire.

[Samedi 20 mars]

Je me rends compte que j'ai vu tout ce que je pouvais voir sur le front aragonais et nous nous organisons pour partir. Faustino et moi passons la matinée à attendre un camion qui nous ramènera au chemin de fer. Nous sommes tous deux démoralisés par ce que nous avons vu mais, comme le remarque Faustino, c'est pire pour lui : moi je partirai d'ici quelques jours, pour lui, c'est la guerre et il doit rester. Et voilà les images de la lutte contre le fascisme sur lesquelles il doit subsister.

Nous pataugeons le long de la rue principale et nous nous aventurons dans l'église. Vidée de tous ses meubles (brûlés en bois de chauffage), elle est utilisée maintenant comme écurie pour les mulets et abri pour les poulaillers. Je sors mon Baedeker et lis à haute voix : « San Vicente possède une petite église romane qui vaut le détour. » Nous nous asseyons par terre, nous fumons une cigarette et sirotons du whisky de ma flasque. « Combien de temps vas-tu rester à Madrid ? » s'enquiert Faustino. Une semaine, dix jours, je ne sais pas, je devrais rentrer chez moi le plus vite possible. Je lui souris et avoue que mon mariage est en difficulté. J'évoque Freya, notre vie double, mon organisation Londres/ Norfolk. Ma femme a tout découvert, dis-je, avant mon départ pour l'Espagne.

Il prend un air contrit, compatissant. Puis, comme si cette petite confession l'avait d'une certaine manière rassuré, il griffonne une adresse sur un bout de papier. « Si tu pouvais rendre visite à cette personne quand tu arriveras à Madrid, elle te donnera un paquet pour moi. Et quand tu retourneras à Valence, je viendrai le chercher. Je te serais très reconnaissant. » Il a vu à mon expression que j'étais quelque peu hésitant à m'engager dans quoi que ce soit de clandestin. « Ne t'en fais pas, Logan, ça n'a rien à voir avec la guerre. »

Lundi 5 avril

Hôtel Florida, Madrid. Des sirènes hier soir mais ce devait être une fausse alerte – je n'ai pas entendu de bombes tomber. Puis j'ai dîné avec Hemingway et Martha[1]. Un assommant journaliste russe s'est joint à nous à mi-parcours. Mal aux cheveux ce matin et Martha m'a donc emmené au bar Chicote où elle a fait confectionner par le barman la concoction préférée de Hemingway contre la gueule de bois : rhum, jus de citron vert et de pamplemousse, et je me suis senti un peu mieux.

Puis nous avons pris un tram jusqu'au quartier de l'université, histoire de « jeter un œil sur la bagarre », comme dit Martha. Étrange de quitter votre chambre d'hôtel et de traverser une ville qui, bien que sur le pied de guerre, et pas mal ballottée, donne les signes de vie d'un lundi ordinaire : boutiques ouvertes, habitants vaquant à leurs occupations. Et puis, tout à coup, vous vous retrouvez sur la ligne de front.

Ici, dans le quartier de l'université, il y a beaucoup plus de décombres dans les rues, des bâtiments ont été détruits et il n'y a pas une vitre intacte. Nous avons montré nos laissez-passer et on nous a conduits dans un immeuble où nous sommes montés au dernier étage pour découvrir une chambre transformée en emplacement de mitrailleuse. Par les fenêtres garnies de sacs de sable, on avait une bonne vue des vilains blocs de béton que sont les nouveaux bâtiments de l'université. L'ambiance était à la léthargie : assis çà et là, les soldats fumaient ou jouaient aux cartes. Depuis des mois, ici, en fait depuis novembre dernier, époque à laquelle ont été repoussées les grandes attaques fascistes, c'est l'impasse.

Un jeune capitaine de la milice (avec une barbe douce, inégale, d'adolescent) nous a prêté ses jumelles et nous avons regardé pardessus les sacs de sable empilés dans l'embrasure de la fenêtre. On voyait clairement les lignes des tranchées et des postes fortifiés, des rues barricadées et des rangées de barbelés. Des monceaux de terre avaient été projetés par les pilonnages d'artillerie, et les façades en

---

1. Martha Gellhorn (1908-1998). Journaliste. Devint plus tard la troisième Mrs Hemingway. A Madrid, elle travaillait pour l'hebdomadaire *Collier's*.

béton des immeubles étaient grêlées et striées par les balles et les éclats d'obus. A l'ouest, je voyais aussi la vallée qui signalait le cours de la Manzanares et le pont de San Fernando. La journée était ensoleillée, légèrement brumeuse : une guerre civile printanière.

Martha avait des questions à poser au capitaine qui venait de Guadalajara et elle voulait des détails sur la victoire du Front populaire là-bas le mois dernier. J'ai fait l'interprète. Martha est une grande fille blonde aux longues jambes, pas d'une beauté spectaculaire, mais drôle et d'une assurance vivifiante, très américaine. Hemingway et elle doivent être amants à présent, bien qu'ils se montrent très discrets en public. Je sais qu'il y a une Mrs Hemingway et des enfants quelque part aux États-Unis. Les cheveux blonds et drus de Martha me rappellent ceux de Freya. Hemingway est très occupé par son film[1] et je ne l'ai pas beaucoup vu. Bizarre de penser que nous sommes tous deux dans le même état de duplicité amoureuse.

Une fois ses informations obtenues, Martha est partie mais je suis resté, me demandant si je pourrais écrire tout ça pour Dusenberry. Ils m'ont télégraphié de cesser de leur envoyer autant de papiers – je sens que l'intérêt à l'égard de la guerre diminue. Puis, alors que je balayais du regard le paysage au-delà de l'université, j'ai aperçu, approchant sur la route de Moncloa, ce qui ressemblait à une sorte de voiture blindée, peinte en gris et dont les vitres et le pare-brise avaient été remplacés par des plaques métalliques avec des fentes et des trous de tir. Je l'ai montrée au capitaine qui a dit : « Fichons-leur la trouille. » J'ai eu l'impression que le besoin de se distraire un peu était son véritable motif plutôt que quoi que ce soit de plus belliqueux. On a donc monté la mitrailleuse à son niveau le plus haut – la voiture devait se trouver à quinze cents mètres environ – et le capitaine, faisant un geste dans ma direction comme s'il m'invitait à prendre place à table, a dit : « Pourquoi n'essayez-vous pas un coup ? »

Je me suis assis sur le petit baquet fixé sur le trépied de la machine et j'ai jeté un œil dans la mire. La machine était munie d'une poignée-revolver et, à côté de moi, un soldat faisait passer la bande des munitions dans la culasse. A travers la mire, j'ai visé la voiture qui descendait tranquillement une ruelle bordée d'un talus vers l'un des

---

1. *Terre d'Espagne*, un documentaire, tourné sous la direction de Joris Ivens.

bâtiments de l'université. J'ai pressé la gâchette et tiré une longue salve. Une demi-seconde plus tard le talus sur le bas-côté de la route explosait en un nuage de poussière. J'ai tiré de nouveau, un peu en biais, et j'ai vu les balles mâchouiller le macadam devant le véhicule qui s'était arrêté brusquement et repartait maintenant en arrière. Bon dieu, ai-je pensé, ça c'est vraiment marrant. J'ai encore tiré en remontant la route avec mes rafales jusqu'à ce que j'aie vu que j'avais touché le blindé. Des applaudissements ont éclaté. Le blindé a fait marche arrière dans un virage et a disparu.

Je me suis redressé. Le capitaine m'a tapoté l'épaule. L'homme aux munitions a souri en me montrant ses dents en argent. J'étais à la fois tremblant et tendu. « Ça leur apprendra, a dit le capitaine. Qu'est-ce qu'ils croient que nous sommes ici ? Des espèces de… »

Il n'a jamais terminé sa phrase parce que soudain la pièce a été remplie d'une pluie de morceaux de métal et de plâtre et d'une poussière de brique. Le mur faisant face à la fenêtre a été percé de trous gros comme le poing, l'enduit décapé jusqu'aux lattes. Tout le monde s'est aplati par terre et a rampé à l'abri du mur extérieur. Je me suis jeté de côté tandis que les sacs de sable devant moi semblaient exploser. L'homme aux munitions a hurlé alors qu'une balle venait frapper la cartouchière et la lui arrachait des mains. Du sang a rejailli de ses doigts sur ma veste.

Deux ou trois mitrailleuses devaient s'être concentrées sur notre position avant de tirer simultanément. Elles ont continué à nous bombarder pendant ce qui nous a paru une heure mais n'était sans doute qu'environ cinq minutes. Allongé sur le sol, les bras autour de ma tête, je me répétais sans cesse : « Poisson dans la mare, poisson dans la mare » (le conseil de ma mère pour calmer tout affolement). Un gros morceau de plâtre est tombé sur ma jambe m'infligeant un terrible choc durant une seconde ou deux. A ma droite, l'homme aux munitions gémissait de douleur. Le petit doigt de sa main droite avait été presque arraché. Ça a saigné copieusement, formant une petite flaque poussiéreuse sur le plancher jusqu'à ce que le capitaine réussisse à le panser.

Quand le mitraillage a baissé d'intensité, le capitaine et moi avons rampé vers la porte que nous avons enfoncée pour atteindre le palier. Je me suis relevé et je me suis épousseté. J'avais la gorge sèche et je tremblais comme une feuille. « Il vaut mieux que vous partiez », a dit le capitaine d'un ton brusque, peu aimable, comme si tout avait été de ma faute.

Alors que j'écris ceci dans ma chambre, je me rends compte que j'ai envoyé ma dernière dépêche de la zone de guerre. Il faut que je rentre maintenant. De toute mon existence, jamais je n'ai été aussi près de la mort et ça me terrifie. Mes vêtements sentent la poussière de plâtre, ma tête résonne encore du grondement métallique crépitant des milliers de balles qui se sont déversées dans cette pièce. Poisson dans la mare, poisson dans la mare. Tandis que j'étais allongé là-bas, ma seule autre pensée allait à Freya, et à Freya recevant le télégramme annonçant ma mort. Qu'est-ce que tu fiches ici, espèce d'idiot ? Tu as prétendu qu'on avait besoin de toi, mais tu es secrètement en train de retarder ton retour. Quelle importance a le Dusenberry Press Service pour toi ? Rentre chez toi, espèce d'idiot, espèce de débile. Rentre chez toi mettre de l'ordre dans ta vie.

Vendredi 9 avril
Valence. Mon dernier soir à Madrid, je faisais mes bagages quand je suis tombé sur le bout de papier que Faustino m'a donné à San Vicente. Une adresse, rien de plus, dans le quartier de Salamanque. J'ai décidé de lui rendre le service qu'il m'a demandé et je suis descendu dans le foyer voir si le concierge savait où se trouvait cet endroit. Hemingway est arrivé avec Ivens alors que je consultais un plan de la ville et il s'est approché pour se renseigner sur ce que je fabriquais. Je le lui ai expliqué et j'ai senti aussitôt qu'il était intrigué.
— Pas de nom ? Pas de contact ?
— Juste une adresse. Il m'a dit que je serais attendu.
— Allons-y, Logan !
Et il m'a poussé hors de l'hôtel pour m'emmener là où sa voiture[1] et son chauffeur l'attendaient.
Nous avons pris la calle Alcala jusqu'au parc du Retiro puis avons tourné vers le nord pour atteindre le quartier de Salamanque où, après quelques virages erronés, nous avons trouvé notre rue. Nous avons garé la voiture devant un imposant immeuble du XIXe siècle.
— Attendez-moi ici, ai-je dit à Hemingway.

1. Attribuée exclusivement à Hemingway par le Gouvernement républicain.

– Pas question !

Le concierge nous a accompagnés dans les étages jusqu'à l'appartement 3 et j'ai pressé la sonnette. Un vieux domestique a ouvert la porte. Derrière lui, l'appartement paraissait immense, à peine éclairé, quelques meubles couverts de housses.

– On pensait que vous ne viendriez pas, a dit le domestique. Qui est le señor Mountstuart ?

Je lui ai montré mon passeport.

– Et qui est celui-là ?

– Peu importe. Je suis un de ses amis, a répliqué Hemingway.

Le vieux a disparu un moment avant de revenir avec ce qui semblait un petit tapis persan enroulé et bien ficelé. Nous l'avons pris et sommes partis.

De retour dans ma chambre à l'hôtel, j'ai défait le ballot et déroulé le tapis. Hemingway était excité comme un gosse. A l'intérieur se trouvaient sept toiles que j'ai étalées sur le lit.

– Joan Miró [1], j'ai dit.

– Miró ! s'est exclamé Hemingway. Merde alors !

– Ne sont-ils pas affreux ?

– Hé ! C'est un ami à moi, a protesté Hemingway, perdant un peu de sa cordialité. J'ai un grand tableau de ses débuts – mais rien à voir avec ceux-là.

– Ils ne sont pas du tout à mon goût, ai-je dit.

Les toiles étaient de petites dimensions, environ quatre-vingt-dix centimètres par soixante, des Miró typiques de sa période surréaliste. J'ai réenroulé le tout.

– Qui possède sept Miró ? a dit Hemingway.

– Et pourquoi suis-je choisi comme messager ?

– Beaucoup de questions. Allons au Chicote tenter de les résoudre.

Lundi 12 avril

De retour à Barcelone, sans aucune nouvelle de Faustino. Téléphones et télégrammes au Bureau de presse et au quartier-général du FAI étant restés sans réponse, j'ai pensé qu'il valait mieux que j'y aille moi-même.

---

1. Joan Miró (1893-1983), artiste catalan. Hemingway avait acheté en 1925 *La Ferme* pour 250 dollars.

Je me suis donc rendu ce matin au Bureau des étrangers voir les gens qui me l'avaient attribué comme officier de liaison. On me déclare qu'il ne travaille plus là. Les visages respirent la suspicion, et les propos sont laconiques. Personne ne semble savoir où Faustino se trouve. Je quitte l'immeuble et un jeune type, aux mèches prématurément grisonnantes, me suit et m'emmène dans un café. Il refuse de me dire son nom, mais il m'informe que Faustino a été arrêté il y a dix jours. « Arrêté par qui ? » je demande. « Par la police. » « Sous quel prétexte ? » Il hausse les épaules : « En général, trahison ; c'est le plus facile. » Faustino a-t-il une femme ou des enfants ? Juste une mère, à Séville – ce qui ne m'avance à rien car Séville est derrière les lignes nationalistes. A l'origine, sa famille était de Séville, me dit le jeune homme aux cheveux gris, et peut-être que ça ne lui a pas porté chance. Puis il s'en va : j'ignore ce qu'il a voulu signifier par là. Tout ce que je sais, c'est que Séville est tombée très tôt au cours de la guerre aux mains des généraux.

Plus tard. A mon retour à l'hôtel cet après-midi, une lettre imprimée sans signature m'attendait. Elle disait : « F. Peredes a été abattu par la police au cours de son arrestation. Il avait été accusé d'être un espion fasciste. Ne restez pas trop longtemps à Barcelone. » Le premier choc passé, je me demande si tout ceci est vrai. Peut-être est-ce une sorte de canular ? Ou peut-être Faustino a-t-il vraiment été victime d'une bagarre entre les communistes et les anarchistes. Ou était-il un espion ? La méfiance, le doute, le côté insaisissable de la réalité semblent caractéristiques de cette guerre. Quelque part, je n'arrive pas à croire que Faustino est mort. Je pense à lui, à notre brève amitié et au scepticisme dont il teintait sa vocation d'anarchiste narquois : « Amoureux de la vie, amoureux de l'humanité. Ennemi de l'injustice, ennemi du privilège. » Pas la pire des épitaphes. Mais me voilà à présent en possession de sept tableaux de Joan Miró – qui presque certainement n'appartenaient pas à Faustino. Que suis-je censé en faire ?

[LMS repartit le lendemain pour Valence et, cinq jours plus tard, il était de nouveau à Londres, avec les sept toiles enroulées dans leur tapis persan. Comme d'habitude, le week-end suivant, il se rendit à Thorpe. Plus tard dans l'année, en manière d'aide-mémoire, il écrivit le récit des événements qui suivirent son retour.]

[Septembre]

Après ces interminables mois d'avocats, de discussions et de crises émotionnelles, il semble sage de tenter de rédiger un récit cohérent des événements et non de me fier aux notes décousues que j'ai griffonnées à l'époque.

A mon retour d'Espagne en avril, j'ai passé avec Freya quelques jours merveilleux mais empreints d'une inquiétude croissante. Lottie ignorait que j'étais rentré et je voulais revenir à Thorpe d'une manière qui, au moins initialement, impliquerait que rien n'avait changé. Freya affirma que personne n'avait essayé de la contacter quoique, pendant deux ou trois jours, elle avait eu l'impression que l'appartement était surveillé : en rentrant du bureau, elle avait vu le même homme dans la rue deux soirs d'affilée.

Je prévins Lottie par télégramme et pris le train pour Norwich avec une sorte de terreur nauséeuse. C'étaient les récriminations qui m'attendaient et non pas ce que je m'apprêtais à faire qui me rendaient à l'avance las et malade. Nous avions longuement parlé, Freya et moi, et nous avions décidé que la seule ligne de conduite convenable était de tout raconter à Lottie et puis de demander le divorce. Mais, à mon arrivée, la maison était vide. Aucun signe de Lottie ni de Lionel. J'ai compris que mon télégramme les avait poussés à se réfugier à Edgefield.

J'ai donc appelé Edgefield et j'ai été très surpris quand Angus m'a répondu. D'une voix froide et égale, il m'a informé qu'il viendrait me voir le lendemain matin.

— J'aimerais parler à Lottie, s'il te plaît, ai-je dit.

— Elle est trop malade pour ça. Elle ne veut plus jamais te parler. C'est pourquoi je suis ici : quoi que tu aies à dire, dis-le-moi à moi.

— Pour l'amour du ciel, ce n'est pas là une façon de…

Il m'a interrompu en criant presque :

— Espèce d'ignoble personnage ! Tu t'es installé avec ta pute…

Je lui ai raccroché au nez.

Le lendemain a été d'un inconfort exceptionnel. Le matin, Angus est arrivé avec l'avocat de la famille – un certain Waterlow – et cet homme m'a déclaré que je devrais avoir évacué Thorpe au coucher du soleil, que notre compte en banque commun était gelé (par ordre du tribunal), que je serais condamné à payer une pension alimentaire pour l'entretien de Lottie et de l'enfant et que, si je souhaitais voir Lionel, j'y aurais droit un jour par mois à condition de prévenir dix jours à l'avance de mes intentions. Pendant cette séance, Angus est resté assis à me fusiller du regard en silence. Je les ai mis tous deux dehors.

A la porte, Angus m'a allongé un coup de poing mais je me suis baissé et j'ai réussi à le frapper en plein dans le plexus, si fort qu'il est tombé. Waterlow a dû m'empêcher de lui flanquer une bonne raclée. Angus avait l'air d'être sur le point de pleurer tandis qu'on l'aidait à monter en voiture et il ne cessait de hurler des menaces et des insultes à mon endroit. C'est vraiment un CAT[1] de première classe.

Nous sommes donc entrés dans la guerre des avocats. J'ai trouvé un type bien, Noel Lange, recommandé par Peter Scabius – et Lange et Waterlow s'y sont collés. J'ai accepté de ne pas m'opposer à la demande de divorce, mais j'ai refusé de céder à leurs autres exigences. Comme d'habitude, tout s'est résumé à de l'argent. Je croyais être propriétaire de la moitié de Thorpe Hall, que ça avait été un cadeau de mariage d'Aelthred et Enid à Lottie et moi, mais, en fait, il s'est révélé que la maison était en *fideicommis* au nom de Lottie. Au temps pour la foi du comte dans la durée du mariage de sa fille. J'ai utilisé cette information pour libérer un peu de l'argent que j'avais gagné avec *L'Usine à filles* et qui était bloqué dans des investissements et un compte d'épargne communs. Nous nous sommes bagarrés alternativement. Lange a fait du beau travail, mais pas bon marché. J'ai dû écrire plus que jamais pour les journaux.

Et puis, à la fin, alors que tout semblait arrangé, ils ont insisté pour que je me plie au rite du flagrant délit. Je suis persuadé que ceci est venu d'Angus Cassell. Tout ce que cela impliquait de sordide m'a déprimé : engager une prostituée, louer une chambre d'hôtel, s'assurer la complicité d'un membre du personnel hôtelier qui nous « découvrirait » et signerait un affidavit. J'ai raconté à Freya ce qu'ils exigeaient et elle m'a répliqué : « Merveilleux ! Offrons-nous un week-end lubrique ensemble ! »

Nous sommes donc allés à Eastbourne, et la femme de chambre venue nous apporter le petit déjeuner nous a trouvés tous les deux

1. Un con achevé total. L'insulte suprême pour LMS.

205

au lit, à sa grande consternation. « Bonjour ! a crié Freya. A propos, nous ne sommes pas mariés ! » et la pauvre fille a quitté la pièce en hâte poursuivie par nos hurlements de rire enchantés.

Le jugement de divorce a été prononcé la semaine dernière et l'annonce a paru dans le *Times* sous le titre : « Divorce en faveur de la fille d'un comte contre un auteur à succès. »

« La pétition de Lady Laeticia Mountstuart, de Thorpe Hall, Thorpe le Hongre, demandant la dissolution de son mariage avec Mr Logan Gonzago Mountstuart, pour cause d'adultère avec Miss Freya Deverell au Westminster Hotel, Eastbourne, n'a pas été contestée. Mr Mountstuart à été condamné aux dépens. »

Maintenant que tout est terminé, je me sens épuisé, fauché mais follement heureux. Un autre de ces moments dans ma vie – se dépouiller du passé, la vieille peau grise tavelée arrachée, de nouvelles écailles vernissées, brillantes, à montrer. A présent ma vie avec Freya peut vraiment commencer. Pourtant un problème demeure : Lionel, le douloureux sentiment de culpabilité dans mon cœur. Que dois-je faire pour Lionel ? Je l'aime, c'est mon fils. Je ne peux rien redire à la vérité inhérente à ces mots mais, pour être encore sincère, ils n'ont aucun sens réel en ce qui me concerne. Qu'est exactement Lionel pour moi, en dehors de ma chair et mon sang ? Sois honnête, Logan, tu ne le considères que comme un moutard maladif et assommant. Dix minutes en sa compagnie sont une épreuve : ton esprit s'évade, tu voudrais qu'on vienne le chercher. Oui, je l'avoue, peut-être ne suis-je pas doué pour les enfants, mais malgré cela il m'est impossible, je refuse, de l'abandonner. Il faut que je le protège des Edgefield. Ce n'est encore qu'un bébé : il peut changer en grandissant et, aussi difficile, aussi déplaisant que cela sera, il faut que je sois présent dans sa vie, comme une influence majeure et durable. Je n'abandonnerai pas Lionel Mountstuart à cette épouvantable clique.

1938

Vendredi 7 janvier
Freya et moi nous sommes mariés hier au Chelsea Town Hall. Présents : la mariée et le marié, Mère, Encarnación, George, le père

de Freya, Robin, son frère. Après quoi nous sommes allés au bout de la rue boire quelques verres au Eight Bells. Une célébration très discrète, mais notre bonheur était total. Mère, cependant, n'a pas montré beaucoup d'entrain : elle aime beaucoup Freya, dit-elle, mais elle ajoute qu'« on ne peut pas oublier une personne telle que Lottie en un jour ». Je lui ai rappelé que Lottie et moi étions séparés depuis huit mois déjà : « Pour moi ça me semble un jour », a-t-elle insisté.

Puis chacun est reparti à ses affaires, et Freya et moi nous sommes rentrés chez nous à Draycott Avenue. Nous avons déjeuné, puis sommes allés faire une promenade glaciale dans Battersea Park, avant de regagner la maison pour lire et écouter de la musique et enfin dîner.

— Je suis si heureux, je lui ai dit alors que nous étions serrés l'un contre l'autre dans notre lit, que je crois que je pourrais exploser.

— Boum ! s'est-elle exclamée. De jeunes mariés se désintègrent simultanément dans un appartement de Chelsea.

Jeudi 17 mars
Je reprends ce journal pour noter que
a) j'ai terminé le chapitre 3 de *Été à Saint-Jean* et que
b) Freya m'a annoncé ce matin qu'elle était enceinte. Nous avions parlé d'avoir un enfant mais je ne m'attendais pas à un succès si soudain. Bien entendu, la nouvelle m'a fait penser à Lionel, que je n'ai vu qu'une seule fois cette année. On me l'avait amené dans un hôtel de Norwich (où j'avais loué une chambre pour la journée) en compagnie d'une nurse, et j'ai passé quelques heures à essayer de jouer avec lui, à tenter de l'amuser. Il se méfiait de moi et ne cessait de filer vers sa nurse. Une épreuve embarrassante. Pauvre Lionel. Va-t-il être la plus grande victime de notre mariage sans amour ? Je ne sais pas pourquoi, mais je sens que l'enfant que Freya et moi aurons réussira mieux. Une chose est claire : il faut que nous trouvions un autre endroit où habiter.

[Avril]
Pouvait-il y avoir un printemps plus infect que celui que nous avons eu cette année ? Froid et pluie – pluie et froid. Wallace s'est débrouillé pour m'obtenir un contrat avec le *Sunday Referee* : dix

207

articles, cinq cents livres. Depuis l'Espagne, ma cote et mes tarifs ont grimpé de manière gratifiante.

Freya va bien, pour ainsi dire pas de nausées matinales. Une autre journée à Norwich la semaine dernière avec Lionel. Ça devient maintenant un rite. Je loue une chambre pour une journée – en terrain neutre – et Lionel est amené de Thorpe en taxi avec la nurse. Il reste jusqu'à ce qu'il soit manifestement fatigué ou qu'il s'ennuie – ou les deux.

Agréable dîner hier soir avec Turville Stevens. Turville affirme qu'il savait dès 1936, avant l'Espagne, que la guerre était inévitable. Et les nouvelles de Catalogne sont mauvaises : les troupes de Franco avancent chaque jour, vite. Bon dieu, l'Espagne ! Ça me semble aujourd'hui un rêve incroyable. Et que vais-je faire des Miró de Faustino Peredes ? Je refuse de penser aux avertissements de Turville quant à la guerre imminente avec l'Allemagne. Je crois que nous avons trouvé dans Battersea une maison tout juste dans nos moyens.

[Juillet-août]

32 Melville Road, Battersea. Nous avons déménagé en juillet et passé l'été à arranger la maison. J'étais désolé de dire adieu à Draycott Avenue, mais Freya et moi adorons Melville Road.

– Crois-tu que la rue a été baptisée en l'honneur de Herman Melville ? demande Freya.

– J'en suis sûr, dis-je. Et quel meilleur endroit où habiter pour un collègue scribouilleur ?

Melville Road est une rangée incurvée de maisons victoriennes mitoyennes en brique, à deux étages. Chacune a un petit carré de pelouse ou de gravier en façade et, derrière, un long jardin étroit qui donne sur la palissade délimitant les jardins de Bridgewater Street, la rue parallèle à Melville Road. Nous avons un salon, une salle à manger et une cuisine au rez-de-chaussée ; deux chambres et une salle de bain au premier et sous le toit une mansarde avec une lucarne. Cette mansarde, je l'ai transformée en une cellule tapissée de livres qui me sert de bureau. Par la lucarne, je vois les cheminées de l'usine électrique de Lots Road de l'autre côté de la Tamise.

Hier, nous sommes allés faire une promenade dans le parc et nous avons regardé les machines qui creusaient des rangées de tranchées. La guerre est dans l'air et viendra des airs, semble-t-il, même dans le calme Battersea. Freya est grosse à présent, et mal à l'aise : le bébé est prévu pour octobre.

Mercredi 31 août

Hitler a un million d'hommes sous les armes, affirme le *News Chronicle*. Entre-temps, je rédige la critique d'un livre médiocre sur Keats pour le *Times Literary Supplement*. Un été sec et chaud, fait presque entièrement de travail et d'une agréable vie casanière. Les bouts de sein de Freya sont de la couleur du chocolat noir. Nous avons tapissé en jaune la deuxième chambre pour « Bébé » comme nous l'appelons, pas « lui » ni « elle ». Nous demeurons superstitieusement dans le vague : nous prétendons que ça nous est égal mais, après Lionel, je meurs d'envie d'avoir une fille. Je crois que Freya voudrait un garçon.

Et j'ai eu une autre journée éprouvante avec Lionel. Il était grincheux et pleurnicheur, « rempli de bourbouille », a dit la nurse. Alors je l'ai déshabillé et l'ai laissé jouer nu dans la pièce au grand scandale de la nurse : « J'aurai le devoir d'en informer Lady Laeticia, Mr Mountstuart. » « Je vous en prie, allez-y », ai-je répliqué. Je n'ai pas revu Lottie depuis le divorce, curieux comme votre vie ancienne ou une vie que vous abandonnez peut s'évanouir si vite. Lionel est désormais notre seul lien. De temps à autre je trempais un chiffon dans de l'eau froide, l'essorais et l'étalais sur les éruptions les plus vives, aux cuisses et sous les bras, et durant une minute ou deux il se calmait et me regardait avec gratitude. « Merci, Papa, disait-il. Ça fait du bien. » Mon sentiment de culpabilité croît avec l'approche de notre bébé. J'ai pleuré dans le train en rentrant à Londres – chose rare pour moi, mais rien ne me met les larmes aux yeux comme Lionel. Comment pourrais-je faire plus pour lui ? Et qu'en sera-t-il à l'arrivée de « Bébé » ? Hitler a un million d'hommes en armes, selon le *News Chronicle*. Je vois que j'ai déjà écrit ça.

[Samedi 1er octobre]

Si je suis honnête avec moi-même, je comprends très bien le soulagement que les gens ressentent à propos de Munich[1]. Notre enfant

---

1. A l'automne de 1938, l'Europe faillit entrer en guerre lorsque Hitler menaça d'envahir le territoire des Sudètes, la partie germanophone de la Tchécoslovaquie.

est attendu d'un jour à l'autre maintenant et quoique – politique-
ment, intellectuellement – je condamne nos lâches concessions et
que je ressente un chagrin désespéré pour les Tchèques, je me dis
qu'il vaut sûrement mieux que nous ayons la paix maintenant plutôt
que d'entrer en guerre pour un insignifiant bout de territoire d'un
lointain petit pays. Rappelez-vous que j'ai vu la guerre aux premières loges en Espagne, toute son absurdité et son funeste chaos, et
je sais qu'elle ne doit être que l'ultime et dernier ressort. La vérité
brutale, c'est que la question des Sudètes ne sera jamais une raison
suffisante pour lancer les nations d'Europe à la gorge l'une de
l'autre. Alors, tu es donc pour une politique d'apaisement ? Non : je
vois la menace que représentent ces fous, mais je sais aussi que ce
que je veux surtout, c'est vivre ma vie en paix comme le reste du
monde. Hitler ne veut pas la guerre – ce qu'il veut c'est le butin et
c'est pourquoi il est si malin, pourquoi il semble constamment réussir. Le butin de guerre sans la guerre. C'est peut-être ce que Chamberlain comprend, la raison pour laquelle il a fait cette dernière
concession, mais en a intelligemment obtenu la paix pour prix. En
me promenant dans Battersea, je sens un allégement palpable de
l'atmosphère – des rires fusent d'un pub, des femmes bavardent aux
coins des rues, un facteur sifflote en faisant sa tournée. Ces clichés
nous disent quelque chose : nous étions au bord de l'abîme et nous
avons reculé. Les tranchées peuvent être comblées, les masques à
gaz renvoyés dans les entrepôts du gouvernement. Je suis sûr que
mon équivalent allemand, un écrivain dans les trente ans, avec une
épouse et un enfant en route, ne peut pas se sentir différent de moi,
ne peut pas souhaiter voir ses villes bombardées, son continent
ravagé par la guerre. C'est quand même une affaire de bon sens,
non ? Et puis je me dis : quelle dose de bon sens a-t-on vu déployée
en Espagne ?

Turville téléphone, presque en larmes, parlant de honte et de trahison, disant que Chamberlain et Daladier ont trop cédé et que

---

Neville Chamberlain, le Premier ministre anglais, se rendit à Munich où, au cours
d'un sommet à quatre (Allemagne, Italie, France, Angleterre) il fut décidé que le
territoire des Sudètes serait cédé à l'Allemagne. Les Tchèques ne furent pas invités
à la conférence. Chamberlain revint de Munich en triomphateur avec un bout de
papier signé par Hitler exprimant le désir que « nos deux peuples n'entrent jamais
en guerre l'un contre l'autre ».

Hitler va revenir à la charge pour obtenir encore plus. A-t-il raison ? Assis ici dans ma petite maison, une soudaine averse tombant à pleins seaux dehors, je prie pour qu'il se trompe.

Oliver Lee est à la radio ce soir, prédisant mort et destruction à moins que nous n'arrêtions Hitler maintenant. Mais nous l'avons arrêté, non ? En entendant Lee, je pense à Land et, comme on le fait machinalement, j'imagine l'autre vie que j'aurais pu mener si elle avait accepté de m'épouser. Spéculation futile, gratuite. Je n'aurais jamais rencontré Freya. Peut-être Land m'a-t-elle rendu le plus grand service possible.

Je suis allé ce soir au fond du jardin fumer une cigarette. La semaine dernière, j'ai planté un acer dans la plate-bande la plus éloignée de la maison en l'honneur de notre bébé. L'arbuste est aussi grand que moi et, de l'avis général, il peut atteindre jusqu'à quinze mètres. Dans trente ans donc, si nous sommes encore ici, je pourrais revenir voir cet arbre en pleine maturité. Mais l'idée me déprime : dans trente ans j'en aurai soixante et quelques et je me rends compte que ce genre de projection dans le futur, comme on en fait sans réfléchir, commence à se raccourcir. Supposons que j'aie dit dans quarante ans ? Ça serait déjà un peu hasardeux. Cinquante ? J'aurai alors sans doute disparu. Soixante ? Mort et enterré certainement. Dieu merci, je n'ai pas planté un chêne. Est-là une bonne définition du grand tournant de la vie ? Le moment où l'on comprend très raisonnablement et sans trop d'émotion que le monde, dans un avenir pas très éloigné, ne vous inclura plus : que les arbres que vous avez plantés continueront à pousser mais que vous ne serez plus là pour les voir.

Vendredi 14 octobre

Nous avons une petite fille. Née à huit heures ce matin. L'hôpital m'a téléphoné et j'y suis allé aussitôt. Freya était épuisée, les yeux cernés. On m'a apporté le bébé et je l'ai tenu dans mes bras, une petite chose rouge et furieuse, ses menottes battant l'air tandis qu'elle piaillait à s'en éclater les poumons. Nous l'appellerons Stella – notre étoile à nous. Bienvenue au monde, Stella Mountstuart.

1939

Samedi 14 janvier

Une lettre affligeante de Tess Scabius adressée à moi seul et précisant : « Personnelle et confidentielle ». Elle y raconte l'histoire – telle qu'elle la vit – des infidélités constantes de Peter et de la tension effroyable qu'elles font peser sur leur mariage. Elle demande mon aide : « Je n'ai jamais soupçonné Peter d'être capable d'une telle conduite quand je l'ai épousé et je sais que vous ne l'auriez pas imaginé non plus. Outre les prostituées à Londres, il fréquente maintenant une femme à Marlow. Il vous considère encore comme son ami le plus proche. Il vous admire et vous respecte. Logan, je ne peux pas vous demander de faire que Peter m'aime de nouveau comme autrefois, mais pour l'amour de Dieu il faut qu'on lui demande de cesser de se commettre dans ces liaisons honteuses. Je suis au bout du rouleau et je sais que tout le monde dans le village est au courant de ce qui se passe. Ne pourrait-il pas agir en gentleman et nous épargner à moi et à nos enfants cette humiliation cruelle ? » Et ainsi de suite. Pauvre Tess.

Vendredi 20 janvier

J'ai téléphoné à Peter et il m'a invité à déjeuner chez Luigi pour fêter la parution de son troisième thriller, *Trois Jours à Marrakech*. J'aurais dû déjà préciser qu'il a quitté le *Times* l'année dernière. Il a, de l'avis général, et aussi surprenant que ce soit, beaucoup plus de succès que moi. Je suis heureux de dire que je n'éprouve pas la moindre lueur d'envie à son égard.

Plus tard. Un déjeuner des plus agréables. Il a changé, Peter – il y a en lui un côté plus matérialiste, plus vulgaire. Au milieu d'une phrase, son regard suivait une jeune serveuse qui traversait la pièce et il ne cessait pas de faire des remarques sur les autres femmes dans le restaurant : « Elle n'est pas avec son mari. » « Ce pourrait être une beauté si elle s'habillait mieux. » « Elle pue la frustration sexuelle », et autres réflexions du même tonneau. Peut-être est-ce le résultat d'adultères répétés. Bien qu'il s'avoue plus détendu avec les prostituées : il en fréquente deux ou trois régulièrement. Il m'en a recommandé la pratique – le plaisir sans la responsabilité. Je lui ai rappelé que j'étais extrêmement heureux en mariage. « Ça, ça n'existe pas », a-t-il répliqué. L'enchaînement tout trouvé pour lui parler de la lettre de Tess. Ce qui l'a beaucoup secoué : il est devenu très silencieux et j'ai vu que la fureur montait en lui. « Pourquoi t'écrire à toi ? », a-t-il répété. Je ne l'ai pas éclairé sur ce point. Mais au moins j'ai accompli mon devoir vis-à-vis de Tess. A qui j'ai répondu en lui racontant ce que j'avais fait. Cette période d'Oxford me paraît dater de plusieurs siècles.

Affichettes de journaux dans Soho alors que j'attrape un autobus pour rentrer à la maison : « Franco aux portes de Barcelone ».

[Mars]
Eh bien, ça y est, je suppose, maintenant que Hitler est à Prague[1]. Oliver Lee avait raison et désormais « la Tchécoslovaquie a cessé d'exister ». Mes sentiments d'octobre dernier ont l'air de rêves nostalgiques désespérés. Et aujourd'hui Franco possède toute l'Espagne – ce qui fera plaisir à Mère. J'écris ceci sur la table de la cuisine pendant que Freya donne le sein au bébé. Dans le placard à côté d'elle les masques à gaz attendent dans leur boîte en carton – jamais retournés. La guerre est pour demain et Dantzig sera la prochaine crise. Et que vas-tu faire dans ce conflit, Logan ? Que fera Papa dans cette guerre ?

Roderick m'a offert un poste de lecteur chez Sprymont & Drew pour trente livres par mois. J'en ai demandé quarante et il m'a dit que Plomer[2], chez Cape, gagnait la même chose et donc il m'était difficile de discuter. Je soupçonne que Roderick, comme je lui ai dit que *L'Été à Saint-Jean* était presque fini, essaye de me lier à la compagnie. On peut s'étonner de sa logique : le journalisme prend un temps fou, et maintenant que j'ai à lire des manuscrits toute la semaine, et à rédiger des rapports dessus, il va m'être virtuellement impossible d'écrire quoi que ce soit d'autre.

Succès restreint mais soutenu en France des *Cosmopolites*. Cyprien écrit qu'il se voit de nouveau fêté comme si on était en

---

1. Les troupes de Hitler entrèrent à Prague le 15 mars, ostensiblement pour « protéger » la Bohème et la Moravie du nouvel État slovaque.
2. William Plomer (1903-1973), écrivain sud-africain et lecteur chez Jonathan Cape pendant de longues années.

1912 et qu'il était un éminent homme de lettres, « grâce à toi ». Il faut que je retourne à Paris avant la fin du monde.

[Juillet]

Aldeburgh. Nous avons loué pour juillet et août une petite maison ici dans la ville – j'ignore pourquoi ces retours perpétuels au Norfolk. Je repars à Londres quand les affaires l'exigent, mais j'ai beaucoup aimé nos deux premières semaines ici et je n'ai pas envie de bouger. La belle lumière de la mer du Nord, la séduction des horizons qui s'évanouissent. Je travaille toute la matinée, à écrire des articles ou, plus souvent, à lire des manuscrits pour S & D (ce qui me prend de plus en plus de mon temps). Puis, s'il fait beau, nous organisons un pique-nique sur la plage – on emmène un plaid, un Thermos et des sandwiches, on s'installe sur le rivage et on regarde les vagues déferler sur les galets. Stella est un stéréotype de bébé-fille : belle, tête ronde, grosses joues, yeux bleus. Curieuse et gaie. On l'assied et on lui met une pile de galets devant elle et on la regarde les prendre, les examiner et les laisser tomber un à un tandis que nous bavardons. Freya a commencé à m'aider en lisant quelques-uns des manuscrits de S & D – je crois que la BBC lui manque.

J'ai réussi à persuader Lottie de nous laisser Lionel pour un week-end, puisque nous étions si près. Ça n'a pas été un succès. Lionel a paru terrifié par Freya et je me suis demandé quelle sorte d'absurdités Lottie – ou plutôt cette salope d'Enid – avait pu lui fourrer dans la tête. Il semblait plus détendu avec moi et j'ai tenté de faire les choses qu'un Papa doit faire. Nous avons tapé dans un ballon à travers le jardin pendant une heure et finalement Lionel a dit : « Papa, combien de temps on doit jouer à ce jeu ? » Pour être franc, j'ai l'impression d'un enfant ordinaire sans rien de remarquable dans aucun domaine, autant que je puisse voir – pas brillant, pas charmant, pas drôle, pas culotté, pas beau. Et, pour ne rien arranger, il a les pires traits de la morphopsychologie Edgefield. A un moment donné il m'a demandé si j'étais marié avec Freya. Bien sûr que je le suis, lui ai-je répondu. Il a froncé les sourcils : « Mais je croyais que tu étais marié avec Maman. » Je lui ai expliqué. « Ça veut dire que tu n'es pas vraiment mon Papa ? » s'est-il écrié. « Je serai toujours ton Papa », ai-je dit et, dieu me garde, j'ai failli fondre en larmes.

[Juillet]

Fleming m'a invité à déjeuner au grill du Carlton. Il semble qu'il soit toujours agent de change, mais qu'il ait maintenant un genre de rôle clandestin à l'Amirauté. « Beaucoup de gens », affirme-t-il, ont été impressionnés par mes articles sur la guerre d'Espagne. Je lui ai dit que quatre-vingt-dix pour cent de ce que j'avais écrit avait été publié en Amérique. « Je sais, a-t-il répliqué, ce sont ces papiers-là qui nous ont impressionnés. » Il a parlé de la future guerre comme si elle avait déjà lieu et m'a demandé quels étaient mes projets. « Survivre », ai-je répliqué. Il a ri et, se penchant par-dessus la table, très conspirateur, m'a confié qu'il considérerait comme un service personnel que je « me tienne prêt pour un poste spécial ». Un poste qui serait basé à Londres mais qui serait vital pour notre effort de guerre. Pourquoi moi ? ai-je voulu savoir. Parce que vous écrivez bien, que vous avez vu la guerre de très près et que vous n'avez aucune illusion à son propos. En partant, et je suis certain que ceci avait été arrangé, nous sommes tombés sur un homme plus âgé, dans un costume gris de coupe très démodée, qui m'a été présenté comme étant l'amiral Godfrey. En douce, j'étais passé au crible.

Lundi 7 août

Tess Scabius est morte. Elle s'est noyée dans la Tamise, m'a annoncé Peter – incohérent – au téléphone. Elle n'était pas rentrée à la maison à l'heure du thé après une promenade et Peter est descendu vers le fleuve à sa recherche. Il a vu un groupe de gens et de policiers à moins d'un kilomètre en aval et il est allé voir ce qui se passait, pour découvrir qu'on venait de sortir Tess de l'eau. Elle cueillait des fleurs et avait glissé sur la berge. Et elle ne savait pas nager. « Un terrible affreux accident », répétait-il.

Quel abominable choc. Chère Tess. Je repense à nos après-midi volés à Islip et à la tempête d'émotions intenses générée sur ce lit dur et humide dans le petit cottage. Et je reconnais ce que tu as fait pour moi, Tess. Accident. J'en doute. Je pense qu'elle en a eu marre. Dieu merci, dieu merci, j'ai au moins attaqué Peter à propos de ses baisages effrénés. Je l'ai dit à Freya qui a vu combien j'étais bouleversé, et je lui ai raconté quelques épisodes de notre histoire commune : les défis en classe ; l'audacieuse décision de Tess de suivre

Peter à Oxford. Je lui ai dit que j'avais été un peu amoureux d'elle à l'époque, et jaloux de Peter. J'ai estimé préférable de ne rien lui dire de notre liaison.

Dimanche 3 septembre

Battersea. Une journée chaude. Freya et moi écoutons l'allocution radiodiffusée du Premier ministre annonçant que nous sommes maintenant en guerre avec l'Allemagne[1]. Stella rampe sur le sol de la cuisine en émettant des petits cris aigus, ce qui est le signe d'un plaisir intense et quasi insupportable. Je prends Freya dans mes bras et lui pose un baiser sur le front. « Ne t'engage pas dans l'armée, murmure-t-elle, je t'en supplie. » Je lui parle alors de l'offre de Fleming et nous prions tous deux qu'elle tienne.

Plus tard, seul dans le jardin, je regarde le ciel bleu et les quelques nuages en vadrouille. Il fait humide et chaud. Les cloches des églises sonnent. Je me sens très soulagé, tel un grand malade à qui l'on annonce soudain : « C'est grave, Mr Mountstuart, mais il n'y a pas lieu de désespérer. » Paradoxalement, la confirmation des pires nouvelles met les idées au clair : du moins, la route à suivre est évidente et les gens savent ce qu'ils ont à faire. Mais là, par cette chaude journée d'été, debout dans mon étroit petit jardin, je me demande si tout finira dans le néant pour les trois Mountstuart, et je sens la peur pénétrer en moi comme de l'eau glacée.

---

1. Hitler avait envahi la Pologne le 1er septembre. L'Angleterre avait lancé un ultimatum selon lequel les forces allemandes devaient se retirer le 3 septembre a 11 heures. Hitler n'avait pas obtempéré.

Les carnets
de la Deuxième Guerre mondiale

Fidèle à sa parole, Ian Fleming reprit contact durant la première semaine de la guerre avec Logan, à qui fut offert un poste dans la Naval Intelligence Division (NID). Ce célèbre service de renseignements logeait dans les bâtiments de l'Amirauté sur le Mall et était dirigé, en 1939, par l'amiral John Godfrey (Fleming était son assistant). Mountstuart fut nommé lieutenant (section spéciale) de la Réserve des volontaires de la Royal Navy. A l'intérieur de la NID, il fut rattaché au service de la propagande avec la responsabilité particulière du traitement des renseignements en provenance de l'Espagne et du Portugal. Il reçut aussi pour mission d'imaginer d'astucieux stratagèmes pour assurer une neutralité constante des deux pays. Ce qui consista surtout au début à placer des anecdotes antigermaniques (intéressant l'Espagne et le Portugal) dans un maximum d'organes de presse. Mountstuart suggéra aussi d'inonder de tracts les populations des villes principales : Lisbonne, Porto, Barcelone et Madrid. Il se plut à la NID, une institution à l'ambiance détendue, un peu canaille, mais fière de son efficacité. Il se trouvait aussi très élégant dans son uniforme bleu marine (fait sur mesures par Byrne et Milner), avec ses galons dorés ondulant aux poignets.

Tout d'abord, Freya et Stella allèrent habiter chez les Deverell dans le Cheshire mais, comme le bombardement massif prédit sur la capitale n'avait pas eu lieu, elles revinrent à Londres au début de 1940. Peter Scabius s'engagea dans la brigade auxiliaire des pompiers. Ben Leeping et sa famille quittèrent Paris en octobre 1939 et Ben ouvrit une petite galerie (toujours sous le nom de Leeping Frères) près de Duke Street dans Saint James. La tenue d'un journal durant la guerre par des hommes et des officiers sous les drapeaux était interdite. LMS semble en avoir été conscient, et le flot narratif est souvent interrompu jusqu'à ce qu'un fait d'un intérêt réel pour lui se produise.

1940

Lundi 10 juin

J'ai apporté les Miró de Faustino à la galerie de Ben aujourd'hui et je les ai déroulés sur le sol de son bureau. Il a dû se rattraper à une chaise pour ne pas tomber. « As-tu la moindre idée de ce que vaut une pareille collection ? » s'est-il écrié. Je lui en ai expliqué l'étrange provenance. « Eh bien, je suppose que possession vaut pratiquement titre. Tu ne sais vraiment pas à qui ils appartenaient ? » Je lui ai raconté que c'était un mystère, mais que certaines circonstances de l'histoire pouvaient être garanties par Ernest Hemingway.

Ben paraissait tout tremblant comme si son cerveau travaillait trop vite. Il ne cessait de répéter que c'était le genre d'événement qui se produisait une ou deux fois dans la vie d'un marchand d'art. Je lui ai dit que j'étais à court d'argent, que ces toiles étaient chez moi dans un placard depuis trois ans et qu'il fallait faire quelque chose. En fin de compte, Ben m'a donné trois cents livres pour le tout, mais il a ajouté qu'il vendrait la plus grande toile pour mon compte – quand, il n'en était pas sûr : il attendrait que le marché soit mûr et que l'acheteur ou les acheteurs parfaits se présentent. Il s'est montré d'une reconnaissance presque accablante à mon égard, mais pas reconnaissant au point de ne pas tenter une bonne affaire. Paul Klee[1] est très malade, a-t-il dit, et il m'a offert cent livres de plus en échange de mon petit Klee. Je lui ai répondu que merci beaucoup mais que je le gardais pour l'instant.

Déjeuné dans un restaurant près de la BBC – saucisse de foie et salade. Le rationnement commencerait-il déjà à devenir sérieux ? Ai fait mon entretien sur Joyce avec Geoffrey Grigson (un type ombrageux, aigri), mais j'ai abondé en compliments sur *Horizon*[2] et il s'est un peu radouci.

1. Klee mourut le 29 juin.
2 Le magazine, récemment lancé et édité par Cyril Connolly, et auquel contribuait Grigson.

Mercredi 26 juin

Un de nos nouveaux capitaines dans la NID se trouve être James Vanderpoel[1], avec qui j'étais en classe. Toujours la même silhouette puissamment trapue mais une barbe rousse et pointue en supplément. Un marin des pieds à la tête, plutôt déconfit, je pense, de me découvrir parmi ses sous-fifres. Nous sommes allés nous promener dans Green Park et nous avons un peu parlé d'Abbey. Il m'a donné des nouvelles de certains de mes condisciples et je me suis rendu compte que j'avais perdu tout intérêt à leur égard. Coup de téléphone de Dick Hodge ce soir. Grande excitation : il s'est engagé dans les Marines. Je lui ai dit que j'étais moi dans la Royale. A faire quoi ? a-t-il demandé. Très confidentiel, ai-je répliqué. Merveilleux de pouvoir utiliser cette expression avec sérieux.

Lundi 8 juillet

Godfrey et Fleming nous ont fait venir, Vanderpoel et moi, pour nous demander si l'un de nous connaissait Lisbonne. J'ai dit oui, Vanderpoel non. « Au moins l'un de vous connaît, a dit Godfrey. De toute manière c'est là que vous allez. » Pourquoi ? me suis-je enquis. Fuyant sa maison en France et les armées germano-italiennes, le duc de Windsor vient d'y arriver et il nous faut garder l'œil sur lui. L'ambassade ne peut pas faire ça ? s'est étonné Vanderpoel (que j'ai senti très réticent). L'ambassadeur est, semble-t-il, un grand nerveux, et l'homme du MI6 est un pochard haï par tout le personnel. La situation du duc est très délicate, a poursuivi Godfrey : il ne peut pas revenir ici (à cause de la famille) et nous ne pouvons pas prendre le risque de le voir tomber entre les mains des nazis. « Je l'ai rencontré un jour à Biarritz, en 1934 », ai-je dit. Fleming a regardé Godfrey comme s'il venait de gagner un pari. « Je vous avais bien dit que Mountstuart était notre homme », a-t-il commenté, mystérieux.

Je suis rentré relater la nouvelle à Freya. Je ne courrai aucun danger, lui ai-je assuré, et, parce qu'il s'agissait de Lisbonne, elle n'a pas paru trop s'inquiéter. « Iras-tu dans notre restaurant ? » a-t-elle dit. Je lui ai promis de boire une bouteille de vin entière à nos amours.

1. Voir p. 51.

Mercredi 10 juillet

Lisbonne. Vanderpoel et moi avons pris à Poole un hydravion Sunderland des garde-côtes. Un vol sans heurts et sans problèmes. Lisbonne m'a semblé déborder de réfugiés nantis, toute la racaille de l'Europe à la recherche d'un moyen sûr de partir. Pour la première fois, j'ai pris conscience de la situation de Lisbonne et du Portugal, à la limite même du Vieux Monde. Ici, à son extrémité, tous les fugitifs terrifiés se sont rassemblés, et contemplent le vaste océan resplendissant en quête d'un signe de sécurité.

Nous sommes allés nous présenter à l'ambassade où nous avons été reçus froidement par un type nommé Stopford – le prétendu « attaché financier », en fait le chef du MI6 au Portugal – qui, à contrecœur, nous a fait le résumé de la situation. Le duc et la duchesse avaient quitté en hâte leur villa proche d'Antibes le 19 juin, alors que l'effondrement de la France s'accélérait. Ils étaient arrivés par la route à Madrid avec leur personnel et quelques membres du consulat. Là, ils ont passé neuf jours en dîners et autres mondanités avant de venir au Portugal. Ils habitent maintenant à Cascais, à une heure de la ville, chez un millionnaire portugais appelé Ricardo Espirito Santo. « J'ignore ce que la NID croit qu'elle peut faire que nous ne pouvons pas, a lancé méchamment Stopford. Nous avons nos gens dans la maison, les lieux sont truffés de policiers portugais. Le duc ne peut pas lâcher un pet sans que nous en soyons informés. »

En partant, j'ai dit à Vanderpoel :

– Quel poivrot ! Drôlement rassurant.

– Il m'a l'air très convenable, a rétorqué Vanderpoel.

Je ne crois pas que notre Vanderpoel soit fait pour le renseignement. Nous sommes rentrés dans notre hôtel minable, le seul que nous ayons pu trouver, appelé fort à propos London Pension, et Vanderpoel s'est couché en déclarant qu'il pensait couver une grippe.

Jeudi 11 juillet

Vanderpoel a de la fièvre. Ce soir, à un cocktail à l'ambassade, j'ai rencontré un homme du nom de Eccles [1] qui semble être ici une

1. David Eccles, détaché à Lisbonne par le ministère de la Guerre économique.

sorte d'éminence grise, très dans le coup. D'un grand scepticisme quant aux capacités du personnel de l'ambassade. Il voit régulièrement le duc et j'ai eu l'impression que les choses n'allaient pas bien. Le duc refuse de partir avant que son sort futur soit éclairci et que certaines garanties lui aient été données au sujet de son statut et de celui de la duchesse. « Tout cela est très mesquin, commente Eccles, étant donné la situation dans laquelle nous sommes [1]. » J'ai ressorti la vieille histoire de ma rencontre avec le duc à Biarritz, et Eccles m'a pratiquement pris dans ses bras. Il m'a aussitôt invité à dîner à la villa demain soir.

— C'était une très brève entrevue, ai-je insisté.

— Aucune importance, a dit Eccles. Il est entouré par des financiers douteux qui parlent tous aux Allemands. Vous apporterez un peu d'air frais.

Suis juste passé voir Vanderpoel et lui parler des derniers développements. Il est outré et m'a interdit d'accepter l'invitation. Je lui ai répondu que seul Godfrey avait cette autorité. Écrit à Freya pour lui dire que j'allais dîner avec David et Wallis. Voilà qui devrait lui fournir une bonne histoire à raconter.

Vendredi 12 juillet

Pour atteindre la villa du duc – la Boca do Inferno –, il faut aller presque à la pointe extrême de l'Europe, en tout cas on en a l'impression. Il habite une grande maison de stuc rose sur un promontoire rocheux entouré de pins, et surplombant l'océan Atlantique tout entier. Nous avons traversé Belem et Estoril et suivi la route côtière jusqu'à Cascais. A l'approche de Cascais (situé sur une colline au-dessus de la villa), nous avons été arrêtés deux fois par la police. Ils sont de toute évidence bien gardés. Alors que nous franchissions le portail, Eccles m'a rappelé qu'une « inclinaison du cou » était appropriée pour le duc mais que la duchesse ne devait être gratifiée de rien de plus qu'un sourire et une poignée de main. Sous aucun prétexte ne devais-je y faire référence comme à « Son Altesse Royale ». J'ai dit que je comprenais.

La villa elle-même, derrière de hauts murs de pierre, est vaste et

1. La France avait capitulé le 22 juin. L'Angleterre faisait maintenant face seule aux puissances de l'Axe.

confortable, avec une piscine. Ricardo Espirito Santo et son épouse Mary nous ont accueillis sur la terrasse où on nous a servi un verre. Il y avait là un autre couple du nom de Asseca. Puis nous avons attendu. Et attendu. On a beaucoup consulté les montres en douce, et Mary Espirito Santo n'a cessé de disparaître pour aller chuchoter des instructions au personnel jusqu'à ce que, finalement, le duc et la duchesse descendent de leur chambre.

Premières impressions : ils étaient tous deux impeccablement habillés. Mince, tiré à quatre épingles, cheveux gris-blond coiffés en arrière, smoking parfaitement coupé, tenant négligemment une cigarette à la main, le duc ressemblait à une vedette de cinéma américaine en miniature. La duchesse était lourdement maquillée et lourdement embijoutée. Elle a un visage du style masque impassible et une verrue plutôt proéminente sur le menton. Mon tour venu, Eccles m'a présenté et a mentionné Biarritz.

— Nous nous sommes rencontrés sur le terrain de golf, sir.

— Vous jouez au golf, dieu soit loué. (Il s'est tourné vers la duchesse.) Chérie, monsieur – hum – ce cher monsieur – était à Biarritz en 34. Vous vous rappelez ces vacances ? N'étaient-elles pas amusantes ?

— J'adore Biarritz, a-t-elle déclaré.

— Moi aussi, ai-je dit. En fait je pense que…

— Et il joue au golf, s'est écrié le duc.

— David, n'interrompez pas de la sorte. Monsieur… monsieur ?

— Mountstuart.

— Mr Mountstuart allait nous dire quelque chose de fascinant sur Biarritz.

Puis nous avons été vraiment interrompus par l'annonce du dîner. J'étais assis entre la senhora Asseca et Mary Espirito Santo (assez attirante dans le genre froid, dur, qu'ont certaines riches Européennes). La senhora Asseca parlait l'espagnol et un français de cuisine. Mary E. S. couramment l'anglais. Eccles et la duchesse riaient beaucoup ensemble et semblaient très gais. Je me suis dit sur le moment : garde cette scène en mémoire, Logan – le duc et la duchesse de Windsor, une ravissante maison sur la mer, des domestiques obéissant au doigt et à l'œil, de la bonne nourriture et des bons vins. Le monde en guerre.

Alors que nous partions, le duc est venu vers moi et m'a demandé si j'étais libre pour un parcours de golf demain après-midi au Golf Club de l'Estoril. Bien sûr, ai-je répondu, merci beaucoup, etc. Il s'est attardé un peu et j'ai dit que ça faisait plaisir de le voir en si bonne forme après son épique voyage à travers l'Europe. Son visage s'est affaissé, il a pris un air boudeur et, baissant la voix : « Ici, je suis pratiquement prisonnier. Rien que de l'obstruction de tous côtés et des montagnes de paperasserie. » J'ai compati et nous sommes convenus de nous retrouver au club demain à quinze heures.

Sur le chemin du retour à Lisbonne, Eccles a été surpris d'apprendre ce rendez-vous. Il a réfléchi un moment puis : « J'apprécierais, Logan, que vous me laissiez voir ce que vous envoyez à la NID. » « Certainement, ai-je dit, avant d'ajouter : Vous n'auriez pas par hasard une idée de l'endroit où je pourrais mettre la main sur des clubs de golf ? »

Samedi 13 juillet

Le gouvernement de Sa Majesté m'a généreusement fourni un jeu de clubs de golf tout neufs, ce qui est très décent de sa (leur ?) part et, ainsi équipé, j'ai pris la direction du Club de l'Estoril. Le duc, Espirito Santo et un autre type nommé Brito e Cunha sont arrivés avec une demi-heure de retard, accompagnés d'environ une douzaine de policiers portugais. Le duc a déclaré qu'il préférerait faire une partie à deux avec moi et il a poussé les deux autres à démarrer en premier. Il faisait chaud, mais une légère brise venait de la mer. Le parcours était recuit et l'herbe brûlée à mort. Mon premier drive a fait un bond de presque trois cents mètres le long du fairway comme s'il avait tapé sur du béton. Mais les greens étaient arrosés et bons à jouer quoique un peu rapides.

Le duc, handicap douze, jouait de manière sobre et sans risque. Au troisième tee, nous avons fait halte pour fumer une cigarette tandis que Espirito Santo et Cunha continuaient. J'ai lancé ma balle par terre et elle a fait un bruit pareil à celui d'une bille sur de l'asphalte.

— On raconte que c'est ce à quoi ressemble le golf sous les tropiques, ai-je dit.

— Eh bien, je vais pouvoir expérimenter ça bien assez tôt, a répliqué le duc, d'un air sombre.

— Je ne comprends pas, sir.

— Ils m'envoient aux Bahamas. Je vais en être le gouverneur.

– Les Bahamas ? Ça devrait être merveilleux.

– Vous croyez que c'est ce qu'on a dit à Napoléon quand on l'a expédié à Sainte-Hélène ?

Le duc était de mauvais poil mais jouait bien – et j'ai eu soin de ne pas mettre en péril son avance de deux trous. A mesure que son jeu s'améliorait, son comportement et ses indiscrétions faisaient de même. J'ai senti son soulagement à parler à un compatriote et à un golfeur.

Certaines des choses qu'il a dites :

Son frère, le roi, est un aimable crétin complètement dominé par sa femme. C'est la reine qui les empêche, la duchesse et lui, de revenir en Angleterre. « Elle ne veut pas de nous là-bas. Elle pense qu'on va leur couper l'herbe sous le pied. Ils sont très jaloux de Wallis. »

Il en avait soupé du Portugal, mourait d'envie d'en partir mais ne le ferait « qu'à mes conditions ».

Deux problèmes semblent le préoccuper par-dessus tout. D'abord, la récupération de certains objets laissés dans leurs maisons d'Antibes et de Paris (vêtements, linge de maison) et en second lieu le refus du gouvernement britannique de libérer du service actif son ordonnance de façon à en faire son valet aux Bahamas.

– Vous avez un valet ?

– Hélas, non, ai-je répliqué.

– Vous devriez. Les gens ne comprennent pas que quelqu'un tel que moi ne peut tout simplement pas fonctionner sans son valet. Je veux Fletcher [le cornemuseur Alistair Fletcher était dans les Scots Guards] et je ne partirai pas tant que je ne l'aurai pas.

– Peut-être pourrais-je vous aider, ai-je dit sans vraiment réfléchir.

Il s'est tourné vers moi et s'est agrippé à mon bras :

– Croyez-moi, Mountfield, si vous pouviez faire quoi que ce soit…

– Mountstuart, sir.

– Mountstuart. Je vous serais très reconnaissant.

– Je vais essayer de voir ce qui m'est possible.

Après la partie (le duc a gagné, trois et deux, et je lui ai fait un chèque de trois livres), j'ai foncé droit à l'ambassade chiffrer un télégramme pour Godfrey à la NID. J'y disais que si le cornemu-

226

seur Alistair Fletcher pouvait être libéré du service actif, j'étais certain que le duc se montrerait beaucoup plus ouvert à toute suggestion.

Vanderpoel a quarante et un de fièvre. Il a tout de même réussi à m'enguirlander pour avoir envoyé un télégramme sans sa permission. « Je suis ton supérieur », a-t-il protesté en toussant. J'ai le sentiment que Vanderpoel, s'il continue sur ce ton, atteindra bientôt le statut de CAT.

Dimanche 14 juillet

Un verre avec Eccles. C'est un type élégant, lisse, un peu empâté qui, semble-t-il, a fait fortune dans les Chemins de fer espagnols avant la guerre. Je lui ai raconté notre journée sur le terrain de golf et les gémissements à propos de Fletcher.

– Ça paraît le tourmenter plus que d'aller aux Bahamas, lui ai-je dit. Si nous pouvions lui obtenir Fletcher et ses malles d'Antibes, on en ferait ce qu'on voudrait.

Eccles m'a regardé, sans aménité.

– Intéressant. Je vais m'en occuper.

Nous avons parlé du duc avec circonspection. Il est clair qu'il se comporte comme un enfant gâté et que tous les rapports avec lui sont conditionnés par cette attitude. S'il est de bonne humeur, tout va bien. S'il est de mauvaise humeur, alors il boude, tape du pied et refuse de venir jouer.

Lundi 22 juillet

Invitation à dîner mercredi avec le duc et la duchesse. Vanderpoel a insisté pour s'y rendre à ma place, et a protesté auprès d'Eccles qui lui a dit de ne pas être ridicule. C'est donc on-ne-se-parle-plus avec un Vanderpoel à peu près aussi adulte que le duc. Vanderpoel semble plus ou moins guéri et passe ses journées à l'ambassade à envoyer des télégrammes et à prendre l'air débordé. Je m'installe au soleil pour lire de vieux romans policiers empruntés à la bibliothèque de la pension. Je voudrais que Freya soit ici. Suis déprimé d'apprendre que Vichy a rompu ses relations diplomatiques avec nous. Y a-t-il un meilleur exemple de la folie de cette guerre ? Et me voilà ici en train de me commettre avec un ex-roi.

Mercredi 24 juillet

En route pour la Boca do Inferno, Eccles m'a averti de ne pas signer le livre des visiteurs du duc si on me le demandait. Il m'a aussi conseillé de ne pas souffler un mot au sujet de la NID. Apparemment, les agents allemands ont fait courir le bruit que les services secrets britanniques complotaient de faire assassiner le duc[1] qui, affirme Eccles, est paranoïaque et très nerveux.

Mais en fait il a été la bonne humeur et la drôlerie mêmes – riant, bavardant non-stop, remplissant le verre des invités. J'ai eu un aperçu de lui tel qu'il devait avoir été jeune homme, et de ce charisme qu'il exerçait si facilement. Et la duchesse s'est montrée soudain beaucoup plus attentive à mon égard – Eccles tout à fait largué. Quand elle vous parle, elle avance son visage cinq centimètres plus près qu'il n'est normal, avec pour résultat que vous sentez son souffle sur votre visage et que la déclaration la plus banale prend un caractère intime. Elle n'a rien d'une beauté, mais d'une certaine manière cette proximité particulière vous donne le sentiment d'être choisi – elle n'a d'yeux que pour vous. Je l'ai vue de près et je dois dire que ses dents sont impeccables. Impossible de deviner quoi que ce soit de son corps sous les robes de haute couture. Elle est très maigre, mais a-t-elle la poitrine plate ? Elle m'a appelé Logan.

Une grande soirée, peuplée d'amis portugais d'Espirito Santo. Le duc et la duchesse ont la conviction d'avoir été snobés par l'ambassade, et Eccles et moi étions les seuls Anglais présents. Il faisait très doux et nous avons pris café et cognac sur la terrasse. On entendait dans l'obscurité les vagues se briser à grand fracas. Le duc, fumant un cigare, m'a emmené sur la pelouse au bord du cercle de lumière projeté par la maison. J'ai dit combien avait été agréable la soirée et quel plaisir c'était, après le black-out de Londres, de voir les illuminations d'Estoril briller le long de la côte. Je n'ai pas ajouté que, debout là dans la nuit tiède, il me semblait que nous étions dans un pays de rêve pour les gens beaux et riches, et où la guerre était inconnue. De toute façon le duc n'écoutait pas.

---

1. Un complot des Allemands pour attirer le duc en Espagne et vers « la sécurité ».

– J'ai eu aujourd'hui un télégramme de Winston[1], a-t-il annoncé. Nous avons Fletcher – il vient nous rejoindre.

– Excellente nouvelle, sir.

– Tout cela grâce à vous, Mountstuart.

– Non, en réalité, je...

– Vous êtes trop modeste. Je sais que vous avez tiré quelques ficelles. Nous vous sommes vraiment reconnaissants.

– Je vous en prie, il n'y a pas de quoi.

– L'ennui, c'est que nous n'arrivons toujours pas à faire venir ces malles de vêtements et de linge d'Antibes. Nous en avons désespérément besoin pour les Bahamas. Si vous pouviez faire quelque chose.

– Je vais essayer, sir.

Comme nous revenions vers la terrasse, la duchesse m'a appelé. Elle a avancé son visage si près du mien qu'un instant de folie j'ai cru qu'elle allait m'embrasser sur la bouche. Mais elle a simplement dit : « Voulez-vous signer le livre des visiteurs, Logan ? » et elle m'a montré la console dans l'entrée sur laquelle il se trouvait. « Merci pour tout ce que vous avez fait pour David », a-t-elle ajouté à voix basse en me caressant le bras. J'ai pris le stylo et j'ai fait semblant d'écrire mon nom, mais déjà elle s'était éloignée.

De retour à la London Pension. Vanderpoel m'a laissé un mot. Je dois prendre un hydravion qui me ramènera à Londres demain tandis que lui restera ici. Misérable petit jaloux de salopard.

[Le duc et la duchesse de Windsor quittèrent Lisbonne le 1er août à bord d'un paquebot américain. Le duc allait prendre son poste de gouverneur des Bahamas. A Londres, LMS fit le rapport de son voyage à Lisbonne, de sa rencontre et de ses impressions concernant le couple princier (en des termes plus circonspects que ceux utilisés dans son journal). Ce long mémorandum confidentiel (soixante pages environ) circula dans la NID et fut hautement apprécié.

Quand le bombardement de Londres et d'autres villes anglaises commença en septembre de cette année-là (le Blitz), Freya et Stella se réfugièrent de nouveau dans le Cheshire, chez les Deverell, jusqu'à l'été 41. La mère de LMS resta à Sumner Place, abritant désormais dix-huit pensionnaires, Mercedes Mountstuart et Encarnación n'occupant plus qu'une grande

---

1. Churchill avait câblé : « J'ai maintenant réussi à surmonter les objections du ministère de la Guerre au départ de Fletcher. »

pièce au rez-de-chaussée. LMS continua à travailler pour la NID où il rédigeait des bulletins pour la section espagnole de la BBC.]

1941

Mercredi 31 décembre
Résumé de l'année. Freya et Stella dorment. Je suis installé dans mon petit bureau sous le toit avec les rideaux du black-out tirés, une bouteille de whisky devant moi.

La guerre. La guerre, la guerre. Mon esprit n'arrive pas à s'y habituer. Déprimé par les nouvelles d'Extrême-Orient[1]. Ravi par Pearl Harbor. Ceci va enfin amener les Américains à entrer dans la danse et, pour la première fois, je me permets de penser que cette guerre va se terminer – par une victoire. Merci Hirohito.

Mrs Woolf s'est suicidée en mars. Elle s'est noyée dans la Ouse, *à la** Tess. Et Joyce est mort cette année à Zurich, malade, aveugle, prématurément âgé d'après l'avis général. A ce propos :

Santé : bonne pour l'essentiel. Deux dents arrachées, grippe en septembre. Je bois trop.

Famille : Freya et Stella se portent toutes deux étonnamment bien. J'ai vu Lionel trois fois cette année : honte à moi.

Travail : Vanderpoel est un CAT de première classe. Beaucoup d'heures passées sur les bulletins en espagnol. Freya a pris ma place de lecteur chez S&D pour vingt livres par semaine. J'ai fait remarquer que c'était trente pour cent de moins d'argent pour le même travail. Roderick a refusé de céder – il me punit pour ne pas avoir livré *L'Été à Saint-Jean*. J'ai écrit un long article sur Verlaine à l'intention de *Horizon* (Cyril très élogieux, mais le papier n'est toujours pas publié). Quelques critiques de livres dans divers journaux, mais avec cinquante-cinq livres par mois de la NID, le salaire de Freya et mon bonus Miró, nous sommes plus riches que jamais.

Maison : portes et fenêtres neuves solides à Melville Road[2]

---

1. Les cuirassés britanniques *Repulse* et *Prince of Wales* avaient été coulés en décembre par les Japonais. Hong Kong était occupé. L'attaque japonaise sur Pearl Harbor avait eu lieu le 6 décembre 1941.
2. Melville Road avait été endommagée par une bombe qui l'avait ratée de peu. Avant que les réparations aient été faites, la maison avait été cambriolée.

– nous dormons en sécurité. Rêves d'Espagne. Qui boit au Chicote à présent ? J'essaye d'imaginer Paris plein de soldats nazis.

Une année gaspillée, en fin de compte. J'ai demandé à Fleming ma mutation à un autre poste mais je suis trop précieux, dit-il, pour la péninsule Ibérique.

Amis : Ben (comme toujours) ; Peter (plus distant) ; Ian (je n'arrive pas vraiment à le déchiffrer) ; Dick (perdu de vue). Mais je n'ai en fait pas besoin d'amis car j'ai Freya.

Réflexions générales. Je suis en uniforme, j'apporte une minuscule contribution à la fin de cette guerre interminable. Mon métier – écrivain – est temporairement en suspens. Je suis solvable, grâce à la RNVR et à Juan Miró (et Faustino), mais il m'est impossible de toucher mes droits d'auteur français. Il faut que je lise davantage. J'ai enfin réussi à terminer le livre espagnol de Hemingway *[Pour qui sonne le glas]* – un désastre navrant. Qu'est-ce qu'il lui a donc pris d'écrire si mal ?

Résolutions : boire moins. Je crains que cette guerre ne me mène à l'alcoolisme. Trouver quel livre j'ai vraiment envie d'écrire (en d'autres termes abandonner *L'Été à Saint-Jean*, espèce d'idiot !).

Endroit préféré : Melville Road.
Vice : remettre tout au lendemain.
Religion : amour pour Freya et Stella.
Ambition : survivre à cette guerre et écrire quelque chose qui en vaille la peine.
Rêve : quitter Paris pour Biarritz et l'Atlantique avec Freya à mes côtés et une suite au Palais.

1942

Vendredi 20 février
Déjeuner avec Peter [Scabius]. Les traits tirés, il paraît malade. Ses enfants vivent avec ses parents. Il ne peut pas habiter la maison

de Marlow – hantée par Tess. Il a eu une terrible dispute avec le père Clough, qui l'a engueulé. Ils ont failli en venir aux mains. J'ai compati : horrible affaire, épouvantable tragédie. Puis il m'a raconté qu'il suivait des cours d'instruction religieuse pour se convertir au catholicisme.

MOI : Pourquoi diable veux-tu faire ça ?
PETER : Par culpabilité. Je crois que d'une certaine manière j'ai poussé Tess à se suicider.
MOI : Ne sois pas absurde. Elle ne s'est pas suicidée, si ?
PETER : Je n'en serai jamais certain. Mais même ci c'était un accident, une fois dans l'eau, je suis sûr qu'elle a souhaité mourir.

Ce dont il a besoin, lui ai-je dit, c'est d'un psychiatre et non d'un prêtre, mais il a refusé d'écouter. Il veut le retour de Dieu dans sa vie. Eh bien, ai-je rétorqué, qu'a donc de mal le Dieu avec lequel tu as grandi, ton Dieu anglican ? Il est trop doux, a-t-il dit, trop raisonnable et compréhensif, il ne veut pas vraiment intervenir, il ressemble plus au voisin idéal qu'à un dieu. J'ai besoin de sentir la terrible colère divine, la punition qui m'attend. Mon Dieu anglican se contentera de prendre un air triste et de me faire un sermon.

« Regarde-nous, ai-je dit, de plus en plus exaspéré. Nous voilà, deux écrivains très cultivés et profondément matérialistes en train de parler de Dieu au Paradis. Tout ça c'est n'importe quoi, Peter, n'importe quoi d'un bout à l'autre. Si tu veux te sentir mieux autant sacrifier une chèvre à Râ, le dieu-soleil. C'est tout aussi sensé que ce que tu racontes. »

Il a déclaré que je ne comprenais pas : que si une personne n'avait pas la foi, ça revenait à parler à un mur de brique. Je vois bien que sa « conversion » est une sorte de pénitence – une punition dont il a besoin. Puis il m'a annoncé qu'il écrivait un livre sur Tess et leur vie de couple.
– Un livre ? Une biographie ?
– Un roman.

Vendredi 27 février
J'ai trente-six ans aujourd'hui. Suis-je donc arrivé à l'âge mûr ? Peut-être puis-je m'épargner cette appellation jusqu'à la quaran-

taine. Freya m'a confectionné un gâteau, un quatre-quarts (elle a trouvé de vrais œufs quelque part) et elle a piqué trois bougies rouges et six bleues dessus. Stella a insisté pour les souffler. « Quel âge as-tu, Papa ? » J'ai compté les bougies pour elle : « J'ai neuf ans. » Freya m'a regardé : « Qui est un grand garçon, alors ? »

Éliminez cette guerre et on pourrait dire, je suppose, que je suis aussi heureux qu'un homme peut l'être. Deux vers seulement dans mon petit rosier : Lionel et mon travail. Je vois de moins en moins Lionel, en partie à cause de mon poste à la NID et aussi parce que Lottie s'est remariée[1]. Lionel a presque neuf ans maintenant et c'est pratiquement un étranger pour moi. Et mon autre souci : je sens mon métier m'échapper. Aucun besoin d'écrire au-delà, parfois, d'un article de commande. Peut-être faut-il que cette guerre se termine avant que je puisse recommencer.

Mercredi 15 avril

Aujourd'hui, Peter est admis dans l'Église catholique et romaine. Il m'a demandé d'être son parrain, mais j'ai décliné l'offre : je manquerais de sincérité. Il a été un peu blessé, je crois, mais tant pis. Il veut m'envoyer le manuscrit du roman sur Tess « pour vérifier les faits ». Le livre serait presque terminé. Pour être franc, la perspective de le lire me rend malade.

Lundi 4 mai

A la BBC pour encore une autre émission vers l'Espagne – destinée, semble-t-il, à prévenir les craintes d'une invasion allemande des Canaries. En sortant, j'ai rencontré Louis MacNeice[2] que je connais à peine, mais qui m'a fait un éloge presque embarrassant de *L'Usine à filles*. Il m'a questionné sur ce que j'écrivais et j'ai répondu « rien » – en mettant ça sur le compte de la guerre. Il a dit qu'il savait ce que je ressentais, mais qu'il fallait continuer à écrire, car cette guerre pouvait durer encore cinq ou dix ans et il nous était impossible de vivre dans une sorte de congélateur artistique. « *Quid*

---

1. Lady Laetitia avait épousé Sir Hugh Leggat (baronnet), un voisin veuf, propriétaire terrien, deux fois plus âgé qu'elle.
2. Louis MacNeice (1907-1963), poète qui travaillait alors à la BBC comme producteur d'émissions d'entretiens.

de notre vie future ? "Qu'as-tu écrit pendant la guerre, Papa ?" – on ne pourra pas répondre simplement : rien. » Il a parlé vaguement d'adapter *L'Usine à filles* pour la radio tout en se demandant si ce ne serait pas un peu trop dur. En tout cas, il m'a motivé – je suis toujours motivé après une rencontre avec un autre écrivain (un autre tâcheron) et je me rends compte que nous avons notre propre fraternité secrète, même si cela se réduit à compatir avec les plaintes et gémissements des autres. Je suis rentré à la maison relire mes chapitres de *L'Été*. Atterrants. Je suis allé au fond du jardin et j'ai brûlé dans l'incinérateur tout ce que j'avais écrit. Je n'ai aucun regret – en fait, je suis soulagé. Néanmoins, je m'inquiète un peu de ce que Roderick pourrait dire à propos de mon avance sur droits dépensée il y a des années...

Jeudi 28 mai

Ian [Fleming] est arrivé dans notre bureau aujourd'hui avec un dossier à la main et en me regardant fixement. Plomer, qui était présent, m'a averti : « Fais gaffe, Logan, Ian a sa tête de "Hé-je-viens-juste-d'avoir-une-idée". » J'ai demandé à Ian ce qu'était ce dossier et il m'a répondu que c'était le mien. « Et donc "G" est pour Gonzago », a-t-il ajouté. « Et alors ? » « Tu es à moitié uruguayen, né à Montevideo – fascinant ! Comment est ton espagnol ? » J'ai expliqué que je le parlais, encore que médiocrement. Ian a hoché la tête. « Je ne crois pas que nous t'exploitions suffisamment, Logan. »

Je me suis senti un peu troublé sur le moment, mais à présent je pense inutile de m'y attarder davantage : il ne s'agit que de Ian, ne sachant pas quoi faire de son temps et essayant d'accoucher d'une de ses idées folles.

[Juillet-août]

Déplacements. Freya et Stella dans le Cheshire. Je les ai rejointes pendant une semaine. Puis dix jours dans le Devon avec les Leeping. Un mois d'août interminable. Un brusque accès de dépression en réalisant que nous sommes en guerre depuis trois ans ou presque. Je repense à nos vies dans le monde agité, inquiet des années trente et j'ai l'impression d'un âge d'or disparu.

234

[Août]

Retour du Devon. J'ai emmené Stella voir ma mère qui paraît soudain beaucoup plus vieille. Elle a soixante-deux ans, après tout. Elle s'est mise à évoquer des souvenirs de Montevideo, ce qui ne lui ressemble pas : elle a toujours été ravie de venir en Europe, même Birmingham lui paraissait exotique. Mais aujourd'hui elle s'est plainte à moi alors que nous étions installés dans sa pièce encombrée, Encarnación en train de laver la vaisselle du thé dans l'unique évier. « Logan, a-t-elle dit, je suis devenue *una patrona* (une logeuse) – c'est pas digne pour moi. » J'aurais aimé lui faire remarquer que si elle n'avait pas laissé Prendergast dilapider la petite fortune que Père avait économisée, notre vie à tous deux aurait été beaucoup plus confortable. Mais je n'en ai pas eu le courage. Je me rends compte qu'elle a perdu du poids et que c'est ce qui la vieillit. Elle a toujours été « ample ». Plus maintenant. Elle adore Stella, ce qui l'a réconciliée avec la perte de Lionel et de son aristocratique belle-fille. Encarnación et elle se délectent du teint clair, des cheveux blonds et des yeux bleus de Stella, comme s'il s'agissait d'une sorte de plaisanterie génétique. Toutes deux la contemplent fascinées et font remarquer les choses les plus ordinaires : « Vois comment elle a ouvert le placard », « Tiens, elle éternue de nouveau » ; « Regarde-la donc jouer avec sa poupée ». Comme si jamais aucun enfant n'avait accompli de tels exploits. Quand elles la prennent dans leurs bras, elles ne cessent de l'embrasser : d'embrasser ses mains, ses genoux, ses oreilles. Stella se montre calme, patiente, et tolère ces libertés. Quand nous partons et que je ferme la porte, j'entends des gémissements et des sanglots.

Jeudi 17 septembre

Une lettre de Roderick faisant allusion à un procès et demandant le remboursement de mon avance sur *L'Été*. Simultanément, arrivée du roman de Peter Scabius, en tapuscrit, sinistrement intitulé *Culpabilité*. Première phrase : « Simon Trumpington n'avait jamais pensé qu'il associerait des chevaux de trait à une superbe fille. » Impossible de continuer à lire : il y aura, je le sais, quelque chose de vraiment pénible et répugnant dans cette exploitation de la vie brève et malheureuse de Tess.

235

Vendredi 18 septembre

J'ai écrit à Peter et j'ai menti en lui disant que j'avais lu le roman d'une seule traite et que je le trouvais « magistral » (un mot très utile), que c'était un « bel hommage » à Tess, et le félicitant du courage qu'il lui avait fallu sans doute pour écrire quelque chose de si poignant, etc. Je lui ai fait une suggestion : changer le nom du héros – ça fait trop P. G. Wodehouse. Je le relirai, ai-je ajouté, avec l'esprit plus tranquille. J'espère avoir ainsi gagné un peu de temps.

L'Italie a capitulé. La fin est-elle proche ?

Lundi 12 octobre

Fleming et Godfrey sont arrivés aujourd'hui, l'air très content d'eux, et m'ont ordonné de faire mes valises pour les tropiques :

– Tu pars pour les Caraïbes ensoleillées, sale veinard.

– Très drôle, ai-je répliqué, gardez vos plaisanteries pour les jeunes bleus.

Mais ils ne plaisantaient pas : le duc de Windsor est sur le point de revenir dans ma vie.

Vendredi 30 octobre

New York. J'ai été provisoirement promu au titre de capitaine de vaisseau et j'attends, ici dans ma chambre d'hôtel en ville, d'aller prendre mon nouveau commandement. Je suppose que je suis devenu, pour être franc, un espion destiné à filer le duc et la duchesse. Me sens un peu mal à l'aise.

Fleming et Godfrey m'ont expliqué le contexte. Le duc s'est installé avec réticence mais rapidité dans son nouveau rôle de gouverneur des Bahamas. Il s'est lié d'amitié avec un multimillionnaire suédois du nom d'Axel Wenner-Gren (le fondateur d'Électrolux), qui réside là-bas, a fait une énorme fortune dans les aspirateurs et les réfrigérateurs, et qui, comme la plupart des riches habitants de Nassau, ne veut pas payer d'impôts. Non seulement le régime de non-imposition des Bahamas convient à Wenner-Gren, mais la situation géographique de l'île le place à proche distance de ses affaires sud-américaines en plein essor. Le duc et lui dont devenus intimes, ils dînent ensemble, Wenner-Gren a prêté son yacht au duc – mais au mois de juillet de l'année dernière Wenner-Gren a été déclaré sympathisant nazi et mis sur la liste noire des États-Unis. Les Anglais en ont fait autant et le duc a été obligé d'informer son ami qu'il ne pouvait pas revenir aux Bahamas.

Un agent de la NID à Mexico a fait savoir que Wenner-Gren était engagé dans une spéculation financière massive qui lui rapportait de gigantesques profits. On a peur – on redoute – que le duc ne soit aussi impliqué dans cette affaire. Ses revenus personnels, y compris ses émoluments de gouverneur, sont estimés à vingt-cinq ou trente mille livres par an. Ses biens sont bloqués en Angleterre et en France et, par conséquent, s'il spécule vraiment avec Wenner-Gren, d'où vient l'argent ? C'est ce que je vais devoir tenter de découvrir. Ce que l'on ne dit pas ouvertement dans tout ça, c'est que si le duc est coupable, ses agissements ressortissent à la trahison.

L'enjeu est considérable et je ne me sens pas très à l'aise dans cette mission. Je n'ai rien contre le duc et la duchesse – au contraire, ils se sont montrés aimables et amicaux envers moi. Je pense que c'est mon long mémo post-Lisbonne qui a fait de moi l'expert ducal de la NID. Le plan est donc que je débarque aux Bahamas en qualité de commandant d'un MTB *(motor torpedo boat)* assigné ici à la chasse des sous-marins. Il faut que j'essaye de m'insinuer de nouveau dans les bonnes grâces du couple et de découvrir ce que je pourrai.

Samedi 31 octobre
Pas un MTB en fin de compte, mais une vedette de défense portuaire (HDML *1122*). Nous faisons route vers le sud à une vitesse soutenue, la côte du New Jersey à tribord. Mon inquiétude a maintenant redoublé. J'ai fait connaissance de mon bateau et de son équipage, venus des Bermudes, dans le port de Brooklyn. La *1122* est commandée par un jeune Écossais taciturne, le lieutenant Crawford McStay. Je lui ai remis ma feuille de mission (signée par l'amiral commandant la flotte de l'Atlantique) et il n'a pas tenté de dissimuler sa réaction : incrédulité suivie d'un dégoût résigné à mesure qu'il lisait. Il m'a demandé ce qu'avait été mon dernier commandement et je lui ai un peu parlé de la nature « honoraire » de mon rang dans la Royal Navy. « Les Bahamas ? a-t-il dit. Et que diable allons-nous faire là-bas au juste ? » « Vous suivrez mes ordres », ai-je répliqué très froidement. Il a failli cracher sur le pont. Il ne peut pas me sen-

tir, j'en ai peur. La *1122* est un grand bateau neuf armé de grenades sous-marines et de deux mitrailleuses Lewis, avec dix membres d'équipage. Je partage avec McStay une petite cabine (des couchettes, j'ai celle du dessus) où nous prenons aussi nos repas. Nous descendrons sans escorte en Floride et de là aux Bahamas. Je crois que ce qui a vraiment dégoûté McStay, c'est la quantité de bagages que j'ai embarqués (je sais qu'il y aura beaucoup de réceptions officielles et j'aurai à m'habiller en conséquence) et le fait que j'ai emporté mes clubs de golf.

Mercredi 4 novembre

Nassau, l'île de New Providence, les Bahamas. McStay et l'équipage sont cantonnés à Fort Montagu, à quinze cents mètres environ à l'est de la ville, tandis que j'ai une chambre au British Colonial Hotel, rempli d'entrepreneurs et d'ingénieurs américains apparemment ici pour construire le nouveau terrain d'aviation. Suis allé me promener en ville – des foules de GI's et de recrues de la RAF. Si on n'y regarde pas de trop près, Nassau est plutôt jolie. C'est une petite ville coloniale de vingt mille habitants environ. Des bâtiments en bois peint en rose, des quantités d'arbres ombreux. Le centre de la ville est une petite place avec une statue de la reine Victoria, flanquée par les bureaux du gouvernement et les tribunaux. A partir des quais du port, le sol s'élève en une sorte de crête sur laquelle se dresse Government House (façade à colonnes, rose également). La rue principale, Bay Street, est longue de cinq pâtés de maisons avec un trottoir en planches ombragé et bordé de boutiques de souvenirs qui vendent des bibelots et des frivolités pour touristes. Il y a un yacht-club à l'est et, à l'ouest du Colonial Hotel, un club et un terrain de golf. Wenner-Gren est propriétaire d'une île, Hog Island, qui forme la limite extérieure du lagon portuaire.

J'ai loué un taxi et me suis fait conduire : ici et là on voit de vastes demeures au milieu de jardins tropicaux et, à l'intérieur des terres, de grandes bases aériennes militaires où l'on forme des pilotes. Nous sommes passés devant Government House, sur laquelle flottait le drapeau britannique. J'ai essayé d'imaginer le duc et la duchesse dans ce curieux cul-de-sac tropical au milieu de nulle part. « Petite ville » prend une nouvelle signification par ici. Le duc a été confiné à Nassau, hors d'état de nuire, pour aussi longtemps

238

que possible, ça c'est évident. Avoir été roi et en arriver là est une insulte on ne peut plus flagrante. Déjà trois invitations à dîner. Je monte demain à Government House présenter mes respects.

Jeudi 5 novembre

La réception à Government House était donnée en l'honneur d'un général américain de passage. Salons joliment décorés, chintz, masses de plantes vertes et de fleurs, photos sur tables vernies. On m'a servi un gin tonic et je me suis mêlé aux invités – de l'espèce militaire pour l'essentiel, plus quelques dignitaires locaux transpirant dans leurs costumes. Je me suis senti bizarrement présomptueux dans mon élégant uniforme blanc avec mes galons dorés. Son aide de camp[1] m'a présenté au duc : « Vous vous rappelez le commandant Mountstuart, sir. » Le duc, très bronzé, costume fauve, cravate à carreaux rose et jaune, m'a regardé sans comprendre. « Lisbonne 1940, sir », ai-je précisé. « Ah, oui », a-t-il répliqué d'un ton vague avant de filer droit sur la duchesse. Ils se sont entretenus à voix basse, la duchesse a regardé de mon côté, elle lui a dit quelque chose et il est revenu vers moi, tout sourire, et m'a tapé sur l'épaule. « Mountstuart ! Mais bien sûr ! Avez-vous apporté vos clubs de golf ? »

Plus tard, j'ai parlé à la duchesse. Sa coiffure et son maquillage aussi impeccables qu'à Lisbonne. Elle m'a paru plus maigre, cependant, encore que ce fût peut-être simplement dû à ses manches courtes exposant des bras osseux peu musclés. Elle s'est montrée fort amicale et a baissé la voix pour me dire : « Qu'est-ce qui vous amène dans ce paradis d'abrutis ? Prenez garde ou vous mourrez d'ennui avant de vous en rendre compte ! » J'ai souri : « La chasse aux sous-marins. » « Il faut que vous veniez dîner avec nous, tout de suite. Où êtes-vous descendu ? » Je sens que je suis de nouveau dans le bain.

Mardi 15 décembre

Ai assisté à trois dîners à Government House, placé en fait à côté de la duchesse lors du dernier. J'ai aussi joué au golf avec le duc, une demi-douzaine de parcours, mais toujours à quatre. J'ai visité

---

1. Major Grey Philips.

tous les bars et les clubs de l'île et, semble-t-il, la plupart des maisons privées, et j'ai rencontré suffisamment de personnel de la RAF pour le restant de ma vie.

Cette petite ville, comme toute autre petite ville, bouillonne de rumeurs et de ragots, d'intrigues, de ressentiments, de vendettas, d'insultes, d'alliances et de mésalliances, de cliques et de bandes, à la fois parmi le prétendu « establishment » et parmi les parvenus. Pour autant que je puisse en juger, la société de Nassau, en gros, se divise de la manière suivante : au-dessus, le gouverneur et son entourage. En second, les politiciens – les « Bay Street Boys » (ou « Bandits »), marchands du cru, grosses légumes et hommes riches qui siègent à l'Assemblée et en ont le contrôle. Viennent ensuite, un peu à part, les militaires de passage et les touristes. Puis les exilés pour raisons fiscales, Britanniques et Canadiens en majorité, âge mûr, collet monté et conservateurs qui regardent avec dédain une foule plus jeune et plus glauque : entrepreneurs douteux, divorcées, jeunes gens sans talent, relativement riches, et leurs petites amies. Ceux-là font de la voile, donnent des réceptions, boivent trop, échangent sans vergogne leurs partenaires. Durant la saison touristique, de décembre à mars, viennent s'ajouter à eux leurs équivalents américains en quête de soleil et de *dolce vita*. Un autre sous-groupe, qui peut déborder sur l'un ou l'autre des précédents, se compose des quelques hommes riches et puissants disposant d'une influence non reconnue publiquement à cause de leurs problèmes fiscaux. Wenner-Gren se situait dans cette catégorie et je dois dire qu'il est difficile de trouver quiconque ayant le moindre mot désagréable à son égard. Les rumeurs tourbillonnent autour de son nom : il est un ami personnel de Goering ; il est en train de construire un abri de U-boat nazis sur Hog Island ; il possède une banque à Mexico. Je communique le tout, dûment qualifié de conjectures, à la NID. Enfin, il y a un autre monde, un monde populeux et, paradoxalement, le moins visible : les natifs eux-mêmes. Ouvriers ou pêcheurs pauvres, pour la plupart, qui vivent dans Grant's Town, un bidonville tentaculaire de l'autre côté de Government House. La ségrégation est presque absolue aux Bahamas, certainement en termes sociaux (elle règne même dans la « cantine pour les troupes » de la duchesse). On me dit que le code en est aussi rigide que dans les États du Sud des États-Unis. Tout adoucissement d'attitude ici aux Bahamas, affirme-t-on, découragerait les touristes américains. Même dans Government House, aucun Noir ne peut franchir la grande porte d'entrée.

Tous ces mondes influent l'un sur l'autre et se chevauchent jusqu'à un certain degré – de manière plus évidente aux réceptions de Government House (où les seuls Noirs sont ceux qui passent les petits fours). Je suis un familier de ces soirées, j'observe la foule avec soin et, et je glane discrètement des informations – les gens se livrent beaucoup. Je dois dire que le duc et la duchesse se déplacent, sereins et souriants, comme s'il n'y avait aucun autre lieu au monde où ils préféreraient être. Leur jeu est sans défaut.

Ils sont en ce moment à Miami. McStay supplie qu'on le laisse prendre la mer. La *1122* est le bateau le plus beau, le plus propre, le plus astiqué du port de Nassau.

Dimanche 20 décembre

Nous sommes à l'ancre au large d'une petite île de l'archipel des Exeumas. Les hommes de l'équipage pêchent et nagent. Le soleil tape au centre d'un ciel bleu délavé. La guerre paraît très loin. Freya écrit que nous avons repris Benghazi et que l'armée soviétique a encerclé les Allemands à Stalingrad. L'homme le plus malheureux du monde s'appelle Crawford McStay.

1943

Vendredi 1er janvier

Hier soir je suis allé à un réveillon à Cable Beach, donné par une jeune veuve américaine nommée Dorothy Bookbinder. Orchestre et champagne de vingt heures à minuit et au-delà. Dorothy, la quarantaine débraillée, une picoleuse à mon sens, vit avec le « marquis » de Saussay, d'origine française dirais-je, plutôt que français. Dorothy a une fille appelée Lulu (dix-neuf à vingt-deux ans ?) qui a foncé sur moi, aux douze coups de minuit, pour venir me planter un long baiser mouillé sur les lèvres. Je m'en suis débarrassé et suis descendu sur la plage contempler les étoiles et penser à Freya. Lulu m'a retrouvé et s'est offerte avec franchise : « Pourquoi refusez-vous de me sauter, Logan ? » « Parce que moi y en a pas vouloir baiser », j'ai dit. Elle est alors tombée par terre, ivre morte. Je l'ai transportée sur la terrasse et je l'ai allongée sur un canapé en rotin avant de m'éclipser.

Selon Government House, la duchesse est malade, épuisée de fatigue, tourmentée par son ulcère. Je vais autoriser McStay, je crois, à emmener pour quelques jours la *1122* au large des îles Out. Nassau commence à me fatiguer moi aussi.

Jeudi 14 janvier

J'ai écrit mon troisième rapport pour la NID, l'ai emporté à Oakes Field et l'ai donné au commandant Snow (il l'envoie par avion à Miami, quelqu'un l'emmène ensuite à New York d'où il parvient à la NID). Snow prétend que le duc va se voir offrir le poste de gouverneur d'Australie en manière de consolation. Je sens mon cœur s'alléger à cette idée. Je ne suis ici que depuis quelques semaines et déjà j'ai l'impression de croupir. Je grossis, je bois comme un trou, je passe beaucoup trop de temps dans le bar du Prince George à parler à des gens sans intérêt. Ma vie intellectuelle est nulle et non avenue : je ne lis ni n'écris rien (à part des lettres en provenance ou à destination de la maison). Je commence à comprendre ce que la duchesse a voulu dire par « ce paradis d'abrutis ».

Mon rapport est un récit zélé des toutes dernières rumeurs. Saussay m'a raconté sous le sceau du secret que Sir Harry Oakes[1] avait prêté au duc deux millions de dollars dont Wenner-Gren se servait pour spéculer sur le marché des changes à travers sa banque, la Banco commercial, à Mexico, tous les profits allant au duc. Sans aucun doute, la NID verra si la chose peut être confirmée ou démentie : elle expliquerait à coup sûr d'où vient l'argent. Je n'arrive cependant pas à croire que le duc prendrait un tel risque : trop de gens à Londres, New York ou aux Bahamas pourraient retrouver trace de l'argent s'il se mettait soudain à effectuer des paiements à Oakes ou à une quelconque filiale.

Samedi 27 février

Trente-sept ans. J'ai fêté ça avec une masturbation matinale. Visions de Freya, nue, sur moi, ses seins ronds un peu pendants

---

1. Oakes, qui avait découvert la deuxième plus grande mine d'or du Canada, était l'homme le plus riche de Nassau et le plus généreux bienfaiteur de l'île.

vibrant tandis qu'elle me monte. J'ai déjà supporté absence et abstinence durant cette interminable guerre, mais quelque chose dans cette ville obscène semble avoir accru mes besoins sexuels. L'épouse d'un aviateur de la RAF m'a caressé le pénis hier soir sous la table pendant le dîner – je ne peux même pas me rappeler son nom.

Ai menacé de dénoncer McStay pour insubordination. Il m'a pratiquement traité de lâche devant le quartier-maître Dignam. Les hommes ne se plaignent pas de leur poste : ils savent reconnaître une bonne planque. Seuls les instincts martiaux de McStay sont frustrés. Peut-être l'autoriserai-je demain à faire exploser une mine sous-marine.

Lundi 22 mars

Intense accès de solitude : Freya et Stella me manquent au point que j'en ai mal au ventre. C'est là, je suppose, le sort du soldat en activité, et le monde doit être rempli de millions d'hommes privés de ceux qu'ils aiment. Une telle nostalgie collective est presque impossible à imaginer. Pourtant, je me sens quelque peu tricheur : un pseudo-marin espionnant un duc en exil sur une île des Tropiques… Me sentirais-je mieux dans une tranchée dans le désert nord-africain ?

Tout en m'apitoyant sur moi-même, j'ai téléphoné à McStay pour l'inviter à dîner au Prince George. J'entendais presque travailler ses méninges stupéfaites. Il a fini par dire oui et nous avons convenu de nous retrouver là-bas à vingt heures.

La saison s'achève à Nassau : les riches touristes américains ferment leurs villas et leurs maisons de plage, et rentrent chez eux. En allant de l'hôtel de Bay Street au Prince George, on sent l'île retourner à sa nature comateuse : les boutiques vides, les calèches à l'arrêt sans clients, une grosse voiture venant rôder de temps en temps à la recherche d'un peu d'amusement.

McStay très raide et très cérémonieux pour commencer (peut-être a-t-il cru que ce dîner était un prélude à son renvoi à ses foyers ?), mais, comme je commandais de nouveau à boire, il s'est peu à peu déboutonné. Il n'a que vingt-trois ans, ne l'oublions pas, il doit me considérer comme un vieux schnock irritant venu foutre en l'air sa prometteuse carrière à lui. Il est originaire de Fife, son père est fermier. Il a un de ces visages « taillé dans le roc », pas un gramme de chair dessus, qui est moins beau que remarquable, à la manière de certaines statues ou gargouilles. Une barbe lui irait bien.

Vers la fin du repas, un peu éméché, il s'est penché vers moi : « Enfin, Logan, qu'est-ce qu'on fout ici ? Ça fait déjà presque cinq mois. » Je n'aurais pas dû donner la moindre indication, je suppose, mais j'ai pensé que je lui devais bien ça : « Qui est l'Anglais le plus important de ce côté de l'Atlantique ? » j'ai demandé. Il savait, bien entendu, de qui je parlais. « Disons que nous le surveillons de près », et j'ai tapoté ma narine, comme on le fait. Il a hoché la tête, la mine grave. Il se sentira plus à l'aise de savoir qu'il y a un but, une mission – mais sans doute pas moins frustré.

Alors que nous partions, Saussay est arrivé avec une bande de copains et deux filles d'une beauté vraiment incroyable que je n'avais jamais encore vues. Ils semblaient tous connaître McStay, et Saussay nous a persuadés de se joindre à eux pour prendre un verre. Je me suis retrouvé en conversation avec un grand type élégant, l'allure d'un étranger, qui m'a fait savoir très vite qu'il était le gendre de Harry Oakes. Il m'a invité à déjeuner chez lui dimanche. J'ai demandé à McStay comment il avait connu ces gens : « En faisant de la voile. Je n'ai rien à foutre, alors je fais de la voile avec eux. »

Samedi 10 avril

Golf avec le duc au Country club. Nous seuls – son policier est resté au clubhouse. Une journée chaude, humide et calme – tous les touristes sont partis. Le duc m'a paru préoccupé jusqu'à ce qu'il enfonce une balle dans le troisième trou à dix mètres et s'anime un peu. Je l'ai laissé gagner le cinquième et le huitième, ce qui l'a mis à trois up à mi-parcours, et de bien meilleure humeur. Il est devenu très bavard.

Les choses dont nous avons parlé :

Son désir désespéré de quitter Nassau – il n'a cessé de râler contre « cette minable petite île ». Il a demandé à Churchill un poste en Amérique, il n'a aucune envie d'un autre job de gouverneur aussi prestigieux soit-il. Il est fier de ce qu'il a fait ici, « le pire emploi de tout l'Empire britannique ».

Son hostilité habituelle à l'égard de la cour. Trouve le roi et la

244

reine d'une mesquinerie et d'une vindicte incroyables. Ce qui le chiffonne plus que n'importe quoi, je pense, c'est leur refus de donner à la duchesse le titre d'altesse royale (traces de son problème Fletcher). « Une femme prend le rang de son mari, répète-t-il. Quoiqu'il arrive. » Je sens qu'il blâme surtout la reine (plus facile pour lui à blâmer que son frère, je suppose). « Elle ne peut pas souffrir Wallis. »

Trouve l'Assemblée législative difficile et égoïstement génératrice de bâtons dans les roues, remplie de « petits hommes communs et cupides ».

Affirme qu'il aime bien Churchill mais ne le considère plus comme un allié sûr. « Winston sait qui lui beurre sa tartine. »

Au dix-septième trou, il est sorti d'un bunker et m'a invité à dîner à Government House. Je lui ai remis ses gains et il est parti dire à son policier de m'annoncer. J'ai donc dû payer pour son caddie et pour le mien. Il n'aime pas dépenser ses sous, notre estimé gouverneur, aussi modeste que soit la somme.

De retour à GH, nous avons pris un verre au bord de la piscine. Ses cheveux noirs enroulés dans une sorte de turban de soie, la duchesse avait bel air. Elle s'est plainte de la saison chaude prochaine et m'a dit : « Vous n'avez aucune idée de la difficulté d'obtenir la permission d'aller aux États-Unis. Toutes ces allées et venues, ces salamalecs : "S'il vous plaît Mr Churchill, demandez au roi si nous pouvons aller passer le week-end à Miami." » L'air pensif, le duc tirait sur sa pipe et caressait un de ses terriers. Puis, à ma stupéfaction, la duchesse m'a posé une question sur moi – sur ce que je faisais avant la guerre – et je lui ai dit que j'étais écrivain. Ils ont tous deux échangé un coup d'œil et le duc m'a demandé si je connaissais Philip Guedella[1], un de ses amis. J'ai répliqué que je l'avais rencontré une ou deux fois et ils se sont détendus. Un petit moment de méfiance et d'inquiétude vite dissipé.

A la tombée de la nuit, nous sommes allés dans la salle à manger où on nous a servi de la soupe glacée suivie d'œufs brouillés. Ils ont un cuisinier français, un maître d'hôtel, le duc a son valet et la duchesse sa femme de chambre, plus un innombrable personnel

---

1. Philip Guedella, écrivain (1889-1944), un ami des Windsor, auteur de *Cent Jours*, un récit pro-Windsor de l'abdication.

local. Nous avons parlé de Biarritz et de Lisbonne. Une atmosphère intime et détendue, la duchesse m'appelant Logan, le duc se levant pour me montrer la pose spéciale qu'il adopte pour amortir un long fer sur le green. Inévitablement, la cour est revenue sur le tapis, avec le roi, la reine et leur assommante vendetta. La duchesse a lancé dans un éclat de rire : « Oh, ils ne peuvent pas me sentir. Mais c'est David qui les inquiète vraiment. Elle s'emploie à le garder le plus loin possible de Bertie. »

Le duc a un peu protesté mais j'ai bien vu que la tournure de la conversation ne lui déplaisait pas.

« Non, non, a répété la duchesse. Ils ne peuvent pas se permettre de vous avoir en Angleterre. Bertie serait négligé, oublié, si vous étiez là. Tous les regards seraient sur vous, chéri. » Qui sait, elle a peut-être raison ! J'ai eu l'impression, à cet instant, que le duc aurait voulu se précipiter à travers la pièce et la prendre dans ses bras.

« Au moins, nous avons encore des amis, des amis puissants qui ne vous abandonneront pas. Même Winston fera de son mieux pour vous, chéri, vous le savez bien. Nous pourrons toujours les alerter en cas de véritable urgence. » Il y avait quelque chose de convaincant dans son regard alors qu'elle prononçait ces mots : le pouvoir et l'influence même d'un ex-roi doivent être immenses, se faire sentir au cœur même de l'establishment. J'ai été frappé par son côté implacable, sa détermination.

Au moment de partir, elle m'a pris à part et, avançant son visage contre le mien, m'a dit : « Logan, nous aimerions que vous vous considériez comme *un ami de la maison**. » Une sorte d'honneur, je suppose. Elle exsude une attraction sexuelle étrange étant donné qu'elle n'est pas belle physiquement ni séduisante : la dominatrice idéale – si l'on avait ce genre de goût.

Lundi 17 mai

En voyage aux États-Unis, le duc et la duchesse reviendront en juin. Une espèce de léthargie, très contagieuse, s'est emparée de la colonie. J'ai télégraphié à la NID pour demander mon rappel, mais on m'a répondu que c'était hors de question. Même mes lettres à Freya deviennent assommantes, j'ai l'impression, dans la mesure où il y a très peu de changements dans le rythme de ma vie. Une fois par semaine, je fais un rapport de tous les potins et autres bruits qui courent (y a-t-il vraiment quelqu'un pour trouver ça utile ? Qui, exactement, veut être au fait de tous ces cancans ?). Je joue au golf avec Snow et d'autres connaissances de la base ; j'assiste à des dîners d'un intérêt très relatif ; deux fois par semaine, McStay et moi faisons faire un petit tour à la *1122*, et McStay soumet l'équipage à quelques exercices. Entre-temps, dans le monde, la guerre, jour après jour, avance en titubant.

Jeudi 27 mai

Hier était un de nos jours de sortie sur la *1122*. Un temps clair pas de saison, avec, à l'aube, une trace de fraîcheur piquante dans l'air. J'aime de plus en plus ces petits voyages – peut-être ai-je quelque chose d'intrinsèquement marin en moi. Nous quittons lentement le port – je suis sur le pont avec McStay – et tous les dockers et les badauds s'arrêtent pour nous regarder passer. La *1122* a vraiment belle allure, enseignes et pavillons battant dans la brise, les hommes sur le pont en uniforme blanc. Tout le monde, d'instinct, nous salue de la main. Puis, alors que nous atteignons l'embouchure du port, McStay donne l'ordre de pousser la vitesse et on sent sous nos pieds s'animer la puissance du couple moteur. Le bateau s'incline tandis que l'arrière s'enfonce, les hélices mordent l'eau, et nous nous agrippons à la filière autour de la passerelle. Soudain s'élève une vague d'étrave blanche d'écume et nous surgissons dans l'Atlantique bleu, avec en écho lointain les bravos venus du quai.

Parfois, nous allons dans la Grande Bahama, parfois à Andros ou Abaco, mais notre balade favorite a pour but l'archipel des Exeumas, de minuscules îles basses et broussailleuses avec de petites baies et des croissants de plage de sable blanc pur. Nous savons qu'il n'y a pas de sous-marins, mais nous prétendons les chercher. A midi, nous jetons l'ancre au large d'un îlot quelconque et nous déjeunons. Les hommes nagent ou se dorent au soleil. A l'occasion, on lâche une mine sous-marine ou nous tirons à coups de mitrailleuse sur un bidon de pétrole vide qu'on laisse flotter, juste pour nous rappeler qu'il y a une guerre et que nous sommes un petit élément dans la bataille livrée contre l'Allemagne nazie.

Hier, parce qu'il faisait si beau et si clair, j'ai décidé de me baigner après le déjeuner. Je me suis déshabillé, j'ai plongé de l'avant et j'ai fait à la nage les cent cinquante mètres qui séparaient la *1122* de l'îlot. L'eau était froide et d'une transparence étonnante. Je me suis promené le long de la petite plage, ramassant un coquillage ou un bout d'épave ici et là, agréablement conscient de ma nudité sur cette île déserte, songeant, c'est inévitable, à des naufragés, Robinson Crusoé, l'homme dépouillé.

La partie la plus haute de cette île ne doit pas dépasser trois mètres au-dessus du niveau de la mer et elle est couverte d'une végétation de succulents, de petits buissons noueux aux grosses feuilles vert olive, plus quelques cactus épars et des plaques d'herbe blonde.

J'ai alors perçu une soudaine agitation à bord de la *1122* et me suis retourné : les hommes couraient sur le pont et j'entendais les grognements sourds de l'ancre que l'on remontait. « Hé ! j'ai crié, que se passe-t-il ? » Mais personne ne m'a prêté attention. Je suis rentré en pataugeant dans l'eau et j'étais sur le point de me remettre à nager quand, dans un rugissement des moteurs diesel et un nuage de fumée d'échappement, la vedette s'est élancée et, en moins de trois secondes, a disparu derrière un cap.

Je suis reparti toujours pataugeant et jurant vers le rivage, me demandant la raison de cette urgence, la nature du signal reçu et à quoi nom de dieu jouait McStay en oubliant que je n'étais plus à bord ! Je n'étais pas inquiet : je savais qu'on finirait par s'apercevoir de mon absence et qu'on reviendrait me chercher. Quoique, me suis-je dit, tout dépendait de ce qu'était cette urgence. Ça pourrait durer des heures… C'est alors que j'ai entendu un bruissement dans les buissons pas loin de moi, et lentement, hésitant, agitant la langue, un lézard, un iguane d'un mètre de long a surgi en rampant sur la plage, et s'est avancé vers moi. En quelques secondes, quatre ou cinq autres l'ont rejoint. Je me suis éloigné en protégeant, d'un geste instinctif et stupide, mes parties avec mes mains. Le soleil tapait dur sur mes épaules salées. J'ai jeté des coquillages et des galets sur les iguanes en marche et ils se sont arrêtés. Mais dès que j'ai cessé de les agresser, ils se sont remis à se traîner vers moi. Puis d'autres sont apparus à l'autre bout de la plage. J'ai foncé sur eux en hurlant et ils ont reculé, maladroits, un peu désarçonnés, avant de se regrouper et d'avancer de nouveau.

A un moment, ils étaient trente ou quarante, dardant la langue et me fixant de leurs yeux morts comme s'ils attendaient quelque chose de moi. Planté là, un bâton dans chaque main, je me suis demandé ce que je ferais si on ne venait pas me rechercher avant la nuit. Ils n'étaient pas effrayants ; ils ne semblaient représenter aucune vraie menace ; il ne s'agissait en l'occurrence que d'une forme temporaire de cohabitation forcée. Un homme nu et trois douzaines de lézards primitifs sur une île déserte. Comment allions-nous nous entendre ?

Et puis la *1122* est revenue en rugissant dans la baie et mon cœur s'est allégé. La vedette s'est approchée le plus près possible et une échelle a été installée à bâbord. Je me suis remis à l'eau et j'ai couvert la distance en quelques brasses, laissant derrière moi mes amis. McStay, avec un sourire mal réprimé, m'a aidé à monter à bord et m'a tendu une serviette.

– Très drôle, McStay, ai-je commenté.

– Bonne chose que vous ayez le sens de l'humour, sir.

Nous avons refait cap sur Nassau, tout le monde de fort bonne humeur, y compris moi, nullement vexé par la petite farce de McStay. Des visions de moi seul sur l'île avec les iguanes n'ont cessé de m'occuper l'esprit (et de quoi vais-je rêver ce soir, je me demande ?). Un de ces moments que l'on reconnaît ensuite comme épiphanique – émotionnel, sacré en un sens. Je crois que McStay a été stupéfait de ma réaction très bon enfant à toute l'affaire.

Lundi 28 juin

Une vraie chaleur humide, énervante. Une journée d'irritabilité à fleur de peau. McStay a fait une demande de mutation le matin, que j'ai acceptée et qu'il a retirée dans l'après-midi. J'ai câblé à la NID : « Ne vois rien à gagner à prolonger mon séjour. Problèmes banque inexistants. Merci aviser sur action future. » La réponse est arrivée : « Votre présence là-bas des plus utiles. Continuez. »

Jeudi 6 juillet

Les D&D sont de retour. Réception à Gvt House ce soir en l'honneur d'une huile du Foreign Office en tournée dans les Caraïbes. Même le duc n'a pas été capable de dissimuler son état de dépression, ce qui est inhabituel pour lui – personne ne sait mieux « faire bonne figure ». La duchesse affirme qu'il a été très démoralisé par une rencontre avec Churchill à Washington. « Ils veulent nous laisser croupir ici pour l'éternité, dit-elle avec amertume. Nous avions l'espoir qu'après trois ans... David a tout essayé. Ils demeurent intraitables. »

Jeudi 8 juillet

Je suis descendu au port ce matin à dix heures et McStay m'a tout de suite annoncé : « Sir Harry Oakes a été assassiné. » Bon dieu, ai-je pensé, des signaux d'alarme plein la tête. Mais qui pouvait bien vouloir tuer Sir Harry ? McStay avait la réponse avant que je lui pose la question : « Tout le monde dit que c'est Harold Christie. » Il doit tenir ça de ses copains de voile. Je ne connais Christie que de réputation : un gros promoteur immobilier, un membre important de l'Assemblée, un type d'aspect bougon, pas sympathique, un ex-bootlegger, dit-on. Une puissance politique, ici, et un ami intime de Sir Harry. Dans le contexte des Bahamas, Christie assassinant Sir Harry équivaut à Lord Halifax [le ministre des Affaires étrangères] trucidant Bendor [le duc de Westminster].

J'ai rencontré Oakes plusieurs fois : un petit homme rondouillard et grossier, avec une expression boudeuse, les coins de la bouche abaissés en permanence. Se proclamant un « diamant à l'état brut », appelant un chat un chat. Fabuleusement riche aussi, de l'avis una-nime, mais un de ces hommes que leur fortune grotesque semble troubler et tourmenter au lieu du contraire. Il détestait payer des impôts au Canada, raison pour laquelle il est venu ici. Maintenant qu'il est question d'instaurer un impôt sur le revenu aux Bahamas, il projetait d'aller s'installer au Mexique. Curieux comme le Mexique ne cesse de revenir sur le tapis.

Je suis allé déjeuner au Prince George, qui bruissait de rumeurs comme une ruche. Il s'agissait d'un meurtre vaudou ; les parties génitales d'Oakes avaient été brûlées ; c'était des cambrioleurs à la recherche de l'or qu'il gardait chez lui, et ainsi de suite. A présent, le suspect principal était son gendre, de Marigny. Christie avait en fait passé la nuit chez Oakes et avait dormi tout au long sans rien entendre. Ah, oui : la duchesse avait une liaison avec Oakes et les services secrets britanniques ont tué ce dernier pour protéger l'hon-neur du duc (ça allait jusque-là).

Je rentrais à pied au British Colonial quand une voiture s'est arrêtée à ma hauteur et l'un des aides de camp du duc (Wood) m'a demandé de retrouver le duc dans sa *cabana* de Cable Beach cet après-midi à cinq heures.

Plus tard. J'ai rencontré le duc. Nous étions seuls : il n'arrêtait pas de fumer et semblait très inquiet. Il m'a dit qu'il avait été profondément, complètement choqué par la mort de Sir Harry. Il avait d'abord été amené à croire qu'il s'agissait d'un suicide avant d'apprendre qu'il s'agissait d'un meurtre. Un coup sur la tête avec un instrument contondant, suivi d'une tentative – qui avait échoué – de mettre le feu au corps et à la maison.

— J'ai demandé à la police de Miami d'envoyer deux de leurs détectives, a-t-il dit. Ils sont arrivés cet après-midi. Ils prennent l'enquête en main.

— Mais pourquoi, sir ? ai-je aussitôt répliqué. Et Erskine-Lindop ? Erskine-Lindop est le chef de la police des Bahamas.

— Il est entièrement d'accord avec moi, a rétorqué un peu sèchement le duc. C'est trop important pour les gens d'ici. Je ne pense pas que vous mesuriez les conséquences de la mort de Sir Harry – les ramifications. C'est un désastre. Il nous faut des experts. De vrais experts. Et l'affaire doit être bouclée, résolue, au plus vite. Minimiser les dommages faits à la colonie. Un désastre complet.

— Je comprends.

En fait je ne comprenais rien du tout.

Le duc a allumé une autre cigarette :

— Il est maintenant clair – clair comme du cristal – que le meurtrier est Marigny. Vous le connaissez ?

Marigny, le gendre séducteur. J'ai dit que j'avais déjeuné chez lui une fois et que je le rencontrais de temps à autre au Prince George. McStay le connaissait bien.

— Parfait, a dit le duc avec un sourire rapide. C'est très bien.

J'étais maintenant encore plus dans le brouillard, mais j'ai laissé passer le propos. Puis il a ajouté :

— Je veux que vous rencontriez les deux policiers de Miami – Melchen et Barker – ce soir. Vous pouvez arranger ça ?

— Bien entendu, sir. Avec joie.

Plus tard. Il me faut mettre tout ça noir sur blanc. Melchen et Barker viennent de quitter ma chambre. Melchen est gros, binoclard, peu soigné. Barker, cheveux gris en brosse, est mince, solide, l'air en pleine forme. Ils arrivaient de chez Marigny (avec des preuves, selon eux) et il n'y avait absolument aucun doute que Marigny avait assassiné Oakes. Oakes et Marigny se haïssaient, Marigny avait proféré de violentes menaces dans le passé. Oakes n'avait jamais pardonné à Marigny de s'être enfui avec sa fille, Nancy, pour l'épouser (Nancy avait dix-huit ans, Marigny trente-six). Marigny était fauché et, une fois Oakes mort, il devenait héritier de la part de Nancy. Marigny avait donné un dîner hier soir (mercredi) et n'avait pas d'alibi entre 23 h 30, heure à laquelle il avait raccompagné deux invités chez eux en voiture – à Westbourne, près de chez Oakes – et trois heures du matin. Le meurtre avait été commis dans cet intervalle-là. Marigny avait à la fois un motif, des moyens et pas d'alibi.

Moi : Il a donné un dîner et puis il est allé assassiner son beau-père ?

– Ça arrive, a dit Barker. Faites-moi confiance.

– Et Christie, alors ?

– Il dormait comme un loir.

– Je croyais qu'on avait mis le feu à la maison.

– Un petit incendie. Qui s'est éteint tout seul.

– Il n'a rien entendu ? Il n'a pas senti que ça brûlait ?

– Non.

Je leur ai dit qu'à mon sens Marigny n'était pas du genre assassin. C'est un de ces narcissiques terriblement contents d'eux dont le principal intérêt dans la vie est d'imaginer qui pourrait bien être la prochaine femme avec qui coucher.

– On peut jamais deviner un tueur, a dit Barker, très condescendant.

– Le duc parle de vous en termes très élogieux, commandant Mountstuart, est alors intervenu Melchen.

J'ai répondu que j'étais très heureux de l'apprendre.

– Nous avons besoin de quelqu'un qui puisse s'approcher de Marigny, et le duc a dit que vous étiez la personne idéale.

– S'approcher ?

– Nous aimerions, a expliqué Barker, que vous preniez un verre avec Marigny à un moment quelconque, demain.

– Pourquoi ?

252

– Eh bien, voyez-vous, vous glisserez simplement dans votre poche n'importe quel objet qu'il touchera, verre, pochette d'allumettes, cendrier. Et puis vous nous l'apportez – on est ici à l'hôtel.

Je me suis levé et je leur ai dit de foutre le camp. Ils se sont regardés d'un air las.

– Le duc sera très déçu, a dit Barker.

– Attendez qu'il apprenne ce que vous venez de me demander. Je réserverais des places de retour sur l'avion de demain pour Miami, si j'étais vous.

Ils sont partis sans se presser, impassibles. Et je me suis assis pour écrire tout cela.

Vendredi 9 juillet

Je suis sur le siège arrière d'un taxi devant Government House en train de griffonner ceci sur un bout de papier [plus tard retranscrit dans le journal]. Il est 9 h 13 du matin. J'avais demandé un rendez-vous urgent avec le duc et on m'a fait entrer dans son bureau. Il était debout, très raide, devant la bibliothèque.

– Merci de me recevoir, sir, ai-je dit. Ces deux idiots incapables de Miami ont en fait...

– Ils m'ont raconté que vous n'aviez pas été du tout coopératif.

– Pas coopératif ? Savez-vous ce qu'ils m'ont demandé ?

Il a paru alors être saisi d'un rien de folie. Sa voix s'est faite criarde, à moitié étranglée, et son visage s'est empourpré.

– Si je ne peux pas demander assistance à un ami et officier anglais dans la pire crise qu'ait jamais connue cette île !... Je leur avais affirmé qu'ils pouvaient compter sur vous, Mountstuart. Ils m'avaient dit : nous avons besoin d'un homme de confiance, et j'ai dit, aussitôt, le commandant Mountstuart. Et voilà ce que vous me faites ! Voilà comment vous me laissez tomber ! Je suis profondément blessé et déçu par vous.

– Une seconde, sir. Ils me demandaient d'incriminer...

– Ce sont des policiers enquêteurs du plus grand professionnalisme qui savent exactement ce qu'ils font et exactement ce qu'ils ont à faire pour amener cette sordide affaire à une conclusion rapide et convenable. Marigny a assassiné Sir Harry Oakes – un point c'est tout. Plus vite cet homme sera derrière les barreaux, mieux ce sera pour cette île.

— Avec tout mon respect, sir, vous vous trompez. Ces hommes sont corrompus et d'un cynisme total. Ils ne sont pas ce que vous pensez.

— N'ayez pas l'audace de présumer ce que je pense ! Fichez le camp ! Fichez le camp ! Vous ne m'êtes d'aucune utilité.

Et je suis donc parti. Tels sont, *verbatim*, les propos que nous avons échangés.

Plus tard. La nouvelle a fait le tour de Nassau. Marigny a été arrêté ce soir pour l'assassinat de Sir Harry Oakes. Ses empreintes ont été trouvées sur les lieux du meurtre. Barker et Melchen tiennent leur homme.

Samedi 10 juillet

Toujours un peu assommé par ce qui vient de se passer. Je n'arrive pas encore à mettre les choses bout à bout, mais ça ne va pas bien. Il y avait aujourd'hui une manière de fête de charité au bénéfice de la Croix-Rouge sur Victoria Square. L'équipage de la *1122* avait organisé une pêche à la ligne, un concours de quilles, un jeu de massacre et autres divertissements, et je m'y suis donc rendu pour voir comment les hommes se débrouillaient.

Après avoir ouvert la fête, la duchesse, qui est la présidente d'honneur de la Croix-Rouge des Bahamas, s'est mêlée aux gens et a inspecté les stands et les étalages en se montrant comme à son habitude affable et amicale. Alors qu'elle s'approchait du stand de la *1122*, elle m'a aperçu et s'est arrêtée un instant. Elle a évité mon regard, mais pouvait difficilement m'ignorer. Elle m'a serré la main et m'a gratifié d'un mince sourire.

— Comme vous êtes merveilleux, vous les marins anglais, a-t-elle lancé en s'apprêtant à poursuivre son chemin.

— Votre Grâce, ai-je dit à voix basse, comment va le duc ?

J'ai alors vu dans ses yeux un lac de haine sans fond.

— Judas ! a-t-elle chuchoté.

Et elle m'a tourné le dos.

[NOTE RÉTROSPECTIVE : décembre 1943.
Ces notes ont été rédigées avec l'aide du commandant Snow, qui m'a envoyé les comptes rendus journalistiques du procès de Marigny (en

octobre), et du lieutenant Crawford McStay qui a été voir Marigny dans sa prison en juillet et en août.

Dans les petites heures du jeudi 8 juillet 1943, Sir Harry Oakes a été assassiné alors qu'il dormait dans sa chambre, villa Westbourne. Il a été frappé à la tête avec un instrument pointu qui a provoqué quatre blessures profondes de forme triangulaire devant et derrière son oreille gauche. Son crâne a subi de violentes fractures. Puis son corps a été en grande partie brûlé, son pyjama, comme la moustiquaire au-dessus de sa tête, ayant été la proie des flammes. Des traces d'incendie ont été également relevées sur le matelas, un paravent chinois près du lit et sur le tapis. Les plumes d'un oreiller déchiré étaient répandues sur le corps. On a relevé des taches de sang et des empreintes sanglantes au bas des murs de la pièce.

Harold Christie, un ami et associé en affaires, qui dormait dans une chambre deux portes plus loin, a découvert le corps au matin et a appelé à l'aide. La police locale et d'autres intéressés se sont déplacés plus ou moins à leur guise à travers la maison et sur la scène du meurtre.

Informé de la mort de Sir Harry, Marigny est arrivé dans la maison le jeudi matin, mais n'a pas été admis à l'étage des chambres et n'a pas vu le corps. Tôt dans l'après-midi, les deux policiers américains, les capitaines Melchen et Barker, venus de Miami à la demande du duc, ont débarqué et commencé leur enquête. Barker n'a pas relevé les empreintes sous le prétexte qu'il faisait trop humide dans la chambre de la victime. Vers seize heures, le corps de Sir Harry a été transporté à la morgue de Nassau pour y être autopsié.

A l'heure du dîner, ordre a été donné à Marigny de venir à Westbourne où il a été interrogé et fouillé par les deux policiers. Des échantillons de cheveux et de poils roussis ont été prélevés sur sa barbe et ses bras. Puis Melchen et Barker, accompagnés par des policiers locaux, se sont rendus avec Marigny chez lui où les vêtements qu'il portait la veille au soir ont été pris comme preuves (c'est après cela que les enquêteurs américains sont venus me voir au British Colonial Hotel). Un policier bahaméen a passé la nuit chez Marigny.

Le lendemain, vendredi 9 juillet, Marigny a été ramené sous escorte à Westbourne où on l'a fait s'asseoir sur le vaste palier du premier étage pour y être interrogé par Melchen. Au cours de cet interrogatoire, Melchen a prié Marigny de remplir un verre avec l'eau d'une carafe posée sur une table voisine. Puis il a offert une cigarette à Marigny et, celui-ci ayant accepté, il lui a lancé un paquet de Lucky Strike. Marigny a allumé sa cigarette et rendu le paquet. A ce moment-là, Barker a fait son apparition et a demandé si tout était « OK ». Melchen a dit que oui, l'interview a été terminée et Marigny autorisé à partir.

Ce même après-midi, vers seize heures, le duc de Windsor est arrivé à Westbourne et monté à l'étage. Il a eu avec Barker une conversation confidentielle et sans témoin qui a duré vingt minutes.

A dix-huit heures ce soir-là, Marigny est revenu une fois de plus sous escorte à Westbourne où il a été arrêté et accusé du meurtre de Sir Harry Oakes. L'empreinte très claire du petit doigt de sa main gauche avait été trouvée sur le paravent chinois.

Au cours du procès de Marigny, il a été établi par l'avocat de la défense que (a) pour un prétendu expert en empreintes, Barker avait montré une stupéfiante incompétence et que (b) l'empreinte offerte comme preuve – celle qui plaçait Marigny dans la chambre du crime – ne pouvait en aucun cas provenir du paravent chinois, ainsi que l'accusation le prétendait. Elle devait avoir été prélevée sur une autre surface (un verre ? la cellophane d'un paquet de cigarettes ?) et déposée là comme preuve à charge. L'affaire Marigny s'est en fait effondrée. Il a été déclaré non coupable et acquitté.

Je me contenterai des observations suivantes :
Barker et Melchen étaient décidés à résoudre cette affaire en un temps record. De toute évidence, ils croyaient Marigny coupable et voulaient l'impliquer par n'importe quel moyen. J'étais censé fournir l'empreinte nécessaire (ce qui leur aurait économisé la comédie de la carafe et du paquet de cigarettes). Quand j'ai refusé, le jeudi soir, ils ont compris qu'ils devraient trouver la « preuve » eux-mêmes. La phrase de Barker – « Est-ce que tout est OK ? » – signifiait en fait : « Est-ce qu'on a des empreintes claires ? »
Je ne poserai que les questions suivantes :
Pourquoi le duc de Windsor a-t-il appelé des policiers de Miami (une des forces les plus corrompues des États-Unis) alors qu'il disposait à sa porte d'une police parfaitement compétente ?
De quoi le duc et Barker ont-ils parlé durant leur entretien privé le vendredi 9 juillet ? (Cette question a été, de façon aussi délibérée que remarquable, évitée au cours du procès.)
Pourquoi, après l'acquittement de Marigny, l'affaire a-t-elle été classée alors que le meurtrier courait toujours ?
Pourquoi n'y a-t-il pas eu d'enquête sur Harold Christie ?

Voici une interprétation – aussi impartiale que j'en suis capable – de ce qui s'est passé en réalité.
Nerveux, angoissé de nature, le duc a été saisi d'une totale panique à la mort de Sir Harry. Dieu sait pourquoi, il n'avait aucune confiance dans sa

propre police et il a craint que l'affaire ne traîne pendant des mois. On doit se demander la raison de cette précipitation. Y avait-il quoi que ce soit qui pût être découvert ? En tout cas, le duc a fait appel à Melchen qu'il avait connu à Miami. On ne sait pas bien s'il a aussi réclamé Barker, mais c'est Barker, et non Melchen, qui a en fait mené la danse.

Si le duc détestait Marigny – tout le monde le savait –, en revanche il aimait beaucoup sir Harry. Les rumeurs dans l'île ont vite été unanimes : Marigny était le suspect le plus vraisemblable. Un fait sans doute très évident pour les policiers américains dès le début de leurs investigations, d'où la convocation rapide de Marigny à Westbourne.

A un moment donné, le duc a été informé (probablement par Christie, qui le tenait au courant du développement de l'enquête) qu'il existait un moyen sans appel de coller le crime sur le dos de Marigny. Il fallait simplement aux policiers une personne de confiance capable de leur fournir de bonnes empreintes de Marigny. Le duc peut ne pas avoir su la raison de cette nécessité : on lui avait juste demandé de citer quelqu'un d'irrécusable. Un commandant de la Royal Navy, par exemple ? Les policiers étaient donc venus me présenter leur requête, j'avais refusé et ils avaient fait le travail eux-mêmes comme, sans aucun doute, ils l'avaient souvent fait à Miami : le coup du paquet de cigarettes avait l'air d'avoir déjà pas mal servi.

Cependant, une fois l'empreinte en leur possession, il leur restait à informer le duc que l'accusation contre Marigny était désormais incontestable. Ils avaient le mobile, les moyens et pouvaient « placer » le suspect dans la chambre du crime. Ce dut être la substance de la conversation que le duc eut avec Barker quand il vint à Westbourne le vendredi après-midi. Le langage utilisé a dû, j'en suis certain, donner dans l'euphémisme à outrance, mais l'implication était très claire. Il ne fallait à Barker qu'un signe de tête du duc, sa permission tacite, pour aller de l'avant. Et le duc a dû le faire. Fort soulagé sans aucun doute, il aura même ajouté son propre commentaire sur l'opération : « Eh bien, capitaine Barker, si vous êtes sûr de vos faits, je ne vois pas de raison de tarder davantage. » Et Marigny a été arrêté. Ignorant les détails, le duc pouvait rejeter toute la responsabilité sur les policiers. En fait, moins il en savait, mieux c'était. D'où sa fureur devant mon refus et la raison pour laquelle il m'a interrompu, fou de rage, quand j'ai tenté de lui expliquer ce que Barker et Melchen m'avaient demandé. Il ne voulait pas le savoir. Il ne pouvait pas le savoir.

Mais le duc de Windsor n'est pas le dernier des imbéciles. Il a dû être conscient, même vaguement, qu'un coup monté se tramait, coup qui a été exposé de manière humiliante lors du procès (durant lequel le duc et la duchesse se trouvaient comme par hasard aux États-Unis).

On devra admettre, au minimum, que le duc a délibérément contribué à faire accuser Marigny. Le duc de Windsor, le gouverneur des Bahamas, l'ex-souverain de l'Angleterre et de l'Empire britannique a été, au minimum, coupable de complot pour entraver le cours de la justice. Au minimum. C'est là, comme je le dis, la plus aimable interprétation que l'on puisse faire. Bien d'autres questions, plus sinistres, se posent. McStay m'a rapporté la version de Marigny : tout était affaire d'argent, liée au Mexique et à Wenner-Gren, mais ses allégations étaient invérifiables. Pour l'instant, voilà les faits derrière l'arrestation et le procès d'Alfred de Marigny.

Mais je pense encore au dernier mot de la duchesse : « Judas ! » Pourquoi m'a-t-elle appelé Judas ? Je n'avais trahi personne. J'avais agi honorablement et présumé d'un même sens de l'honneur chez le duc. Plus j'y songe, plus je sens que « Judas » faisait allusion à une trahison future. Je détenais maintenant un secret concernant le duc de Windsor, un secret dangereux et dommageable au sujet de son implication dans la fabrication d'une fausse preuve. Le duc et la duchesse, en proie de toute manière à une paranoïa chronique, ont supposé que je le révélerais ou menacerais de le révéler un jour. J'étais désormais un ennemi de plus à ajouter à une liste croissante : je pouvais leur causer des problèmes, et c'est pourquoi je devais être si résolument écarté.]

Lundi 12 juillet

Câble de la NID. Je suis rappelé immédiatement. Je prends l'avion pour Miami dès demain. Quelqu'un a réagi très vite.

[LMS rentra en Angleterre à la fin juillet. Il lui fut accordé un mois de permission avant la reprise de ses activités habituelles à la NID. Fait intéressant, on ne lui demanda pas de rédiger le rapport de ses huit mois et demi de relations avec le duc et la duchesse, ni d'exprimer ses doutes quant au traitement du meurtre de Harry Oakes. Le duc et la duchesse restèrent aux Bahamas jusqu'à la fin de la guerre.]

Jeudi 18 novembre

Dans le train pour Birmingham, les vitres éclaboussées d'une pluie de neige fondue. Un petit garçon assis en face de moi me demande si je suis un officier et je dis que oui. Êtes-vous dans la marine ? Oui. Eh bien alors, où est votre bateau ? Bonne question. Sa mère le fait taire : cesse d'ennuyer le monsieur. L'enfant serait amusé de savoir que cet officier de marine se rend sur une base de la RAF pour apprendre à sauter d'un avion.

C'est Vanderpoel qui m'a annoncé la semaine dernière mon départ pour cet entraînement. En réponse à mon : « Puis-je demander pourquoi ? », je n'ai eu droit qu'à un : « Nous pensons que ça pourrait être utile. » J'ai demandé à Ian si quelque chose de spécial se tramait, mais il a affirmé ne rien savoir. Peut-être une préparation en vue du débarquement ? Depuis le départ de Godfrey [1], il est beaucoup moins au fait des secrets de la section. En tout cas, c'est un changement et je suis ravi d'être hors du bureau.

Freya et Stella m'ont gentiment accompagné à la gare d'Euston. Stella m'a demandé si je serais tout brun à mon retour et je l'ai rassurée. Elle a été très intriguée par mon bronzage quand je suis revenu en juillet. Et je dois dire que lorsque je me suis serré contre le buste pâle taché de son de Freya, je ressemblais à un octavon très basané. Après ces longs mois de séparation, on aurait cru nos pulsions sexuelles recréées à neuf. Freya rabattait les draps pour me contempler, comme obsédée par mon corps nu et brun. Nous ne cessions de filer en douce pour de rapides petites séances de baise passionnée à toute heure du jour. Des « Cinq minutes spéciales », nous les appelions. « Envie d'une cinq minutes spéciales ? » disait Freya après le déjeuner. Stella frappait à la porte verrouillée en criant : « Qu'est-ce que vous faites ? » « Papa est un peu fatigué, chérie », répliquait Freya tandis que je la montais, un sourire idiot étalé sur ma figure.

Étrange de reprendre le chemin de Birmingham vingt ans plus tard. Ce que j'ai pu redouter mes retours à la maison lors des vacances ! Je dois me présenter à la base de la RAF à Clerkhall pour un cours de parachutage qui durera quinze jours : quelques séances d'entraînement, puis une succession de cinq sauts pour obtenir la qualification. Mon petit doigt me dit que ceci n'est pas une idée de Vanderpoel, mais plutôt un truc concocté par Rushbrooke [le nouveau patron de la NID] ou un autre cerveau. Ian a déclaré que la NID essayait d'élargir son *modus vivendi*. « On va bientôt se retrouver sur le continent européen. On ne peut pas se contenter de s'asseoir sur nos lauriers. » Il semble avoir le cafard : de toute façon, c'est un vieux lunatique mais depuis que je suis rentré il paraît renfermé, irritable. *Cherchez la femme ?* * [2].

---

1. Godfrey fut « démissionné » en 1942.
2. Fleming était tombé amoureux d'Ann O'Neill, plus tard Ann Rothermere, et plus tard encore Mrs Ian Fleming.

J'ai eu un mois de permission à mon retour de Nassau, mais je n'ai pas voulu m'éloigner de la maison : je voulais rester à Melville Road et mener une vie aussi ordinaire et paisible que possible. Je me suis remis à lire avec plaisir, pour la première fois depuis des mois ; j'ai pris soin de notre jardin potager ; j'ai emmené Stella en promenade. Avec Freya, nous sommes allés de temps à autre prendre un verre dans un pub. J'ai rattrapé le temps perdu avec mes amis et connaissances.

Culpabilité a été un énorme succès, critique et commercial[1]. Peter Scabius est salué comme un nouveau romancier d'importance. Je n'ai toujours pas été capable de lire le livre et, quand j'ai revu Peter, je n'en ai parlé qu'à coups de vagues généralités. Peter ne l'a d'ailleurs pas remarqué : il a la tête bel et bien tournée par tout cet argent et ces louanges. Il a acheté une grande maison dans Wandsworth Commons où il habite avec Penny, sa nouvelle épouse (ils se sont mariés le jour de la parution du bouquin). Il porte la mort de Tess comme un stigmate, un insigne pour montrer combien il a souffert. Il a dit une chose vraiment révoltante : « Tu vois, Logan, depuis la nouvelle de la mort de Tess, on dirait que les femmes me trouvent étonnamment séduisant. » Il est fort probable qu'il trompe déjà Penny.

Et j'ai reçu une lettre brutale et étrange de Dick Hodge annonçant qu'il avait perdu une jambe, tranchée net à la hanche, en sautant sur une mine en Italie. Il est de retour chez lui en Écosse, « apprenant à marcher », et il ajoute : « Puisque j'ai l'intention de ne jamais bouger d'ici, tu ferais mieux de venir me voir. » Il termine par : « Bien à toi, Dick. Sans jambe mais pas sans queue, au cas où tu te le demanderais. »

J'ai lu dans les journaux que Marigny avait été acquitté. Un peu de justice, enfin, mais qui a tué Sir Harry Oakes ? Aujourd'hui, les Bahamas, le duc, la duchesse me semblent appartenir à un autre monde.

Mercredi 8 décembre
RAF Clerkhall. Cet endroit est un centre de formation pour les équipages du Bomber Command, plein d'aviateurs. Nous effectue-

---

1. Publié en juin 1943 par Murray Ginsberg Ltd. En novembre, les ventes avaient dépassé trente mille exemplaires.

rons notre premier vrai saut demain et j'attends ça avec assez d'impatience. Nous – qui ne faisons pas partie des équipages – formons au mess un étrange petit groupe : six Anglais, un Polonais et deux Italiens nerveux. Aucun de nous ne parle de la raison pour laquelle il apprend à sauter en parachute. Peut-être que, comme moi, personne ne le sait. Je suis le seul officier de marine.

Le soir, après dîner, nous sommes libres de nous rendre dans les pubs du coin ou à Birmingham même. J'ai rendu visite à mes vieux lieux de prédilection, et me suis promené dans Edgebaston. Peut-être s'agit-il d'un sentiment post-Bahamas, mais je me délecte du manque de prétention affirmé de Birmingham. Une grande ville bien carrée. Ma haine d'écolier à son égard n'est pas à mon honneur. Après les derniers six mois, tout dans Birmingham – aussi sale et cabossé que ce soit – me paraît d'une vérité et d'une réalité rassurantes. Un soir, devant notre vieille maison, j'ai songé à Père et je me suis demandé ce qu'il penserait de son fils aujourd'hui, à presque vingt ans de distance. Mes deux mariages, ses deux petits-enfants, ce genre de carrière et de réputation comme écrivain interrompu par la guerre. Son fantôme reconnaîtrait-il cet officier de marine vieillissant ?...

En fait, cet enchaînement de pensées a beaucoup dominé mon esprit depuis que je l'ai déclenché. A la NID, il est de notoriété publique que tout notre travail se concentre maintenant sur la prochaine invasion de l'Europe – le « second front ». Il est concevable que cette guerre soit terminée d'ici un an, et une sorte de panique me fait battre le cœur tandis que j'imagine une vie à nouveau « normale », avec mes quarante ans qui approchent à toute allure et la nécessité de reprendre le cours de mon ancienne carrière. En suis-je capable ? C'est drôle : la guerre, quoique je m'en plaigne, a fait que toutes les décisions sont restées en suspens dans le vide. Et parfois le vide est un lieu tolérable où demeurer coincé.

Hier soir, je suis entré dans un pub de Broad Street et j'ai commandé une pinte de bière. L'endroit était fort animé et les épais rideaux de black-out donnaient l'impression de l'isoler anormalement du monde. J'ai allumé une cigarette, bu ma bière et vidé ma tête de ses pensées, à moitié conscient seulement du bavardage autour de moi, plongé dans une sorte de douce extase très anglaise, le temps arrêté pendant près de vingt minutes. Quand j'ai voulu payer, le patron du pub a refusé mon argent mais sa femme l'a contrecarré. « Il fait toujours ça, a-t-elle dit furieuse. N'importe qui en uniforme. Je lui répète : ils sont tous bien payés et il faut qu'on gagne notre vie. Inutile de faire la charité. » L'homme a haussé les épaules, l'air penaud. J'ai déclaré qu'elle avait absolument raison, j'ai payé et j'ai laissé un pourboire. Ce que signifie exactement cette histoire, je n'en sais rien. D'humeur paisible, je suis rentré par le bus à Clerkhall. Très Birmingham, me suis-je dit, la raison pour laquelle je me suis tout à coup tellement attaché à cet endroit.

Jeudi 9 décembre

Après les séances de formation, de gymnastique, de sauts en harnais depuis la tour, enfin le vrai test. Une vingtaine d'entre nous se sont engouffrés dans un vieux bombardier Stirling spécialement équipé. J'étais assis à côté d'un des Italiens qui m'a paru avoir drôlement la frousse tandis que nous accrochions les poignées d'ouverture au câble tendu le long du fuselage. *« Buon auguri »*, j'ai dit, et il m'a regardé avec une expression de panique à l'état pur dans les yeux. Peut-être sait-il où il sautera. Qui sommes-nous, les drôles de zèbres, la bande de non-aviateurs ? La plus invraisemblable sorte d'agents secrets.

Le Stirling a décollé et nous avons effectué une longue et lente série de cercles ascendants avant d'atteindre l'altitude convenable. Alors que nous approchions de la zone de parachutage, un panneau s'est ouvert dans le plancher de l'avion et le sergent-instructeur s'est mis à côté. « Quoi que vous fassiez, ne regardez pas en dessous, a-t-il répété. Vous contemplez mon beau visage et quand ma main s'abat, vous avancez, c'est tout. »

Une demi-douzaine d'entre nous a disparu de ma vue avant que vienne mon tour. Je n'ai rien senti : j'avais réussi à supprimer toute émotion – et j'avais une confiance absolue dans l'efficacité et la solidité des sangles et de l'équipement que je portais. Je ne doutais pas un instant que mon parachute eût été bien plié et que la poignée d'ouverture, quand je tirerais dessus, veillerait à son déploiement facile et sans problème. Le sergent-instructeur a laissé tomber sa main, et a dit : « Vas-y, sept ! » et j'ai foncé dans le panneau.

Il y a eu le choc physique considérable de l'air du sillage et il m'a semblé que mon parachute s'ouvrait presque aussitôt. J'ai d'abord regardé sa voilure gris sale et puis j'ai jeté un coup d'œil en bas sur la campagne du Staffordshire. Le premier homme à quitter l'avion était déjà au sol, en train de ramasser les plis gonflés de son parachute contre sa poitrine ; ceux qui m'avaient précédé flottaient encore en une vague rangée sous moi. Je savourais l'impression de suspension, pas d'absence de pesanteur (quoi que ce soit dont il s'agisse : je n'ai pas eu le sentiment d'être une plume) mais plutôt la sensation d'être dramatiquement hors de mon élément (déjà expérimentée aux Bahamas un jour où j'avais nagé au-delà d'un récif et que l'océan était soudain devenu profond sous moi, l'eau tout autour passant brusquement du bleu pâle au bleu-noir), quand j'ai pris conscience de quelqu'un au sol qui me criait : « Gardez vos pieds joints, numéro sept ! » J'ai jeté un coup d'œil et j'ai vu un autre instructeur, Townsend, en train de me hurler des instructions par mégaphone. Bon dieu, ai-je pensé, si je peux le reconnaître, je dois être foutrement près...

Boum. J'ai cogné le sol et j'ai roulé sur moi-même, machinalement plutôt que selon les instructions. Exactement ce qu'on nous avait prédit : le même effet que de sauter d'un mur de quatre mètres de haut – une bonne hauteur, de fait, si vous avez déjà essayé. Je me suis relevé, un sourire triomphant aux lèvres. « Pas trop mal, Mr Mountstuart, a dit Townsend en me rejoignant au petit trot. Plus que quatre sauts encore. »

1944

Vendredi 7 janvier
Je lisais en secret l'autobiographie de Plomer[1] (qui a eu un succès exaspérant) et me demandais si quiconque devinerait en le feuilletant que son auteur était un homosexuel enragé. Question toute formelle : la réponse est non. Ce qui en amène une autre : quel est alors le niveau de vérité de ce livre ? Je réfléchissais à ce paradoxe quand Vanderpoel est entré et m'a fait passer dans le bureau de Rushbrooke. Rushbrooke était avec un autre homme que je n'ai pas reconnu mais qu'on m'a présenté comme étant le colonel Marion (il

1. *Doubles Vies* (1943).

263

était en civil). J'ai senti une soudaine pression monter en moi quand j'ai compris qu'on allait me donner la mission à laquelle mes leçons de parachute m'avaient préparé – et j'ai failli dire : « Avant que vous alliez plus loin, amiral Rushbrooke, j'aimerais être muté dans l'intendance » – mais je n'en ai rien fait, bien sûr, et je me suis docilement assis lorsque Rushbrooke m'a désigné une chaise. Il m'a aussi souri.

« N'ayez pas l'air si inquiet, Mountstuart. On vous a acheté deux caboteurs. Vous êtes un armateur. Maintenant, on veut que vous alliez en Suisse en acheter d'autres. »

En Suisse ? Une chaude poussée de plaisir m'a traversé le bas-ventre et, un horrible instant, j'ai craint d'avoir fait pipi de soulagement. Mes entrailles s'étaient en effet relâchées mais ma dignité avait été préservée. La Suisse est neutre, ai-je pensé – plus sûre même que les Bahamas. Aller acheter des bateaux dans un pays sans accès à la mer paraissait bizarre, mais ça ne me regardait pas.

Ainsi est née l'« Opération armateur ». Le travail, tel qu'on me l'a expliqué, semble assez simple, le seul problème étant d'entrer en Suisse. La stratégie, c'est de me faire passer pour un homme d'affaires uruguayen à la recherche de fonds au Portugal, en Espagne et en Suisse pour augmenter la taille de ma flotte marchande, dont deux caboteurs sont actuellement à l'ancre dans le port de Montevideo. J'ai demandé si c'était crédible et on m'a rappelé que le monde n'était pas tout entier en guerre. Prenez l'Amérique du Sud, par exemple. Les citoyens des pays neutres sont libres d'aller et venir, à condition d'avoir les documents et visas requis. Les Suédois peuvent se rendre en Angleterre, les Mexicains aux États-Unis, les Espagnols en Australie, s'ils en obtiennent la permission.

Je dois rendre visite à certaines banques à Genève et Zurich et voir si je peux obtenir un prêt pour acheter mes bateaux (tout ceci me sera expliqué en détail au cours d'une série de briefings dans les jours à venir). « On ne s'attend pas à ce que quiconque vous prête de l'argent, a dit Rushbrooke, on veut simplement que vous soyez là-bas à essayer d'en trouver. » Pourquoi ? Marion est alors intervenu : « Vous serez approché en secret par des Allemands, ou les représentants d'Allemands importants. Ils voudront savoir ce que leur coûterait un passage pour l'Amérique du Sud sur vos navires. » Pourquoi voudraient-ils ça ? « Parce que, a dit Marion, la guerre va bientôt se terminer et que les rats se préparent déjà à quitter le navire en détresse. Ces gens prendront contact avec vous et vous noterez tout ce qui les concerne, dans la mesure du possible, pour tenter de les identifier. Un homme nommé Ludwig viendra vous voir et vous lui transmettrez ces informations. » Et comment saurais-je que c'est lui ? Marion a répliqué qu'il saurait, lui, qui je suis, que je ne m'en fasse pas. Et comment arriverais-je à Genève ? « Pourquoi crois-tu que tu as appris à sauter en parachute ? » est intervenu Vanderpoel avec un sourire déplaisant. On m'informera du reste au cours des prochains briefings. J'avais une dernière question : combien de temps serais-je en Suisse ? Jusqu'à ce que les troupes alliées atteignent la frontière – soit de France soit d'Italie – sans doute, a précisé Rushbrooke avec un coup d'œil à Marion, durant l'été.

Dimanche 9 janvier

J'ai fait allusion devant Freya à l'« Opération armateur » – j'ai raconté que le service m'envoyait encore en mission à Lisbonne. Une idée de Rushbrooke : il sait qu'il faut dire quelque chose à une épouse. Tu ne vas rien faire de dangereux, non ? a demandé Freya. Non, non, ai-je dit, ce n'est pas dangereux. Juste une question de recueil d'informations – un plan imaginé par la NID. Ce qui m'a fait penser : tout ceci, c'est l'idée de qui ? Et qui est le colonel Marion ? J'ai devant moi une semaine bourrée de briefings organisés dans le but premier de compléter mon histoire de couverture. On m'a demandé de choisir un nom pour mes papiers et visas, et j'ai inventé le nom de Gonzago Peredes – un peu de moi, et un hommage à Faustino. Des télégrammes sont expédiés de Montevideo à des banquiers de Zurich et de Genève, demandant des rendez-vous pour le señor Peredes. Une chambre m'a été réservée à l'hôtel du Commerce à Genève. J'ai un dossier débordant de descriptions de cargos à vendre.

Dimanche 13 février

Week-end familial et paisible avec Freya et Stella. Samedi, nous avons acheté à Stella un chiot, une petite chienne labrador. Stella a déclaré qu'elle voulait l'appeler Tommy et donc Tommy ce sera. Demain, j'entame le long voyage vers l'Italie. KLM de Bristol à

Lisbonne. Ensuite par bateau sur Tripoli. De là un avion militaire pour Le Caire et puis Naples. Tout semble bien organisé, dans le vrai style NID. J'ai dit à Freya que je serais absent un mois ou deux et qu'elle pourrait toujours avoir des nouvelles de moi par Vanderpoel. Elle paraît calme : elle considère ça comme un voyage d'affaires. Et, c'est vrai, j'ai passé huit mois aux Bahamas, alors mon petit mensonge est tolérable. Hier soir, j'ai acheté une bouteille de vin algérien que nous avons fait chauffer avec du sucre et de vieux clous de girofle, puis arrosé de rhum. Nous nous sommes allongés dans les bras l'un de l'autre sur le divan en écoutant la *Deuxième Symphonie* de Brahms, après quoi nous sommes allés nous coucher et nous avons fait l'amour avec le sérieux et la tendresse voulus – deux experts sachant ce qu'ils font. Aujourd'hui, nous emmènerons Tommy pour sa première balade dans Battersea Park.

MÉMORANDUM SUR L'« OPÉRATION ARMATEUR »
Le mercredi 23 février 1944, sur un aéroport près de Naples, j'ai embarqué à bord d'un bombardier Liberator, en compagnie de deux Français – que je venais de rencontrer – qui devaient être largués en France occupée. Notre Liberator, chargé au lieu de bombes d'approvisionnements pour la Résistance, ferait partie d'une formation en route pour un raid aérien sur l'Allemagne du Sud. Au cours du bombardement, nous nous écarterions du groupe principal pour aller survoler l'ouest de la Suisse, moment auquel je sauterais. Je n'avais aucune idée de la destination des Français.

Sous une combinaison d'aviateur, je portais un costume de flanelle grise et une cravate. L'étiquette à l'intérieur de la veste indiquait l'adresse d'un tailleur de Montevideo. J'avais avec moi une valise remplie de vêtements et de divers documents relatifs à mon commerce, y compris une photo de ma femme et de ma fille en Uruguay. Dans mon portefeuille, j'avais une liasse de francs suisses, des visas timbrés et des billets de train racontant mon voyage de Lisbonne à Madrid et, à travers la France occupée, jusqu'à Genève. J'avais aussi des lettres d'introduction pour des banques de Lisbonne, Madrid, Genève et Zurich. Tout en moi disait, avec une authenticité absolue, que j'étais un homme d'affaires uruguayen en Europe neutre à la recherche d'un emprunt bancaire afin d'acheter des bateaux.

266

J'ai serré la main aux Français et mon excitation s'est un peu calmée. Ils allaient sauter en France occupée ; moi – du moins en théorie – j'atterrirais dans un pays neutre dont les habitants ne me regarderaient pas comme un ennemi. Je n'ai cessé de me le répéter : je ne tombais pas dans les bras de mon ennemi. L'officier en charge du parachutage était un Anglais, le sergent-chef Chew.

Nous avons décollé au crépuscule. Notre escadrille de Liberator s'est jointe aux autres venant des bases voisines pour former un groupe au-dessus de la vallée de Naples avant de prendre la direction du nord et de la Bavière. « Une usine de roulement à billes », a chuchoté Chew en confidence. Chew était un type bavard (peut-être cela faisait-il partie de sa mission) et il était ravi d'avoir pour une fois à larguer un Anglais (« Ils disent pas grand-chose, les Frenchies »). Il n'arrêtait pas de poser des questions auxquelles il savait que je n'étais pas autorisé à répondre. « Z'avez été à Londres récemment, sir ? – Pardon, pardon ! » « Les mineurs sont encore en grève chez nous, hein ? Pardon, sir, y a des mois que je ne suis pas rentré, vous comprenez. »

Au bout de deux heures, j'ai senti notre bombardier se séparer du groupe, virer sur l'aile et commencer à descendre. Chew m'a dit de me préparer : je me suis donc posté près de la porte, j'ai attaché la longue sangle de ma valise à ma cheville et ma poignée d'ouverture au câble de plafond. J'ai sorti un passe-montagne de ma poche et je l'ai enfilé.

C'est le moment où ma peur a atteint sa forme la plus pure, et j'ai entendu une voix dans ma tête hurler : « Putain, mais qu'est-ce que tu fous, Mountstuart ? Tu as une femme et un enfant. Tu ne veux pas mourir. Pourquoi as-tu accepté ça ? » Je l'ai laissée délirer, c'était distrayant, et de toute façon je n'avais pas de réponses. Chew a regardé par un petit hublot et a dit : « Jolie nuit claire, sir. » Puis une voix à l'accent américain a annoncé : « Cinq minutes » et une lumière rouge s'est allumée au-dessus de la porte. Les deux Français m'ont fait le signe de la victoire en marmonnant bonne chance.

Chew a soulevé la porte et l'air froid nous a fouettés. Par l'ouverture, j'ai vu les projecteurs fouiller fermement le ciel. « Bons vieux Suisses, a dit Chew. Parfois ils ajoutent quelques tirs de DCA pour la forme. Mais ils mettent toujours l'éclairage pour qu'on puisse voir où on se trouve. » Au-dessus de la porte, la lumière verte a succédé à la rouge. Chew m'a tapé dans le dos et j'ai ramassé ma valise, je l'ai serrée contre ma poitrine et je me suis jeté dans la nuit pour mon sixième saut en parachute.

Un vent glacé m'a frappé et mon parachute s'est ouvert, ouompf, alors que ma valise m'était arrachée des mains par le courant du sillage et, en tombant, rebondissait douloureusement sur ma jambe droite. Instant affreux, j'ai cru avoir perdu une chaussure. Suspendue sous moi, la valise, en me tirant comme un animal attaché à ma cheville, rendait la situation très inconfortable. J'ai entendu le bruit des moteurs du Liberator enfler tandis qu'il prenait de l'altitude pour rejoindre les autres bombardiers.

Il y avait une moitié de lune cette nuit-là et des nuages qui couraient à toute allure dans le ciel. Sous moi, je voyais des champs d'un gris-bleu uniforme avec des taches plus grandes, plus blanches de neige ; au loin l'étendue plate du lac de Genève et le black-out pas très efficace de la ville elle-même. Il semblait que je fusse à peu près au bon endroit.

J'ai vécu un sale moment en atterrissant : j'ai raté de justesse un petit bouquet d'arbres, je suis mal tombé et j'ai été traîné par mon parachute sur dix mètres ou plus. J'ai repris mon souffle et j'ai ramassé méthodiquement la voilure après avoir ôté mon harnais et ma combinaison. Dans ma valise, j'avais un pardessus, une écharpe et un chapeau mou que j'ai mis, car il faisait froid. J'ai ensuite passé une demi-heure à chercher où cacher mon parachute et ma combinaison, que j'ai fini par enfouir dans un tas de neige au pied d'un mur. J'ai tassé la neige du mieux que j'ai pu, en me disant que quand on découvrirait le tout j'aurais disparu dans la ville depuis longtemps.

Je savais dans quelle direction Genève se trouvait et j'ai suivi la lisière des champs jusqu'à ce que j'atteigne la petite porte d'une barrière s'ouvrant sur une ruelle que j'ai longée et au bout de laquelle une pancarte à un croisement indiquait obligeamment : GENÈVE 15 KM. Le moment le plus dangereux pour moi, j'en ai eu conscience : tout seul dans la nature au milieu de la nuit – un homme d'affaires avec une valise –, si on me questionnait je n'aurais aucun moyen d'expliquer qui j'étais et ce que je fabriquais. Il me fallait arriver en ville aussi vite que possible et me fondre dans l'anonymat de la foule. J'ai continué à marcher : les routes étaient presque vides, et sans grande circulation. Une heure après, je suis arrivé aux abords d'un village nommé Carouge, selon un panneau. Il était quatre heures du matin.

J'ai trouvé une vieille grange en bois non loin de la route et j'ai décidé d'y attendre le lever du jour et le réveil du village, en songeant qu'avec des gens autour j'attirerais peut-être moins l'attention. Peut-être aussi y aurait-il une gare ou un bus. J'avais avec moi une flasque et des biscuits, je me suis donc installé, tremblant de froid, dans l'angle de deux murs où j'ai grignoté des biscuits et siroté du whisky.

A l'aube, j'ai pris soin de me nettoyer un peu, d'essuyer la boue de mes chaussures et des fesses de mon pantalon. La saleté est une grande traîtresse quand on essaye de passer inaperçu. Puis, vers 7 h 30, je suis entré dans le village, avec l'espoir d'avoir l'air de quelqu'un qui va prendre le train. Heureusement, l'endroit était de bonne taille, il y avait une auberge, un bureau de poste, et les cafés et les boulangeries étaient ouverts : je n'ai pas eu droit à des regards bizarres. J'ai fait la queue à une station d'autobus et j'ai demandé à un adolescent si le bus m'emmènerait à Genève. Il m'a dit que oui, mon français semblant très bien passer.

Le bus est arrivé, j'y suis monté, j'ai pris mon billet et me suis assis. Pour la première fois je me suis un peu détendu et j'ai senti un petit élan de fierté justifiée m'envahir. Phase un terminée. J'ai regardé par la fenêtre les faubourgs de Genève défiler : la partie dangereuse était derrière moi. A présent, je devais simplement faire mon travail.

J'ai quitté le bus sur une petite place dans ce qui m'a semblé être le centre de la ville, et, à l'aide de mon plan, j'ai trouvé mon chemin jusqu'à l'hôtel du Commerce. J'étais maintenant un employé parmi des centaines en chapeau et pardessus se hâtant d'aller commencer leur journée de bureau. Je suis entré dans le foyer de l'hôtel du Commerce et en suis ressorti tout aussitôt : deux policiers étaient en train de parler à la réceptionniste.

Il pouvait ne s'agir que d'une vérification de routine, d'une coïncidence, d'un manque de chance. Peut-être aurais-je dû simplement aller jusqu'au comptoir, m'annoncer, mais cela paraissait un risque idiot et sans nécessité. Plus inquiétant, en arrivant au coin de la rue j'ai vu en stationnement un car de police avec une demi-douzaine d'hommes à l'intérieur. J'ai continué mon chemin à travers les rues avoisinantes à la recherche d'un hôtel convenable – rien de trop somptuaire ni de trop minable. J'en ai trouvé un, l'hôtel Cosmopolite, ce que j'ai pris pour un bon signe.

J'ai passé la majeure partie de la journée dans ma chambre, à me calmer, à réfléchir. L'après-midi, j'ai dormi. A mon réveil, j'ai appelé l'hôtel du Commerce et j'ai annulé ma réservation sous le prétexte que j'avais été retenu à Madrid.

Le soir, je suis allé au restaurant et j'ai mangé une côte de veau avec des frites arrosées de bière. Pas banal de se promener dans les rues de Genève. Le black-out était imposé à partir de vingt-deux heures (on éteignait les réverbères) mais plus, on le sentait, par devoir que par nécessité. Même si la vie n'était pas sans restrictions – le repas en portait témoignage : la bière était trop aqueuse et les pommes de terre immangeables (j'en ai laissé la moitié) –, il régnait une atmosphère proche de la normalité. La guerre se passait ailleurs, encore que pas loin, et il n'y avait pas trace de cette tension constante parmi la population, cette inquiétude minante dont on était si conscient à Londres. J'ai regagné mon hôtel et j'ai bien dormi.

Le lendemain, j'ai téléphoné à la banque Feltri pour confirmer mon rendez-vous du lundi matin. *« Ah, oui, monsieur Peredes*, a dit la secrétaire. *C'est noté*.* » Jusqu'ici tout allait bien.

Je suis descendu me balader autour du lac jusqu'à l'heure du déjeuner. J'ai pris une tasse de café et une part de tourte aux pommes. Je me rappelle avoir songé combien tout cela était bizarre, ma présence à Genève sous le costume d'un armateur uruguayen. Le rire m'est monté à la gorge et j'ai eu un instant – et peut-être est-ce là le grand attrait pour le véritable espion – cette impression grisante de pure comédie sous le risque et le sérieux du propos. Tout compte fait, j'étais ici en train de jouer à cache-cache.

A mon retour à l'hôtel, la réceptionniste m'a tendu un message. J'ai déplié le bout de papier : *Café du Centre, midi, demain. Ludwig.* Je l'ai rendu à la fille : « Il doit y avoir erreur. Ceci n'est pas pour moi. » Mais il était ici, cet homme, il n'y a pas vingt minutes, il vous a demandé vous, señor Peredes. Non, non, ai-je répété en essayant de garder mon calme. Je lui ai demandé de me préparer ma note – je devais de toute urgence me rendre à Zurich.

Je suis monté faire ma valise et, en ouvrant la porte de ma

chambre, j'ai trouvé quatre hommes qui m'attendaient : deux policiers en uniforme armés de mitraillettes et deux inspecteurs. L'un d'eux m'a montré une carte d'identité et m'a dit en espagnol : « Señor Peredes, vous êtes en état d'arrestation. »

On m'a emmené dans un commissariat de banlieue et on m'a fait entrer dans une pièce où, sur une table, se trouvaient mon parachute et ma combinaison. On m'a demandé de confirmer qu'ils m'appartenaient. J'ai répliqué en français que j'ignorais tout de ces objets, et que j'étais venu d'Espagne pour affaires. L'inspecteur qui m'avait parlé en espagnol m'a complimenté sur mon français mais sans rien ajouter.

On m'a laissé dans cette pièce jusqu'à la tombée de la nuit. On m'a autorisé à me rendre aux toilettes et on m'a servi une grande tasse de café sans sucre. Mon cerveau n'était plus qu'une confusion bruyante, hurlante d'idées, d'hypothèses, de suppositions et de contre-suggestions. J'essayais beaucoup de ne pas tirer de conclusion – c'était trop tôt, peut-être allait-on me relâcher ? Mais une question ne cessait de revenir me harceler : comment Ludwig savait-il que j'étais à l'hôtel Cosmopolite ? La seule autre personne à Genève, en Europe de l'Ouest, dans le monde, qui savait que je m'y trouvais, c'était moi.

Dans la soirée, on m'a fait sortir du commissariat par la porte de derrière pour m'embarquer dans une camionnette sans fenêtres et dont la portière a été verrouillée. La camionnette a démarré ; au bout de trois heures de voyage, on s'est arrêtés, moteur coupé.

Je suis descendu sous la porte cochère d'une grande villa à l'entrée de laquelle deux soldats en armes montaient la garde. Les inspecteurs m'ont remis à des officiels de la prison, autant que j'ai pu en juger. On m'a emmené dans une pièce où on m'a demandé de me déshabiller. Pour remplacer mes vêtements, on m'a donné du linge de corps – caleçon et tricot –, un pantalon de serge noire, une chemise de flanelle grise sans col et une tunique grise grossière qui se boutonnait jusqu'au cou. Aux pieds, j'ai enfilé des chaussettes épaisses et, très curieusement, une paire de lourds sabots en bois. J'avais l'impression de tenir à la fois du paysan hollandais et d'un *kommissar* de la Russie révolutionnaire.

Ainsi accoutré, j'ai suivi mon geôlier le long d'un corridor puis, après avoir gravi quelques marches, je suis entré dans une grande pièce à peine meublée. Quelques traces de l'ancien décor subsistaient, une tringle à rideaux, une corniche peinte – très en contraste avec le côté fonctionnel de l'ameublement présent. Un lit en fer (et des couvertures), une table, une chaise et un pot de chambre. L'unique grande fenêtre était garnie de gros barreaux et, contre le mur, se trouvait un radiateur, chaud.

« *Buenas noches* », a dit le gardien avant de fermer la porte derrière lui.

J'étais dans ma nouvelle demeure, et je n'ai pas pu m'empêcher de me demander combien de temps j'allais y rester.

L'existence à la villa. De ma fenêtre, j'avais une jolie vue sur un bout de lac et des montagnes enneigées au-delà. Le lac des Quatre-Cantons, ai-je découvert plus tard. Chaque matin à sept heures, un gardien ouvrait la porte et m'escortait dans une salle d'eau où je vidais mon pot de chambre et pouvais me raser et faire mes ablutions dans un lavabo. Une fois par semaine, j'avais droit à une douche et donc à me laver les cheveux. On me donnait des vêtements propres tous les quinze jours. A mon retour dans ma chambre, mon petit déjeuner m'attendait : pain, fromage et un quart en émail rempli de café tiède – jamais chaud. L'intermède suivant prenait place à midi – le déjeuner : toujours une sorte de soupe de légumes et encore du pain. L'après-midi, j'avais l'autorisation de me rendre dans la cour intérieure de la villa où des sentiers de graviers entouraient et divisaient en quatre une pelouse pelée. Sous l'œil d'un gardien, j'avais le droit de me promener ou de m'asseoir dans un rayon de soleil si la journée était clémente. En repartant quand on me l'ordonnait, j'apercevais un instant un autre prisonnier (vêtu comme moi) qui émergeait dans la cour pour son temps d'exercice. Au fil des jours, j'en ai tiré la conclusion qu'il ne pouvait y avoir qu'une demi-douzaine d'entre nous dans le bâtiment, et très dispersés sur ses trois étages – il était rare que j'entende le clic-clac de sabots le long de mon couloir. Puis c'était le retour dans ma chambre et, à sept heures du soir, le dîner était servi : une assiette de ragoût ou une côtelette, toujours avec des pommes de terre, du pain et du fromage. Extinction des feux à vingt et une heures. Les gardiens changeaient constamment et s'efforçaient toujours de me parler en mauvais espagnol – « *Olá* », « *Vamos* », « *Está bien ?* » – quel que fût le langage dans lequel je m'adressais à eux, et m'appelaient sans faillir Peredes.

Un régime très simple, très efficace et très calme. Très suisse, vous penserez peut-être, et au début je me suis senti étrangement soulagé. Impossible de dire ce qui allait se passer : l'« Opération armateur » avait échoué bien trop vite. J'avais été pris et je ne pouvais plus rien faire – la partie était finie, et ils avaient gagné. Les Suisses étaient neutres, après tout : je n'allais pas être torturé par la Gestapo et c'était simplement une question de temps avant que je sois transféré dans un vrai camp d'internement (déjà douze mille soldats et aviateurs alliés, je le savais, étaient internés en Suisse). Quelque part, la machine s'était mise en marche et la lente bureaucratie qui présidait au sort des prisonniers de guerre finirait par me retrouver et s'occuper de moi. Cependant, alors que les jours et les semaines passaient (les gardiens me donnaient toujours la date), j'ai commencé à m'inquiéter. Cette routine semblait destinée à se perpétuer et je m'ennuyais à mort : pas de livres, pas de journaux, pas de quoi écrire. Mais je faisais de l'exercice, j'étais bien nourri – en fait, je grossissais avec tout ce pain et ce fromage que j'engloutissais.

Au bout de six semaines, j'ai demandé à voir le directeur – j'ai dit que j'avais une confession à faire. Quelques jours d'attente et puis, un soir, on m'a descendu dans un des grands salons du rez-dechaussée, à moitié vide sauf pour, çà et là, quelques meubles en mauvais état mais beaux. Un grand homme mince, la cinquantaine, cheveux coiffés avec une raideur pénible, costume gris clair à double boutonnage, se tenait devant la cheminée.

« *Habla inglés ?* » ai-je demandé, et, assuré que c'était le cas, je lui ai tout raconté : que je m'appelais Logan Mountstuart, que j'étais un lieutenant de la Royal Navy rattaché aux services de renseignements et que j'avais été envoyé en Suisse pour empêcher que des nazis importants fuient l'Europe après la guerre. Tout ce que je demandais, c'était d'être mis en rapport avec un agent consulaire quelconque chargé des intérêts britanniques, ou même avec Allen Dulles, le chef de l'OSS à Berne. Tout pouvait être très vite arrangé.

L'homme m'a regardé et souri :

— Vous ne vous attendez quand même pas à ce que je croie à ces sornettes, señor Peredes ?

— Je m'appelle Logan Mountstuart.

— Qui est Ludwig ?

— Mon contact à Genève. Je ne l'ai jamais rencontré.

— C'est un mensonge. Qui est Ludwig ? Où est-il ?

J'ai protesté que je ne savais rien de ce Ludwig. Les gardiens ont été appelés et on m'a reconduit à ma chambre.

Et ma vie a continué ainsi. Je n'ai jamais revu cet homme, malgré mes multiples requêtes (je crois que c'était le colonel Masson, chef des Renseignements militaires suisses). L'ennui a franchi encore plusieurs degrés dans l'intolérable. Ma seule distraction a consisté à entamer une collection des insectes trouvés dans ma cellule : des cloportes, un cafard, quelques minuscules fourmis brunes – que j'ai rassemblés dans un petit paquet fait d'un coin de la couverture de mon lit. Je leur ai donné un nom à tous (encore qu'il était difficile de différencier les fourmis) et, pendant la journée, je les laissais se balader dans la pièce sous mon œil vigilant. Ils ne cessaient de s'échapper, bien entendu, et je devais constamment renouveler mon cheptel mais chaque évasion était un petit moment de liberté par procuration, comme si c'était moi qui me faufilais en me tortillant à travers une fissure ou sous la plinthe pendant que j'avais le dos tourné. De temps à autre, je demandais à voir des autorités mais toujours en vain.

J'ai glissé dans une sorte d'apathie tolérable que, je le suppose, tous les prisonniers connaissent. On abandonne tout son dynamisme personnel à la routine de l'institution. Je n'avais aucune idée de l'endroit où je me trouvais, ni de la raison de ma détention (à part l'espionnage, je pense), ni quel bénéfice la Suisse pouvait bien tirer de ma coûteuse incarcération. J'avais foi, une foi presque aussi naïve que la foi religieuse, dans les efforts qui devaient se faire pour assurer ma libération. De même, j'étais convaincu que Freya savait ce qui m'était arrivé et que j'étais sain et sauf. J'ai compris qu'il me fallait simplement attendre.

Et puis soudain, à la fin de l'été, on m'a donné la permission de fumer. Une centaine de grammes de tabac en vrac et du papier à cigarettes. J'ai appris à rouler des cigarettes d'une minceur extrême, pareilles à des bâtonnets d'amuse-gueule, quelques brins de tabac très tassé. Pour les allumer il fallait que je fasse appel à un gardien. J'ai commencé à mettre de côté du papier à cigarettes. Dans la salle d'eau, il y avait un vieux poêle couvert de suie qui servait à chauffer l'eau pour les bains et les douches. En sortant, je grattais des copeaux de suie avec mes ongles. Cette suie, mélangée à de l'urine, se transformait en une encre potable encore que d'odeur piquante. Je disposais d'encre, de papier et d'une plume – l'épingle à nourrice qui fermait ma braguette. Et c'est ainsi qu'est né « Le journal de prison de Logan Mountstuart ». Il me fallait des heures pour transcrire quelques phrases, grattées en une écriture minuscule et laborieuse sur mes bouts de papier à cigarette mais, pour la première fois depuis mon arrestation, le courage m'est revenu. J'étais de nouveau un écrivain.

Octobre. Peregrine (un de mes cloportes) est mort. L'ai trouvé ce matin roulé en boule et, quand j'ai essayé de le déplier, il s'est brisé en deux. Pauvre Peregrine, c'était le plus docile et le moins aventureux de mes insectes. Coucher de soleil enflammé, sanglant, au-dessus du lac. Terribles serrements de cœur, une douleur physique, tant Freya et Stella me manquent. Elles doivent quand même à tout le moins savoir que je suis vivant. Ma demande de matériel pour écrire refusée une fois de plus. Les gardiens acceptent vos requêtes sans hésiter et s'excusent toujours quand ils reviennent les mains vides. Le NID doit savoir que j'ai été arrêté. Le mystérieux « Ludwig » savait où j'étais descendu. (Comment ? Était-il devant l'hôtel, m'a vu arriver et m'a suivi jusqu'au Cosmopolite ?) Il aura raconté que j'avais été ramassé. La nuit, j'entends parfois le ronronnement de gros bombardiers se dirigeant au nord vers l'Allemagne. Souvenirs gustatifs intenses de la tourte aux pommes du déjeuner le jour de mon arrestation – la dernière douceur que j'ai mangée. Le goût de la liberté ? La tourte aux pommes.

14 novembre. Hugo m'a donné la date d'aujourd'hui. Je l'appelle Hugo, mais j'ignore complètement son vrai nom. Il refuse de me le dire. Tous les gardiens m'appellent Gonzago malgré mes protestations. Hugo semble être de service tous les trois ou quatre jours. Je lui demande en français comment va la guerre et il sourit, hoche la tête et dit : « Très bien. » Les tours de garde donnent l'impression d'être aussi bien organisés que le reste ici. Cet après-midi, j'ai frappé sur la porte pendant cinq minutes jusqu'à ce qu'un gardien arrive. J'ai demandé à voir le directeur. Requête repoussée.

Aujourd'hui je suis descendu rencontrer « quelqu'un de l'ambas-sade ». Fait intéressant, c'était trois jours après ma vaine demande à voir le directeur. On croit s'être vu opposer un refus, mais c'est simplement qu'ils réagissent très lentement.

L'homme s'est présenté comme le señor Fernandez, du consulat espagnol à Lausanne, chargé des affaires uruguayennes. Il m'a dit que j'étais seulement le cinquième Uruguayen à visiter la Suisse depuis le commencement de la guerre. Je lui ai raconté mon histoire et dit mon vrai nom. Mais si vous êtes anglais, a-t-il rétorqué, l'air déçu, vous n'êtes plus sous ma responsabilité. Pouvez-vous faire parvenir un message à ma femme ? ai-je demandé. – Naturellement, votre épouse à Montevideo ? – Non, à Londres. Il a ouvert les mains : « *Es muy difícil.* » Je lui ai donné le nom de Freya et l'ai supplié de noter l'adresse, ce qu'il a fini par faire. « Écrivez une seule ligne, ai-je sup-plié. Dites-lui que je suis vivant, c'est tout. Pouvez-vous au moins faire ça ? » Il a eu un petit sourire nerveux et a déclaré qu'il essaierait.

[1945]

Janvier

La nouvelle année s'est passée dans la solitude et le silence. J'ai écrit un poème à Freya sur un bout de ce papier puis j'y ai mis du tabac et j'ai roulé une cigarette que j'ai fumée en manière de sym-bole. Je suis ici depuis bientôt un an et je commence à être en proie à de désagréables soupçons. Je suis de plus en plus convaincu qu'il existe un lien entre mon arrestation-incarcération et ce qui s'est passé aux Bahamas. Je n'oublierai jamais les mots de la duchesse : nous avons encore de puissants amis. Pourquoi, par exemple, ai-je été rappelé si vite après l'arrestation de Marigny ? Et qui est au juste ce colonel Marion qui a inventé l'« Opération armateur » ? Com-ment se fait-il qu'il n'ait presque rien su de ce qui se passait ? Je rumine la succession des événements et je n'aime pas beaucoup les questions qu'elle soulève : *quid* des policiers qui m'attendaient à l'hôtel du Commerce ? Ou de la vitesse avec laquelle mon parachute a été trouvé ? Juste une sale déveine ou bien l'œuvre de forces plus obscures ?

Cette vie ressemble à une torture lente mais douce, et pour moi l'aspect le plus terrible de mon emprisonnement est la solitude. Pour la première fois de ma vie, je me sens vraiment seul : je n'ai pas le confort que m'apporteraient les autres, ceux que j'aime, mes amis. Ce n'est pas qu'une question de solitude : on peut supporter la solitude, mais personne n'aime se sentir isolé.

Du point de vue sexuel, ma libido est soumise à un rythme absurde. Parfois, je me masturbe six ou sept fois par jour, avec toute l'ardeur impulsive d'un écolier adolescent. Après quoi, trois semaines s'écouleront sans que la moindre pensée lascive me passe par la tête.

J'ai abandonné mon ranch d'insectes : ils meurent de froid – ou bien de chaleur quand je les mets près du radiateur.

Très bizarre de posséder si peu de choses au monde. On peut dire que les vêtements que je porte, mon lit et sa literie, ma table et ma chaise, mon pot de chambre (et le chiffon pour me torcher), ma boîte de tabac, mon mince paquet de papier à cigarettes et mon épingle de nourrice représentent la somme totale de mes biens matériels. Et on ne peut guère les décrire comme mes possessions – ils m'ont été prêtés. Je songe à ma maison encombrée de Battersea, mes milliers de livres, mes tableaux, mes papiers, mes tiroirs et mes armoires bourrés... Que soudain mon univers, mes choses soient réduits à cette misère me donne le sentiment d'être privé de lest, d'être sans identité.

Le lac, tel que je le vois de ma fenêtre, fait montre de beaucoup d'humeurs et ce modeste panorama est devenu le centre de mon être esthétique. Toute beauté, toutes pensées transcendantes, tous stimulis et jugements dérivent de cette vue restreinte du lac des Quatre-Cantons. Si l'on murait cette fenêtre, je crois que je deviendrais fou en l'espace de quelques heures. Pour l'instant, l'angle du soleil fait du lac une feuille d'argent poli. Des nuages hauts et minces embrument un tout petit peu le bleu du ciel. Je peux voir la moitié d'un champ de blé dont les jeunes pousses passent du vert pâle à un premier soupçon de mûrissement jaune sable. J'aimerais qu'il y ait une route et des gens dessus. Je suis capable d'observer les oiseaux des heures durant et une fois, juste une fois, j'ai aperçu un petit bateau à vapeur avec une mince cheminée rouge arriver, virer de bord et repartir au-delà du cadre de la fenêtre.

Hugo a laissé échapper aujourd'hui qu'il y avait un nouveau directeur de la prison. J'ai demandé à le voir. Requête repoussée.

Août. A environ deux heures du matin, j'ai été réveillé par les vagues de son d'une sirène et j'ai tout de suite pensé qu'il s'agissait d'un bombardement.

Deux gardiens sont entrés et m'ont ordonné de m'habiller. On m'a fait descendre et franchir la porte d'entrée en vitesse. Je me suis retrouvé sur l'allée de gravier avec trois autres prisonniers : nous avons cligné des yeux et nous sommes regardés comme des explorateurs victoriens se rencontrant dans la jungle africaine, timides et muets. D'autres encore nous ont rejoints, venus des divers étages de la grande maison : onze en tout, vêtus semblablement d'une tunique grise, d'un pantalon noir et de gros sabots. L'alerte était réelle : il y avait le feu dans les cuisines. Une sorte d'extincteur a été amené à l'arrière de la villa et on a entendu des cris et des bris de verre. Jamais on n'avait connu autant d'excitation, et les gardiens se montraient curieux et agités. Alors qu'ils étaient distraits par le tapage, je me suis tourné vers l'homme à côté de moi et je lui ai demandé en anglais : « Comment vous appelez-vous ? » « *Nicht verstehen*, il a murmuré, *Deutsche.* » Ainsi c'était là l'ennemi. « *Engländer* », j'ai dit. Il m'a regardé, déconcerté, puis, désignant un autre type : « *Italiano* », a-t-il annoncé. Un gardien nous a crié de nous taire. Qui sommes-nous ? ai-je pensé. Que faisons-nous dans cette villa au bord du lac des Quatre-Cantons, gardés avec tant de sévérité et de sollicitude ? Qu'avons-nous fait ?

Août. Comme à l'ordinaire, le rejet de ma requête d'une entrevue avec le nouveau directeur a produit ses habituels résultats tardifs. On m'a conduit au salon et on m'a présenté à un jeune Américain aux lunettes rondes cerclées d'écaille. « Je ne sais pas exactement quoi faire de vous, Mr Peredes », a-t-il déclaré sur un ton d'excuse. J'ai recommencé de bout en bout la comédie des explications. « Il s'agit à la base d'une affaire de sécurité – d'espionnage, ai-je dit. Si vous pouviez obtenir de l'OSS qu'il passe cette information à Londres, je suis sûr qu'on pourrait arriver à quelque chose. » Il m'a alors signalé que Dulles avait fermé l'OSS. « Depuis quand ? » ai-je demandé. Il a cligné des yeux, surpris : « Depuis la fin de la guerre en Europe. » Il m'a dit que la guerre était finie, l'est depuis plusieurs mois, et j'ai ressenti à la fois une soudaine panique et un immense soulagement. Le dénouement devait être proche, mais pourquoi étions-nous encore ainsi tenus au secret ? Je lui ai donné le nom et l'adresse de Freya et je l'ai imploré de lui envoyer un message disant que j'étais vivant et bien portant. Il a répliqué qu'il ferait de son mieux. Je vous en prie, ai-je dit, alors que le gardien me poussait vers la porte, faites simplement cette chose-là pour moi. « Battersea, Angleterre ? » m'a-t-il crié tandis que la porte se refermait. « Battersea, Londres ! » ai-je crié à mon tour. J'espère qu'il a entendu.

J'aperçois de moins en moins mes compagnons de prison (je n'ai jamais fait que les entrevoir) et cette rareté signifie que je commence à m'inquiéter d'être laissé seul dans cette villa. J'ai interrogé Paulus (un autre gardien que j'ai ainsi baptisé) sur ce qui se passait maintenant que la guerre était terminée et il a répondu : « Oh, on nous occupe. » J'ai demandé de nouveau à voir le directeur, mais Paulus m'a informé qu'il était maintenant basé à Berne. Si je ne voyais pas le directeur, ai-je menacé, je ferais la grève de la faim. « *Hé, Gonzago !* a-t-il lancé, l'air blessé, *tranquilo, hombre.* »

15 décembre 1945

J'ai quitté la villa du lac hier soir vêtu des vêtements que je portais lors de mon arrestation, fraîchement lavés. On m'a fourni des documents d'allure officielle, un genre de carte d'identité temporaire délivrée par le ministre de l'Intérieur qui indiquait que j'étais un certain Gonzago Peredes, citoyen uruguayen. J'ai été emmené dans un camion à une gare de chemin de fer sur la frontière italienne où j'ai rejoint un groupe de deux cents autres personnes déplacées (surtout des Croates et des Roumains) et on nous a mis dans un train plombé pour Milan. Nous avons été internés en attendant d'être interrogés dans un camp (campo 33) près de Certosa. Mon séjour dans la villa du lac des Quatre-Cantons était terminé. J'étais enfin sur le chemin du retour à la maison.

[NOTE RÉTROSPECTIVE. 1975. Mes lectures récentes m'ont convaincu que les circonstances de mon arrestation et incarcération en Suisse de 1944 à 1945 ont été compliquées par un moment de panique qu'ont connu les services secrets suisses. Depuis le commencement de la guerre, les Suisses avaient planté un espion au cœur du régime nazi et recevaient de cette source un flot d'informations de première classe. En 1943, une bévue de la sécurité avait mis en danger cet agent secret et les Suisses s'étaient beaucoup inquiétés de ce qu'on puisse leur fournir des informations fausses et qu'une invasion allemande devienne de plus en plus vraisemblable, visant à faire du pays la clé de voûte d'un plan plus vaste d'une forteresse Europe. Cet état de haute sensibilisation n'avait vraiment commencé à diminuer qu'après D-Day, le 6 juin 1944. Mon arrivée clandestine dans le pays au début 1944 ne pouvait pas tomber à un pire moment. J'avais été parachuté dans une fosse à serpents de paranoïa, de nervosité militaire et de nerfs à vif. Tout ce qui me concernait, la connexion uruguayenne, le mystérieux Ludwig, le fait que j'aie affirmé moi-même être venu contacter des nazis de haut rang, m'a rendu l'objet d'une suspicion massive. Celui qui m'avait trahi, quel qu'il fût, n'avait aucune idée du désarroi que j'allais provoquer.]

Mercredi 19 décembre

Campo 33. Certosa. Étrange que d'accumuler de nouveau des biens. Ma propre valise, des vêtements de rechange, une trousse à raser, des magazines américains – signes de mon retour dans le monde réel. J'ai réussi cet après-midi à parler à un officier de liaison britannique nommé Crozier. Un type intelligent, il a compris que mon histoire, aussi fantastique qu'elle semble à première vue, était vraie. J'ai presque pleuré de joie quand j'ai vu la confiance remplacer le scepticisme dans ses yeux. Il allait télégraphier tout de suite à Londres, a-t-il dit. Je lui ai demandé de télégraphier aussi à Freya et je lui ai remis une lettre que j'avais écrite pour elle. Il a promis de la lui faire parvenir et m'a donné un bloc-notes, un porte-plume et de l'encre. Il a suggéré que je raconte tout sous la forme d'un mémorandum tant que les détails étaient encore à peu près frais dans ma mémoire et m'a prévenu que j'aurais à subir des debriefings et interrogatoires plutôt pénibles avant qu'on me renvoie chez moi. Ce soir, j'écrirai donc tout ce que je peux me rappeler de la malheureuse « Opération armateur ». Mais après ma conversation avec Crozier, mon cœur était plus léger : j'ai regagné ma baraque à travers le camp grouillant, la racaille, les dépossédés et *les misérables* de l'Europe, en jetant autour de moi un œil affectueux et bienveillant. Hitler est mort, le mal est vaincu, nous avons gagné la guerre. La vie de Logan Mountstuart peut recommencer.

Carnets d'après guerre

Les carnets d'après guerre sont un document étrange, souvent éprouvant, ce qui n'est pas étonnant vu l'épouvantable situation que trouva Logan Mountstuart à son retour en Angleterre, fin janvier 1946.

Voici les faits dans leur brutalité :

Après sa décision de ne pas se présenter à l'hôtel du Commerce en février 1944 et son arrestation le lendemain, LMS, en ce qui concerne la NID, disparut de la surface de la terre. La dernière personne capable de témoigner l'avoir vu vivant était le sergent aviateur Chew – qui l'avait regardé sauter dans la nuit par la porte latérale du Liberator. Le contact « Ludwig » rapporta que LMS n'était pas venu à l'hôtel comme prévu. Toutes les tentatives faites pour découvrir ce qui lui était arrivé étaient demeurées sans résultat. (Ce qui mène à se demander qui était le « Ludwig » qui avait envoyé le message à l'hôtel Cosmopolite, et donne quelque crédit à l'accusation persistante de LMS d'avoir été trahi.)

A la NID, après quelques semaines de total silence, on en vint à penser que LMS avait eu un accident fatal ou qu'il avait été tué, le sort, souvent, des agents parachutés en Europe. Le parachute ne s'était peut-être pas ouvert ; LMS pouvait avoir atterri sur le flanc d'une montagne et s'être cassé une jambe, être tombé dans un lac ou avoir été largué au mauvais endroit – en France occupée au lieu de la Suisse. Aucune de ces hypothèses ne pouvait être écartée et, à mesure que les jours passaient, la NID redouta le pire.

En mars, Freya Mountstuart reçut la visite du capitaine de frégate Vanderpoel qui lui déclara que son mari était porté disparu, présumé mort. Il se contenta de lui dire que LMS était un agent de la NID et avait été parachuté « quelque part en Europe » en mission secrète. On peut imaginer l'effet produit sur Freya par cette nouvelle dévastatrice qui lui fut confirmée par l'attribution d'une pension de veuve de guerre. En pratique, Logan Mountstuart était mort. Sa mère ainsi que Lionel en furent informés et une messe célébrée au Brompton Oratory, à laquelle assistèrent quelques amis (en particulier Peter Scabius) et des collègues de la NID (Plomer, Fleming, Vanderpoel).

Freya et sa petite fille devaient maintenant se débrouiller comme elles le pourraient. Un peu plus tard, en août sans doute, Freya rencontra Skuli Gunnarson, vingt-neuf ans, membre du Comité de liaison islandais basé à Londres. Ils commencèrent à se voir et, en octobre, devinrent amants. Les lettres de Freya à son père et son frère mentionnent Skuli de plus en plus fréquemment. Stella, dit-on, l'aimait aussi beaucoup.

En décembre, Freya épousa Gunnarson qui vint s'installer à Melville Road. Mercedes Mountstuart fut un des témoins du mariage et des toasts furent portés à la mémoire de LMS lors de la petite réception qui suivit la cérémonie et qui eut lieu dans une salle au-dessus du Lamb & Flag, dans Battersea.

Fin janvier 1945, Freya découvrit qu'elle était enceinte. Deux jours après, elle et Stella furent tuées dans l'explosion d'une fusée V2 alors qu'elles revenaient de l'école maternelle. Il y eut treize autres victimes.

En octobre 1945, Gunnarson vendit la maison de Melville Road et retourna en Islande.

LMS arriva de Milan sur une base de la RAF dans le Wiltshire en janvier 1946. Il télégraphia à Freya et se rendit droit à Londres, à Melville Road où il découvrit que sa maison était désormais occupée par ses nouveaux propriétaires, Mr et Mrs Keith Thomsett et leurs trois enfants. C'est Mrs Thomsett qui, sans le savoir, déclencha le terrible enchaînement d'atterrantes découvertes quand elle fit remarquer à un LMS fou d'inquiétude que « c'était épouvantable ce qui était arrivé à cette pauvre Mrs Gunnarson et à sa fillette ».

Le journal d'après guerre est celui où il est le plus difficile de préciser les mois, sans parler des jours. Les dates inexactes et apposées au hasard par LMS sont tout ce sur quoi on peut s'appuyer. Même les années sont sujettes à suspicion.

1946

Hodge est un con, il le dit lui-même, et ajoute qu'ayant laissé une jambe en Italie, il a le droit d'en être un. Je suis un con de permettre à un pauvre salaud pitoyable de me mettre en boule.

Marché le long de la rivière, à la recherche de beauté. L'ai vue mais n'ai rien senti. Hier soir, on a bu à nous deux une bouteille et demie de whisky. Hodge pue. Je lui ai dit d'aller prendre un bain. Il dit qu'il déteste la vue de son moignon cicatrisé.

Freya Freya Freya Freya Freya Freya Freya Freya Freya Freya
Freya Freya Freya Freya Freya Freya Freya Freya Freya
FreyaStellaStellaFreya
Freya
Stella
Freya
Stella
FREYA FREYA FREYA FREYA FREYA FREYA
Fabuleuse
Ravissante
Enthousiaste
Yeux divins
Adorée à jamais

Stella ma fille. Freya ma femme. Stella Mountstuart. Freya
Mountstuart.

[Les carnets sont remplis de ces gribouillages angoissés.]

Emmené Dick pour une balade en voiture dans la vallée de la
Tweed jusqu'à Peebles. Journée froide, venteuse, les premières
feuilles fatiguées arrachées aux arbres. Il n'a pas cessé de parler de
la faute qu'il a commise en ne se mariant pas. « Regarde-moi maintenant, a-t-il dit. Qui voudrait de moi ? Un ivrogne cul-de-jatte. » Ce
soir, assis près de la cheminée, je me suis mis à pleurer sans bruit
– pas pu m'en empêcher, c'est venu comme ça, spontanément – en
pensant à Freya et à Stella. « Arrête de chialer, m'a lancé Dick. Tu
pleures sur toi-même, ça n'a rien à voir avec Freya et Stella. Elles
vont bien, elles sont de la poussière atomisée soufflée par la brise.
Libres comme l'air. Elles ne pensent pas à toi. Je ne peux pas souffrir qu'on s'apitoie sur soi-même, alors ferme-la ou fous le camp. »
J'ai failli lui taper dessus. J'ai regagné ma chambre. Impossible de
dormir.

Est-ce que ça vaut la peine d'en parler ? J'ai expérimenté ce qui
peut n'être décrit que comme un accès de bonheur – le premier
depuis que j'ai appris la nouvelle – quand j'ai réussi à retirer (avec
un cure-dents) un petit bout de viande de mouton qui s'était coincé

285

dans un creux entre deux molaires. Il avait résisté à tout tant il était fermement enfoncé. J'ai souri, d'instinct. Ça a dû être un vrai plaisir. Mon esprit distrait, un instant. Suis-je en train de guérir ?

Hodge m'a encore sermonné à propos de Freya et Stella. Treize autres personnes sont mortes dans cette explosion, a-t-il dit. Des milliers de Londoniens sont morts sous les bombes et les fusées, pour beaucoup des femmes et des enfants. Des millions de gens ont péri pendant la guerre. Tu aurais pu être un juif allemand, perdre toute ta famille dans une chambre à gaz, femme, enfants, sœurs, frères, nièces et neveux, parents, tantes et oncles, grands-parents. C'est sacrément, foutrement tragique, mais il faut que tu les considères comme victimes d'un conflit armé mondial, pareilles aux millions d'autres victimes. Des innocents meurent dans une guerre. Et maintenant nous sommes des victimes aussi. J'ai dit : tu ne peux pas mettre ma femme et mon enfant sur le même plan que ta foutue jambe. Oui, je peux foutrement le faire, a-t-il gueulé. Pour moi – pour moi –, ma jambe perdue est plus importante que ta femme et ton enfant disparues.

Impossible de dormir, alors j'ai enfilé un manteau par-dessus mon pyjama, chaussé une paire de bottes en caoutchouc et suis allé marcher dans le jardin. Une de ces nuits nordiques légères, remplies d'étoiles. Une chouette a hululé et j'ai traversé un nuage de parfum presque palpable venu d'un buisson odoriférant. Un parfum qui m'a semblé flotter autour de moi, apporté par la brise. J'ai pissé, et j'ai entendu clairement le clapotis de mon urine sur le gravier, comme un feu crépitant. J'ai traîné, sans penser à rien, me contentant d'enregistrer les informations fournies par mes sens, sans souffrir du froid, jusqu'à ce que les premiers oiseaux se mettent à chanter et que la lumière de l'aube commence à rendre leurs couleurs à la vieille maison et à son jardin en friche.

Pendant que nous attendions le bateau, Lucy [Samson][1] m'a emmené dans un vieux café qu'elle connaissait à Leith. Elle a beau-

1. Elle était maintenant maître de conférences en histoire médiévale à l'université d'Édimbourg.

coup grossi et ses cheveux grisonnent mais, sous l'excès de chair, on devine encore la jolie fille qui me faisait fantasmer. Elle m'a témoigné une grande gentillesse : l'antidote parfait aux rationalisations brutales de Dick. Nous avons bu du thé, mangé des toasts et de la confiture. A l'extérieur, la pluie peignait la pierre grise fuligineuse en un noir pareil à du velours. Lucy a un cottage à Elie, dans le Fifeshire, qu'elle a offert de me prêter si j'avais « besoin d'espace et de calme pour travailler ». Travailler à quoi ? j'ai dit. Pour l'amour du ciel, tu es un écrivain, s'est-elle écriée. Il faut que tu continues à écrire. Elle m'a demandé si j'étais sûr de ce que je faisais. J'ai répliqué qu'il le fallait. Que c'était la seule chance d'évacuer le passé – d'avoir enfin le sentiment que c'est bien terminé.

1er septembre

On devrait accoster à Reykjavik demain. Ça m'a fait du bien d'être en mer ces derniers jours. Un voyage calme et reposant. Je reste appuyé au bastingage pendant des heures et je contemple l'eau et le ciel. Pourquoi la mer suscite-t-elle en nous ces sentiments de transcendance ? Est-ce parce que la vue sans obstacle d'un ciel universel rencontrant à l'infini l'eau agitée est ce qu'il y a de plus proche sur cette terre d'un symbole visuel de l'éternité ? Je me sens plus en paix que je ne l'ai été depuis des mois.

Reykjavik. Impressions d'une ville de béton peint, de tôle ondulée et d'objets de dimensions variées couverts de bâches. Dans le doute, les Islandais semblent tout recouvrir d'une bâche. Il pleuvait à verse quand nous nous sommes mis à quai et, dans l'heure qu'il m'a fallu pour débarquer, trouver une station de taxis, attendre mon tour et arriver à l'hôtel, la pluie a cessé, le soleil s'est mis à briller vivement, puis il a plu, grêlé et le soleil est revenu. Si cela est la norme, je vais devenir fou. Je suis descendu au Borg. J'ai déjeuné de saucisses, de concombre au vinaigre, de saumon fumé et d'une assiette de petits gâteaux pour dessert. Maintenant, je pars à la recherche de Gunnarson.

Il m'a fallu deux jours pour trouver Gunnarson : tout le monde a fait preuve d'une assistance polie en réponse à mes questions. Une jolie fille à la réception les a traduites quand nécessaire (elle s'appelle Katrin Annasdottir). Gunnarson est, semble-t-il, un fonctionnaire employé dans l'équivalent islandais du ministère de l'Agriculture. Je lui ai écrit une lettre que j'ai déposée chez le portier, déclinant mon identité et lui indiquant que je suis descendu au Borg. Ce soir, arrive un message disant que lui, Gunnarson, n'a aucune raison ni envie de me voir.

Le prix de l'alcool dans cet hôtel dépasse l'entendement.

Je me suis rendu au ministère ce matin tôt avant l'arrivée du personnel et j'ai attendu. J'ai arrêté un jeune homme qui me paraissait avoir le bon âge et je lui ai demandé s'il était Gunnarson. Non, a-t-il dit, vous ne pouvez pas vous tromper pour Gunnarson, il est exceptionnellement grand. Tenez, le voilà. J'ai regardé Gunnarson entrer dans le bâtiment : il m'a jeté un coup d'œil, vaguement curieux. Il est immense avec une allure d'athlète, des cheveux si blonds qu'ils en paraissent blancs. J'ai pensé : voilà l'homme que Freya a voulu après moi… J'ai failli vomir.

J'ai fait le pied de grue dehors jusqu'à l'heure du déjeuner et, quand Gunnarson est sorti, je suis allé à lui et je me suis présenté. Il a une bonne demi-tête de plus que moi, un gros nez crochu et fait l'effet d'être costaud, ce qui n'est pas un adjectif qu'on associe habituellement à des hommes de très haute taille. On le dirait capable de grimper sur des montagnes à longueur de journée. Il a paru surtout très irrité de me voir, quoiqu'il se soit un peu ragaillardi quand j'ai offert de l'inviter à déjeuner.

Il m'a emmené dans un restaurant voisin et a commandé une sorte de ragoût de poisson servi avec une sauce crémeuse, des radis cuits et de la laitue détrempée chaude. Je n'ai rien pu manger et j'ai siroté une bière ridiculement chère tandis qu'il engouffrait de la nourriture comme s'il remplissait une chaudière. Je peux seulement me dire que c'est sa taille et sa corpulente énergie qui ont séduit Freya. Physiquement il est mon contraire dans presque chaque détail. Je suis assez grand et mince mais je me tiens mal et rien dans mon comportement ne suggère l'urgence. Je ne marche jamais vite, par exemple, si ça dépend de moi.

Après avoir terminé son ragoût, il a commandé l'inévitable assiette de petits gâteaux. Tout en bâfrant, il me regardait avec curiosité.

– C'est étrange, a-t-il dit. J'ai l'impression de vous connaître.

Il parlait bien anglais, presque sans accent.

– Vous avez sans doute beaucoup entendu parler de moi.

– J'ai vu tellement de photos et pourtant je ne vous ai pas reconnu.

– Je ne suis pas très photogénique.

– Non. C'est, je pense, parce que dans mon idée vous avez toujours été mort. Et maintenant vous voilà devant moi, vivant. Étrange.

– Et Freya et Stella sont mortes.

Il a serré les mâchoires et respiré plusieurs fois, profondément.

– Elle était très belle, a-t-il dit. Je l'aimais infiniment.

– Moi aussi.

– Stella était une petite fille exquise.

Je lui ai demandé de ne pas parler de Stella. Parler de Freya était supportable, parce que j'avais passé beaucoup plus de temps avec elle que lui, mais j'avais été privé des deux dernières années de la courte vie de Stella et je ne pouvais pas souffrir que cet homme l'ait connue à six et sept ans et moi pas.

– Pourquoi vouliez-vous me rencontrer ? a-t-il demandé. Ce doit être… pénible.

– Ça l'est, ai-je avoué, mais il fallait que je vous voie, que je sache à quoi vous ressembliez. Essayer de comprendre. Remplir les vides.

Il s'est gratté la tête et a froncé les sourcils. Puis il a dit :

– Il ne faut pas la blâmer.

– Je ne la blâme pas.

Il ne m'écoutait pas.

– Elle était convaincue que vous étiez mort, voyez-vous, c'est aussi simple que ça. C'est ce silence total qui l'a convaincue. Elle disait que si vous étiez vivant, il y aurait eu quelque chose, un seul mot même. Elle était seule. Et puis je suis arrivé.

Je savais ce qu'était la solitude.

– Je ne la blâme pas, j'ai dit presque stupidement, comme si le répéter suffirait à me persuader. Comment pouvait-elle savoir que j'étais encore vivant ?

– Exactement. Elle vous croyait mort, voyez-vous. Il fallait qu'elle reprenne sa vie en main.

– Oui. Je peux comprendre ça.

Nous avons continué à bavarder, échangeant une série de questions et de réponses à bâtons rompus, et j'ai pu reconstruire une image de la vie de Freya pendant mon absence. Je me suis rendu compte que Gunnarson avait aussi ses problèmes, son propre chagrin ; et il devait se réconcilier, maintenant que j'étais vivant assis en face de lui, avec le fait qu'il avait été et serait toujours le second choix de Freya dont le cœur n'avait jamais cessé de m'appartenir. Je ressemblais davantage au mari cocu affrontant l'amant, et mon cerveau ne cessait de former des images de Freya et de Gunnarson, nus, faisant l'amour dans notre lit. Il fallait que je freine violemment mon imagination. Ce n'était la faute de personne, mais juste trop effroyablement, trop désespérément triste.

Il a annoncé qu'il devait retourner à son travail.

– Une chose encore, ai-je dit. Vous avez vendu ma maison. Je voudrais l'argent.

Il s'est tu un instant :

– C'était ma maison. Freya me l'a laissée dans son testament.

– J'ai acheté cette maison. C'est ma maison, de droit naturel.

– Heureusement, nous ne vivons pas selon le droit naturel.

– Vous êtes un voleur, ai-je lancé.

Il s'est levé.

– Vous êtes bouleversé. Je ne vous en tiendrai pas rancune.

Au centre de cette ville de bric et de broc, il y a un petit lac artificiel, le Tjörn, peuplé d'une flopée de canards sauvages. J'ai acheté une bouteille de cognac espagnol et je suis descendu au bord du lac avec l'intention de me cuiter à mort. Le cognac avait un goût d'huile à la frangipane et je n'ai pu en boire que quelques gorgées.

[Octobre ?]
Northwich (Cheshire)

George Deverell paraît terrassé par la mort de sa fille. Il se comporte de manière civile mais hébétée, comme s'il se relevait d'un évanouissement. Il ne paraît pas troublé par le retour de son gendre d'entre les morts. « Merveilleux de vous revoir », Logan, dit-il de temps à autre en me tapotant l'épaule, histoire peut-être de s'assurer que je suis bien fait de chair et de sang. Puis on le voit se retirer en lui et se recroqueviller – je suis revenu mais sa fille et sa petite-fille sont parties pour toujours.

Robin a repris la direction de la scierie et s'inquiète de la profondeur du désespoir silencieux de son père. Lui, en revanche, s'est montré d'une curiosité intense à l'égard de mes expériences. Marmonnant des jurons et autres gros mots tandis que je lui racontais mon saut en parachute, mon arrestation et les longs mois d'enfermement dans la villa, du genre « Merde alors ! », « Quelle cruauté ! », « Bon dieu de bon dieu ! ».

Il y a deux jours, une lettre est arrivée d'Islande contenant une traite bancaire de quatre cents livres. Gunnarson, l'Islandais honorable.

Toutes mes possessions sont ici, en caisses et rangées, mes livres, mes manuscrits, mes tableaux. Même des meubles que les Thomsett n'ont pas achetés. Je n'ai pas de maison, mais tous les composants d'une maison.

1947

[Mars]

J'ai eu quarante et un ans la semaine dernière. Je vois que j'ai oublié de noter l'arrivée de mon quarantième anniversaire – pas étonnant. A noter, donc, moi qui eus autrefois une femme, un enfant, une vie de famille parfaite, aujourd'hui, à quarante et un ans, je n'ai plus rien de ces choses et je vis dans une chambre humide et sentant le moisi, dans la maison délabrée de ma mère. Je suis assez riche, du point de vue finances : deux ans d'arriérés de salaire extirpés au ministère de la Défense (avec l'aide de Noel Lange [l'avocat de LMS]), plus l'argent que Gunnarson a envoyé pour la vente de la maison. J'ai donné cent livres à ma mère et lui ai dit de les dépenser sur Sumner Place – réfection des peintures, tapis neufs, etc. –, mais elle a, je pense, perdu l'énergie nécessaire. La maison n'est pas vraiment un taudis infesté de rats, mais des centaines de pensionnaires sans soin l'ont laissée sale et en mauvais état. Mère et Encarnación, toutes deux arthritiques et asthmatiques, se prennent de bec en espagnol. Je pars tourner en rond dans Chelsea et South Kensington, me demandant quoi faire de ma peau.

J'ai trouvé dans Battersea le cratère fait par la V2. La maison au bout d'une rangée disparue, des palissades en bois autour de l'énorme trou. La fusée tombant silencieusement du ciel alors que toutes deux, main dans la main, reviennent de l'école à la maison. Juste un éclair, le bruit et puis l'oubli.

Je n'arrive à rien retrouver de moi en Lionel. Peut-être quelque chose autour des yeux. Mes sourcils. Le garçon a vos sourcils, monsieur. Et il a ma plantation de cheveux : la nette poussée en V sur le front. Lottie a été froide – je ne crois pas qu'elle puisse jamais me pardonner. Et Leggat paraît gaga, il ne fera pas long feu, à mon sens. Il m'a demandé où j'avais servi pendant la guerre et j'ai répondu : aux Bahamas et en Suisse. « J'ai dit : où avez-vous servi, et pas où êtes-vous allé en vacances ! » Je lui ai raconté que j'avais été dans la Marine et ça a semblé lui clouer le bec.

Lionel et moi avons réussi à nous promener seuls dans le jardin pendant une demi-heure. Un garçon calme et réservé, près de quatorze ans à présent (bon dieu !), les yeux toujours baissés, des doigts raides ne cessant de tirer une mèche de cheveux. Je lui ai demandé s'il était heureux à Eton. « Oui, monsieur, plutôt… ben oui. » « S'il te plaît, ne m'appelle pas "monsieur". Appelle-moi Père ou Papa. » Il a pris un air angoissé : « Mais maintenant j'appelle le mari de maman Père[1]. » « Appelle-moi Logan, alors. Ne m'appelle jamais "monsieur". »

État de la scène littéraire. *Les Imaginations de l'esprit* – épuisé. *L'Usine à filles* – épuisé. *Les Cosmopolites* – épuisé (sauf en France). Revenus articles presse – nuls.

Wallace dit qu'il faut être deux pour danser le tango. Il faut que je l'aide à me trouver du travail. J'ai été trop longtemps silencieux, lui dis-je, tout le monde me croit mort. Puis Wallace a eu une brillante idée : Et ton vieil ami Scabius ? Si on lui en parlait ?

L'article de Peter [Scabius] à mon sujet dans le *Times* (« La guerre d'un écrivain ») semble avoir fait mouche : les gens savent que je suis de nouveau dans les parages et j'ai reçu une petite ava-

---

1. LMS étant présumé mort, Lionel avait été officiellement adopté par Leggat comme son fils et héritier. LMS ne semble pas avoir fait objection à cet état de choses.

lanche de cartes, de lettres et de coups de téléphone de félicitations. Roderick a renouvelé mon contrat de lecteur sur la base de cinq livres par compte rendu ; Louis MacNeice m'a invité à donner une conférence sur « La peinture française d'après guerre » et l'ambassadeur de Suisse a écrit au journal pour démentir l'existence de la villa des bords du lac des Quatre-Cantons et m'accuser d'être en fait un dangereux mythomane. Beaucoup de magazines m'ont demandé d'écrire sur l'assassinat de Harry Oakes mais j'ai refusé – je garde mes munitions.

Lors de notre rencontre, Peter s'est montré – quoi ? impressionné, stupéfait, admiratif ? Assez intimidé par ce que j'ai subi. Sa propre guerre a été sans histoire : surveillance d'incendies, puis le ministère de l'Information et un autre roman, *Iniquité*, suite au succès de *Culpabilité*. « Il faut que tu utilises tout ce matériau, m'a-t-il dit. C'est une vraie manne. De l'or en barre. » Je lui ai fait plaisir en lui racontant que j'écrivais un mémoire qui s'intitulerait « De Nassau à Lucerne », encore que je demeure résolument sans inspiration. Si je n'avais pas d'argent, ce serait différent, je m'en rends compte, mais j'ai plus qu'il n'en faut pour cette année et la suivante. Je ne dépense presque rien, je vis très calmement quoique j'aie recommencé à fréquenter les pubs. Plus ils sont grands et bondés, mieux c'est.

Mère dit que ses varices la font souffrir en permanence. Encarnación a des hémorroïdes. Je vais chez l'opticien me faire faire des lunettes. La maison de l'hilarité.

Je n'ai pas eu de rapport sexuel, aucune intimité d'aucune sorte, depuis février 1944 (mes derniers jours avec Freya). Seuls quelques accès de masturbation sporadiques attestent que le côté libidineux de mon cerveau n'a pas complètement fermé boutique. Quel est l'ecclésiastique victorien dérangé qui a qualifié cette pratique d'automaltraitance ? Autoassistance, plutôt, autarcie, autoconsolation ? L'autoérotisme vous garde sain d'esprit. Je devrais noter ceci par simple curiosité : l'image que j'ai à l'esprit quand je me masturbe ces jours-ci n'est pas celle de Freya (trop douloureusement triste) mais de Katrin Annasdottir, la réceptionniste de l'hôtel Borg à Reyjkavik. A l'évidence, j'ai dû enregistrer quelque chose de plus que son aide et son efficacité lors de nos courtes rencontres. Curieuses, ces empreintes sensuelles laissées sur votre imagination et qui ne se révèlent que bien plus tard. Comme de l'encre sympathique apparaissant quand on la réchauffe avec une ampoule électrique ou la flamme d'une bougie. Qu'il y avait-il en Katrin qui s'est frayé un chemin en douce dans mes archives sexuelles ?

[Juillet-août]
Au George avec MacNeice et Johnnie Stallybrass de la BBC. MacNeice me tannant pour que j'écrive une pièce radiophonique sur mon séjour dans la villa. Faites-en un monologue, faites-en une affabulation, faites-en un rêve, on peut faire n'importe quoi à la radio. Et ça rapporte aussi : avec une dramatique, diffusée trois fois, il prétend que je peux gagner autant qu'un instituteur en une année. MacNeice part pour l'Inde en reportage sur la Partition[1]. Je l'envie. Brusque désir de voyage. Une fille bien en chair derrière le bar du George. Une blouse étroite mettant en valeur ses gros seins. La sève monte peut-être, enfin.

Vendredi 10 octobre
Dîner chez Ben. Une douzaine d'entre nous entassés autour de deux tables réunies en une dans sa salle à manger. Cinq de mes Miró sont accrochés aux murs. Un mélange d'amis, d'acheteurs éventuels, d'artistes et de parents. Ben fait de ces dîners une sorte de vernissage privé informel, et change les tableaux aux murs selon ses invités et la profondeur de leurs poches. Il accueille chacun par un : « N'hésitez surtout pas. Si vous aimez quelque chose dites-le. Sur les murs, tout est à vendre. »
Sandrine ne bouge jamais de sa chaise : Ben débarrasse et sert, aidé en cette occasion par Marius, qui a vingt ans maintenant. Un beau garçon dans le genre maussade, boudeur. Clothilde [la fille de Ben et Sandrine] est en pension. Je suis assis à côté de Sandrine, qui me désigne un bel homme brun aux traits fins et me chuchote : « Ben pense qu'il est le seul vrai talent de la peinture anglaise. Le seul qu'il veuille acheter. » Je lui ai demandé son nom : Southman[2], a-t-elle dit. Je devrais le noter. Ben m'informe qu'il pense vendre les Miró bientôt, mais pas avant son retour à Paris – il en demande

1. L'Inde et le Pakistan furent officiellement séparés le 15 août 1947.
2. Probablement Graham Sutherland (1903-1980).

d'énormes prix. Ils repartent à Paris d'ici la fin de l'année. Ben a trouvé de nouveaux locaux pour une galerie. « Les Américains reviennent, dit-il. Je vais te gagner un tas d'argent. »

[Décembre]

Baldwin[1] est mort. Me fait penser au duc et à la duchesse – combien ils le haïssaient. Je suis couché avec une mauvaise grippe qui a viré à la bronchite – je tousse comme une otarie, à me déchirer la gorge. Étendu là sur le flanc, frissonnant en dépit des deux radiateurs pointés sur moi de chaque côté du lit, j'ai une vision de ma vie future. C'est une question, me semble-t-il, de « qui veut voyager loin voyage léger ». Immense désir d'être libéré autant que possible des « choses » et des possessions. Tous ces trucs que j'ai emballés dans des caisses... Quelle bénédiction ce serait de ne plus avoir à y penser.

1948

[Janvier]

J'ai acheté un appartement en sous-sol à Pimlico. 10B Turpentine Lane. Une chambre à coucher, un salon, une cuisine et une salle de bains. On atteint la porte d'entrée par une volée de marches raides. De la chambre, à l'arrière, on a vue sur un petit jardin auquel je n'ai pas accès. La fenêtre du salon donne sur le profond puits du sous-sol. Tout l'équipement de base semble en bon ordre de marche et il y a des radiateurs à gaz neufs dans la chambre et le salon. Je fais repeindre en blanc et poser au sol des carreaux de liège caoutchoutés. Je n'ai besoin que des meubles les plus indispensables : deux fauteuils, un lit et un chevet, une longue table et une chaise pour y travailler. J'ai vendu (presque) tous mes livres chez Gaston dans le Strand et je vais faire vendre mes tableaux par Ben.

Il me vient soudain à l'esprit que j'ai peut-être repris ma façon de vivre à la villa sur le lac des Quatre-Cantons. Moins égale plus. Nous verrons.

---

1. Stanley Baldwin, Premier ministre au moment de l'abdication.

Mercredi 11 février

Paris. Ben m'a fait inviter à un grand dîner chez un homme appelé Torvald Hugo, un important collectionneur d'art moderne. Picasso était là avec sa nouvelle muse, Françoise [Gilot]. Très jolie fille – d'ailleurs, Dora Maar (plus mon type) l'était aussi. Picasso est presque chauve maintenant et ses tempes grisonnent. Un visage creusé de rides, belliqueux. Il débordait d'énergie et d'humour : plus il semblait s'amuser, plus Françoise devenait maussade et nerveuse. Il ne se rappelait pas m'avoir déjà rencontré (pourquoi s'en serait-il souvenu ?), mais quand Ben lui a raconté que j'étais à Madrid en 1937 il s'est montré très curieux et a fait le tour de la table pour venir s'asseoir à côté de moi. Je lui ai dit que j'avais été là-bas avec Hemingway, qu'il connaissait un peu. Il avait vu Hemingway à Paris après la Libération et il m'a raconté comment ce dernier prétendait avoir tué un officier SS. « Ce type a tué un tas d'animaux, a-t-il commenté, mais les animaux ne ripostent pas. » Il veut m'inviter à dîner pour continuer à bavarder.

Ben pense que je suis fou de vendre mes tableaux. Que je vende ceux-là, je lui dis, ne signifie pas que je n'en achèterai pas d'autres. Il va m'en donner un bon prix. Sa nouvelle galerie se trouve rue du Bac, mais à la manière dont il en parle il me semble qu'il ne considère Paris que comme un tremplin destiné à le propulser dans New York. Il a le projet de louer un espace là-bas pour une exposition l'année prochaine. C'est là qu'est l'argent, dit-il. C'est là qu'il vendra les Miró.

J'ai recommencé mes jours et mes nuits de marche dans mes *quartiers** préférés de Paris – de nouveau *flâneur** et *noctambule**. En surface, Paris paraît inchangé, beau et séduisant comme toujours, non affecté par ce qui s'est passé pendant la guerre. Mais il y a des restrictions de nourriture et des courants plus sombres coulent sous la surface. Quiconque n'est pas communiste semble terrifié par les communistes. Une atmosphère stridente, hystérique.

J'étais installé au Flore, observant les touristes qui essayent de repérer Sartre (il ne vient plus ici à cause des touristes qui essayent de le repérer), quand j'ai eu les premières lueurs d'une idée de roman. Un homme va voir son médecin qui lui annonce qu'il n'a plus qu'une semaine à vivre. Le roman raconte les derniers sept jours de la vie qui lui reste et ce qu'il en fait : une tentative d'encapsuler toutes formes d'expérience humaine en une semaine. Tout, depuis engrosser une femme jusqu'à commettre un meurtre... Faut réfléchir. Pour la première fois depuis des siècles un frémissement d'excitation littéraire. Il y a quelque chose là-dedans.

A la brasserie Lipp. Moi, Ben, Sandrine, Marius, Picasso, Françoise. Picasso parle beaucoup de Dora [Maar], ce qui ne paraît pas déranger Françoise. J'ai demandé comment elle allait et Picasso a dit qu'elle devenait folle. Nous avons parlé de mes visites en Espagne durant la guerre civile et Picasso s'est montré très intrigué par mon histoire de la mitrailleuse au point de me la faire rejouer. Avez-vous touché la voiture blindée ? voulait-il savoir. Oui. Vous les avez tués ? Je ne crois pas. Mais vous avez vu les balles frapper la voiture ? Indubitablement.

Picasso me paraît être un de ces génies fous, absurdes – plus Yeats, Strindberg, Rimbaud, Mozart que Matisse, Brahms, Braque. Sa compagnie est épuisante.

Nous nous sommes séparés à minuit et sommes rentrés à pied Ben, Sandrine, Marius et moi – soulagés d'être hors de portée de la cocotte-minute picassienne. Ben fier comme Artaban : Picasso a accepté de lui vendre directement (sans transiter par Kahnweiler [son marchand habituel]) deux tableaux pour son exposition à New York. Il a passé son bras autour de mes épaules : continue juste à parler d'Espagne, a-t-il dit. Marius s'est déclaré incapable de comprendre comment une fille aussi jeune et jolie que Françoise pouvait vouloir vivre avec un homme de quarante ans plus vieux qu'elle. Nous avons tous ri. Tandis que nous taquinions gentiment Marius, j'ai senti en même temps avec une indicible tristesse pour ce que j'ai perdu et aussi un réconfort croissant, une chaleur – comprenant que ces vieux amis, les Leeping, étaient dans un sens ma vraie famille, que ma vie était et serait toujours liée à la leur, quoi qu'il arrive.

Turpentine Lane. Retour de Paris. Les travaux sont terminés dans l'appartement qui tient à la fois du laboratoire et de la scène de théâtre d'essai. Il n'a rien de moderne, rien – pas de verre, de chrome ou de cuir, pas de boiseries arrondies ni de tapisseries abstraites. C'est l'absence de décoration, la non-existence de fouillis. La lumière lutte pour atteindre le salon et je laisse les lampes allumées toute la journée. C'est mon bunker et je serai assez heureux ici, je pense.

[Septembre]

Je suis tombé sur Peter [Scabius] à la London Library et il m'a invité à venir boire un verre avec lui. Il allait rencontrer « une connaissance », a-t-il dit. La connaissance était déjà installée au pub : une jeune femme, la trentaine, assise sur un tabouret au bar avec un gin-tonic devant elle et une cigarette au bout d'un fume-cigarette.

– Je te présente Gloria Nesmith, a-t-il annoncé.
– Ness-Smith, Petey, l'a-t-elle corrigé, puis, s'adressant à moi : Enchantée, encore que d'évidence elle ne le fût point.

J'ai deviné que je servais délibérément de chaperon – Peter m'avait embarqué pour prévenir une querelle quelconque. Une petite femme, jolie, avec des pommettes saillantes. Une voix curieuse, presque théâtrale. Elle portait des talons très hauts pour se rajouter quelques centimètres. Elle a fumé sa cigarette, fini son verre et déclaré qu'elle devait s'en aller. Alors qu'elle embrassait Peter en le quittant, je l'ai vue lui enfoncer ses ongles sur le dos de sa main qu'il a exhibée après son départ : trois petits croissants suintant le sang. « Elle est incroyablement dangereuse, a-t-il dit. Je devrais la laisser tomber mais elle baise comme une hermine. » Je lui ai fait remarquer que la métaphore ne m'était pas familière. « Comment le pourrait-elle ? a-t-il répliqué très content de lui. Je viens de l'inventer, juste pour Gloria. Il faudrait que tu te la tapes toi-même pour comprendre ce que je veux dire. » Il m'a lancé un regard narquois : « Peut-être que tu devrais. M'en débarrasser. » « Comment va Penny ? » ai-je demandé. « Espèce de salaud ! » s'est-il écrié en éclatant de rire.

[Novembre]

Vanderpoel n'est plus dans la marine – il dirige un pensionnat de filles près de Shrewsbury. J'ai pris le train pour aller le voir et nous avons eu un déjeuner crispé, embarrassé, dans sa vilaine maison.

Il n'a plus sa barbe rousse de matelot – ce qui est une faute esthétique – mais peut-être est-il requis que le directeur du pensionnat soit rasé. Le déjeuner a été servi par sa jeune femme (Jennifer, je crois) qui a promptement disparu, et j'ai entendu un bébé pleurer quelque part. Peut-être une femme et un enfant sont-ils aussi des éléments nécessaires pour la direction d'une école. Qui sait ? Qui s'en soucie ? Vanderpoel n'a pas paru particulièrement content de me voir, mais il avait lu l'article de Peter lors de sa parution dans *The Times,* et il était donc à tout le moins au courant de l'échec brutal de l'« Opération armateur » et des conséquences qu'il m'avait valu. Il ne s'est pas montré très curieux, je dois dire. Mais j'avais, moi, plein de questions, dont la première : de qui toute cette affaire était-elle l'idée ?

– De ce type, Marion. On nous l'avait prêté pour quelques mois. Qui était-il ? D'où venait-il ?

– Pas clair. Peut-être du Commandement suprême, maintenant que j'y pense. Peut-être du Foreign Office. Je crois qu'il était diplomate avant la guerre. Il était très bien introduit de toute façon.

Il m'a regardé patiemment :

– Ça se passait il y a longtemps, Mountstuart. Je ne peux pas me rappeler tous les détails. Et, en tout cas, même avec un peu de recul, tu dois reconnaître que l'« Opération armateur » était une idée de premier ordre. Qui sait combien de nazis auraient pu être pris.

– Premier ordre ou pas, j'ai été trahi. On m'a tiré comme un lapin. Les flics m'attendaient à l'hôtel. Seule la NID avait toutes les informations à mon propos. Toi, Rushbrooke et Marion.

– Je proteste contre ça !

J'ai montré mon exaspération.

– Je ne t'accuse pas. Mais quelqu'un m'a envoyé sur cette mission en sachant que je serais arrêté presque aussitôt. Tu dois comprendre ça.

– Ce n'était pas moi et ce n'était certainement pas Rushbrooke.

– Où est Marion maintenant ?

Il n'en avait aucune idée, a-t-il dit. Lui, Vanderpoel, est membre d'un club des anciens de la NID et il a promis de s'y renseigner discrètement. J'avais encore une question.

– Sais-tu si Marion avait un lien quelconque avec le duc de Windsor ?

Vanderpoel a vraiment explosé de rire, un étrange son poussif, et il a couvert sa bouche de sa main.

– Franchement, Mountstuart, tu es impayable !

1949

[Samedi 1ᵉʳ janvier]

Ai passé le nouvel an dans la maison de Peter, à Wandsworth. Une grande réception, une quarantaine de personnes, inconnues de moi pour la plupart. Penny, l'épouse de Peter, est charmante et gaie, plus grassouillette depuis la naissance de ses deux enfants. J'ai été surpris de voir là Gloria Ness-Smith et le lui ai dit. Je crois qu'elle a bien aimé mon franc-parler et mes sous-entendus. Aucun besoin de tergiverser entre nous. « Il n'oserait pas ne pas m'inviter, a-t-elle dit. Je le tuerais. » Elle était autrefois infirmière, m'a-t-elle raconté, et travaillait maintenant comme secrétaire chez les éditeurs de Peter. « Mais plus pour très longtemps », a-t-elle ajouté. Je soupçonne que Penny va devoir abandonner très vite le rôle de Mrs Scabius.

Gloria buvait du gin et s'est fait resservir deux fois pendant que nous bavardions. A un moment elle s'est appuyée contre moi, ses seins agressifs aplatis contre mon bras. « Peter vous envie », a-t-elle affirmé. J'ai demandé pour quelle raison. Peter est l'exemple du romancier à succès, pourquoi m'envierait-il ? « Il envie votre guerre glamoureuse. Il ne peut pas s'acheter ça. Il peut s'acheter n'importe quoi d'autre mais il ne peut pas s'acheter ça et il vous envie. » Son gloussement était de joie pure. Bon dieu, ai-je pensé. Puis elle s'est de nouveau appuyée contre moi, avant de partir à la recherche de Peter, et de me laisser avec une érection indiscutable. A minuit, je me suis dit que, même si je n'étais pas heureux, mon fardeau de tristesse commençait peut-être à diminuer, très doucement.

[Février]

Lettre de Vanderpoel. Le colonel Marion est mort en avril 1945, dans un accident « d'automobile » à Bruxelles. D'après Vanderpoel, il y a eu deux autres victimes. Il a questionné ses anciens contacts de la NID mais, selon ses renseignements, il n'y a rien de suspect dans la mort de Marion, qui n'avait pas de lien apparent avec le duc de Windsor.

Et voilà pour ma grande vendetta, et voilà pour ma chasse infatigable à la recherche de mon traître. N'est-ce pas la tournure que la vie prend le plus souvent ? Elle refuse de se conformer à vos besoins, le besoin d'une logique que vous sentez essentielle pour donner quelque forme à votre temps sur cette terre. Je voulais retrouver Marion, je voulais me confronter à lui, au lieu de quoi je reste planté là avec la banale conclusion que, plus vraisemblablement, il n'y a pas eu conspiration, que le duc et la duchesse n'ont pas comploté avec leurs puissants amis pour me supprimer. Difficile de vivre avec ça : difficile d'accepter qu'il ne s'agissait que d'une opération loupée, encore un concours déconcertant de malchance... Impressions de déprime ; impressions de frustration ; impressions de vide face à tout ce côté aléatoire – une fois de plus je suis refait par le hasard.

[Avril]
Hôtel Rembrandt. Paris. Je suis venu ici travailler à mon court roman *La Villa au bord du lac*. Ce ne peut être qu'une longue nouvelle, ai-je décidé, une parabole kafkaïenne, camusienne, de ma bizarre incarcération. Je n'ai pas cependant la moindre idée de la fin à lui donner. Peut-être Paris m'inspirera-t-il. Wallace affirme qu'il pourrait m'obtenir une grosse avance si je voulais, mais je l'ai persuadé de ne rien faire. C'est un de ces livres qui devra trouver sa propre voix et sa propre conclusion – et même alors, je ne saurai pas s'il y a réussi. Il semble progresser relativement bien. Tout ce que je tente, c'est de reconstituer avec un maximum de fidélité les routines et l'atmosphère de la villa mais, j'en suis conscient, la réalité était si étrange que les lecteurs la croiront profondément symbolique et métaphorique. C'est mon vœu le plus cher, en tout cas. Je me rends compte aussi que toute trace de prétention, tout effort de trouver une signification sera fatal. Plus je rends ce livre résolument réel, plus le lecteur fournira inconsciemment les interprétations métaphoriques.

Une jolie fille du nom d'Odile travaille dans la galerie de Ben. Vingt-cinq ans environ, brune, des cheveux courts en désordre et de grands yeux. Elle ne porte que du noir et des sandales à lanières dorées sur ses pieds résolument sales. Ben lui a dit que j'écrivais un livre sur ma période d'emprisonnement durant la guerre et j'ai bien vu que ça l'intriguait. Si je ne peux pas avoir Gloria Ness-Smith, peut-être Odile consentira-t-elle à être mon passeport pour un retour dans un monde de relations sexuelles humaines.

Ma routine est très simple. Je me lève, j'avale deux aspirines contre la gueule de bois et je sors prendre un café et un croissant dans un bistro. J'achète un journal et de quoi déjeuner – une baguette, du fromage, du saucisson et une bouteille de vin. Le temps que je revienne et ma chambre a été faite. Je m'assieds à mon bureau et j'essaye d'écrire. Le soir, je dîne dehors, en général chez les Leeping – c'est table ouverte, dit Ben –, mais j'aime bien les laisser tranquilles de temps en temps et je vais donc au Balzar ou Chez Lipp, ou dans d'autres brasseries pour un repas solitaire. Je ne rechigne pas à un jour entier passé en ma seule compagnie mais, pour compenser, je bois beaucoup : une bouteille au déjeuner, une bouteille le soir, plus apéritifs et digestifs.

J'ai demandé à Odile si je pouvais l'emmener dîner et elle a dit oui, tout de suite. Nous sommes allés Chez Fernand, un petit restaurant que j'ai déniché rue de l'Université. Odile ne rêve que de filer à New York quand Ben ouvrira sa galerie là-bas, et donc je lui parle anglais pour l'aider à pratiquer. L'idée me vient soudain que c'est peut-être là la vraie nature de ma séduction pour elle : je suis son petit chien anglophone. Elle a des yeux bruns aux longs cils, une peau olive et duveteuse.

Je la raccompagne à la station du métro. Je me penche pour lui déposer un baiser sur la joue et elle bouge son visage de façon que nos lèvres se rencontrent. Nous nous embrassons gentiment, les bouts de nos langues se touchent et je sens cette vieille faiblesse familière se répandre à la base de ma colonne vertébrale. Nous convenons de nous revoir plus tard dans la semaine.

Vendredi 15 avril

Odile était ici hier soir. Nous avons dîné au Flore et sommes revenus à l'hôtel. Elle a le corps souple d'une gamine. J'ai été nul, incapable de maintenir une demi-érection plus de quelques secondes. Ma tête grouillait d'images de Freya – elle aurait pu tout aussi bien se trouver dans la chambre en train de nous surveiller. Odile m'a patiemment masturbé et, devant le manque d'effet prolongé là aussi, elle a généreusement penché la tête pour prendre ma queue dans sa bouche mais je lui ai dit de ne pas se donner cette peine.

Elle s'est redressée, a allumé une cigarette pendant que je tentais de lui expliquer que ma femme était morte pendant la guerre et comment je n'arrivais toujours pas à m'en remettre. « Pendant la guerre ? s'est-elle étonnée. Mais c'était il y a longtemps. » J'en ai convenu et je me suis excusé. Elle a dit : « Il vaut peut-être mieux que je m'en aille », elle s'est habillée et m'a quitté. J'ai dormi quelques heures d'un sommeil profond et sans rêves.

Mais en me réveillant – il y a une heure – je me suis senti en proie à un désespoir et à des ténèbres d'une nature totalement nouvelle. Trois années se sont écoulées et je souffre encore de ce sentiment de perte plus vivement que jamais. Et la pluie tombe dehors. Le goutte-à-goutte de la tristesse.

J'ai pris mes deux aspirines contre ma migraine matinale et j'en ai pris deux autres et deux autres et deux autres et deux autres et deux autres et deux autres. J'ai sorti ma bouteille de whisky de l'armoire et j'ai accroché la pancarte NE PAS DÉRANGER à la porte. J'ai commencé à boire mon whisky, pour faire peu à peu passer ce qui restait d'aspirine dans le flacon de cachets.

Je sais ce que je fais mais dans un sens la situation me paraît irréelle – comme si j'étais sur scène en train de jouer une pièce de théâtre. Je sens simplement… je ne sais pas ce que je sens. La décision m'est venue ce matin et je ne crois pas qu'elle ait grand rapport avec l'humiliation de la nuit dernière. Je sais qu'il faut le faire. C'est un matin pluvieux et gris à Paris. Partout dans la ville il doit y avoir d'autres gens en train de mourir, ou morts. Je suis un numéro supplémentaire à ajouter à leur nombre. Je n'ai pas peur de la mort, je pense tout bonnement que pour moi, ici et maintenant, c'est la meilleure et la seule solution. La décision m'est venue très prosaïquement. Je bois encore du whisky. Je vais continuer à écrire. Les gens diront : avez-vous su pour Logan Mountstuart ? Il s'est suicidé à Paris. Je reprends du whisky. Il n'y a plus de cachets. Je commence à me sentir ivre – ou bien est-ce le commencement ? Je suis en train de me suicider. Ça paraît absurde. Quarante-trois ans m'ont suffi. Je n'ai pas été un raté total. Une partie de mon œuvre sera

[Ici, les mots deviennent un gribouillage illisible avant de s'arrêter.]

Les carnets de New York

Logan Mountstuart fut découvert une heure plus tard par Odile qui, en se rendant à son travail, s'arrêta à l'hôtel pour récupérer son briquet, un Zippo en argent auquel elle tenait et qu'elle avait oublié sur la table de chevet. On emmena LMS de toute urgence à l'hôpital où il subit un lavage d'estomac. Il fut ensuite placé sous sédatifs et perfusion de sérum physiologique. Deux jours après, il partait passer un mois chez les Leeping avant de regagner Turpentine Lane. Personne à Londres, y compris sa mère, ne semblait avoir entendu parler de sa tentative de suicide.

Il entama une série de soins et une analyse à l'Atkinson Morley, un hôpital neuropsychiatrique de Wimbledon où il fut le patient du Dr Adam Outridge. Le Dr Outridge lui prescrivit un léger calmant, des somnifères, et lui conseilla de se modérer côté boissons. Il l'encouragea aussi à continuer son court roman, *La Villa au bord du lac*, qui fut publié en 1959 et accueilli par des éloges sérieux et enthousiastes (« Un des romans les plus originaux et les plus obsédants nés de la dernière guerre », *Listener*) et de très modestes ventes.

Entre-temps, Ben Leeping avait ouvert sa galerie new-yorkaise, Leeping Fils, en mai 1950, sur Madison Avenue entre la 65e et la 66e rue. Marius Leeping déménagea à New York pour prendre la direction de la galerie. Les modernistes « classiques » de la peinture européenne du XXe siècle devaient demeurer au cœur de l'affaire Leeping Fils, mais Marius avait pour instruction d'être aux aguets des nouveaux talents émergeant à New York. Des artistes tels que Jackson Pollock, Franz Kline, Willem De Kooning et Robert Motherwell créaient déjà des remous et l'« expressionnisme abstrait » – appellation sous laquelle le mouvement devait peu après être connu – commençait à détourner de Paris sur New York l'attention du monde de l'art.

Ben Leeping sentait que l'âge de Marius (vingt-trois ans) et son inexpérience exigeaient qu'il eût avec lui un directeur associé plus âgé en qui il aurait confiance, et sur qui Ben Leeping pourrait également se reposer. LMS, à présent complètement rétabli, et son court roman publié, était le candidat idéal. C'est ainsi que, à la fin de 1950, Ben Leeping lui offrit le poste de directeur associé de Leeping Fils, au salaire de cinq mille dollars par an. Le but véritable de cette offre était d'avoir quelqu'un qui garde un œil sur Marius tout en le guidant. LMS ne se fit pas beaucoup prier : il mit la clé sous le paillasson de Turpentine Lane et fit voile vers New York en mars 1951.

A son arrivée, LMS passa quelques jours à l'hôtel avant de louer un appartement sur la 47e rue Est, entre la Première et la Deuxième Avenue (l'une des nombreuses adresses new-yorkaises qui devaient être les siennes au cours de son existence itinérante). Pas le plus recommandable des quartiers, mais seulement à vingt minutes à pied de la galerie.

Marius et lui entamèrent une exploration approfondie et exhaustive de toutes les galeries, établies ou nouvelles, de New York et aussi des coopératives temporaires exposant le travail de très jeunes artistes. Ben Leeping avait fourni un fonds d'acquisition de vingt-cinq mille dollars pour les achats initiaux, argent produit par la vente des derniers Miró de Peredes (dont celui de LMS qui lui rapporta quelque neuf mille dollars).

Lors d'une réception, deux mois après son arrivée, LMS rencontra une divorcée, Alannah Rule, qui travaillait au service juridique de la NBC. Elle avait deux petites filles, Arlene, huit ans, et Gail, quatre. LMS commença à escorter Alannah en société. Leur liaison débuta – avec un tempo parfait, comme le répétait LMS – le 4 juillet 1951.

Le journal de New York débute en septembre de la même année.

1951

Vendredi 21 septembre

Me voici donc à New York, écrivant de nouveau, travaillant de nouveau, baisant de nouveau, vivant de nouveau. J'ai décidé de reprendre ce journal surtout parce que je commence à nourrir de sérieuses inquiétudes à l'égard de Marius et que je veux disposer d'un aide-mémoire concernant ses actes et de son comportement. Ben a une totale confiance en lui, mais je me demande si elle n'est pas mal placée. Je trouve aussi son goût bizarre, pour ne pas dire dangereusement déformé. Nous ne cessons de nous disputer sur ce qui est bon et mauvais et les artistes que nous devrions essayer de patronner. J'ai un horrible pressentiment au sujet de Marius et de cette galerie et je veux disposer de toutes les preuves dont je pourrais avoir besoin, précisément relatées et à portée de main.

Par exemple : j'arrive toujours le premier ici le matin, même avant Helma (notre réceptionniste). Le plus souvent, Marius ne fait son apparition qu'après le déjeuner. Mon entière stratégie, en accord avec Ben, est d'ajouter au noyau de notre stock européen aussi astucieusement que possible, sans nous soucier de faire de l'épate. La ville est remplie de galeries et de coopératives – Myers et de Nagy, Felzer, Lonnegan, Parsons, Egan – pour ne nommer que nos rivaux les plus évidents. Les réputations flambent et s'éteignent en quelques semaines, et il nous faut nous assurer, étant donné notre pedigree et les nuées de gloire parisienne que nous traînons après nous, que tout peintre que nous exposons tient la route. Marius, soyons brutal – et ceci n'a rien à voir avec son charme –, est à mon sens dépourvu de jugement esthétique. Il semble agir selon ses lubies ou, pire, celles de la dernière personne à qui il a parlé. Tout ce que Greenberg[1] suggère, il l'adopte sans discuter. Je ne cesse de lui dire : ne prends pas un train bondé déjà en marche, trouvons le nôtre avec des masses de sièges vides sur lesquels nous pourrons étendre nos jambes. Il n'écoute pas, n'importe quel train qui roule fait l'affaire.

Pourtant, ces matinées à la galerie, avant que les clients et Marius n'arrivent, me plaisent beaucoup. Nous sommes au premier étage, ou plutôt au second dans le parler américain, et je regarde par la fenêtre passer les gens et les voitures sur Madison. Helma m'apporte une tasse de café et je fume ma première cigarette de la journée. A des moments pareils je me dis que je rêve, je ne peux pas croire que je vis et travaille ici, que cette occasion m'a été offerte dans ma vie.

Chez Alannah ce soir. Un week-end entier ensemble puisque les enfants sont avec son mari. Nous allons chercher quelque chose à louer pour moi dans Greenwich Village. Il faut, je pense, me rapprocher du centre de l'action.

Dimanche 23 septembre

Nous avons trouvé un petit appartement dans Cornelia Street, près de Bleeker Street. Il est en sous-sol d'une maison en brique (que se passe-t-il entre moi et les sous-sols ? Pourquoi est-ce que j'aime la vie semi-souterraine ?), non meublé et comporte une chambre, un salon, une minuscule cuisine et une douche. Une famille italienne occupe les deux étages au-dessus.

---

1. Clement Greenberg (1909-1994), le critique d'art le plus influent de l'époque, réputé avoir « découvert » Jackson Pollock.

Agréable extra que d'avoir tout l'appartement d'Alannah à nous ce week-end. Alannah est très sexy : il y a une sorte de violente séduction dans son étonnante dentition et sa blondeur soignée, parfaite. Pourtant ses poils pubiens sont d'un châtain foncé brillant – en la voyant nue, se promener dans la chambre avec un pichet de martinis et deux verres, je me demande si c'est ce contraste spectaculaire qui me stimule autant. Nos rapports sexuels sont, pour le moment, d'une orthodoxie extrême, préservatifs, position du missionnaire, etc., mais quelque chose en elle me donne l'envie de me livrer à une totale débauche. Elle est grande, bien charpentée, et possède un esprit vif de juriste. Très concernée par ses enfants et la manière dont elles feront ma connaissance (pourquoi voudrais-je les connaître ?). Elle est d'un dédain ravageur à l'égard de son ex-mari (« un homme faible, pathétique ») – avocat aussi, semble-t-il. Alannah a trente-cinq ans. Elle est propriétaire d'un grand appartement sur Riverside Drive et elle a une femme de chambre à demeure. Grâce à son salaire et à sa pension, elle est riche. Je suis tout simplement content de fonctionner sexuellement de nouveau après le désastre de Paris. Je remercie les E.-U. d'A. et ses belles femmes sûres d'elles. Venir ici est la meilleure chose que j'ai jamais faite.

Outridge me décrit comme cyclothymique – un maniaco-dépressif au petit pied –, ce qui est, dit-il, la raison pour laquelle il ne m'a pas fait suivre une thérapie d'électrochocs. Il m'a donné le nom et l'adresse d'un psychiatre à New York au cas où je m'en sentirais le besoin. Mais, selon moi, son diagnostic est faux : je ne suis pas un maniaco-dépressif, ni à grande ni à petite échelle. A Paris, j'ai été victime d'une dépression nerveuse à long terme qui avait commencé sa gestation à mon retour de Suisse avec la découverte de la mort de Freya et de Stella. Au bout de trois ans, elle a été finalement déclenchée par Odile ou plutôt par mon échec avec Odile. (Qu'est devenue Odile, à propos ? je croyais qu'elle venait à New York. Il faut que je demande à Ben.) Maintenant que je suis à New York, c'est comme si les rideaux qui avaient été tirés sur ma vie s'étaient soudain tous relevés. Le soleil inonde la maison.

Jeudi 11 octobre
Une journée new-yorkaise parfaite de fraîcheur. Dans le soleil, leurs ombres vivement définies, ces immenses bâtiments paraissent

magnifiques – tournant si résolument le dos à l'Europe. Nous n'avons pas besoin de vos cathédrales ni de vos châteaux, de vos manoirs à douves et de vos maisons géorgiennes, semblent-ils dire, nous offrons quelque chose d'entièrement différent, nous parlons un autre langage, nous avons notre propre version de la beauté. C'est à prendre ou à laisser. Les comparaisons sont dénuées de sens et superflues.

Marius s'est amené à trois heures cet après-midi, ayant acheté quatre toiles sans aucune valeur (des taches et des balafres en couleurs primaires) à un charlatan du nom de Hugues Delahay, et à cinq cents dollars pièce. Pour cette somme j'aurais pu acquérir un Pollock, si je l'avais voulu. Je l'ai sermonné, gentiment – nos fonds baissent à toute allure et je n'ai pas encore fait la moindre acquisition –, en lui faisant remarquer que dans un mois ou deux on ne pourra même pas faire cadeau d'un Delahay. Logan, a-t-il rétorqué avec condescendance, tu es trop vieux-monde, comme Papa, faut que tu te dépêches ou bien tu ne trouveras jamais ta place ici dans cette ville. J'ai réussi à garder mon calme. Commentaire ironique, étant donné ma rhapsodie ci-dessus. Il vaut mieux que je fasse savoir à Ben ce qui se passe.

Ce soir, je vais à la coopérative de Janet Felzer dans Jane Street. Je n'ai pas parlé de l'invitation à Marius. Demain je m'installe à Cornelia Street.

Vendredi 12 octobre

J'ai vu le premier tableau que j'aie eu envie d'acheter à New York, fait par un type appelé Todd Heuber. Janet me l'a mis de côté. J'ignore comment – nous étions tous deux très éméchés et Janet m'avait donné une pilule de dieu sait quoi – nous avons réussi à finir au lit ensemble dans la 47e rue. Je me suis réveillé en me sentant très mal et j'ai entendu quelqu'un dans la salle de bain. Puis Janet est entrée, nue, et s'est glissée dans le lit. J'avais une gueule de bois à fracasser un mur. Elle s'est collée contre moi et je me suis rendu compte de ce qui s'était passé. Elle est petite, osseuse avec une poitrine complètement plate – pas vraiment *mon truc** – mais elle a quelque chose d'espiègle, de malicieux et de tout bonnement méchant qui est excitant. Je suis allé chercher une bière du réfrigérateur. Elle a dit : « Hé, donne-m'en une, je me sens complètement foireuse moi aussi. » Alors nous nous sommes assis, nous avons bu notre bière et bavardé pendant une demi-heure. Ni l'un ni l'autre

311

n'étions prêts à répondre des événements de la veille au soir mais, en tout cas, la bière a produit son effet et nous avons fait l'amour. Le bruit des voitures dans la 47e rue. Nos baisers roteux puant la bière. Le petit visage de singe de Janet sous moi, ses yeux vissés à double tour. Au moment où je jouissais, elle a dit : « Ne crois pas que tu auras un rabais sur le Heuber. »

Mardi 23 octobre

Cornelia Street. Wallace télégraphie qu'il a un éditeur américain pour la *Villa* : Bucknell, Dunn & Weiss. Il m'a pressé de téléphoner à Mr Weiss lui-même, pas moins, qui est ravi de découvrir que son auteur réside à l'heure actuelle à New York. Une avance de deux cent cinquante dollars seulement, mais nécessité fait loi.

J'ai acheté le Heuber pour cent dollars et l'ai racheté pour moi à trois cents (notre majoration habituelle de deux cents pour cent – enfin Leeping Fils a fait un bénéfice sur une œuvre d'art contemporain). *Paysage n° 3*, il s'appelle. Un long tableau de blocs brun foncé et noir, grattés et griffés, lissés et patinés. A l'angle droit des blocs, un rhomboïde grossier crème sale. Peut-être est-ce parce qu'il est allemand (son vrai nom est Tabbert Heuber), mais le travail de Todd a vraiment du poids et de la présence. De la composition. Il est complètement abstrait, cependant son titre encourage une forme d'interprétation figurative. Seuls Heuber et un Hollandais, nommé De Kooning, sont vraiment impressionnants. Ils peuvent tous deux *dessiner*. Ça aide.

Mardi 13 novembre

Premier jour vraiment d'un froid glacial. Des rafales de neige et un vent polaire. Un froid qui brûle, paralyse mes joues alors que je vais prendre le métro. Marius n'est pas venu du tout hier et quand je lui ai téléphoné il a prétendu qu'il travaillait chez lui. J'ai dit : merci de m'en informer – à quoi il a répliqué que comme c'était sa galerie il pouvait décider où il voulait travailler, merci beaucoup. Je pense que maintenant une intervention de Ben s'impose. Il a changé depuis son arrivée à New York, peut-être simplement parce qu'il est loin de la présence de son père – beau-père. Chaque fois que je l'ai vu à Paris, il semblait charmant, un peu paresseux et sans cervelle, certes, mais il n'est rien de tout ça maintenant. Arrogant et content de lui, il se montre d'une grande froideur à mon égard. Et pourtant il n'en fiche pas une rame. Dieu sait à quoi il passe son temps, sans doute aux mêmes choses que nous tous – à boire, baiser, se droguer –, mais moi, au moins, je suis à la galerie tous les matins. Du lundi au vendredi. Il y a dans cette ville un élément dangereusement corrupteur pour les non-avertis : il faut rester sur ses gardes.

Déjeuner avec Ted Weiss. Il veut publier *La Villa* avant la fin de l'année. Ils ont acheté les pages imprimées en Angleterre et c'est donc juste une question de les relier sous une nouvelle couverture. Weiss est un intellectuel mince, astucieux et portant lunettes – très pète-sec. « Nous allons le vendre comme un roman "existentiel", dit-il. Qu'en pensez-vous ? » « Ça n'est pas un peu vieux jeu ? » je demande. « Non. Très nouveau jeu ici », réplique-t-il.

Lundi 3 décembre

J'ai encore couché avec Janet hier soir. J'étais tout seul pour le week-end – la sœur d'Alannah et ses enfants lui rendaient visite. Je suis donc allé à une réception chez de Nagy et Janet était là (avec la bande habituelle). A la fin de la soirée, alors que les gens partaient, Janet a dit : « Je peux rentrer avec toi ? » Et j'ai répondu oui, je vous en prie. Pourquoi prends-tu ces risques, Mountstuart ? Mais ce n'est pas un risque. Alannah est une amie, exactement comme Janet. Je n'ai fait de serment de fidélité ni à l'une ni à l'autre. Mais regarde-toi, en train de chercher toutes ces excuses. Tu fanfaronnes – tu te sens coupable de coucher avec Janet. J'ai quarante-cinq ans, je suis libre, je n'ai pas à cacher à quiconque ma vie amoureuse ou sexuelle. Alors pourquoi ne racontes-tu pas tout à Alannah, juste pour savoir jusqu'où va sa largeur d'esprit ? Aucune crise par ici.

Vendredi 14 décembre

J'ai donné une petite soirée à la galerie pour la publication de mon livre. BD & W ont aussi invité un petit nombre d'écrivains et de critiques. J'y ai ajouté Greenberg et Frank O'Hara[1], et quelques autres accointances littéraires, histoire de relever le monde de l'art. J'ai éprouvé une étrange fierté à voir mon livre en piles sur une table au centre. *Villa* a ici une couverture fort simple : lettres bas de

1. Frank O'Hara (1926-1966), poète qui travaillait alors au musée d'Art moderne.

casse sans sérif bleu nuit sur fond grège – très Bauhaus dans un sens. Frank a été très séduit par le titre. « *La Villa au bord du lac*. J'aime ça, a-t-il dit. Très simple mais avec une sorte d'écho, de résonance. Ça pourrait être un tableau de Klee. » En réalité je n'en suis pas sûr, mais c'était gentil à lui de faire le rapprochement. Un autre ami écrivain l'accompagnait, Herman Keller, l'allure d'un haltérophile (épaules larges, cou épais, cheveux coupés en brosse) mais qui, en fait, enseigne la littérature à Princeton. Je l'ai cru un des amis « pédés » de Frank mais on m'a dit que non. Il semble que Frank aime faire du gringue aux mâles hétérosexuels.

Intéressant surtout de voir comment l'attitude des gens à mon égard a changé à la suite de la publication de mon livre. Je ne suis plus un quelconque Anglais bien habillé tâtant un peu du monde de l'art, mais un auteur édité et établi depuis un certain temps (la page de titre indique la liste de mes autres ouvrages). Keller a montré de la curiosité pour *Les Cosmopolites* et m'a demandé si j'aimerais faire la critique des livres pour un petit magazine dont il s'occupe – ils ont besoin de quelqu'un qui lise le français. Il connaît Auden et a proposé de me le faire rencontrer si je le souhaitais. J'ai répondu que j'adorerais – mais, en fait, ça ne me fait ni chaud ni froid. Mon vieux monde littéraire me paraît si lointain aujourd'hui, vu de New York. Une si petite mare aux canards, avec le recul. Et garder mes distances me plaît assez.

Udo Feuerbach est venu – ça m'a fait plaisir de le revoir. Corpulent et grisonnant à présent, le visage buriné, les joues flasques. Il publie un magazine, *Art international*, dont j'ai dit que le titre évoquait une compagnie aérienne. Il a pris un exemplaire de *Villa* et l'a feuilleté. Encore un livre d'une *teuflische virtuosität*, a-t-il commenté. Nous avons ri. Il a une barbichette de satyre, rayée de gris, qui lui donne des airs d'oncle satanique.

Alannah m'a invité à passer Noël avec sa famille. Son père, veuf, professeur à la retraite d'une université féminine dans le Connecticut, possède une grande maison sur la côte. Quand j'ai découvert que les invités incluraient sa sœur, son mari et leurs enfants, je me suis défilé. J'ai dit que je devais rentrer à Londres voir ma mère – il vaudrait donc mieux que j'y aille en effet, je suppose.

Ted Weiss affirme qu'il y a de très bonnes critiques de *La Villa* en passe d'être publiées dans le *New York Times* et le *New Yorker*.

Comment se débrouille-t-il pour le savoir si tôt à l'avance ? Gratifiant, néanmoins.

1952

[Janvier]

Spellbrook, près de Pawcatuck, Conn. Je suis arrivé ici le 3 – je repars en ville lundi. Le père d'Alannah, Titus [Fitch] possède une vaste maison blanche en bardeaux, ici à Spellbrook, à une huitaine de kilomètres de Pawcatuck. Elle se dresse au milieu d'un bois de mélèzes et d'érables, à vingt-cinq minutes de marche de l'océan. Le soleil brillait ce matin et nous nous sommes promenés dans les prés jusqu'au rivage (il y avait dix centimètres de neige sur le sol). Nous sommes neuf : Titus, Alannah, Arlene, Gail, Kathleen Bundy (la sœur aînée d'Alannah), Dalton (le mari de Kathleen) et leurs enfants : Dalton Junior (sept à huit ans) et Sarah (qui marche à peine). Nous avons traîné le long du rivage, en explorant les mares dans les rochers. Il y avait de jolies vagues et les enfants couraient autour. Entre-temps, à la maison, une femme de charge nous préparait un énorme déjeuner. Matinée idyllique gâtée seulement par le fait – évident à mes yeux (encore qu'à personne d'autre) – que Titus Fitch ne m'aime pas. Il me déteste pour des raisons génériques et non pas personnelles. Je suis anglais et c'est un anglophobe de première classe, invétéré et sans remords. Si j'étais un nègre et lui le Grand Vizir du Klu-Klux-Klan, l'animosité ne serait pas plus marquée. Il est atterré, je crois, que sa cadette se soit entichée d'un Anglais. Pour la première fois de ma vie, je me sens victime de haine raciale, tel un juif dans l'Allemagne nazie. Il parle de moi comme de « notre ami anglais ». « Peut-être notre ami anglais préfère-t-il son steak bien cuit ? » « Peut-être notre ami anglais prendra-t-il le thé plutôt que du café ? Est-ce bien ainsi qu'on dit ? "Prendre le thé ?" » « Notre ami anglais n'est pas habitué à dîner avec les jeunes enfants. La porte matelassée de la nursery et le reste… » L'hostilité est palpable, mais le reste de la famille se contente de glousser. J'ai fait remarquer à Alannah cette *froideur** offensive et elle en a fait fi. « Ridicule. Papa n'est pas comme ça. C'est un vieux bourru de nature. Ne sois pas aussi susceptible, Logan. Ne prends pas tout ça contre toi. »

En tout cas, j'ai eu beaucoup de plaisir à voir Alannah hors de la ville : ici, elle perd un peu de sa dureté, de son vernis et de son apprêt. Ses cheveux frisent, elle est moins maquillée, porte des jeans et de grands chandails. Les angles et méplats de son beau visage semblent se détendre et s'adoucir. Je trouve cette Alannah semi-rurale tout aussi attirante que sa version new-yorkaise.

Fitch est irrité par le succès de *La Villa* qui, comme l'avait prédit Ted Weiss, a recueilli d'excellentes critiques. Les Bundy n'en pouvaient plus de compliments. J'ai donné un exemplaire à Fitch en arrivant et il l'a posé sur une table sans même y jeter un coup d'œil. C'est un grand type sans une once de graisse, un vieil homme dans les soixante-dix ans, aux traits marqués, avec une épaisse tignasse de cheveux blancs en désordre. Il fume la pipe avec une affectation marquée, aime les nœuds papillon et porte des vestes de tweed sur d'antiques pantalons kaki. Parfois, quand je jette un coup d'œil rapide autour de moi, je lis dans ses yeux une haine non déguisée avant que le masque ombrageux de « mein host » revienne se plaquer sur son visage.

Londres était sinistre. Sombre, sale, froid, les gens abattus et sans le sourire. Une ville encore en guerre, dans un sens. J'ai vu ma mère (qui ne cesse de se plaindre) et l'ai emmenée déjeuner pour Noël au Savoy. Dick m'a invité pour Hogmanay en Écosse mais j'ai cru plus sage de mettre mon foie au repos et j'ai pris le premier avion en partance le 1er janvier.

J'ai téléphoné de Londres à Ben au sujet de Marius et des problèmes que je voyais poindre à l'horizon, et il m'a dit qu'il viendrait lui-même le plus tôt possible. Peter était en voyage de noces aux Caraïbes avec Gloria Ness-Smith, désormais la troisième Mrs Scabius. J'ai passé pas mal de temps seul. Le bunker était assez chaud quand les deux radiateurs à gaz marchaient à fond, et je m'y suis senti tout aussi bien chez moi qu'ailleurs. L'agence qui s'occupe des lieux en mon absence semble faire son travail correctement.

Ai parlé à Gail Rule pendant une heure après le déjeuner. Une petite fille délicieuse, bavarde, ouverte, qui adore dire des blagues – qu'elle peut à peine raconter tant elle en rit elle-même. Elle m'a enchanté, et puis j'ai compris pourquoi : Stella avait son âge quand je l'ai vue pour la dernière fois, et je me suis senti de nouveau misé-

rable et accablé par mon terrible malheur. On croit que ça va diminuer avec le temps, cette douleur, et puis elle revient vous frapper
avec une âpreté, une vigueur que vous aviez oubliées.

J'avais envie de faire l'amour (en fait, je voulais tenir quelqu'un
dans mes bras) et j'ai demandé à Alannah si je pourrais me glisser
en douce dans sa chambre ce soir, mais elle a pensé que c'était trop
risqué. Nous sommes donc partis faire une balade en voiture et nous
avons eu une séance de baise précipitée et pas très satisfaisante sur
la banquette arrière, au bout d'une allée. Je lui ai dit que c'était la
première fois que je faisais ça dans une voiture. Bienvenue en
Amérique ! a-t-elle rétorqué. A l'évidence, un essentiel rite de passage. Ce qui m'a fait beaucoup plus plaisir à notre retour ç'a été
d'imaginer Fitch humant l'air comme un chien de chasse, la narine
pleine de l'odeur de foutre anglais. Vieux salaud. Ça m'a fait chaud
au cœur durant tout le dîner.

Vendredi 7 mars
Au studio de Todd Heuber sur la 8e rue Est. Ai acheté un autre
petit *Paysage* pour soixante-quinze dollars. Presque tout en bruns
vagues souples, mais traversés en hauteur par une solide bande hori-
zontale jaune citron, pareille à une aube bilieuse de tempête. Avons
parlé d'Emil Nolde, de De Staël et d'autres artistes. Heuber connaît
son métier. Il est fort, à la manière d'un débardeur ou d'un paysan
dans la fleur de l'âge, avec une mâchoire carrée proéminente, un
regard bleu pâle qu'on dirait myope.

Nous sommes allés boire à la Cedar Tavern, pas mon lieu préféré
– cet éclairage si vif – mais Heuber tenait à fêter cette nouvelle
vente. Pollock, saoul comme un Polonais, l'a traité de nazi. Todd
s'est contenté de rire et m'a dit que, de temps à autre, il était obligé
de foutre une raclée à Pollock pour le remettre à sa place mais que
ce soir il se sentait plein d'indulgence. Beaucoup de jeunes admira-
trices étaient venues voir boire les lions : Heuber, Pollock, Kline, cet
escroc de Zollo – tous exhibant leur virilité musclée comme un
coq sur un tas de fumier. A cause de l'éclairage éblouissant, tout le
monde a l'air épuisé, l'œil cave. Les femmes, Elaine [De Kooning],
Grace [Hartington], Sally [Strauss], descendaient autant d'alcool
que les hommes. Une atmosphère de sueur, de nerfs, de sexe qui me
faisait reluquer les filles comme un satrape libidineux. O'Hara est

entré avec Keller. Peut-être baisent-ils ensemble ? Keller a prétendu avoir lu *La Villa* deux fois. « Compliqué mais j'y arrive », a-t-il dit. Téléphoné à Alannah pour lui demander si je pouvais venir prendre un dernier verre – elle a répondu que Leland était là avec les filles, mais qu'elle était libre pour déjeuner demain. Téléphoné à Janet – absente. J'ai donc essayé de draguer une des filles mais dès qu'elles ont découvert que je n'étais pas un peintre, elles ont perdu tout intérêt. Il y en avait une brune, poignets minces avec de très longs cheveux, qui me plaisait vraiment, et j'ai refusé de me laisser décourager jusqu'à ce qu'elle me lance : « Barre-toi, vieux schnock ! » Vieux schnock ? Merde, quarante-six ans, ce n'est pas vieux. J'ai l'impression de ne pas avoir vraiment commencé à vivre. Cette foutue guerre m'a volé six ans de ma vie. Alors je suis rentré chez moi, j'ai bu encore un coup et j'ai écrit ceci.

Jeudi 8 mai

Bonne réunion au Waldorf : moi, Ben et Peter. La vieille bande. Peter est ici pour le lancement de son nouveau roman *Le Massacre des Innocents*. Nous avons parlé – inévitable, entre vieux copains d'école – d'Abbey et de notre vie là-bas. Je ne crois pas que Peter et moi ayons beaucoup changé physiquement, on peut encore nous reconnaître sur les photos de classe. Certes nous sommes tous plus costauds, plus épais de la fesse, mais Ben, lourd, avec un ventre rond et un gros double menton débordant sur son col, paraît plus vieux que nous. Enfin je l'espère : chacun de nous pense sans doute la même chose de l'autre. Gloria nous a rejoints pour le café. Elle avait l'air... riche. Sexuellement riche. Sa voix est étrange, hyper-distinguée : *ceute heumme en chapô*. Comme ces stars de cinéma anglaises qui ont fréquenté des écoles de charme ou pris des cours d'élocution. Elle a dit : « Je ne gâte pas votre petite fête, les garçons, non ? » J'étais content de la revoir. Elle est de ces gens dont l'entrée dans une pièce rend les lieux plus intéressants. Et elle était plus que bienvenue – malgré mon affection pour Peter, je trouve qu'il est devenu trop content de s'entendre parler. Il s'est vanté auprès de Ben d'avoir acheté un Bernard Buffet pour trois mille livres. Toujours aussi diplomate, Ben l'a félicité de ce sage investissement. Ben était un peu préoccupé : il a promis de résoudre le problème Marius pendant le week-end.

318

A la fin de la soirée, Gloria m'a fixé de son regard sceptique et un rien moqueur et a dit : « Alors, qu'est-ce que vous fabriquez, Logan ? » J'ai répliqué que je venais aussi de publier un bouquin. « C'est formidable, est intervenu Peter, je tiens à le dire. La meilleure chose que tu aies faite. » Il ne l'a pas lu, bien entendu, et je ne peux pas me plaindre puisque je n'ai lu aucun des siens depuis qu'il a abandonné ses assez bons petits thrillers pour la Nouvelle Pontification. « M'enverrez-vous un exemplaire ? » a demandé Gloria. « On en a un à la maison, chérie », a dit Peter. « Mais il t'est dédicacé, je veux que Logan m'en dédicace un, spécialement pour moi. » J'ai dit que je préférerais qu'elle l'achète, que j'avais besoin de tous les droits que je pouvais récolter. Mais en partant, elle m'a rappelé : « N'oubliez pas ce livre, maintenant. »

Je me demande si Peter a enfin rencontré son égale.

Ben avait filé, et Peter et Gloria étaient montés dans leur – sans doute – immense suite et, un moment, je suis resté seul dans le hall pour enfiler mon imperméable quand j'ai cru voir la duchesse de Windsor entrer par la porte tournante. J'ai été paralysé, jusqu'à ce que je me rende compte qu'il s'agissait juste d'une autre matrone new-yorkaise hyper-maigre avec une coiffure élaborée, comme bétonnée. Le duc et elle ont un appartement ici, je m'en suis rappelé. Il faudra garder ça en tête – et, dans l'avenir, passer très au large du Waldorf.

Lundi 12 mai

Le problème Marius est résolu – du moins sur le papier. Je dirige désormais la galerie. Marius me rend compte et doit soumettre à mon approbation tout achat au-dessus de cinq cents dollars. Il a son propre fonds de cinq mille dollars sur lequel tirer et qui sera renfloué par Ben. Tout ceci a été énoncé en détail ce matin au cours d'une réunion glaciale, avec un Marius boudeur et distant. Ben s'est montré très ferme, presque dur, et je me suis souvenu que, bien sûr, Marius était le fils de Sandrine, pas le sien. J'espère que cette pseudo-indépendance et pseudo-autonomie le satisferont. Je suis encore un peu inquiet.

J'ai dîné tôt avec Alannah et les enfants. Gail a débité une série de blagues qu'elle prétend avoir inventées. La meilleure, qui nous a laissés bouche bée pendant un instant, étant : « Comment on dit l'alphabet à Brooklyn ? » « Récite l'alphabet, chérie », a corrigé Alannah. OK. Alors comment récite-t-on l'alphabet à Brooklyn ? « Foutu A, foutu B, foutu C… » a dit Gail. Alannah était outrée mais je riais tellement qu'elle n'a même pas pu feindre la colère. Gail a avoué qu'elle n'avait pas inventé cette histoire.

Alannah m'a supplié de revenir à Spellbrook passer un autre week-end. J'ai dit que, à part le fait d'être détesté par son père, j'étais indigné d'être traité comme un adolescent et contraint de m'abstenir de coucher avec elle. Nous sommes des adultes, nous sommes amants, pourquoi ne serions-nous pas dans la même chambre ? « Je suis la plus jeune de ses filles, a-t-elle expliqué. Il pense que je ne couche pas en dehors du mariage. » J'ai répliqué que c'était absurde. Puis j'ai eu une idée. Si elle doit le voir régulièrement, pourquoi ne pas louer un endroit à nous dans le voisinage ? Elle pourrait passer lui rendre visite et nous pourrions dormir ensemble. Pas une mauvaise idée, a-t-elle dit.

Vendredi 11 juillet

Alannah est dans le Connecticut avec les filles pour les vacances d'été. Marius est à Paris et je surveille donc le stock dans un juillet caniculaire, en remerciant les dieux pour l'invention de la climatisation. Aucune affaire ce mois-ci : tous les peintres de New York semblent avoir déménagé à Long Island. Peut-être devrais-je aller renifler un peu là-bas.

Janet est de retour ici, cependant, et elle a donné une réception à sa galerie hier soir. Frank [O'Hara] était là aussi, malicieux et irritant, rond comme une bille et bronzé à mort. Pendant une demi-heure il m'a coincé contre un mur, délirant à propos d'un génie barbare du nom de Pate qu'il a dégoté à Long Island. « Enfin un artiste avec un cerveau, Dieu merci. » Retour chez Janet. Je ne prévois jamais de coucher avec Janet, mais quand elle est d'humeur, il est très difficile de lui résister. « Il faut que tu voies mon bronzage, a-t-elle dit. Je suis bronzée de la tête aux pieds. »

Samedi 16 août

Spellbrook. Alannah pense avoir trouvé une maison à quatre ou cinq kilomètres de chez son père dans un village nommé Mystic. Je l'aime déjà, lui ai-je dit. Nous y sommes allés cet après-midi avec

Gail et Arlene. Un petit bungalow aux murs de galets à l'écart de la route côtière et entouré de chênes nains. Un toit en pente douce, une longue véranda en façade et une cheminée en pierre sur le côté. Deux chambres, une salle de bain, une grande salle de séjour avec un âtre. L'étroite cuisine en longueur à l'arrière donne sur un jardin broussailleux en friche. Il pourrait dater de soixante ans, a dit Alannah, songeant, gentiment, que l'argument serait décisif pour moi, l'Européen avec ses siècles de culture. Tout fonctionne à l'intérieur, eau, électricité, chauffage, et nous pourrions donc l'utiliser l'hiver aussi. Je m'imagine dedans – sans effort –, mais une petite sonnette d'alarme a retenti dans ma tête tandis que tous les quatre nous tournions autour avec l'agent immobilier. Logan et sa proto-famille… « Regarde Logan, a crié Gail, il y a une pièce là-haut, ça pourrait être ton bureau. » Une petite soupente sous le toit avec une lucarne donnant au loin sur Block Island Sound. J'ai soudain pensé à ma mansarde dans Melville Road et à la vue des toits de Battersea de ma fenêtre. Au rappel de ma vie ancienne, mes yeux se sont remplis de larmes inattendues. Alannah l'a remarqué et a glissé sa main dans la mienne. « Tu as raison. Nous pourrions être heureux ici. » Gail a pris mon autre main : « S'il te plaît, Logan, je t'en prie. » « Marché conclu, » j'ai dit.

J'ai insisté pour payer la location – douze cents dollars – ce que je ne peux pas vraiment me permettre mais ça me donne en principe la possession des lieux à moi seul plutôt qu'à Alannah et moi. Qui est-ce que ça trompe ?

Gail a dit à Fitch ce soir : « Logan a loué une maison pour nous à Mystic. » Il m'a lancé un regard noir : « Qui a été un colonisateur… » Le vieux salaud était de sale humeur. Lui et moi sommes restés face à face silencieux, les filles au lit, Alannah en train de mettre de l'ordre dans la cuisine, tandis qu'il tripatouillait sa blague à tabac, récurait sa pipe ridicule, la bourrait de copeaux.

Puis il a dit :

– Connaissez-vous Bunny Wilson[1] ?

J'ai répondu que je savais qui il était, que j'avais lu pas mal de ses livres. Encore un membre à temps plein du club des anglophobes.

– Un esprit brillant, a dit Fitch en soufflant de la fumée bleutée

_____

1. Edmund Wilson, éminent critique et homme de lettres (1895-1972).

en direction du plafond. (Puis, pointant sa pipe sur moi :) Quelle est la date de la Révolution anglaise ?

— 1640. Oliver Cromwell. L'exécution de Charles I. Le protectorat.

— Faux. C'est ici, en 1787. C'est quand la bourgeoisie anglo-saxonne a formé une nouvelle société. Vous êtes encore sous l'ancien régime, vous l'avez toujours été depuis Charles II. La révolution que vous auriez dû avoir s'est passée en fait ici, de l'autre côté de l'Atlantique. C'est pour cela que vous nous en voulez tellement.

— Nous ne vous en voulons pas.

— Bien sûr que si. C'est la théorie de Bunny. Vous avez maintenant deux sociétés anglophones distinctes qui se sont séparées d'une racine commune en 1785. La nôtre est révolutionnaire et républicaine ; la vôtre est pour le statu quo et la monarchie. C'est pourquoi nous ne pourrons jamais nous entendre.

— Je suis désolé mais, avec tout mon respect, je pense que c'est une totale absurdité.

— C'est exactement le propos que j'aurais attendu d'un Anglais de votre classe et de votre éducation. Vous ne comprenez pas ? (Il a ri en m'aboyant à la figure.) Vous venez juste de confirmer ce que je disais.

Je l'ai laissé délirer. C'est vraiment un déplaisant vieux CAT.

Dimanche 17 août

J'adore utiliser ces phrases : — « avec tout mon respect », « en toute modestie » « je soumets humblement » —, qui, en fait impliquent toujours et complètement le contraire. Je ne cesse d'en bombarder Fitch quand nous discutons (ça commence à rendre folle Alannah), ce qui me permet d'exprimer un désaccord total derrière une façade béate de bonnes manières. Nous avons eu au déjeuner une autre bagarre à propos desdites manières. J'ai déclaré qu'en Amérique les bonnes manières étaient un moyen de favoriser et de promouvoir le contact social, tandis qu'en Angleterre elles étaient un moyen de protéger votre intimité. Il a refusé d'accepter mon raisonnement.

A New London pour signer les papiers concernant Mystic et procéder au paiement des arrhes. Alannah prend à sa charge les frais d'ameublement et de redécoration. Au temps pour mon indépendance. Gail et Arlene m'ont écrit une lettre de remerciements qu'elles ont glissée sous ma porte. Des petites filles épatantes. Je leur suis très attaché.

Mercredi 5 novembre

A la galerie de Janet pour sa grande exposition. Heuber a là trois tableaux que nous aurions dû avoir mais pour lesquels j'ai refusé de payer le prix qu'il demandait. L'inflation au cours des six derniers mois est inquiétante – on sent le commencement d'une soudaine ruée sur ces jeunes artistes inexpérimentés et encore non éprouvés. En tout cas, Janet a Barnett Newman et Lee Krasner en plus. Astucieuse, la fille. Une vraie soirée aussi : Poudres, Trahisons et Complot. L'embêtant, c'est que l'exposition semble devoir connaître un succès fou. Frank délirait sur sa nouvelle découverte – Nat Tate, pas Pate –, dont tous les tableaux ont été vendus en un éclair. J'ai rencontré peu après ce prodige : un grand beau garçon calme qui m'a rappelé Paulus, mon gardien suisse. Il sirotait son scotch en silence dans un coin et portait un costume gris, ce qui m'a fait plaisir. Nous étions les deux seuls dans la pièce à porter un costume. D'épais cheveux blond foncé. Janet pétait le feu, m'a déclaré qu'elle avait fumé de l'héroïne (peut-on faire ça ?) et m'a encouragé à essayer. J'ai dit que j'étais trop vieux pour ces jeux-là. J'ai acheté un Heuber et un Motherwell. Pas de Nat Tate à vendre bien que je les aie beaucoup aimés – des dessins de ponts ; vigoureux, stylisés et inspirés par des poèmes de Crane[1]. Je vois ce que Frank veut dire par cerveau.

Suis tombé sur Tate en partant et lui ai demandé s'il avait quelque chose à vendre en privé et il m'a répondu, très bizarrement, que je devais m'adresser à son père. Plus tard, m'a raconté Larry Rivers, Pablo [le chien de Janet Felzer] a copieusement déféqué au beau milieu de la galerie.

Il semble que l'élection de Dwight D.[2] sera une promenade de santé.

1. Hart Crane, poète (1899-1932). Son long poème « Le Pont » fut publié en 1930.
2. Eisenhower fut élu président par une majorité écrasante. Richard Nixon était son vice-président.

Jeudi 25 décembre

Londres. Turpentine Lane. Déjeuner morne et déprimant à Sumner Place avec Mère et Encarnación. Mère semble dépérir – assez alerte mais maintenant beaucoup plus maigre et décharnée. Nous avons mangé de la dinde et des choux de Bruxelles détrempés dans une sauce grise. Encarnación avait oublié de faire cuire les pommes de terre, Mère lui a crié dessus, Encarnación a dit que la nourriture anglaise était de toute façon répugnante et s'est mise à pleurer, et je les ai obligées à se faire mutuellement des excuses. J'ai bu la plus grande part de deux bouteilles de vin rouge (que j'avais sagement apportées, la seule boisson dans la maison étant du rhum blanc). Je ne leur ai pas parlé d'Alannah.

Avant de prendre l'avion pour ici, j'ai demandé à Alannah de m'épouser. Elle a immédiatement dit oui. Larmes, rires, émotion générale. J'ai eu le sentiment qu'elle attendait ça depuis des mois. Ce jour-là, samedi, j'avais emmené Gail et Arlene se balader dans Central Park. Arlene a voulu faire du patin. Gail et moi, nous nous sommes assis dans les tribunes pour la regarder (elle est très bonne) en mangeant des bretzels. Gail a dit d'une voix grave, posée, à propos de rien : « Logan, pourquoi n'épouses-tu pas maman ? Ça me plairait que tu le fasses. » J'ai soufflé comme un bœuf et changé de sujet mais ce soir-là, pendant le dîner (nous étions seuls), j'ai fait ma demande. Il est vrai que je suis très attiré, physiquement, par Alannah, et je l'aime bien mais je ne peux pas dire, en toute honnêteté, que je l'aime. Si tu l'aimais, est-ce que tu continuerais à t'envoyer Janet Felzer ? Alannah dit qu'elle m'aime. Le problème, c'est que je ne crois pas que je pourrai jamais vraiment aimer quelqu'un après Freya. Mais je suis heureux, je suppose – plus que cela, je suis ravi, enchanté que nous nous mariions. Je suis habitué au mariage ; je ne suis pas habitué à vivre seul – être seul n'est pas un état que j'accueille avec plaisir ou joie. La pensée demeure, cependant, que j'épouse Alannah parce que cela signifie que j'aurai Gail dans ma vie. Peut-être est-ce Gail que j'aime... C'est sans doute très idiot de ma part : elle ne sera pas pour toujours l'amusante, délicieuse fillette de cinq ans. Mais *carpe diem*. Si quelqu'un est fait pour vivre suivant cette maxime, c'est bien moi.

[LMS épousa Alannah Rule le 14 février 1953 au cours d'une discrète cérémonie à laquelle assistaient quelques amis et les enfants. Titus Fitch prétendit avoir la grippe et ne put se déplacer.
Le journal de New York se tait maintenant pendant deux ans jusqu'au début 1955. LMS avait quitté son appartement de Cornelia Street pour celui d'Alannah sur Riverside Drive. La maison de Mystic (que LMS baptisa la Maison magique) devint au contraire de New York un endroit très aimé. LMS continua à diriger la galerie Leeping Fils, mais la trêve fragile entre lui et Marius menaçait de se rompre.]

1955

Dimanche 10 avril
La Maison magique. Une belle journée ensoleillée. On se croirait en été. Le cornouiller en fleur. Je fais semblant de lire dans le jardin mais en réalité je ne pense qu'à mon premier verre. Juste avant onze heures, je vais dans la cuisine ouvrir une bière. Personne dans les parages, et j'en profite pour avaler deux grandes gorgées et compléter la canette avec de la vodka. De retour dans le jardin, et soudain le journal paraît plus intéressant. « On boit déjà ? » dit Alannah sur son ton le plus sarcastique et désapprobateur. « Juste une bière, bon Dieu ! » je proteste. Ceci me permet d'attendre midi quand je peux alors légitimement préparer un pichet de martinis. Alannah en prend un, moi trois. J'ouvre une bouteille de vin pour le déjeuner. Dans l'après-midi, je somnole puis je descends à la plage et je me promène dans les rochers avec les mômes. A notre retour, c'est l'heure d'un ou deux whiskies soda préprandiaux. Du vin encore avec le dîner, un cognac ensuite et bientôt il est temps d'aller se coucher. C'est ainsi que je survis à un dimanche à la campagne.
Pourquoi est-ce que je bois autant ? Eh bien, une des raisons c'est que le dimanche je sais qu'il me faut retourner à New York le lundi. L'esprit d'un lieu est quelque chose à quoi je crois profondément – d'où ma passion pour la Maison magique – et l'esprit de l'Upper West Side n'est tout bonnement pas pour moi. Je hais notre appartement ; je hais sa situation et ça commence à me pourrir toute l'île de Manhattan. Quelle combinaison de facteurs peut être à l'origine de ce sentiment ? L'étroitesse des avenues nord-sud dans le West Side. Les immeubles quelconques qui les bordent. La hauteur des-

dits immeubles. Et il y a toujours aussi trop de gens dans l'Upper West Side. On est trop serrés, les trottoirs sont trop remplis de passants. Et puis la vaste et froide étendue de l'Hudson. Ce n'est tout simplement pas pour moi – mon âme se ratatine. J'ai suggéré maintes fois à Alannah de déménager, mais elle adore cet appartement. Peut-être n'ai-je pas l'habitude de vivre avec deux petites filles. Peut-être ne suis-je pas heureux.

[Juin]

En voiture à Windrose dans Long Island, la maison du beau-père de Nat Tate, une grosse baraque néo-classique. Peter Barkasian (le beau-père) achète soixante-quinze pour cent de la production de son beau-fils, agissant un peu ainsi en marchand non déclaré. Avec de bons et de mauvais effets pour Nat – un garçon charmant (il doit y avoir un meilleur mot – je ne le trouve pas) mais essentiellement candide. Bons en ce sens que cela lui garantit des revenus ; mauvais parce qu'un artiste de talent n'a pas envie de voir son beau-père contrôler sa vie professionnelle.

J'ai acheté deux tableaux de la série « Immeubles blancs », de grandes toiles blanc-gris avec des taches floues gris charbon émergeant à travers le gesso (comme à travers un brouillard glacial) qui, en y regardant de plus près, se révèlent être des maisons. Barkasian est extraordinairement fier de Nat, lequel, embarrassé, repousse d'un battement des paupières tous les compliments, tel un essaim de mouches bourdonnantes. Je l'aime bien, Barkasian, il a toute l'assurance irréfléchie d'un homme riche, sans l'égocentrisme aigu qui d'ordinaire l'accompagne. On sent qu'il regarde le monde de l'art avec l'œil d'un écolier sur une confiserie – un monde où se délecter, plein d'amusements et de plaisirs potentiels. Il est allé boire avec Nat à la Cedar Tavern et délirait à propos des femmes : « Eh bien, le gamin a dû pratiquement les repousser ! » Je soupçonne que les goûts de Nat ne vont pas dans cette direction.

[Juillet]

Mystic. Dieu, quel endroit épatant. J'ai réussi à me restreindre et à moins picoler, et ici toutes les tensions entre Alannah et moi s'effacent. Je la regarde sur la plage : son grand corps souple, son bronzage, les gamines riant et piaillant au bord de l'océan, et je me dis :

Mountstuart, pourquoi t'est-il si difficile de profiter de la vie ? Je goûte le sel sur les seins d'Alannah quand nous faisons l'amour. Allongé près d'elle, j'écoute, quand la mer est haute, le bruit des vagues, le sifflement occasionnel d'une voiture sur l'autoroute 95, et je me sens en paix, je suppose.

Juste à quelques kilomètres d'ici, la Tamise coule de Norwich à New London. Tout près, se trouvent les villes d'Essex et d'Old Lyme. Fitch n'aurait pas pu choisir pire endroit pour y faire mariner sa haine de la vieille Angleterre.

[Août]
Les filles sont avec leur père. Alannah et moi passons une semaine à Long Island avec Ann Ginsberg. Herman Keller est là, ainsi que l'omniprésent O'Hara. Dieu merci, notre maison est dans le Connecticut, le monde de l'art new-yorkais semble avoir décampé ici au complet. Keller nous a emmenés dîner chez Pollock mais Lee [Krasner, son épouse] a refusé de nous laisser entrer. Elle a dit que Jackson « n'était pas bien ». On entendait une assourdissante musique de jazz venant de l'arrière de la maison. Nous sommes donc repartis sur Quogue et nous avons mangé des hamburgers. Keller et O'Hara n'ont pas cessé de parler de Pollock comme d'« un génie » et j'ai dû intervenir. Désolé, ai-je protesté, mais vous ne pouvez pas galvauder ce mot n'importe comment. Il ne s'applique qu'à une poignée de très grands artistes dans l'histoire : Shakespeare, Dante, Léonard de Vinci, Mozart, Beethoven, Velasquez, Tchekhov – et quelques autres. Vous ne pouvez pas inclure Jackson Pollock dans cette compagnie et l'appeler un génie, c'est un détournement obscène, pour ne pas dire totalement absurde, du langage. Ils ont tous deux exprimé violemment leur désaccord et nous avons eu une divertissante engueulade.

[Septembre]
J'ai découvert aujourd'hui que Marius avait escroqué Leeping Fils de près de trente mille dollars. Je ne sais pas très bien quoi faire. Il s'est débrouillé pour tirer de petites sommes, toujours inférieures aux cinq cents dollars qu'il a le droit de dépenser sans m'en référer pour les tableaux qu'il achète. Je suis descendu dans la réserve de la galerie procéder à un inventaire et j'ai trouvé une trentaine de toiles

avec son nom dessus : je serais surpris qu'il les ait payées plus de dix ou vingt dollars chacune, quoique les factures les chiffrent à deux cent cinquante, trois cent vingt-cinq dollars, etc. Une fraude élémentaire mais difficile à prouver. Et une situation qui demande à être gérée avec une extrême délicatesse.

J'ai retrouvé Alannah après le bureau, nous avons dîné tôt et nous sommes allés voir un film, *Long time gone*. J'ai à peine regardé ce qui se passait sur l'écran. Mais plus tard, au lit, nous avons fait l'amour comme si c'était la première fois. Était-ce parce que j'avais l'esprit à moitié ailleurs ? Elle semblait écarter les cuisses plus largement de sorte que, quand je l'ai pénétrée, j'ai eu l'impression d'aller plus profond que je ne l'avais jamais fait. Je me suis senti immensément gros et puissant, capable d'aller et venir en elle sans jouir aussitôt et avec un tel sentiment de détente, de purification que j'ai tout de suite songé à Balzac – « et voilà un nouveau roman qui s'en va ». L'idée m'a fait rire et, en m'entendant, Alannah elle aussi a ri, et nous avons tous deux connu une sorte d'hilarité délicieuse, mutuelle, sexuelle. Quand je me suis retiré, mon érection tenait encore à moitié et je me suis senti en proie à une fièvre d'animal en rut, prêt à remettre ça. « Doux Jésus, s'est exclamée Alannah, qu'est-ce que tu as ce soir ? » Nous avons pris une douche ensemble, nous nous sommes caressés et embrassés tendrement. Après nous être séchés, nous sommes retournés au lit. J'ai ouvert une bouteille de vin, nous avons recommencé à nous caresser et à jouer l'un avec l'autre mais paresseusement, comme si nous avions décidé tous deux, par entente tacite, de ne pas refaire l'amour. Quelque chose s'était passé cette dernière fois et nous voulions en conserver le souvenir.

Je me suis réveillé à quatre heures du matin et j'écris ces lignes, avec une douleur sourde dans les testicules. Mais j'ai l'esprit encore plein de Marius et de son escroquerie.

Jeudi 29 septembre

Paris. Hôtel Rembrandt. J'ai décidé de venir à Paris en partie pour discuter de vive voix avec Ben du problème Marius et en partie parce que Mère dit qu'elle est très mal, aux portes de la mort, selon elle. Et aussi parce que j'ai besoin de faire renouveler mon passeport.

Avant mon départ, j'ai retrouvé un des artistes achetés par Marius. Sur la facture, celui-ci prétend avoir payé deux cents dollars pour un barbouillage infantile censé représenter un yacht en mer (décrit comme « de style *faux naïf* »). L'artiste s'appelle Paul Clampitt et je l'ai découvert dans un collège privé douteux de Newark, dit l'Institution des artistes américains, où il donnait un genre de cours de dessin graphique. Je lui ai demandé s'il avait des tableaux à vendre, un de mes amis en ayant acquis un qui me plaisait. Certes, a-t-il répliqué et il en a étalé une douzaine sur la table : vingt-cinq dollars pièce. J'en ai acheté un, et j'ai réclamé un reçu.

Ben s'est montré bouleversé et furieux quand je lui ai présenté cette preuve. « Il faut qu'il s'en aille », a-t-il dit avec une réelle amertume. Il m'a demandé si je pensais pouvoir m'occuper seul de la galerie et j'ai répondu bien sûr. Il a déclaré qu'il allait tout régler. A mon retour, Marius serait parti. Puis il m'a serré chaleureusement la main en m'exprimant sa gratitude : « Il est rare dans ce sale milieu de trouver quelqu'un en qui on peut avoir confiance », a-t-il ajouté avec véhémence. Je suis, moi, un peu inquiet quant à l'issue finale de toute cette affaire.

Dîné avec Cyprien Dieudonné, l'image même de l'homme de lettres beau et distingué. Cheveux blancs juste un peu longs, frisottant sur le col. Canne à pommeau d'argent – le petit geste du côté *dandysme**. Il vient de recevoir la Légion d'honneur et en est très fier, affirmant que je ne suis pas étranger à cette marque de reconnaissance (*Les Cosmopolites,* chose étonnante, sont toujours en vente – quelques douzaines d'exemplaires par an). Je lui ai répliqué que cela en disait surtout plus sur la France et son respect inné pour les écrivains. Ce septuagénaire, un poète mineur qui n'a pas publié une ligne depuis des décennies, dont les jours glorieux sont antérieurs à la Grande Guerre, est encore considéré comme un bien culturel par l'État. Nous avons levé notre verre l'un à l'autre, ouvriers dans la même vigne. Je doute qu'il y ait plus d'une douzaine de gens en Angleterre – en dehors de ma famille et de mon cercle d'amis – qui sachent qui je suis et ce que j'ai écrit.

Lundi 3 octobre

Mère est couchée, pâle, faible. Elle tousse. Encarnación s'occupe d'elle aussi bien qu'elle le peut, mais c'est une vieille femme elle

aussi. La maison est triste et inhabitable. Derniers des pensionnaires, deux jeunes gens et leur bébé vivent au sous-sol. J'appelle
un médecin qui prescrit des antibiotiques. Une bronchite, dit-il,
ça traîne beaucoup par ici. Pour moi, ce n'est pas tant que Mère
soit malade mais plutôt qu'elle est lasse de lutter. Je me rends à sa
banque et découvre que les emprunts faits avec la maison pour
garantie signifient en fin de compte qu'elle ne nous appartient plus.
Je règle le découvert de vingt-trois livres et en dépose cent de plus.
Je ne suis pas riche moi-même – quand je déduis le salaire d'Alannah – et je ne peux pas vraiment me permettre ces gestes altruistes.

Je lis *Vivre et laisser mourir*, le roman de Ian [Fleming]. Une
tâche difficile, connaissant Ian comme je l'ai connu autrefois – je
ne peux que le retrouver dedans : l'acceptation des invraisemblances
devient presque impossible. Peut-il avoir idée de la manière dont
il s'expose lui-même ? Cela dit, ça m'a fait passer une bonne heure
ou deux.

Allé chercher mon nouveau passeport, valable dix ans de plus.
En 1965, j'aurai cinquante-neuf ans et cette pensée me coupe les
jambes. Qu'est-il advenu de ma vie ? Ces blocs de dix ans qu'on
vous distribue avec les passeports sont une forme cruelle de
memento mori. Combien de passeports aurai-je encore ? Un (1965) ?
Deux (1975) ? C'est si loin, 1975, et pourtant votre vie de passeport
paraît bien trop courte. Combien de temps a-t-il vécu ? Il a réussi à
avoir six passeports.

Jeudi 6 octobre

Turpentine Lane. Je téléphone à Peter. Gloria répond. Peter est en
Algérie, où il fait des recherches pour son prochain livre. L'Algérie ?
Vous savez bien, le soulèvement : il a pensé que ça ferait un bon
décor à son bouquin, dit Gloria. Pourquoi ne viendriez-vous pas
prendre un verre ? J'y vais. Peter habite maintenant Belgravia, un
grand appartement dans Eaton Terrace. Gloria très soignée – un
beau décolleté bien en chair exposé dès six heures de l'après-midi.
Nous flirtons irrésistiblement. A mon départ nous nous embrassons
et je suis autorisé à toucher ses seins. « On entame notre liaison ici,
dit-elle, ou bien chez vous ? » Je suggère Turpentine Lane – plus
discret. « Demain soir, décide-t-elle. Vingt heures. »

Vendredi 7 octobre
Gloria vient de partir. Il est 23 h 15. « Quel curieux petit antre tu as là, Logan Mountstuart. Une cellule de moine. Un moine lubrique, j'espère. » Elle avait apporté une bouteille de gin : elle ne pouvait pas se douter de mon association d'idées avec Tess. Son petit corps bien roulé est d'une fermeté surprenante – on s'attendrait à ce qu'il soit tout potelé et tendre, mais il est en fait tendu et caoutchouteux, comme celui d'un gymnaste. Je remarque qu'à nous deux nous avons bu la plus grosse partie de la bouteille. Du sexe bon, énergique, solide, mutuellement satisfaisant. Cependant, je suis content de repartir à New York demain.

[A son retour, LMS constata que Marius avait déjà quitté la galerie. Ben avait un peu adouci son sévère ultimatum et donné à Marius la possibilité et les moyens financiers d'établir sa propre boutique et de se racheter aux yeux de son beau-père. En un rien de temps, il avait ouvert la galerie ML sur la 57e rue Est. LMS prit la direction de Leeping Fils. Il n'eut plus de contacts avec Marius, chacun ayant soin d'éviter l'autre.
En 1956, Mercedes Mountstuart mourut des suites d'une pneumonie. Elle avait soixante-seize ans. LMS retourna à Londres en avion pour assister à l'enterrement. Il profita de ce qu'il était en Europe pour prendre des vacances clandestines avec Gloria Scabius. Ils se retrouvèrent à Paris et gagnèrent en voiture par petites étapes la Provence et la Méditerranée.]

1956

Dimanche 5 août
Déplacements : Paris-Poitiers. Hôtel minable. Poitiers-Bordeaux. Hôtel Bristol – bien. Puis deux jours dans le Quercy avec Cyprien dans sa chartreuse de Montaigu. Cyprien, contrairement à son caractère, a paru se laisser démonter par Gloria *(« Elle est un peu féroce, non* ? »)* Retour à Bordeaux pour une nuit. Dispute au Chapon fin. Rentrés à l'hôtel, Gloria m'a lancé une chaussure à la figure et a brisé un miroir. Elle a refusé de me parler de toute la journée jusqu'à ce qu'on arrive à Toulouse. « Où veux-tu dîner ? » ai-je demandé ; « Partout où tu ne seras pas, espèce de con de salopard », m'a-t-elle répondu. Nous avons dîné au Café de la Paix – excellent.

Nous avons bu une bouteille de vin chacun, puis plusieurs armagnacs. Amis de nouveau. Au matin, Gloria a téléphoné à Peter – il croit qu'elle voyage avec Sally, une amie américaine. Ça paraît très risqué, mais je ne sais pas pourquoi je m'en bats l'œil. J'ai le sentiment – et ce n'est peut-être que de l'aveuglement – que c'est l'affaire de Gloria et non la mienne. Je pourrais être n'importe quel vieux gigolo. Toulouse-Avignon. Gloria, très pompette au déjeuner, m'a enfoncé sa fourchette dans la cuisse et l'a fait saigner. Un autre acte de violence, ai-je dit, et je prends le prochain avion pour Londres. Elle s'est très bien tenue depuis.

Lundi 6 août

Cannes. Déjeuner avec Picasso dans sa nouvelle demeure, La Californie. Vulgaire mais avec de vastes pièces et une vue spectaculaire de la baie. Une jeune femme du nom de Jacqueline Roque *in situ* en qualité de muse résidente. Picasso très séduit par Gloria. Elle était assise entre lui et Yves Montand, tandis qu'à l'autre bout de la table je convoitais ardemment Simone Signoret. (« Elle a l'air d'une barmaid », a décrété cette vache de Gloria. J'ai opiné : « Oui, une barmaid française fabuleusement belle. ») Gloria, très amoureuse ce soir, a affirmé qu'elle n'avait jamais dans sa vie eu de vacances plus agréables. Picasso m'a déclaré qu'il la trouvait *typiquement anglaise – Au contraire**, ai-je répliqué. Il a fait un rapide dessin de nous deux debout sur la terrasse après le déjeuner – ça lui a pris trente secondes – mais il l'a signé et daté et, hélas, l'a donné à Gloria. Pas question de le récupérer maintenant.

Mercredi 15 août

Je reprends l'avion demain, aussi suis-je allé au cimetière de Brompton voir la tombe de Mère. Encarnación est partie vivre chez une nièce à Burgos, et la maison de Sumner Place a été récupérée par la banque. Mère est morte en laissant une accumulation de petites dettes, dont je paierai certaines. Elle m'a tout légué dans son testament mais elle n'avait plus un sou. Toute la fortune que Père nous avait laissée à tous deux a complètement disparu – et je découvre que j'en suis encore furieux. Moins parce qu'une partie de cet argent devait me revenir mais plutôt parce que je sais combien il serait atterré devant une telle irresponsabilité financière.

Gloria m'a « prêté » le dessin de Picasso (« Je peux difficilement l'accrocher à Eaton Terrace, chéri, franchement. Même Peter reniflerait un truc pas net »). Je l'ai fait encadrer et désormais il est accroché au-dessus de la cheminée dans le salon, unique tableau sur ce mur. *Le Rouge et le Bleu et le Rouge*, le roman algérien de Peter, se vend de manière insensée et Gloria semble ravie de l'aider à dépenser ses droits d'auteur. Elle m'a fait ses embrassades d'adieu au Bourget en me disant : « Merci Logan chéri pour ces vacances extra, mais je pense que nous ne devrions pas nous revoir avant 1958. » Elle me laisse avec la conscience tranquille : elle m'a dit que Peter avait une interminable série de petites amies qu'il appelle ses assistantes de recherches. Conscience tranquille vis-à-vis de Peter – mais pour Alannah ?

Chez mon tailleur pour un dernier essayage : un rayé gris foncé, un gris en flanelle légère pour l'été ; et mon habituel bleu nuit à double boutonnage. Il semble que j'aie dix centimètres de plus de tour de taille qu'en 1944. « Ce doit être tous ces sandwiches aux hamburgers, monsieur », a dit Byrne.

Jeudi 23 août

Jackson s'est tué en voiture avec une fille à Long Island. Tristesse mais pas de vraie surprise dans le monde de l'art : chacun s'accorde à dire qu'il se serait bientôt tué d'une manière ou d'une autre. Ben m'a téléphoné de Paris pour me demander d'acheter n'importe quel Pollock que je pourrais dégoter. Mais ça ne vaut pas un clou, ai-je protesté. Ce type était nul et il le savait – c'est pour ça qu'il avait envie de mourir. Qui s'en soucie ? a dit Ben, achète, point final. Et il avait raison : les prix montent déjà. J'ai ramassé deux spécimens de l'atterrante récente production pour deux mille et trois mille dollars. Herman Keller prétend connaître quelqu'un qui possède un *drip painting* de 1950 mais qui en veut cinq mille dollars. D'accord, ai-je dit avec beaucoup de réticence. Ben est ravi.

Vendredi 19 octobre

Je suis tombé sur Marius Leeping aujourd'hui dans Madison Avenue. Il sortait d'un hôtel, l'air rubicond et pas très stable sur ses pieds – trop de cocktails. Il était quatre heures de l'après-midi. J'ai souri poliment, fait un petit signe de tête en guise de salut et j'ai

tenté de passer mon chemin, mais il m'a attrapé par le bras. Il m'a
traité de « *petit connard** » et de « sacré salaud » qui essayait de
le séparer de son père. J'ai répliqué que si quelque chose pouvait
séparer un fils de son père, c'était peut-être le vol par le fils de trente
mille dollars appartenant au père. Il m'a allongé un coup de poing
qui a raté son but. Je l'ai repoussé. J'ai cinquante ans et je ne peux
plus me permettre de me bagarrer avec des jeunes gens dans les rues
de New York. « Je t'aurai, espèce de foutu con ! » m'a-t-il gueulé.
« Ouais, ouais, ouais », j'ai répliqué en me barrant. Quelques
New-Yorkais se sont arrêtés une seconde ou deux pour sourire : rien
d'extraordinaire, juste deux étrangers cinglés en train de se disputer.

1957

Dimanche 13 avril

La Maison magique. Je suis entré dans la chambre des filles
aujourd'hui et Arlene était là debout toute nue. De petits seins pointus, une ombre de duvet sur le pubis. Pardon ! ai-je lancé d'un air
dégagé avant de faire demi-tour. Bien sûr, elle a quatorze ans, mais
je pense à elles deux comme aux petites filles qu'elles étaient quand
je les ai vues pour la première fois. J'ai pris la précaution de mentionner l'incident à Alannah, juste au cas où Arlene le ferait. « Mon
dieu, ce qu'elle grandit ! », ai-je dit ou quelque chose d'aussi anodin
dans ce goût. « N'en fais pas une habitude », a-t-elle répondu. J'ai
protesté que je n'aimais pas son ton ni ce qu'il impliquait. Elle m'a
dit d'aller me faire foutre. J'ai dit que je préférerais ça plutôt que
de la foutre elle – encore qu'en avoir l'occasion serait un exploit
en soi. Et c'est ainsi que nous avons eu une sale petite bagarre
venimeuse où nous nous sommes bombardés des mots les plus
blessants. Qu'est-ce qui ne va pas ? Pendant un horrible moment,
j'ai cru qu'elle avait découvert l'histoire Gloria, mais c'est impossible. Gail sent cette tension entre nous : « Pourquoi maman et toi
vous vous battez toujours ? » « Oh, je dis, c'est juste qu'on devient
vieux et susceptibles. » Depuis mon intrusion, Arlene n'arrive plus à
me regarder en face.

Lundi 3 juin

Curieuse entrevue hier avec Janet [Felzer]. Pour les affaires, a-t-elle précisé, pas pour le plaisir, mais elle ne voulait pas que nous nous rencontrions dans mon bureau ni le sien. D'accord, ai-je dit, que penses-tu des marches du Metropolitan Museum? Non, non, trop en évidence. Nous avons finalement opté pour une librairie dans Lexington Avenue.

Janet m'a demandé si je connaissais Caspar Alberti. Oui, j'ai dit, c'est un client – il m'a acheté un petit Vuillard. Il est ruiné, a annoncé Janet. Comment le sais-tu? Je le sais, c'est tout : il va mettre aux enchères toute sa collection. Comment le sais-tu? ai-je répété. Un petit oiseau me l'a raconté – il a fait venir un expert. Il a besoin d'argent très vite, a-t-elle déclaré d'un air entendu, avant d'ajouter, timide : peux-tu trouver cent mille dollars? Pourquoi? Parce que si tu peux, que je le peux et que quelqu'un d'autre que je connais le peut aussi, alors on achète la collection d'Alberti pour trois cent mille dollars. Et ce qu'on en fait après? On s'assied dessus pendant un an et on la vend, en divisant tout en trois. Tu doubleras ton fric – garanti.

J'ai téléphoné à Ben et il m'a fait virer l'argent tout de suite. J'ai été surpris et vaguement honteux : dans un sens je me suis senti ravalé au rang de Marius – comme si j'habitais un monde où triomphent les fourbes et prospère le malhonnête homme.

[Juin]

Je me lève d'habitude à sept heures – je ne dors pas très bien ces temps-ci –, je prends une douche, je m'habille et vais petit-déjeuner. Shirley [la femme de chambre] a tout préparé pour les filles et moi. Je prends des œufs brouillés sur toast. Les filles arrivent, mangent leurs céréales, boivent leurs milk-shakes, mâchouillent des biscuits. Je me verse du café et je fume ma première cigarette de la journée. Gail est une infatigable bavarde ; Arlene semble toujours en proie à une certaine agitation, à une crise à propos de ses vêtements ou de ses devoirs de classe. Alannah se pointe à son tour, à 8 h 30 précises, impeccable, s'offre un café et une cigarette avant que Shirley emmène les gamines à l'école. Parfois, je partage un taxi avec Alannah, mais j'aime la ville le matin et je choisis en

335

général de marcher un peu, d'acheter un journal et de prendre ensuite un taxi jusqu'à la galerie.

Je suis toujours le premier à arriver. J'ouvre, j'allume, je ramasse le courrier et puis je m'installe dans mon bureau avec mes jumelles en attendant que la fille se montre. De l'arrière de notre immeuble, on a une bonne vue sur l'arrière d'un immeuble de la Cinquième Avenue. Au quatrième étage, il y a une fille qui se lève en général entre 9 h 30 et dix heures et ouvre alors ses rideaux. Elle sait qu'on ne peut pas la voir d'en face directement mais elle a oublié ceux d'entre nous qui peuvent l'observer de biais à l'intérieur de sa chambre.

Être un voyeur à temps partiel m'a conduit à développer un concept que j'appelle « la veine du voyeur ». Je peux être assis à mon bureau, jumelles fixées sur ses deux fenêtres, et le téléphone sonne juste au moment où la fille enlève sa chemise de nuit. Le temps que j'en termine avec l'appel, que je reprenne vite les jumelles, et elle a mis son soutien-gorge. Ces occasions manquées me peinaient cruellement autrefois, mais maintenant je me console avec mon idée. « La veine du voyeur » veillera sur moi, d'une manière ou d'une autre.

Comme par exemple vendredi dernier, alors que je me trouvais avec un client et que je pensais avoir complètement raté le spectacle. Mais je suis revenu un instant dans le bureau et elle était là, nue, encadrée dans la fenêtre, debout devant son placard, se demandant comment s'habiller. Je suis désormais résigné au rôle que le hasard joue dans tout cela. J'arrive tous les matins, je regarde ses rideaux, je prends mes jumelles, une minute ou deux, et si rien ne se passe je me mets à mon travail. Je suppose que sur les deux ans écoulés depuis que je l'ai remarquée, j'ai dû avoir une bonne vision de son corps une ou deux fois par mois.

Ce n'est pas une beauté, cette fille : un peu trop grosse avec des cheveux rêches, frisés en tire-bouchon, un menton en avant et une bouche molle. Je suis tombé sur elle chez un traiteur de Madison Avenue et j'ai failli lui dire : « Salut ! » Étrange, la connaissant comme je la connais, faisant son choix de vêtements tous les matins devant son placard, de me retrouver dans la même file d'attente qu'elle à la caisse. J'ai eu envie de lui dire : « J'adore le soutien-gorge rouge. » Elle a acheté des cigarettes mentholées. Je sais quand elle part en vacances et quand elle revient. Elle est, de curieuse manière, « ma petite amie ». La relation est unilatérale, mais c'est ainsi que je l'appelle quand je prends mes jumelles : « Verrai-je ma petite amie aujourd'hui ? » Je ne veux savoir ni son nom ni quoi que ce soit d'autre à son sujet.

[Juin]

J'ai parlé de la fille à mon psychiatre, le Dr John Francis Byrne. « Est-ce qu'elle vous excite ? a-t-il demandé de sa voix monotone. Vous masturbez-vous ensuite ? » J'ai répondu non, ce qui est vrai, et j'ai tenté d'expliquer la petite mesure d'excitation que je retirais de mon voyeurisme occasionnel. Après tout, comme je l'ai dit à Byrne, je ne vais pas espionner les femmes en catimini. J'étais assis dans mon bureau et voilà que cette fille dans l'immeuble en face ouvre ses rideaux et se promène à poil dans sa chambre. Mais vous avez acheté des jumelles, m'a fait remarquer Byrne. Pure curiosité, ai-je répliqué, j'étais intéressé par les détails. Ce qui me plaît dans ce rite, c'est que son innocence et son caractère intime provoquent un frisson plutôt qu'autre chose de plus ouvertement sexuel – c'est comme un Degas ou un Bonnard : vous savez, *Femme séchant ses cheveux*, *Marthe au bain*. Byrne a un peu réfléchi : « Oui, je vois ce que vous voulez dire. »

Le Dr Byrne m'a été recommandé par Adam Outridge, mais je n'ai pris contact avec lui qu'au début de cette année, poussé plutôt par l'ennui que par la névrose. Les choses n'allaient pas très bien entre Alannah et moi, et j'ai soudain éprouvé le besoin de parler à quelqu'un.

Ironique, blasé, Byrne doit avoir dans les soixante ans et quelques. Un esprit vif, très averti. C'est un type de haute taille qui porte bien son excès de poids. Je lui ai demandé s'il savait qu'il avait le même nom que l'homme ayant servi de modèle à « Cranly » dans les romans de James Joyce – J. F. Byrne. Je le sais, a dit Byrne et puis après ? Ce n'est pas une si remarquable coïncidence. C'est vrai jusqu'à un certain point, ai-je rétorqué, j'ai aussi un tailleur à Londres nommé Byrne. Mais avoir exactement les mêmes prénoms, ça c'est une coïncidence. Byrne n'a pas été impressionné : regardez-vous, m'a-t-il dit, vous avez un nom de famille peu commun mais c'est le même que celui de l'homme qui a accompagné Boswell dans son Grand Tour. Vous en sentez-vous différent ? Mieux ? Mais il y

337

a encore autre chose, ai-je insisté, j'ai rencontré Joyce, j'ai lu ses livres, j'ai lu le livre de souvenirs que Byrne lui a consacré, et à présent vous êtes mon psychiatre. Vous ne trouvez pas que l'heureux hasard commence à échapper à tout contrôle ? Je ne crois pas que ce soit là un sujet fructueux à explorer, a dit Byrne. Dites-moi, cette fille : est-ce qu'elle a de gros seins ?

Quand j'ai rencontré Byrne pour la première fois, je lui ai demandé à quelle école il appartenait : freudienne, jungienne, reichienne, ou une autre. Aucune de celles-là, il a répondu. Je suis à la base un brave vieux S&M. S&M ? Sexe et Monnaie. Il s'est expliqué : selon son expérience, si on n'est pas cliniquement malade – par exemple schizophrénique ou maniaco-dépressif – quatre-vingt-dix-neuf pour cent des névroses sont dues soit au sexe soit à l'argent. Si on va au fond du problème du sexe ou du problème de l'argent, alors ces séances peuvent devenir très productives. Il a souri de son faible sourire : « Du genre connais-toi toi-même. Alors dans quelle catégorie tombez-vous ? » Je crois que je suis un de vos clients problème sexe, ai-je dit.

[Octobre]

Janet et moi avons repris notre liaison sans grande conviction. Je me demande pourquoi. Peut-être parce que Gloria et nos amusements me manquent. J'ai reconduit Janet chez elle l'autre jour (nous avions été voir Tate à Windrose), elle m'a invité à prendre un verre, et une chose en amenant une autre… Nous célébrions, de toute façon, notre association dans le crime. Il semble que nous soyons sur le point de tripler notre mise dans la collection Alberti. Si facile.

Suis allé rencontrer Charlie Zemsche [un client] au Plaza. Il faisait chaud et l'odeur de pisse et de crotte des poneys et des charrettes dans Central Park Sud était à couper au couteau. Je ne viens jamais ici en été à cause de cette puanteur mais, en octobre, je me croyais à l'abri. Voilà une intéressante leçon d'histoire : si trois douzaines de chevaux peuvent empester à ce point, imaginez ce que devait être l'odeur d'une ville au XIXe siècle. Sans parler des milliers de tonnes de fumier déposées dans les rues chaque jour. Je me sens pris de nausée en contournant le parc – comment aurais-je survécu dans le Londres de Dickens ?

Charlie est plus aimablement morose que jamais : il hait New

York, déteste sa nouvelle maison. « J'en ai marre des entrepreneurs, des architectes. C'est pas une vie. Il faut habiter à l'hôtel, ça devient le problème de quelqu'un d'autre, plus le vôtre. » La théorie de Charlie : si vous réduisez au minimum les tracas et les embêtements de l'existence, vous l'appréciez d'autant plus. Je lui ai demandé comment il pouvait abandonner New York pour Miami. « Un mauvais jour là-bas est meilleur qu'un bon jour ici. » Il est tout de même intéressé par mon petit Bonnard. Il peut se mettre dans une valise, lui ai-je dit, vous l'emporterez d'hôtel en hôtel.

1958

[Mai]

Un week-end chez Ginsberg à Southampton. Todd Heuber était là avec sa sœur Martha qui est peintre aussi : une rousse aux étranges yeux bleus en amande. Elle peint des tableaux abstraits à rayures grossières comme ceux de Barnett Newman. Todd voudrait beaucoup que Leeping la prenne. « Marius est très intéressé », m'a-t-il dit pour m'encourager.

Gail passe toute sa soirée jusqu'au coucher « à chercher le Spoutnik ». Je la rejoins sur la pelouse, un peu ivre, une nuit, et je reste à côté d'elle, fixant les étoiles à la recherche du point de lumière en mouvement. Je me sens la tête vide, j'ai un peu le vertige et je perds l'équilibre. Gail m'aide à me relever. « Pourquoi es-tu tombé, papa bêta ? » dit-elle avant d'ajouter : « Stupide Logan. » Je suis content qu'elle n'ait pas pu voir les larmes dans mes yeux.

[Juillet]

La Maison magique. Regarder ce matin Alannah nue se raser les aisselles a provoqué en moi un petit frisson de désir, comme aux jours anciens. Je suis sorti du lit pour la rejoindre dans la salle de bain et j'ai frotté mon pénis raidi contre ses fesses. « Chéri, j'ai mes règles », a-t-elle protesté. Mais je sais que ce n'est pas vrai.

[Juillet]

Je bois du gin directement à la bouteille dès dix heures du matin, juste en quête de cette petite sensation, de ce petit coup de fouet. Le brouillard se dissipe pour faire place à une journée d'un bleu vague, l'eau dans le Sound bizarrement opaque, comme du lait. Je m'ennuie et c'est pourquoi j'attaque si tôt la boisson : Alannah est en ville pour trois jours. Shirley est venue s'occuper des filles et de leurs deux amies. Quatre gamines dans la maison – soit elles se battent soit elles gloussent. Elles semblent ne pas disposer d'autres formes de comportement.

[Août]

En regardant mon visage dans le miroir à raser, je note la rugosité croissante de sa texture : les nodules, les ombres pigmentées, les capillaires éclatés, les rides et le relâchement de la peau, tous les petits dégâts accumulés du vieillissement. Mes cheveux se raréfient, la pointe sur mon front est plus marquée. J'expérimente plusieurs façons de me coiffer mais je n'aime pas le résultat. J'ai cinquante-deux ans, bon dieu, pas la peine de prétendre le contraire.

[Août]

NYC. Todd a téléphoné, très excité, pour me demander de venir voir les nouveaux tableaux de Martha. Être seul dans l'appartement me paraît étrange. Il semble si grand sans Alannah ni les filles. J'ai deux autres rendez-vous et j'ai donc décidé de passer ici le week-end.

Je me suis rendu dans le studio de Martha. Une œuvre particulière, envoûtante. Les tableaux sont grands – 2 m 50 sur 1 m 25, 3 m 50 sur 1 m 75 –, chargés, des tourbillons de couleur à la Turner. Lumière et ombre, facture impressionniste. Mais ils semblent abîmés par des marques, comme si d'infimes gouttelettes de peinture avaient été reversées ou si la trame de la toile apparaissait. Puis on regarde de près, de très près, à juste quelques centimètres, et l'on s'aperçoit que ces points sont en réalité des silhouettes ou des animaux minuscules, pas plus de deux ou trois millimètres de haut, dirais-je. Le brusque changement d'échelle que cela produit quand on recule est surprenant. Les vitesses de perception changent automatiquement, presque de manière audible dans la tête. On regarde de nouveau le tableau et il n'est plus le même. Tout à coup, ces vagues couronnes brumeuses et ces supernovae de couleur deviennent de vastes étendues mystérieuses habitées par un peuple minuscule en mouvement sous un climat et des effets de lumière prodigieux. J'ai signé un contrat à Martha pour une exposition. Nous avons célébré ça au Village par un déjeuner très arrosé.

[*Août*]

Aujourd'hui, dimanche, une énorme gueule de bois, je suis allé voir un film dans l'après-midi : *Gigi*. Même cet ersatz hollywoodien m'a donné envie d'être à Paris, en Europe, dans le Vieux Monde. En sortant, je me disais : peut-être devrais-je emmener Alannah et les filles à Paris, et j'imaginais combien ça leur plairait, et, même si ça ne leur plaisait pas, quel bien ça leur ferait, à elles et à leur éducation.

Je remontais donc Lexington Avenue à la recherche d'un taxi, la tête pleine d'Alannah, quand une femme est sortie d'une cafétéria sur le trottoir d'en face qui lui ressemblait comme deux gouttes d'eau. C'était elle. J'ai crié mais elle ne m'a pas entendu. J'ai traversé en courant mais elle a tourné au coin de la rue. La 44e, je crois. Je l'ai vue entrer dans un hôtel. L'Astoria. Je suis entré dans le foyer : personne. Puis je l'ai vue dans le bar assise à côté d'un autre homme, qui me tournait à moitié le dos. La trentaine, brun, séduisant, des lunettes cerclées de noir. A la manière dont deux personnes sont assises côte à côte dans un bar, on devine leur degré d'intimité. Aucun doute dans mon esprit. J'ai attendu devant l'hôtel pendant une demi-heure puis j'y suis de nouveau entré. Ils n'étaient plus dans le bar et ils n'étaient pas sortis.

[*Août*]

A mon retour à Mystic, Alannah m'a raconté qu'elle avait dû aller à New York dimanche – un problème avec sa sœur. Elle a téléphoné à l'appartement sans obtenir de réponse. J'étais au cinéma, j'ai dit : *Gigi*. Ça m'a donné envie de vous emmener toi et les filles à Paris. Elle s'est montrée débordante d'enthousiasme pour l'idée et nous avons parlé de Paris pendant tout le dîner. Je me demande qui est son amant ?

[En octobre, Alannah mit LMS au courant de sa liaison et demanda une séparation. Elle était amoureuse d'un collègue de la NBC, un producteur nommé David Peterman. LMS déclara que si elle mettait un terme à son histoire, il était certain de pouvoir trouver la force de lui pardonner. Alannah répliqua qu'elle n'avait aucune intention de rompre. LMS quitta donc l'appartement de Riverside Drive pour aller habiter l'Upper East Side, de l'autre côté de la ville, où il loua le dernier étage d'une petite maison sur la 74e Est entre la Troisième et la Deuxième Avenue – à deux pas de la galerie. Ils décidèrent de partager la Maison magique, et d'y passer un week-end sur deux chacun. LMS continua ses visites au Dr Byrne.]

1959

[Février]

C'est pitoyable. J'étais devant l'école de Gail cet après-midi, attendant la sortie de sa classe. Elle me manque et je voulais la voir, juste aller dans une cafétéria et bavarder une demi-heure. Le type d'Alannah était là aussi, et attendait de même. Je l'ai interpellé : Qu'est-ce que vous foutez ici, Davidson ? Peterman, il a corrigé, David Peterman. Il était là pour ramener Gail à la maison. C'est moi qui la ramènerai à la maison, j'ai dit. Il ne pensait pas que ça plairait beaucoup à Alannah. J'ai répliqué que j'avais fait partie pendant six ans de la famille de Gail et qu'en ce qui me concernait elle était toujours ma belle-fille. Il m'a regardé : Tirez-vous, Mountstuart. C'est terminé. Acceptez-le. J'aurais voulu lui taper dessus, allonger un uppercut sur sa mâchoire carrée, et piétiner ses lunettes à grosse monture. Puis j'ai songé à Gail découvrant à sa sortie ces deux types en train de se battre pour elle. Pas juste. Je suis parti, j'ai trouvé un bar et j'ai pris une cuite.

[Avril-mai]

Cette chanson banale me trotte dans la tête – *Gonna do the jail-house rock* – et refuse de s'en aller. Je l'entends depuis des jours. J'écoute du Bach, du Monteverdi et quand je change les disques, ça recommence : *Gonna do the jailhouse rock*.

Coïncidence, une gentille lettre de Lionel m'annonce qu'il travaille dans la musique à Londres comme directeur d'un orchestre baptisé Les Pochettes vertes. Il a changé son nom en Leo – Leo Leggatt – et ne veut plus qu'on l'appelle Lionel. Leo me plaît bien : Lionel-Leo. Bon dieu, il doit avoir vingt-six ans à présent. Et maintenant que le vieux est mort Lionel doit avoir hérité du titre de baronnet. Sir Leo Leggatt. Mère serait ravie.

Jeudi 23 avril

Chez Nat à dix-huit heures pour y chercher ma *Nature morte n° 5*. Il était déjà très ivre et ne cessait de répéter que Janet ne devait rien savoir de cette vente. Je l'ai rassuré. Il m'a tendu un bol de cachets de benzédrine comme si c'était des cacahouètes, mais j'ai décliné l'offre. Il en a pris deux qu'il a avalées avec un coup de Jack Daniel's. Nous sommes allés dans son atelier, où je l'ai regardé à l'œuvre pendant une heure d'affilée. Il travaillait sur un triptyque dont le dernier panneau, déjà apprêté, attendait sur le grand chevalet. Nous avons écouté de la musique (du Scriabine, je crois) et parlé à bâtons rompus de son prochain voyage en France et en Italie – où il devait aller, qui il devait voir. Étonnant de penser qu'un homme – un artiste – de son âge n'a jamais quitté l'Amérique.

Nat a paru content de boire et de parler dans l'attente d'un certain niveau d'ivresse, semblait-il, d'un moment précis déclenché par l'alcool. Soudain, il a arraché les housses de protection des deux panneaux terminés. Révélant sur le premier un nu, une odalisque classique, de ton plus jaune que chair, et sur le second une autre version, plus stylisée et plus criarde – très sous-De Kooning. Nat est resté planté là à contempler les deux panneaux, tout en buvant, après quoi il a posé sa bouteille et a littéralement attaqué la grande toile avec un gros pinceau et des tubes de jaune cadmium, en étalant de larges rubans de couleur. Il m'a semblé frôler la folie. Je suis parti au bout d'une heure, ma nature morte sous le bras, tandis qu'il continuait à travailler, effaçant la majeure partie de ce qu'il avait fait avec un chiffon puis refonçant sur la toile, utilisant cette fois du noir et du vert[1].

Il ne manque pas de talent, Nat, mais il me semble indûment tourmenté. On a envie de lui dire : détends-toi, profite un peu plus de la vie, la création n'a pas à être toujours aussi apocalyptique, regarde Matisse, regarde Braque. Elle n'a pas à être toute *Sturm und Drang*

---

1. Pour un récit plus complet de la vie de Nat Tate, voir : *Nat Tate, un artiste américain*, par William Boyd (21 Publishing, 1998 ; trad. Éditions du Seuil, in *Visions fugitives*, 2000 et coll. « Points », n° P 1046).

pour être bonne. Mais c'est un message difficile à entendre à New York de nos jours. Le Jack Daniel's m'avait donné soif et j'ai fait halte dans un ou deux bars. J'ai bu encore du whisky en rentrant chez moi. Je me rends compte que de nouveau je suis seul et que je bois trop. Je suis malheureux : ce n'est pas mon état naturel – j'ai besoin d'être marié ou de vivre avec quelqu'un. Cela dit, je dois reconnaître que je buvais autant quand j'étais avec Alannah et les filles.

Vendredi 5 juin

J'ai dit à Byrne que je me sentais déprimé et il m'a prescrit des tranquillisants et du Séconal pour m'aider à dormir. Il m'a conseillé de ne pas les mélanger avec des quantités excessives d'alcool. Définissez « excessives », Dr Byrne. Je suis autorisé à deux martinis, un peu de vin – ce genre de niveau. N'importe quelle quantité de bière.

Byrne m'a interrogé sur mes fantasmes sexuels et les a décrétés très banals. Je suppose que c'est le cas, si on songe aux histoires qu'il doit entendre ici. Il s'est cependant attardé sur une chose que j'ai mentionnée : l'idée qui m'a toujours tenté de coucher avec deux femmes en même temps. Vous devriez essayer, m'a-t-il suggéré. Sa théorie, c'est qu'il s'agit d'un fantasme associé à ma vie familiale d'homme marié. Maintenant que je suis seul, me livrer à sa pratique sera une forme de libération, un grand tournant, le signe que j'ai avancé – que mon temps avec Alannah est vraiment révolu. D'accord, ai-je dit, mais comment est-ce que je m'y prends pour le réaliser ? Vous avez une maîtresse ? a demandé Byrne. J'ai cité Janet. Eh bien dites-lui de vous amener une amie lors de votre prochain rendez-vous. Je lui ai répondu que ça ne marcherait pas. Byrne a haussé les épaules : alors, je suppose qu'il vous faudra mettre la main à la poche.

Samedi 6 juin

Mon humeur est meilleure. Byrne a peut-être raison : j'ai sérieusement réfléchi à sa théorie. En tout cas, ce soir, après vingt-deux heures, je descends à Times Square et je me promène dans les rues du côté ouest. Il y a un tas de putains et un tas d'hommes à l'air inquiétant. On m'offre l'occasion d'acheter de la drogue au moins une douzaine de fois.

A l'angle de la 45e rue et de la Huitième Avenue, je vois une fille debout devant un petit bar éclairé au néon. Ma première pensée, c'est que la scène pourrait sortir tout droit d'un tableau d'Edward Hopper. La fille doit avoir près de trente ans, elle est plutôt lourde avec une poitrine très prononcée. Ses vêtements bon marché la moulent étroitement, et elle a un curieux reflet cuivré dans ses cheveux que soulignent les éclairs de néon des réclames pour la bière – bleu, jaune, vert et bleu de nouveau – au-dessus de sa tête. Elle porte une veste et une jupe assorties, des talons hauts et une blouse de satin rouge. Je m'approche d'elle : « Salut, je dis, puis-je vous payer un verre ? » « Qu'est-ce que vous voulez, mister ? » « Combien pour une nuit ? » Je me sens étrangement calme : ceci me ramène à ma jeunesse – ma génération allait automatiquement chez les putes un peu comme on va au théâtre. Elle m'examine de la tête aux pieds et je sais qu'elle fait des calculs basés sur mes vêtements, mes manières, mon accent. « Cent, dit-elle, et tous les extras sont extra. » Je lui demande si elle est en général ici le soir. « Oui et non. » Je dis que je reviendrai mercredi. « Oh, sûr », soupire-t-elle dégoûtée.

Je continue jusqu'à la Sixième Avenue où je trouve un hôtel de taille et de prix moyens. Il possède un grand foyer – bon pour la discrétion – et une série de dix ascenseurs pour vous emmener dans les chambres. Personne ne devrait remarquer les allées et venues de deux prostituées dans un endroit pareil. Je réserve une petite suite pour mercredi.

Jeudi 11 juin

C'est fini. C'est fait. J'écris vite pendant que je m'en rappelle encore.

J'ai tout préparé dans la chambre. Scotch, gin, sodas, de la bière, six paquets de cigarettes – différentes marques – cacahouètes, bretzels, chewing-gums.

Vers vingt-deux heures, je vais au coin de la 47e et de la Huitième mais la fille n'est pas devant le bar. Puis je l'aperçois de l'autre côté de la rue. Elle porte les mêmes vêtements que samedi. Je m'approche nonchalamment, mes battements de cœur audibles pour les passants, me semble-t-il.

MOI : Hello, vous me reconnaissez ?

LA FILLE : Non.

MOI : Je suis celui qui vous a demandé le prix d'une nuit entière.

LA FILLE : Ah, ouais…

MOI : Je suis prêt maintenant, mais j'ai une autre requête. Pouvez-vous amener quelqu'un d'autre ?

LA FILLE : Un homme ?

MOI : Non, non. Une autre fille. Cent dollars chacune.

LA FILLE : Les extras sont extra.

Je lui donne l'adresse de l'hôtel et le numéro de ma chambre, et je lui tends un billet de vingt dollars en gage de ma bonne foi. Je retourne à l'hôtel où j'attends dans ma suite junior pendant une heure et demie, de plus en plus en rogne contre moi-même – ce que tu peux être naïf ! Les vingt dollars les plus facilement gagnés de sa vie. Je mets la télé et la sonnette retentit. C'est ma fille, suivie d'une autre : plus petite, plus brune, avec un regard nerveux, fuyant. Elles entrent, je leur sers un verre et nous nous présentons : Logan, Rose (ma fille) et Jacintha (sa copine). Sous l'éclairage de la chambre, je les vois mieux. Rose est bien en chair, costaude. Jacintha est plus sale, sa robe imprimée est tachée, son cardigan a un trou au coude. Toutes deux fument.

MOI : Vous vous connaissez ?

ROSE : Je l'ai vue dans les parages.

JACINTHA : Ouais. C'est pour toute la nuit, hein ? Cent dollars ?

MOI : Absolument. Prenez donc un verre.

Ce qu'elles font. Elles s'assoient sur les deux fauteuils tandis que je me perche sur le bord du lit. Je branche la radio et j'essaye de trouver un orchestre de jazz. Les filles boivent, fument et grignotent des cacahouètes – Rose s'enquiert du prix de la suite. Je suggère que nous nous déshabillions tous les trois.

Une fois nues, les filles adoptent automatiquement une autre attitude, celle d'une coquetterie de routine. Je suis content de constater que je présente les éléments d'une érection respectable. Jacintha demande s'il y a des préservatifs et je lui réponds que j'en ai un plein tiroir. Je m'approche de Rose, la prends dans mes bras comme si nous allions danser au son du jazz grésillant qui émane de la radio. J'essaye de l'embrasser et elle refuse : « On s'embrasse pas. » On se met d'accord sur cinq dollars pour un vrai baiser avec la langue et j'en ai pour mon argent. Je suis très excité à présent, et Rose et moi nous tombons sur le lit tandis que je tâtonne pour trouver un préservatif. Rose pourrait être jolie – enfin, plus jolie – si elle perdait dix kilos. La graisse déforme son visage, gonfle ses joues de vilaine manière. Nous baisons et je jouis très vite. Entre-temps Jacintha a remis la télévision. Rose demande si elle peut prendre une douche et elle disparaît dans la salle de bain. Je m'assieds sur le lit en désordre, en contemplant Jacintha, puis je regarde ma queue molle – je ne me sens pas un gramme d'intérêt sexuel dans tout le corps. Jacintha se tourne vers moi.

JACINTHA : Tu sais, t'as un peu l'air d'un de ces gars dans *Sergent Bilko*. Le brun, comment y s'appelle ? Paparelli.`
MOI : Merci bien.
JACINTHA : Tu viens d'en dehors de la ville ?

Je m'approche d'elle. Elle n'arrive pas à décoller son regard de l'écran, mais elle tend la main et agite un peu ma queue. Je lui prends les seins. De près, son corps semble d'une pâleur maladive : je vois la cage fragile de ses côtes, le carré gris de l'écran de la télé reflété dans ses yeux. Je me détourne et vais me verser un autre verre. Rose sort de la salle de bain, toute rose et fumante, une serviette autour de la taille. « Ils ont un savon épatant », dit-elle. Et à son tour Jacintha va prendre une douche. Rose se sert un grand gin, allume une autre cigarette et me regarde franchement. « Alors, comment qu'ça va, Logan ? » « Bien, je dis. La nuit est à nous. »
Nous regardons un film, un western, tous les trois allongés sur le lit à ma demande – moi la garniture dans le sandwich de putes. De temps à autre, j'attrape une de leurs mains, je la place sur ma queue et elles me branlent sans conviction pendant un moment. Je bande et je tends le bras vers Jacintha, mais elle dit qu'elle aime bien le film et que nous avons toute la nuit. Je frotte mon nez sur les gros nichons de Rose qui repousse ma tête.
Après le film, Jacintha me fait une pipe (quinze dollars) et, quand je bande, je sors un préservatif. Je reste en érection mais j'ahane pendant des heures sans avoir d'orgasme. Finalement je me retire.

JACINTHA : C'est mieux avec deux mecs et une fille. Conseil gratuit.

Moi : Pourquoi ?

ROSE : Deux mecs peuvent toujours faire des choses – c'est plus varié.

JACINTHA : Ouais. Avec deux filles, tu en as toujours une qui fait rien, qui se tourne les pouces. A moins qu'on ait en route un truc de lesbienne.

ROSE : Et pense à ça : t'as un autre mec ici, vous partagez les frais et vous ne payez que pour une fille.

MOI : Je crois que c'est l'idée d'un autre homme dans le lit avec nous, un étranger en train de bander… ça me répugnerait.

ROSE : Ne sois pas si nauséabond.

MOI : Pudibond.

ROSE : Comme tu voudras.

JACINTHA : Et comme ça pour combien de temps t'es en ville, Logan ?

MOI : J'habite ici.

ROSE : On peut appeler le service d'étage ?

Nous commandons des sandwiches (les filles se cachent dans la chambre quand on nous les monte). Nous mangeons, bavardons, buvons (je suis plutôt saoul, à présent) et fumons. Puis nous reconnaissons tous les trois que nous sommes un peu fatigués et nous nous mettons au lit. Rose et Jacintha s'endorment, et je suis parcouru d'un frisson de sensualité, j'ai l'impression d'avoir expérimenté une sorte de révélation sexuelle. Leurs flancs touchent les miens. J'entends leur respiration, je respire leur odeur de savon, d'alcool et de cigarette. Dehors, sur la Sixième Avenue, le rugissement de la circulation croît et décroît, les sirènes glapissent, la nuit poursuit ses activités. C'est terminé. Alannah appartient au passé, je peux tout recommencer.

Au matin, Rose me secoue pour me réveiller. Il est très tôt – pas encore six heures – et elle est habillée. « Faut que j'y aille », dit-elle. Je me traîne hors du lit – Jacintha continue à dormir – et je vais chercher mon portefeuille (caché derrière la radio dans le placard de la table de nuit). Je lui donne cent cinquante dollars – je lui suis vraiment reconnaissant.

— Je peux prendre ces cigarettes ? demande-t-elle.

— Laisse deux paquets pour Jacintha.

A la porte, elle ajoute :

— A bientôt – quand tu voudras, Logan.

Elle m'envoie un baiser. Je garde le battant entrouvert et je la regarde s'éloigner tranquillement dans le corridor.

J'enfile ma robe de chambre, commande le petit déjeuner (je prends moi-même le plateau à la porte) et je verse une rasade de gin dans mon jus d'orange histoire de venir au secours de mon mal de crâne. Je sirote mon café et je regarde le soleil grimper sur les façades des immeubles en face. Jacintha se réveille et je lui apporte du café. « T'en veux un coup ? » dis-je en lui arrosant sa tasse de whisky. Je lui explique que Rose est partie de bonne heure.

JACINTHA : Tu veux t'amuser un peu ?

MOI : Qu'est-ce que tu as en tête ?

JACINTHA *(souriant)* : T'as envie de faire un truc bizarre ?

MOI : Qu'est-ce que tu veux dire ?

JACINTHA : Ben, j'imagine que cette séance ça doit être une espèce de grand fantasme d'orgie – pas vrai ? Il me semble que tu dois vouloir faire plus de trucs.

MOI : Qu'est-ce que tu dirais d'un baiser passionné ?

Jacintha m'embrasse donc (cinq dollars) à grands renforts de langue, avec des petits grognements et gémissements de passion feinte. Puis elle énumère diverses options : dans le cul, comme les chiens, le 69, la fessée. Mais soudain je me sens las, mon cerveau occupé à analyser les événements des dernières heures, me demandant pourquoi l'affaire a été si simple, si peu érotique, si peu excitante. Si transparente dans sa banalité. C'est ma faute, je décide : c'est précisément parce que j'analyse trop, que j'observe trop, que je suis trop intéressé par les détails, savourant les particularismes des deux filles. Un vrai micheton aurait juste poursuivi son affaire jusqu'à être satisfait – fais ci, fais ça – alors que je note la marque de cigarettes que Rose fume et que Jacintha a une croûte sur le genou. Rose, brusque, en sueur, et son problème de poids ; Jacintha maigre, ravagée, et son nom ridicule. Je devrais être plus égoïste, moins curieux, moins…

JACINTHA : A propos, je ne m'appelle pas Jacintha. Mon nom, c'est Valerina.

MOI : C'est un joli nom. C'est russe ?

JACINTHA : Mon papa était russe. Je pense. Tu trouves que c'est OK ?

MOI : Bien sûr.

JACINTHA : Je ne croyais pas qu'un nom russe ça marcherait en Amérique. Ces temps-ci.

MOI : T'as pas tort.

Elle se glisse hors du lit et va se beurrer un toast. « Un bel hôtel », dit-elle pour à peu près la quarantième fois. Puis son regard s'illumine : « J'ai une idée. Je pourrais te pisser dessus si tu veux. Y a des types qui aiment ça. »

MOI : Ah oui ?

Nous nous mettons d'accord sur trente dollars – c'est un nouveau jour, dit Jacintha : la nuit dernière, c'était la nuit dernière. Elle me conduit à la salle de bain et j'ôte ma robe de chambre.

MOI : Comment est-ce que tout ceci se passe exactement ?

JACINTHA : Allonge-toi dans la baignoire. Je me suis dit : j'ai besoin de pisser. Dommage de gaspiller, tu vois, peut-être qu'il aime ça.

MOI *(étendu dans la baignoire)* : On ne sait jamais. Mais je n'en veux pas près de mon visage.

JACINTHA : Je vais faire attention.

Jacintha se met à califourchon sur moi : « Prêt ? » Je regarde son corps, très raccourci de mon point de vue unique. Je fais un signe de tête et elle y va. Je garde les yeux ouverts et ordonne à chacun de mes sens de noter et d'évaluer les impressions dans le plus petit détail. Il s'agit d'une première. La nuit a produit quelque chose de nouveau. C'est là une réelle, véritable expérience. Étrange leçon d'humilité que d'apprendre que la vie peut encore vous surprendre au bout de cinquante-trois ans.

Quand elle a fini et quitte la baignoire, je tire le rideau de la douche et je me lave. Des quantités de savon. A ma sortie, alors que je commence en fait à me sentir d'humeur folâtre, Jacintha a déjà remis sa pauvre robe. « Faut que je parte, dit-elle, faut que j'aille chercher ma môme chez ma sœur. » Je lui donne deux cents dollars.

« Merci Jacintha, j'ajoute. Toute cette séance était vraiment étonnante. Vraiment. » « Ouais. Quand tu voudras, Logan, dit-elle en partant, réussissant à donner à sa voix une inflexion d'enthousiasme factice – mais elle ne peut rien pour son sourire éteint. C'était chouette. »

Dimanche 9 août
La Maison magique. Je me dis que j'ai plaisir à être ici tout seul mais je suis toujours à moitié conscient de l'absence d'Alannah et des enfants, maintenant qu'elles ne viennent plus jamais. Peterman a une maison sur l'Hudson. Je devrais probablement laisser tomber Mystic. Alannah et Peterman couchaient ensemble depuis près d'un an quand je les ai coincés. C'est de savoir ça qui en réalité fait mal, retourne l'estomac. Encore et toujours, on ne cesse de revenir à cette période, de noter et de renoter les mensonges et les fourberies qui vous ont échappé. De se rendre compte que ces moments de gaieté, de paix, de bonheur, de sexe, étaient feints et frauduleux, et que cette histoire envahissait comme une puanteur votre vie ordinaire, empoisonnant tout. Je relis ce journal et je pense : elle fréquentait Peterman alors, et aussi à ce moment-là et là encore. Et voilà pour ton légendaire pouvoir d'observation, Mountstuart. Oui, mais il est clair d'après ces pages que je m'activais à la tromper moi aussi, mes mensonges me rendant aveugle aux siens. Alannah n'était pas aussi complaisante que moi. Quand, indigné, j'ai fulminé contre son infidélité, elle a dit : « Écrase, Logan. Je sais que tu t'envoies Janet Felzer depuis des années. Ne te fatigue pas à me sermonner. »

J'écris pour Udo un article sur Rauschenberg. Cette seconde génération me paraît plus intéressante, avec plus de profondeur : Rauschenberg, Martha Heuber (je ne pense pas que Todd atteindra le premier rang), Johns, Rivers. Il semble qu'il y ait là plus de poids intellectuel : une reconnaissance des traditions artistiques, même alors qu'ils s'en détournent, ou les refondent pour les adapter à leurs buts.

Suis descendu au rivage ce soir et suis resté au milieu des rochers à contempler le Sound tout en buvant du gin au goulot de ma flasque. Une chaude soirée ensoleillée, le clapotis et le gargouillis des vagues dans les flaques, le flash du gin froid. J'ai repensé pour la première fois à mon roman abandonné depuis tant d'années et j'ai trouvé sans le chercher le titre parfait : *Octet*. *Octet* par Logan Mountstuart. Peut-être vais-je tous les surprendre, encore.

Je devrais noter ici un autre développement étrange dans ma carrière de directeur de galerie. Jan-Carl Lang [de la galerie Fulbright-Lang] est venu me voir vendredi dernier et m'a demandé si j'avais des Picasso. Il se trouve que nous en avons trois, mais il n'a montré vraiment d'intérêt que pour le plus mauvais et le plus récent : un grand nu stylisé devant une fenêtre avec une baie et des palmiers en arrière-plan. Très fluide, la peinture travaillée avec le manche du pinceau, mais trop facile, en fin de compte : on a l'impression qu'il peut produire ce genre de tableaux à longueur de journée, un par heure ou à peu près. Prix affiché : cent vingt mille dollars. Jan-Carl m'a dit qu'il avait un client qui l'achèterait pour trois cent mille dollars. Voulais-je en savoir davantage ?

La quarantaine, Jan-Carl est un grand homme blond en passe de devenir chauve, vaniteux, charmant, toujours habillé de manière impeccable quelle que soit la saison. Nous sommes allés au Carlyle prendre un verre et il m'a expliqué son plan plus en détail. Le « collectionneur » est un Européen domicilié à Monte-Carlo qu'il a refusé de nommer, mais qui est à l'évidence un prince marchand immensément riche. Le complot consiste en ceci : Leeping Fils vend ce Picasso au collectionneur X pour un montant record – annonces dans les journaux professionnels, communiqués de presse, interviews –, mais en fait l'argent ne change pas de mains. Toutefois, le tableau *Nu à la fenêtre* est désormais connu, célèbre, notoire et, plus important, sa provenance est hautement respectable – une galerie française réputée établie à New York. Et il est à un prix absurde. Un an, deux ans plus tard, le tableau se retrouve dans une vente aux enchères quelque part dans le monde. Ah ! Le *Nu à la fenêtre* de Picasso. Est-ce que ce n'est pas celui qui, etc. Le marché de l'art étant ce qu'il est, un tableau quelconque célèbre vaut beaucoup plus qu'un excellent tableau inconnu. La réserve est fixée à cinq cent mille dollars. Il pourrait faire plus. Cinquante pour cent pour Leeping Fils, fournisseurs du tableau et de sa provenance ; vingt-cinq pour cent chacun pour Jan-Carl et le collectionneur X (qui, je le soupçonne, n'est pas aussi riche que ça). Tout le monde gagne beaucoup d'argent et le nouvel acheteur est très heureux avec son tableau mondialement célèbre.

Jan-Carl allume sa cigarette avec une précision délicate. « Tout ce que nous faisons, c'est de créer le renom. Ou la notoriété, si vous préférez. » Je lui souris : « J'appelle ça de la malhonnêteté. Tout ce que nous faisons, c'est commettre une escroquerie. » Il glousse : « Ne faites pas tant de chichis, Logan. Nous exploitons notre marché. Nous le faisons tous les jours. Vous le faites tous les jours. Si un homme riche ne veut acheter qu'un tableau célèbre, ça n'est vraiment pas notre faute. » J'ai dit que je le rappellerais : il fallait que je parle à Ben. Rien ne presse, a dit Jan-Carl. Prenez tout le temps qu'il vous faut.

Vendredi 4 décembre

Nat Tate est passé hier soir chez moi sans crier gare. Pas ivre – au contraire très calme, très posé. Il m'a offert six mille dollars – beaucoup trop – pour les deux toiles que j'ai de lui. J'ai répliqué qu'elles n'étaient pas à vendre. Très bien, a-t-il dit : il voulait simplement les retravailler (une idée que lui avait inspirée sa visite de l'atelier de Braque[1]) et il m'a expliqué ce qu'il avait en tête. Je l'ai donc autorisé à les reprendre non sans réticence. Avant de partir, il m'a proposé mille cinq cents dollars pour mes trois dessins des « Ponts » : j'ai dit que je les lui échangerais contre un autre tableau, mais que je ne voulais pas les vendre. Il est alors devenu très désagréable, incohérent, discourant sur l'honnêteté artistique et sa notable absence de la scène new-yorkaise, etc. Je lui ai donné un verre bien tassé et j'ai décroché mes deux toiles, pressé de le voir déguerpir.

Puis Janet a téléphoné ce matin pour me raconter une histoire similaire de « retravail ». Elle l'a laissé emporter toutes les œuvres qu'elle avait de lui à la galerie, elle a trouvé que c'était une idée épatante.

Je voulais qu'on se fixe un rendez-vous, mais elle m'a annoncé qu'elle fréquentait un autre homme dont elle était amoureuse. Qui est-ce ? ai-je demandé. Tony Kolokowski. Mais c'est un homo-

---

1. Tate et Barkasian avaient rendu visite à Braque dans son atelier de Varengeville en septembre 1959.

sexuel, lui ai-je fait remarquer, tu pourrais aussi bien tomber amoureuse de Frank ! Ne sois pas tellement cynique, Logan, a-t-elle dit : il est bi, de toute façon. Ah, ces New-Yorkaises !

Samedi 19 décembre

Je vais au coin de la 47e et de la Huitième Avenue avec l'espoir de repérer Rose ou Jacintha. Suis-je fou ? Combien de clients auront-elles eus en six mois, depuis notre nuit ensemble ? Impossible de les retrouver et je repars avec un certain soulagement. Times Square et les rues environnantes me font froid dans le dos. Suis-je d'un sentimentalisme grotesque au point de penser que j'ai partagé quelque chose de significatif avec ces filles ? Que nous pourrions nous rencontrer, évoquer des souvenirs, qu'il existe une sorte de lien entre nous ? Oui, je suis d'un sentimentalisme aussi grotesque que ça. Il n'y a pire imbécile qu'un vieil imbécile, Mountstuart.

L'affaire Jan-Carl s'est résolue. J'ai finalement reçu de Ben une lettre plutôt cryptique dans laquelle il me disait que « l'aventure suisse » valait peut-être la peine d'être explorée. Suivait un passage donnant très fort dans la circonlocution : « Si quelqu'un va en vacances en Suisse, ce ne peut être que toi. Je ne ferai pas le voyage. Cependant, si tu y faisais un heureux séjour, alors je pourrais, en passant, prétendre avoir été là-bas aussi. Si, d'un autre côté, tu ne t'amusais pas, ce serait une déception dont tu aurais seul à t'accommoder. » Je suppose que tout ceci veut dire que si ça foire, je serai responsable, c'est moi qui serai montré du doigt. Ben veut se réserver « la possibilité du démenti » comme on dit. Mais si on fait beaucoup d'argent, il le prendra. Il faut que je réfléchisse encore.

Jeudi 31 décembre

Je dois aller ce soir à la réception que donne Todd Heuber et je suis déprimé par cette perspective – et pas seulement parce que ma mâchoire me fait mal. On m'a arraché trois molaires hier. Et mon dentiste m'engage à la prudence : mes gencives battent en retraite, je pourrais tout perdre. Bizarre comme l'idée de perdre ses dents glace l'esprit. J'envoie ma langue caresser le vide sensible laissé par mes molaires, puis je me gargarise la bouche avec du whisky. Ouille ! Une nouvelle décennie et une terrible prémonition du début de la décomposition du corps : la vieille bonne machine commençant à dérailler. Résolution du nouvel an : décider d'être en meilleure forme, de réduire la gnôle et les pilules. Je devrais peut-être me remettre au golf.

1960

Vendredi 15 janvier
Janet est passée à la galerie dans un état épouvantable. Il semble que Nat Tate soit « porté disparu », encore que tous les témoignages indiquent un suicide. Un jeune homme, ressemblant beaucoup à Tate, a sauté du ferry de Staten Island mardi [12]. Janet a alors découvert que toutes les œuvres que Tate avait récupérées avaient été systématiquement détruites – brûlées dans un grand feu de joie à Windrose. Elle m'a demandé de venir à l'atelier où Peter Barkasian devait la retrouver.

A l'atelier, Barkasian, c'était visible, ne se tenait que par un effort massif d'optimisme. Nat ne ferait jamais une chose aussi folle – c'est juste un coup de dépression –, il sera de retour, il recommencera tout. Nous avons un peu erré alentour : l'endroit était immaculé, propre et en ordre. Dans la cuisine, les verres avaient été lavés et empilés, les corbeilles à papier vidées ; dans l'atelier il ne restait qu'une toile placée contre le mur, à l'évidence entamée depuis peu, une masse quadrillée de bleus meurtris, de pourpres et de noirs. Son titre : *Orizaba/Retour à Union Beach* était griffonné au dos, mais ni Janet ni Barkasian n'ont relevé l'allusion. Je leur ai expliqué que *Orizaba* était le nom du bateau qui ramenait de La Havane Hart Crane [le poète-gourou de Tate] lors de son dernier et fatal voyage en 1932. « Fatal ? » a demandé Barkasian. « Comment Hart Crane est-il mort ? » Janet a haussé les épaules – aucune idée. J'ai senti qu'il fallait que je le leur dise : « Il s'est noyé, il a sauté par-dessus bord. » Barkasian s'est montré choqué, ému aux larmes. Le tableau, inachevé et mystérieux, devenait soudain le seul message laissé par le suicidé. Si le pauvre Nat ne pouvait plus poursuivre sa vie d'artiste, il s'était du moins assuré que le poids symbolique de sa fin soit significatif et dûment reconnu.

Tout ceci est très triste, certes, mais Nat était dans un état désespéré – et qui suis-je pour dire qu'il aurait dû se secouer, se reprendre et ne pas succomber au désespoir ? Barkasian l'a confirmé, il a tout détruit, ce qui doit inclure mes deux tableaux. Il me reste au moins mes dessins des « Ponts ». Janet déborde de théories de complot, mais je pense que la seule et simple explication est que le pauvre type était devenu fou furieux. A propos de complots, j'ai repéré Jan-Carl en train de déjeuner avec Marius Leeping. Deux marchands qui déjeunent ensemble, rien d'étrange à cela. Mais pourquoi est-ce que je sens la main de Marius dans l'arnaque du collectionneur X ? J'ai téléphoné à Jan-Carl pour lui dire que je n'étais pas intéressé – le Picasso n'est pas à vendre. Son célèbre flegme en a pris un sacré coup. J'étais un idiot, a-t-il décrété, j'étais déjà engagé et je ne pouvais plus reculer maintenant, tout était en place, ils avaient besoin de ce Picasso. Je lui avais dit que je réfléchirais. Je l'avais fait : je n'étais pas intéressé. Typiquement anglais, a-t-il ricané. Je prends ça comme un compliment, ai-je répliqué. La *perfide Albion** est toujours là. J'ai télégraphié à Ben : VACANCES ANNULÉES.

Lundi 18 janvier

J'ai appelé Jerry Schubert [l'avocat de Leeping Fils] pour vérifier que Jan-Carl ne pouvait prétendre en aucune façon au Picasso. « Il n'y a pas de contrat, pas de facture, a dit Jerry, il ne peut pas vous attaquer. Il ne s'agissait que de discussions. Tout le monde discute. »

Lettre de Lionel annonçant qu'il viendra peut-être à New York et, dans ce cas, pourrais-je lui offrir un lit pendant quelques jours. Ma première réaction a été : sûrement pas. Mais c'est ton fils, espèce de malotru, espèce de débile. Pourquoi sa venue te dérange-t-elle tant ? Parce que c'est un étranger pour moi. Mais ça peut se passer très bien, vous vous entendrez parfaitement, il finira par te plaire. Possible… Seuls ses gènes Mountstuart ont pu le pousser vers la musique.

[A l'été 1960, deux jeunes producteurs de cinéma indépendants, Marcio et Martin Canthaler, prirent une option sur le roman de LMS, *La Villa au bord du lac,* pour leur compagnie hollywoodienne de production : MCMC Pictures. LMS fut amené en avion à Los Angeles pour des réunions et la discussion de sa possible participation à l'écriture du scénario. Il se trouvait que Peter Scabius était aussi en ville pour négocier les droits cinématographiques de son dernier roman, *Déjà trop tard* (une allégorie futuriste de la menace sur la planète d'une guerre nucléaire).]

Dimanche 24 juillet

Hôtel Bel Air, Los Angeles. Étrange impression d'être dans une sorte de rêve. Cet hôtel est un mini-Shangri-La. Je ne commence à vieillir que lorsque je traverse le petit pont qui mène au parking et, à mon retour, le temps s'arrête une fois de plus. Un calme parfait, des bâtiments bas cachés dans des jardins plantés d'une végétation dense et luxuriante, une piscine bleu pâle.

J'ai eu Peter à déjeuner ici hier et je peux dire qu'il a été un rien bluffé par cette discrète splendeur. « Qui paye la note ? a-t-il voulu savoir. Paramount ? Warner Bros ? » « MCMC, j'ai dit. Où es-tu logé, toi ? » « Au Beverly Wilshire. » « Oh, très imposant », me suis-je exclamé et il s'est un peu radouci, de nouveau rassuré et content de lui. Il est si facile à manipuler, Peter, ce qui est une des raisons pour lesquelles je lui porte tant d'affection, je suppose. Au cours des années son ego est devenu superbe, magnifique, d'une présomption à couper le souffle, égal à tout ce qu'on peut trouver dans cette ville. Quand je pense au petit gamin nerveux qu'il était à l'école...

La nouvelle la plus intéressante, c'est que Gloria l'a plaqué pour un aristocrate italien, le comte machin-chose. Peter est en train de divorcer d'elle à toute allure. Pas de problèmes avec l'Église catholique ? je m'enquiers. « J'ai perdu la foi en Algérie », dit-il, la mine sombre et lasse des batailles. Il est en bonne forme – meilleure que moi – bronzé, mince, encore que sa chevelure soit d'un noir suspect, pas un cheveu gris, tout à fait inhabituel. La mienne est maintenant poivre et sel, mon front devenant de plus en plus proéminent.

Lundi 25 juillet

Réunion avec Marcio et Martin dans leurs bureaux de Brentwood. Marcio a trente-cinq ans, Martin trente-deux. Tous deux cordiaux, tous deux un peu trop gros, Martin frôlant la calvitie, Marcio avec la tignasse bouclée d'un chanteur de charme. Ils m'ont payé une option d'un an sur *La Villa* avec le droit de la renouveler pour un an de plus.

MARCIO : Alors, Logan, comment s'est passé votre week-end ?
MOI : J'ai déjeuné avec un vieil ami, Peter Scabius.
MARCIO : Un grand écrivain.

MARTIN : Je suis d'accord avec ça.

MOI : Et je suis allé voir une exposition. Dans une galerie.

MARTIN : On adore l'art. Qui c'était ?

MOI : Diebenkorn.

MARCIO : On en a un de lui, je crois.

MARTIN : On en a deux en fait, Marcio.

C'est ce qui est confondant, ici. On croit tenir une réunion inutile avec d'affables imbéciles et on se retrouve en train de parler pendant une demi-heure de Richard Diebenkorn. Ils veulent que j'écrive le scénario, mais ils ne veulent pas me payer avant qu'il soit fini et qu'ils l'aient lu. Mais si vous ne l'aimez pas ? je demande. Vous n'allez pas payer pour un scénario que vous n'aimez pas ? Ça ne sera pas un problème, Logan, m'assure Marcio. On sait qu'on adorera tout ce que vous ferez.

Plus tard, je téléphone à Wallace à Londres pour lui demander son avis. N'accepte rien, dit-il, demande-leur de m'envoyer toutes leurs offres. J'ai l'impression qu'il est un peu mécontent que je ne le consulte que maintenant. Je suis ton agent, Logan, conclut-il, c'est mon boulot, ça, nom de dieu.

Samedi 30 juillet

Dans l'avion, Pan Am, retour à New York. Hier soir, je suis allé à Santa Monica faire une promenade au bord de l'océan. J'ai pris un verre ou deux dans un bar près de la jetée tandis que le crépuscule tombait et que le ciel et la mer commençaient à ressembler à un Rothko. Je me sentais bien, un peu bronzé, à l'aise, appréciant la lente brûlure de l'alcool et soudain j'ai eu envie de déménager là, d'ouvrir un Leeping Fils West... A mesure qu'on vieillit et que l'existence devient plus ordonnée, une version confortable, modérée, facile de la Bonne Vie se fait encore plus séduisante. Je pourrais rencontrer une gentille Californienne – ils semblent avoir plus que leur juste part de superbes femmes là-bas. Mais je me suis rendu compte, à la réflexion, que ça n'était et ne pouvait être qu'un rêve : je deviendrais fou au bout d'un mois ou deux, exactement comme je deviendrais fou dans un cottage du Somerset ou une ferme en Toscane. Je suis par nature essentiellement citadin et, quoique Los Angeles soit sans aucun doute une ville, ses mœurs n'en ont pas le caractère. Peut-être est-ce le climat qui la rend à jamais provinciale et banlieusarde : les villes ont besoin de climats extrêmes, de façon à vous faire rêver de vous en échapper. Je pourrais vivre à Chicago, je crois – j'ai bien aimé mes voyages à Chicago. Et puis il faut aussi quelque chose de brutal et d'insouciant dans une vraie ville, l'habitant doit se sentir vulnérable – et Los Angeles ne possède pas ça non plus, en tout cas d'après ma brève expérience. Je m'y sens trop foutument à l'aise, trop couvé et protégé. Rien à voir avec l'expérience de la vraie ville : sa nature se glisse sous la porte et à travers les fenêtres, on ne peut jamais s'en libérer. Et le citadin ou la citadine véritable est toujours curieux, curieux de la vie à l'extérieur, dans les rues. Ce n'est absolument pas le cas ici : vous vivez à Bel Air et vous ne vous posez pas de questions sur ce qui se passe à Pacific Palisades – ou y a-t-il quelque chose que je n'ai pas compris ?

Nous avons résolu le problème du scénario : dix mille dollars payables d'avance ; dix mille autres s'il est accepté. Wallace a fait du bon travail, ce qui me pousse à réfléchir : pourquoi est-ce que je ne l'utilise plus ? Lors de mon coup de téléphone, je lui ai parlé de mon idée d'*Octet* et me suis demandé si Sprymont & Drew me consentirait une avance. Il m'a annoncé que Sprymont & Drew n'existait plus. La compagnie a été rachetée et la marque est tombée en désuétude. Et qu'est devenu Roderick ? Il a refait surface chez Michel Kazin, à un salaire très réduit. Wallace a suggéré que je mette mes idées sur le papier et il verra ce qu'il peut faire. Mais il a ajouté : « Ce ne sera pas facile, Logan. Il faut que je t'avertisse, les choses ont changé et tu n'es pas exactement un nom de rue. » Vrai, vrai...

Jeudi 15 septembre
Lionel est ici depuis quatre jours. Il a de trop longs cheveux qui lui pendent par-dessus les oreilles et une mince barbe inégale. J'aurais pu le rencontrer dans la rue sans savoir qu'il était mon fils. Il est toujours taciturne, timide et, depuis son arrivée, il règne dans l'appartement une ambiance de réserve embarrassée et de politesse scrupuleuse : « Après toi pour le sel. » « Sers-toi d'abord, j'insiste. » Lionel semble connaître un bon nombre de gens en ville, grâce à ses contacts dans le milieu de la musique. Je l'ai questionné sur son travail et il m'a expliqué, sans que j'y comprenne grand-chose.

Les Pochettes vertes, son premier orchestre, ont changé leur nom pour « Fabulairs » et ont produit un disque très populaire – juste derrière les vingt top hits. Lionel a été invité en Amérique par une petite compagnie de disques indépendante pour voir s'il pouvait réussir une pareille transformation ici. Il est très excité. L'Amérique est l'endroit rêvé pour la musique contemporaine, dit-il, comme pour l'art. L'Angleterre est pleine de pâles imitations de stars américaines du disque. Je hoche la tête, l'air intéressé. Lionel m'a joué son succès de Fabulairs – une mélodie assez plaisante, vive, un refrain entraînant. Cette musique ne m'affecte guère ; ou, si vous préférez, je l'apprécie autant qu'une fanfare. *Ganz ordinär*. Ça valait la peine qu'il vienne puisque j'ai pu mieux le connaître, mais je serai content de récupérer mon appartement pour moi seul. Il déménage dans le Village la semaine prochaine.

Nous avons pris quelques repas ensemble – nous devons avoir l'air d'un drôle de couple dans l'Upper East Side. Il me dit que Lottie va bien mais j'ai l'impression qu'il ne la voit pas beaucoup. Les deux filles qu'elle a eues de Leggatt – comment s'appellent-elles ? – se portent à merveille : l'une sortira bientôt de pension, l'autre travaille dans un magazine de mode, comme secrétaire ou quelque chose de ce genre. Ainsi va la vie.

Installés au restaurant, nous tentons de bavarder avec naturel. Tentons : je me demande si nous arriverons à nous connaître assez pour ne pas avoir à faire un effort, de sorte que nos propos soient spontanés et dépouillés de toute précaution. Mais, me dis-je, pourquoi en serait-il jamais ainsi ? Je n'ai pas eu cette aisance avec mes parents : je ne m'y attendais pas et eux non plus. A cause de mon divorce d'avec Lottie, Lionel est pratiquement un étranger pour moi. Le fait qu'il soit mon fils, produit de mon union avec Lottie, semble presque incroyable. J'ai des rapports beaucoup plus proches avec Gail. Pour être honnête, je serai content de le voir hors de l'appartement, content mais avec un sentiment de culpabilité, bien entendu.

Message de Marcio et Martin – ils ont d'importants problèmes avec mon premier jet. Certes, je veux bien le parier, mais pas aussi importants que les miens. Un boulot très ingrat : je sens que ma période hollywoodienne vient de s'achever.

1961

Dimanche 1er janvier

Ai fêté le Jour de l'an avec Janet et Kolokowski. Une grande soirée bruyante, très arrosée et déprimante. Je suis d'abord passé prendre un verre chez Lionel dans Jane Street. Il pense avoir trouvé son nouvel orchestre : Les Cigales, un groupe folk, un trio. Il voudrait les rebaptiser Les Ames mortes. Comment ça, j'ai dit, d'après le roman de Gogol ? Quel roman ? Le grand roman de Gogol, un des plus remarquables jamais écrits, *Les Ames mortes*. Tu veux dire qu'il y a déjà un roman qui s'appelle *Les Ames mortes* ? BORDEL ! Il a juré et râlé, à ma très grande joie : je ne l'avais jamais vu aussi animé. Considère ça comme un plus, lui ai-je dit : si tu n'en avais pas entendu parler, il y a des chances pour que ce soit le cas pour beaucoup d'autres gens – et ceux qui savent seront impressionnés. Je trouve que c'est un nom formidable pour un groupe pop. Mon commentaire l'a enchanté, il m'a fait un énorme sourire – et un instant je me suis vu moi en lui, et pas Lottie ni les Edgefield. Les jambes m'ont manqué, tandis que j'étais pris d'une grouillante confusion d'émotions – du soulagement, puis une affreuse culpabilité, de la terreur et, je suppose, les remuements ataviques d'un quasi-amour. Un des membres du groupe a débarqué, un jeune type, sweater et pantalon de velours, cheveux hirsutes, et l'instant est passé. Lionel m'a fait écouter des enregistrements des Ames mortes et j'ai émis les bruits approbateurs requis. Il a ce désir de me voir entrer dans son univers, de le partager avec moi, et je dois vraiment m'efforcer d'y répondre. C'est le moins que je puisse faire.

Au cours de la soirée, j'ai eu une discussion tendue avec Frank [O'Hara]. Je dois dire qu'il joue les ergoteurs de manière incroyable ces temps-ci, qu'il se met passionnément en colère – au point que certaines personnes ont peur de lui. Bien entendu, comme toutes nos disputes, celle-ci a été irriguée par l'alcool. J'avais dit que chaque fois que je m'intéressais à un nouvel artiste j'exigeais toujours de voir ce que je pouvais de ses premières œuvres, même celles de jeunesse. Pourquoi ça ? a demandé Frank, soupçonneux. Eh bien, j'ai dit, parce qu'un talent de jeunesse – la précocité, appelle ça comme tu voudras – est en général une bonne indication du talent à venir. A mon sens, un manque de talent dans l'œuvre de jeunesse tend à amoindrir les prétentions à un talent plus tardif. Foutaises, a rétorqué Frank, tu es si institutionnalisé. Regarde De Kooning, ai-je rétorqué : l'œuvre de jeunesse est vraiment impressionnante. Regarde Picasso quand il était à l'école des Beaux-Arts : époustouflant. Même les débuts de Franz Kline sont OK – ce qui explique pourquoi ce qui vient plus tard est OK aussi. Regarde Barnett Newman – désespérant. Et puis regarde Pollock – il n'aurait pas pu dessiner un cageot, ce qui explique ce qui est arrivé ensuite, tu ne crois pas ? Va te faire foutre, a ricané Frank, maintenant que Jackson est mort, des cons comme toi essayent de le réduire à leur taille. Ridicule, j'ai rétorqué : j'ai exprimé la même opinion quand Jackson était bien vivant. Il est le séquoia, a dit Frank, vous n'êtes que des buissons et des arbrisseaux. Il a montré du doigt une douzaine d'artistes interloqués qui s'étaient rassemblés pour écouter la discussion.

Ai rencontré une jolie femme là-bas – Nancy ? Janey ? – et nous avons échangé à minuit un baiser très prometteur. Elle m'a donné son nom et son numéro de téléphone, mais je les ai perdus. Peut-être Janet pourra-t-elle la retrouver. J'ai beaucoup trop bu et j'ai mal au crâne plus une impression nerveuse de froid dans tout mon corps. Résolution pour l'année nouvelle : freiner sur l'alcool et les pilules.

Lundi 27 février

Mon anniversaire : n° 55. Une carte de Lionel et une autre de Gail : « Joyeux anniversaire, cher Logan, et ne dis pas à maman que tu as reçu cette carte. » Je me suis offert une vodka-orange au petit déjeuner histoire de fêter ça, puis deux lampées de gin dans la matinée au bureau. Déjeuner très liquide – deux Négroni – chez Bemelmans. L'après-midi, j'ai ouvert une bouteille de champagne pour le personnel. Me sentant un peu ralenti, j'ai pris deux Dexédrine. Deux martinis avant mon rendez-vous avec Naomi [la femme rencontrée lors de la soirée]. Vin et grappa chez Di Santo's. Naomi avait la migraine, aussi l'ai-je déposée à son appartement sans plus m'attarder. Me voilà donc ici avec un grand scotch et soda, Poulenc sur le tourne-disques, prêt à prendre deux Nembutal pour m'expédier dans les bras de Morphée. Joyeux anniversaire, Logan.

Lundi 3 juillet

Profondément choqué par la mort de Hemingway[1]. Sa brutalité dévastatrice, glaçante, qui vous rappelle à la réalité. Herman [Keller] affirme qu'il s'est fait littéralement éclater la tête. Les deux canons d'un fusil de chasse. La chambre couverte de bouts de cervelle, de sang et d'os. C'est symbolique ou quoi ? Tous les problèmes venant du cerveau, désintégrons-le. Je repense à lui à Madrid en 1937 : son énergie et sa passion, sa gentillesse à mon égard, utilisant sa voiture pour trouver les Miró. je n'ai pas pu lire ses romans après *Pour qui sonne le glas* – une œuvre franchement très mauvaise, il avait perdu le fil –, mais les nouvelles étaient merveilleuses et merveilleusement inspirantes quand je les ai lues pour la première fois. Est-ce à ce moment de sa carrière qu'il a été vraiment béni des dieux ? Et puis plus rien après – le Jackson Pollock de la littérature américaine. Herman, qui connaît un proche de la famille, dit qu'à la fin il ressemblait à un frêle petit fantôme gris. Ravagé par les électrochocs. Bordel de merde : je me suis trouvé moi-même dans ce genre de trous noirs et j'en connais un bout sur les tourments qu'on peut endurer. Mais, Dieu merci, je n'ai jamais eu d'électrochocs. Certes, Hemingway était un buveur chronique aussi, un de ceux qui passent leur journée à se remettre à niveau, juste au-delà du niveau de l'ivresse mais jamais ivre mort. Regarde où ça l'a mené. Soixante et un ans – seulement six ans de plus que moi. Je me sens tout angoissé et nerveux. Ai appelé Herman et nous avons décidé de nous voir. Bizarrement, j'ai envie d'être avec un autre écrivain en ce moment, pendant que cette histoire fait son effet – un autre membre de la tribu.

[Le journal de New York s'interrompt ici. Secoué par la mort de Hemingway, LMS fit un sérieux effort pour réduire sa consommation d'alcool et d'amphétamines. Toujours mauvais dormeur, il continua à prendre des somnifères. Il cessa de boire de l'alcool fort et se contenta de « moins d'une bouteille de vin par jour ». Durant l'été 1961, il prit un mois de vacances en Europe, passant la plus grande partie avec Gloria Scabius, à présent la contessa di Cordato, et son vieux mari, Cesare, dans leur confortable maison, près de Sienne, La Fucina [La Forge], rebaptisée inévitable-

1. Hemingway s'était suicidé le 2 juillet.

ment « La Fuckina » [Le Baisoir] par Gloria. Cette demeure devint pour lui une sorte de second foyer : il y passa la Noël et le Jour de l'an suivants, et y revint trois semaines à l'été 1963.

A l'automne 1962, Alannah obtint son divorce et elle épousa David Peterman. Gail continuait d'envoyer de temps en temps une carte postale à LMS et se débrouillait pour le rencontrer chaque fois qu'elle le pouvait, mais l'avocat d'Alannah souligna avec force que l'un des termes de l'accord de divorce stipulait l'interdiction de tout contact entre LMS et les deux filles – une interdiction que LMS considéra toujours comme d'une cruauté et d'un mépris sans nécessité.

La galerie continua à prospérer tranquillement, LMS construisant une collection substantielle mais choisie de peintres américains modernes, centrée sur Kline, Elche, Rothko, Chardosian, Baziotes et Motherwell. Martha Heuber lui resta fidèle et Todd Heuber quitta de Nagy pour Leeping Fils en octobre 62.

Au cours de cette période – effet peut-être de sa relative sobriété –, LMS consacra beaucoup plus de temps au journalisme. Il fut souvent invité à commenter dans la presse britannique les expositions américaines qui faisaient le tour de l'Europe. Il s'offusqua toujours de la réputation qu'il avait acquise de s'en faire le champion, proclamant que son cœur avait toujours été du côté des modernistes classiques et des individualistes excentriques de la tradition européenne. Néanmoins, il publia d'importants articles sur Larry Rivers, Adolph Gottlieb, Talbot Strand et Helen Frankenthaler dans *The Observer, The Encounter* et le supplément en couleurs du *Sunday Times*, entre autres. Wallace Douglas lui dénicha une chronique mensuelle, « Notes de NYC », dans le *New Rambler*, un hebdomadaire politico-culturel. Le journal reprend au printemps 1963.]

1963

Vendredi 19 avril

Au lancement de *revolver*. Ann Ginsberg finance toute l'entreprise, d'après ce qu'on dit. Udo [Feuerbach] remet ça – quoique je trouve bizarre qu'un magazine des arts d'avant-garde puise son nom dans la fameuse déclaration de Goering[1]. A la réflexion, peut-être est-ce très spirituel. La vieille bande s'était loyalement rassemblée au premier rang – mais je crois que nous avons tous l'air un peu

---

1. « Quand j'entends le mot "culture", je prends mon revolver. »

vieux et blasés. Frank bouffi et rougeaud (nous avions promis à Ann de ne pas nous bagarrer), Janet et Kolokowski (qu'est-ce qu'il fiche, ce type ?). On avait davantage conscience de la liste des morts : Pollock, Tate, Kline. Vivre si intensément à New York se paye cher. Comme j'avais juré de ne pas me prendre de bec avec Frank, je me suis disputé avec Herman à propos de la prétendue beauté de Mrs JFK. J'ai déclaré que, même avec un gros effort d'imagination, on ne pouvait pas dire qu'elle était belle : gentille, oui ; très mince, sûrement ; bien habillée, sans aucun doute, mais belle, absolument pas. Herman, qui s'est trouvé dans la même pièce qu'elle, a dit qu'être en sa présence était comme faire face à un champ magnétique, on en était émasculé, assommé. Tu n'es qu'un adorateur délirant, lui ai-je lancé. C'est la situation sociale qui t'en fiche plein la vue – la First Lady et le reste – tu ne juges plus, tu sens. Après quoi, j'ai eu une autre dispute avec Deedee Blaine à propos de Warhol – qu'elle considère comme l'Antéchrist. Au moins Warhol peut dessiner, j'ai dit : il peut mais il a décidé de ne pas le faire, c'est une stratégie très différente. Naomi nous a séparés – elle m'a trouvé trop provocateur.

Ann m'a coincé plus tard et m'a fait promettre d'écrire quelque chose. J'ai protesté que j'étais trop vieux pour un magazine aussi « branché » que *revolver* et elle a répliqué : « OK. Je jure qu'on ne mettra pas votre âge à la fin de l'article. » J'aime bien Ann – elle fume cigarette sur cigarette, elle est maigre comme un clou, elle a une voix plus grave que la mienne – et il faut reconnaître qu'elle a répandu ses milliards pétrochimiques avec des effets bénéfiques. Elle m'a invité à l'accompagner à une réception à l'ambassade de France près de l'ONU. Je ne pouvais guère refuser.

Mercredi 8 mai
Lionel passe me voir, tout excité : Les Ames mortes sont entrées dans un hit-parade quelconque au numéro soixante-huit. Sa barbe n'est pas plus épaisse mais ses cheveux passent par-dessus son col. Il a une petite amie maintenant, annonce-t-il, une authentique Américaine répondant au nom de Monday.

Après son départ, je me hisse dans mon smoking (j'ai grossi sans aucun doute) et me rends à pied chez Ann dans la Cinquième Avenue, d'où nous parcourons en limousine les quelques centaines

de mètres qui nous séparent de la *soirée**. Ann est accueillie comme
une amie intime par l'ambassadeur. Je me mêle aux quatre-vingts
autres dignitaires d'âge mûr qui sirotent du champagne sous les
éclairages éblouissants de six lustres. Très française, une telle lumi-
nosité, je trouve – tout comme l'impitoyable incandescence de leurs
brasseries. J'échange quelques mots avec un attaché transpirant qui
semble d'une nervosité sans motif, et qui ne cesse de jeter des coups
d'œil vers la porte. « *Ah, les voilà!** », dit-il sur un ton révéren-
cieux. Je me retourne et vois entrer le duc et la duchesse de Windsor.

Je ressens quoi? Voilà près de vingt ans que je ne les ai pas
approchés de si près. Le duc paraît vieux, ratatiné, très frêle, il doit
avoir dans les soixante-dix ans[1]. Sous le terrible éclairage, la
duchesse ressemble à une figurine peinte, le visage sculpté dans la
craie, sa bouche une blessure de rouge à lèvres écarlate. Ni l'un ni
l'autre n'a l'air particulièrement aimable ni content d'être là, mais
je pense qu'il leur serait difficile de refuser une convocation officielle des Français, vu que cet État leur a permis de ne pas payer
d'impôts (un parfait scandale, à mon avis).

Je tourne autour du salon pour tenter de trouver un meilleur poste
d'observation. Le duc fume, demande un whisky-soda. Les jambes
de la duchesse donnent l'impression d'allumettes prêtes à se briser.
Elle se promène parmi les invités, salue les gens (elle semble en
connaître pas mal) tandis que le duc suit tristement dans son sillage,
tout en tirant sur sa cigarette, gratifiant d'un signe de tête et d'un
sourire tous ceux sur qui son regard se pose. Mais il a des yeux
mornes et chassieux et un sourire entièrement mécanique. Je me
raidis alors qu'ils s'avancent.

C'est la duchesse qui me voit en premier et sa bouche en estafilade se fige en un rictus. Je ne bouge pas. Toute cette animosité
engrangée depuis 1943 crépite à travers la pièce, plus puissante que
jamais. La duchesse se tourne vers le duc et lui murmure quelques
mots. En m'apercevant, il a d'abord une expression qu'on ne peut
qualifier que de peur, avant de se transformer en une grimace de
colère et d'indignation. Ils me tournent le dos et parlent à l'ambassadeur.

---

1. Soixante-neuf seulement, en fait.

Quelques instants après, l'attaché avec qui je bavardais un peu plus tôt vient vers moi et me prie de partir. Je demande pourquoi diable. « Son Altesse » tient à ce que vous partiez, autrement la duchesse et lui s'en iront. Veuillez informer Mrs Ginsberg que je l'attendrai dehors, dis-je.

Je passe une demi-heure à faire les cent pas dans la Cinquième Avenue, en fumant. Je repasse devant la porte de l'ambassade au moment où le duc et la duchesse s'en vont. Il y a un troupeau de photographes et une petite foule d'une douzaine de gens qui applaudissent tandis que le couple s'apprête à monter en voiture. Je vois même des femmes faire la révérence.

Je ne peux pas résister et je hurle : « Qui a tué Sir Harry Oakes ? » L'expression de choc et d'affolement terrifié sur leurs visages est pour moi une compensation adéquate, pour tout ce qu'ils m'ont fait, pour toujours. Ils peuvent aller se faire pendre désormais. Ils s'engouffrent dans leur limousine qui disparaît. J'en viens presque aux mains avec un corpulent royaliste qui me traite d'ordure et de honte pour l'Amérique. Chaude approbation des autres badauds. Je leur explique que je suis anglais, et ils s'étonnent. « Traître ! » s'écrie l'un d'eux sans conviction, alors qu'ils s'en vont. « Cet homme a conspiré pour détourner le cours de la justice », je lance à leurs dos indifférents.

Ann Ginsberg se montre très amusée quand je lui raconte ce qui s'est passé. Quelle drôle de vie vous avez menée, Logan, dit-elle.

Jeudi 11 juillet

La Fucina. Une parfaite journée Fucina. Juste nous trois – encore que nous ne voyions guère Cesare, cette année. Il est très vieux et très ancré dans ses habitudes : il écrit ses mémoires toute la journée dans sa chambre et ne nous rejoint que pour boire un verre et dîner. Située au cœur d'une plantation d'oliviers et de citronniers au bout d'une jolie vallée face à l'ouest, tournant le dos à Sienne, la maison est vaste et très confortable avec des terrasses bien exposées au soleil. J'ai une chambre dans une petite annexe d'invités séparée, et je traverse la cour pour aller prendre le petit déjeuner auquel je suis toujours le premier arrivé. Gloria descend quand elle entend Enzo, le valet et factotum de Cesare, me servir. Elle porte des jeans, ses cheveux tirés en arrière par un foulard, une chemise d'homme nouée à la taille. Elle est plus ample désormais, mais elle s'accommode de ses kilos supplémentaires avec sa belle insouciance habituelle. « Je suis debout depuis des heures, chéri », dit-elle, et je fais semblant de la croire. Elle fume une cigarette et me regarde manger – toujours des œufs pochés sur toast, ce qui est le plus proche d'un petit déjeuner anglais qu'Enzo puisse fournir.

Aujourd'hui nous sommes allés à Sienne pour le déjeuner et, installés dans un café, nous avons bu du frascati. C'est drôle, mais les touristes ne me dérangent pas, la place est assez vaste pour qu'ils n'empiètent pas sur sa beauté. Je me suis promené et suis entré dans la cathédrale pendant que Gloria allait rechercher un tourne-disques qu'elle avait donné à réparer. Puis retour à La Fucina après une assiette de *pasta* et une salade. Gloria a emmené ses chiens faire une balade (il y en a quatre) et moi, étendu dans un hamac, j'ai lu et somnolé. *Très détendu**.

Elle est encore très sexy, Gloria, du moins à mes yeux de vieil homme. L'autre soir, elle est descendue vêtue d'un sweater de coton et j'ai bien vu à la manière dont ses seins pendaient et se balançaient qu'elle ne portait pas de soutien-gorge. Après le dîner, quand Cesare est monté se coucher et, alors que debout près du tourne-disques elle triait ses trente-trois tours, je suis venu derrière elle, j'ai encerclé sa taille avec mes bras et j'ai frotté mon nez contre son cou. « Mmmm, c'est bon », a-t-elle dit. J'ai alors remonté mes mains sur ses seins. « Non, non, non, elle a protesté. Vilain Logan. » « Même pas une bouffée de nostalgie ? » Elle a posé ses disques et m'a embrassé en plein sur les lèvres. « Même pas ça. »

L'ennui c'est que, quand nous sommes seuls à la piscine, elle enlève son haut pour prendre un bain de soleil. Tourment délicieux pour moi que de la reluquer par-dessus mon livre. Peut-être est-ce la raison pour laquelle j'en suis venu à adorer cet endroit – cette atmosphère toujours évocatrice de manière piquante de Gloria et de nos relations sexuelles. Je pense qu'elle aime me savoir là, mourant de frustration. Elle avait des nouvelles récentes de Peter. La crise cubaine des missiles a envoyé *Déjà trop tard* au top des listes de best-sellers dans le monde entier. « Il adore quand les critiques le décrivent comme prescient, dit Gloria. Il est allé deux fois au Vietnam. »

Ce soir, Cesare, parfait dans son blazer et ses pantalons de coton blanc, s'est joint à nous pour le dîner. Il se déplace très lentement, avec raideur, appuyé sur sa canne. Gloria le taquine, pour son plus grand plaisir : « Tiens le voilà, ce vieux bêta de comte ! »

J'écris ceci sur la terrasse de ma petite maison d'amis. Les papillons de nuit se cognent aux ampoules encastrées dans les murs de pierre et les geckos se goinfrent. Les grillons bipent, les crapauds coassent dans la nuit au-delà du cercle de lumière jaune. J'ai apporté un grand verre rempli de glaçons et de whisky. Je dors toujours bien ici – pas besoin de mes pilules.

Samedi 12 octobre

New York. Dîner au Bistro La Buffa avec Lionel et Monday. Jack Finar dînait avec Philip Guston et Sam Mr Goodforth à une autre table, mais j'ai évité son regard. Je ne serai pas populaire dans la maison Finar quand il lira mon article dans le *revolver* du mois prochain. Je déteste sa nouvelle production. Il est toujours étrange de voir un peintre parfaitement compétent se mettre délibérément à mal peindre. Seuls les très bons (Picasso) peuvent se le permettre. Dans le cas de Finar, ça ressemble à une tentative désespérée d'être à la mode.

Monday se révèle une fille bien bâtie, brune, d'origine italienne ou hispanique, à mon sens, avec une peau olivâtre, un petit nez légèrement, délicieusement crochu et un menton pointu. Des masses de cheveux épais et sales. Elle donne l'impression de pouvoir avaler Lionel en guise de petit déjeuner. Elle sortait avec Dave, le chanteur vedette des Ames mortes, mais elle a reporté son attention sur Leo, le manager. Le transfert s'est fait à l'amiable : d'ailleurs, par souci d'économie, tout le groupe habite pour le moment chez Lionel. Ils n'ont pas réussi à renouveler le succès de leur premier single, *American Lion* (qui avait grimpé au n° 37 dans les listes). Lionel et Monday se sont débrouillés pour se tenir par la main durant tout le dîner. Je demande à Monday son nom de famille et elle me répond qu'elle n'en a pas. Quel était-il avant que vous l'abandonniez, j'insiste. Oh, bon, d'accord. « Smith ». Et moi je suis Logan Brown, je dis.

Je les ai raccompagnés à pied chez eux et Lionel m'a invité à rencontrer le groupe. Deux membres étaient là, dont un que j'avais déjà rencontré, et trois filles toutes de l'âge de Monday. Une demi-douzaine de matelas avec des couvertures de couleur constituaient l'essentiel de l'ameublement. Pour la première fois de ma vie, je me suis senti à l'aise et soulagé à propos de Lionel : il a rompu avec le monde de Lottie et des Edgefield – qui se soucie ici qu'il soit un baronnet et le petit-fils d'un comte ? Il a trouvé un endroit où être lui-même. J'ai éprouvé aussi un pincement de jalousie, tandis que je remontais la rue à la recherche d'un taxi, les imaginant tous sur le point de se coucher. Nul doute qu'ils baisent juste quand ils en ont envie – pas la peine d'en faire une histoire. Soudain je me suis senti vieux.

1964

Jeudi 30 janvier

Un de mes rares rendez-vous clandestins avec Gail. En grandissant[1], ses traits se sont plutôt aiguisés, et je vois plus clairement Alannah en elle. Elle porte ses cheveux longs maintenant, comme tout le monde, semble-t-il, mais sa gentille nature demeure inchangée. Elle organise nos rencontres d'une voix étouffée au téléphone : « Retrouve-moi à la cafétéria au coin de Madison et de la 79e. Je peux rester une heure. » Nous nous installons au fond (je tourne le dos à la porte) et elle fume une cigarette tandis que nous buvons du café. Elle est bonne en art et veut aller dans une école des beaux-arts mais Alannah et Peterman refusent d'en entendre parler. « C'est trop dommage que Maman et toi ayez divorcé, dit-elle avec quasiment une amertume d'adulte. Comme beau-père tu es bien plus intéressant. Même Arlene (elle lève les yeux au ciel) le pense aussi. » Elle entame la liste de mes vertus : anglais, travaille dans le monde de l'art, connaît tous les artistes chouettes, a vécu partout, a écrit des romans, a été en prison. Même moi, je commence à penser que je suis un type formidable. Je lui affirme que je peux encore l'aider si jamais elle en a besoin. Puis je la gratifie d'une petite déclaration qui me noue la gorge tandis que je la lui fais en lui prenant la main. Nous avons formé une famille pendant des années. Je vous adore, vous deux les filles, et je vous ai vues grandir. Rien ne peut changer ça. Le fait que votre maman et moi n'ayons pas pu réussir notre mariage n'a rien à voir avec toi et moi et ce que nous ressentons

1. En 1964, Gail avait dix-sept ans.

l'un vis-à-vis de l'autre. Tu me trouveras toujours, chérie, chaque fois que tu le voudras – toujours, à jamais. Je vois les larmes lui monter aux yeux et je change de sujet, et, je ne sais pas pourquoi, je lui demande où elle était quand JKF a été abattu. A l'école, dit-elle, en cours de maths. Le directeur est venu nous annoncer la nouvelle. Tout le monde s'est mis à pleurer, même les garçons. Où étais-tu, toi ? Je téléphonais à Paris à Ben. Il devait avoir un œil sur un écran de télévision parce que soudain il s'est écrié : « Nom de dieu, quelqu'un a tiré sur votre président ! » J'ai répondu : « Ouais, ouais, très drôle, Ben ! » Puis j'ai entendu Helma hurler dans la galerie et j'ai compris que c'était vrai.

Jeudi 27 février

Cinquante-huit ans. Bon dieu ! Je ne crois pas que je prendrai désormais la peine de procéder à ces évaluations annuelles. Trop déprimant.

Santé : bonne. Pas d'autres dents arrachées. N'ai pas pris une seule Dexédrine depuis des mois. Alcool davantage sous contrôle. Je me rationne à un cocktail au déjeuner, mais je bois sans doute encore trop le soir. Cigarettes : un paquet par jour si je ne sors pas. Un peu trop gros, un rien de bedaine. Cheveux en voie de raréfaction, et grisonnants. Le LMS d'autrefois encore reconnaissable au contraire, par exemple, de Ben, aujourd'hui un vieux gros monsieur, très chauve.

Vie sexuelle : adéquate. Naomi Mitchell [conservatrice au musée d'Art moderne] est ma bonne amie du moment. Une liaison mutuellement respectueuse, tolérante – pourrait être plus drôle. Nous nous voyons une ou deux fois par semaine, selon ce que nos agendas nous permettent.

Ame : un peu déprimée. Je ne sais pourquoi, je me soucie davantage de mon avenir. Je peux rester ici à New York indéfiniment, à la tête de Leeping Fils, aussi longtemps que je le voudrai ou que j'en serai capable. Mon salaire est bon, mon appartement confortable. Ma production et mon influence journalistiques sont d'une plaisante importance. J'évolue dans un milieu intéressant, sophistiqué ; je vais en Europe chaque fois que j'en ai envie ; je possède un petit pied-à-terre à Londres. Alors, de quoi te plains-tu ? Je pense… Je ne me suis jamais attendu à ce que ma vie soit ainsi. Qu'est-il arrivé à ces rêves et ces ambitions de ma jeunesse ? Qu'est-il arrivé à ces livres essentiels, fascinants, que j'allais écrire ?

Je crois que ma génération a été ravagée par la guerre, cette « grande aventure » (pour ceux d'entre nous qui s'en sont sortis entiers), big bang en plein milieu de nos vies – en pleine fleur de l'âge. Elle a duré si longtemps qu'elle a scindé nos existences en deux, un « avant » et un « après » irrévocables. Quand je pense à moi en 1939, puis à l'homme que j'étais devenu en 1946, brisé par mon abominable tragédie... Comment aurais-je pu continuer comme si rien ne s'était passé ? Peut-être que, vu les circonstances, je ne me suis pas trop mal débrouillé, après tout. J'ai maintenu le spectacle LMS en tournée, et j'ai encore le temps d'écrire *Octet*.

[Juin]

Lionel est mort. Voilà, je peux écrire ces mots. Un accident stupide, absurde. Personne à blâmer sinon lui-même. Ça s'est passé ainsi :

Monday m'a téléphoné un matin à six heures, gémissant, sanglotant, criant dans le combiné : Leo a vomi et il ne se réveille pas, il ne bouge plus. Je lui ai dit d'appeler un médecin, j'ai sauté dans un taxi et me suis précipité là-bas. Le médecin était déjà là quand je suis arrivé et il m'a annoncé que Lionel était mort. Il s'était noyé dans ses propres vomissures[1].

Monday et lui s'étaient bagarrés et elle était partie écouter le groupe qui se produisait dans un club quelque part dans Brooklyn. Avant qu'elle s'en aille, Lionel avait pris des amphés et bu : il y avait une bouteille de gin et plusieurs boîtes de bière vides dans la cuisine. Complètement ivre, il avait perdu conscience sur un des matelas par terre, sa tête bizarrement coincée – dans un coma d'alcool et de drogue. Et quand son corps s'était rebellé et qu'il avait vomi, vu son état comateux et l'angle fixe de sa tête, eh bien il s'était noyé. Ses poumons s'étaient remplis avec le liquide expulsé de son estomac, et il s'était noyé. Pauvre idiot de garçon. Pauvre malheureux Lionel.

J'ai téléphoné à Lottie. Elle a hurlé. Puis elle a lancé d'une voix grinçante et tendue – et je ne le lui pardonnerai jamais, jamais –, elle a lancé : « Espèce de salaud. Tout est de ta faute. »

---

1. Lionel Leggatt est mort le 28 mai 1964.

Il y avait une quarantaine de personnes à l'enterrement, presque uniquement des gens que je ne connaissais pas et c'était touchant de voir, réuni, le petit monde de Lionel. Lottie a envoyé une couronne. Je me suis approché de Monday et nous avons pleuré un bon coup ensemble. C'était son anniversaire, a-t-elle dit – elle avait eu dix-neuf ans – et c'est pour cela qu'ils s'étaient disputés. Elle voulait aller au lac Tahoe pour fêter ça et lui voulait aller à La Nouvelle-Orléans. Elle m'a dit qu'elle ne pouvait plus rester dans l'appartement et je l'ai invitée à utiliser ma chambre d'amis. Elle y est depuis et je suis persuadé que ça nous a aidés tous les deux. Elle emporte partout comme un talisman l'exemplaire de *La Villa au bord du lac* qui appartenait à Lionel (il adorait ce livre, Logan).

Juillet

J'ai décidé de ne pas aller à Londres ni en Italie cet été. Je me plonge délibérément dans mon travail : je fais de judicieux achats, je crois – quelques œuvres pop art mais surtout beaucoup de la seconde génération de l'impressionnisme abstrait, alors que la mode change et que les mécènes et les collectionneurs courent après Warhol, Dine, Tazzi, Oldenburg et les autres.

Monday a un job dans un café du Village et nous partons tous deux au travail en même temps. Elle a ses propres clés, va et vient comme elle l'entend. Le plus souvent, je dois dire, elle reste à la maison le soir. J'aime bien sa présence – une fille chaleureuse, sans complications. Nous regardons la télé, on fait monter des plats chinois ou des pizzas, on parle de Leo – elle a été surprise d'apprendre qu'il était Sir Lionel (« Alors si on s'était marié, j'aurais été comme qui dirait une lady ? »). Elle m'a initié aux plaisirs subtils de la marijuana et j'ai pratiquement abandonné barbituriques et somnifères. John Francis Byrne approuve. Quand moi-même je sors – invité à un vernissage ou un dîner –, Monday m'attend. Je regrette un peu de ne pas avoir gardé la Maison magique, mais nous sommes très heureux dans la chaleur de la ville. Je reçois beaucoup d'invitations pour les week-ends mais je ne pense pas que je devrais vraiment m'amener chez les Heuber ou Ann Ginsberg avec Monday en remorque – je me contente de leur dire que je suis très occupé à écrire.

[Août]

Problèmes. Réveillé à 6 h 30 ce matin, je suis allé dans la cuisine me faire du café. Cheveux en bataille, les yeux pleins de sommeil, toute nue, Monday était plantée devant le réfrigérateur ouvert. Elle a pris un carton de jus d'orange et m'est passée devant pour regagner sa chambre en me disant « Salut, Logan », sans s'inquiéter le moins du monde.

Hélas, je ne peux me flatter d'une pareille insouciance. Peut-être, dans la vie communautaire qu'elle a menée avec Lionel, le groupe et leurs petites amies, la nudité était-elle à l'ordre du jour. Mais en ce qui me concerne, c'est comme si on avait appuyé sur un interrupteur et je suis soudain très conscient de partager mon appartement avec une jolie fille de dix-neuf printemps. Des images de son corps me remplissent la tête. L'atmosphère de l'appartement a changé du tout au tout pour moi – elle est chargée, sexuellement électrique. Misère de misère de dieu, Mountstuart, elle pourrait être ta petite-fille. Oui, mais je suis fait de chair et de sang, de sang et de chair. Ce soir je l'ai lorgnée en douce tandis qu'elle se déplaçait dans le salon, prenait un magazine, sirotait son thé glacé. Il faisait chaud et elle s'est approchée du climatiseur pour mieux profiter du courant d'air froid. Elle était en train de me parler d'un client odieux qu'elle avait eu ce jour-là – je n'écoutais pas, je regardais. Tout en bavardant, elle a ramassé ses tresses dans ses deux mains derrière sa tête, les a tordues en un écheveau qu'elle a torsadé sur le sommet de son crâne, exposant sa nuque moite à la fraîcheur. Tandis qu'elle remontait ses cheveux, je voyais ses seins remonter sous son T-shirt. Je me suis senti sans voix, la gorge sèche, décontenancé par un désir si direct et si peu équivoque qu'il me coupait le souffle. Je la voulais, je voulais son jeune corps ferme sous moi, ou sur moi, ou à côté de moi.

Et donc ce soir j'ai pris les devants. J'ai dit qu'il me fallait aller à Londres et à Paris pour affaires, que je serais absent six semaines environ et que, peut-être, pendant ce temps-là, ce serait plus agréable pour elle d'aller vivre chez des amis. « Mais et l'appartement ? s'est-elle écriée, surprise. Tes affaires ? Tes plantes ? » Je ferai revenir l'agence, j'ai dit. (Après l'arrivée de Monday, j'ai annulé mon contrat avec l'agence de nettoyage. Pourquoi ?) « Non,

non, elle a répliqué, je m'en occuperai. Ça me fera plaisir. » Elle a léché une goutte de ketchup sur son pouce. Ces gestes naturels me sont désormais intolérablement difficiles à supporter. Parfait, j'ai dit. Épatant. Du moment que tu ne te sens pas seule. Du moment que tu es heureuse.

Vendredi 21 août

C'est arrivé hier soir. Ça devait arriver. Inévitable et merveilleux. Nous avions tous deux pas mal bu. J'étais debout dans la cuisine et elle est venue derrière moi, m'a passé ses bras autour de la taille et a posé sa tête sur mon dos. J'ai cru que ma colonne vertébrale allait se casser en deux. Elle a pris une voix « peinée » : « Tu vas me manquer, Logan. » Je me suis retourné. Il aurait fallu être fait de marbre. Il aurait fallu être un eunuque pour résister dans pareille situation. On s'est embrassés. Nous sommes allés dans ma chambre, nous nous sommes déshabillés et nous avons fait l'amour. Nous avons fumé un peu de son hasch. On a refait l'amour. On s'est réveillé le matin, on a fait l'amour, on a petit-déjeuné. Elle est maintenant partie travailler et j'écris ceci. Elle a affirmé qu'elle avait voulu faire ça presque depuis son arrivée. Elle pensait que ça la rapprocherait d'une certaine manière de Leo. Bon dieu ! Mais elle a bien vu que je n'étais pas intéressé et elle a respecté mon attitude, contente que nous soyons amis. Puis tout a changé, a-t-elle dit, soudain elle s'est rendu compte que je la désirais moi aussi et que ce n'était plus qu'une question de temps. L'instant du déclic de l'interrupteur dans la cuisine. Quand c'est mutuel, un homme et une femme le savent d'instinct, sans un mot. Ils peuvent n'en rien faire mais la connaissance de ce désir partagé est là, dans l'air, aussi évidente que du néon, proclamant : je te veux, je te veux, je te veux.

Mardi 25 août

En traversant Park Avenue, en me rendant au bureau, la tête pleine de Monday, j'ai regardé sur ma gauche et j'ai vu la seringue hypodermique du Chrysler Building étinceler sous les rayons du soleil matinal – un vaisseau spatial art déco argenté sur le point de décoller. Est-ce là ma vue préférée de Manhattan ?

Jeudi 27 août

18 h 30. Je rentre du travail, et je remonte ma rue, mon attaché-case à la main quand je vois un homme, vêtu d'un costume en seer-sucker, les mains sur les hanches, en train de contempler mon immeuble. Puis-je vous aider ? je demande. Il a un visage flasque, plissé et une épaisse barbe bleue qui a besoin d'être rasée. Ouais, réplique-t-il. Y a-t-il une Laura Schmidt dans cette maison ? Je secoue la tête, non, il n'y a personne de ce nom ici – et je connais tous mes voisins. Merci, dit-il, et il s'en va. Maintenant, je connais le vrai nom de Monday. « Monday Smith » s'appelle Laura Schmidt. Je décide de garder cette information pour plus tard.

Samedi 29 août

Et voici la tournure qu'ont prise les événements. J'ai été idiot de me montrer aussi insouciant. Hier matin, Monday et moi nous partons ensemble comme d'habitude. Seersucker, de l'autre côté de la rue, attend avec un second type coiffé d'un chapeau de paille. Monday les aperçoit et détale comme un lapin en direction de Lexington Avenue. Chapeau de paille hurle : « Laura, chérie ! Attends ! » et ils se précipitent derrière elle. Je les intercepte, bras écartés, et les encercle. Hé ! Que diable se passe-t-il par ici ? Entre-temps Laura/Monday a tourné le coin de la rue, ils ne la rattraperont plus. Chapeau de paille me gueule dessus : « Espèce de pourriture ! Espèce de salaud obscène ! Espèce de pervers ! C'est ma fille. » Et alors quoi ? je fais. « Elle a seize ans, voilà quoi, espèce de répugnant tas de merde. » Je recule. Non, non, non, je proteste, elle m'a dit qu'elle en avait dix-neuf. Nous avons fêté son dix-neuvième anniversaire. « On va appeler les flics de ce pas, me siffle dans la figure Seersucker. Espèce de loser britiche ! » LOSER ! il crie encore une fois, puis tous les deux s'en vont.

Je retourne à l'appartement et j'essaye de me calmer. Bordel de dieu ! Elle a l'air d'avoir vingt-cinq ans, pas dix-neuf et encore moins seize. Comment pourrais-je à mon âge, à la distance où je suis, dire si une fille de dix-neuf ans n'en a vraiment que seize ? Même Lionel n'en a pas été capable. Ces filles, ces jeunes femmes grandissent si vite. Regardez Gail, on lui donnerait vingt ans bien sonnés. Mais toutes ces justifications et plaidoiries viennent trop

376

tard. J'appelle Jerry Schubert et je lui explique la situation. Il écoute. Ça ne sent pas bon, Logan, dit-il sobrement. L'âge légal à New York est dix-sept ans. Consentement ou pas, ils pourraient vous avoir pour viol au troisième degré. Viol? Que devrais-je faire, Jerry? Je vous jure qu'elle m'a dit qu'elle avait dix-neuf ans – elle paraît plus que dix-neuf ans. Il ne répond rien. Que devrais-je faire? Je ne vous ai rien dit, réplique-t-il enfin, mais si j'étais vous je quitterais le pays – et vite.

Et c'est ce que je fais. Me voilà maintenant dans un Londres étouffant, sans climatisation, dans le salon de mon appartement de Turpentine Lane.

J'ai raccroché le téléphone. J'ai emballé l'indispensable dans trois valises. J'ai jeté toute la nourriture qui était dans le réfrigérateur. J'ai mis les plantes sur l'escalier de secours et j'ai appelé un taxi. Je suis passé par la galerie où j'ai laissé mes clés en disant que je devais faire un voyage imprévu en Europe. On m'a conduit à Idlewild [1] et j'ai pris un billet pour Londres. TWA. J'ai téléphoné au café de Monday pour laisser un message. Chose étonnante, elle était là. Ils vont venir te chercher, je lui ai dit : s'ils savent où tu habites, ils sauront où tu travailles. Je m'en fiche, elle a répondu. Je lui ai expliqué ce que je faisais, lui ai donné mon adresse et mon numéro de téléphone à Londres et je l'ai suppliée de retourner dans sa famille jusqu'à ce qu'elle ait dix-sept ans. D'où es-tu? j'ai demandé. Alameda. Où c'est ça? Une petite ville juste à la sortie de San Francisco. Retourne à Alameda, ai-je insisté. Écris-moi, préviens-moi quand tu auras vraiment dix-sept ans. Elle pleurait : je t'aime, Logan. Moi aussi, je t'aime, j'ai répondu, le mensonge glissant avec, oh, une telle facilité sur ma langue.

1. Rebaptisé aéroport John F. Kennedy le 24 décembre 1963.

Les carnets africains

Logan Mountstuart passa les quelques mois suivants à Londres d'où il finit tant bien que mal, à distance, de régler ses affaires à New York. Des lettres partirent à destination de ses amis ; sur ses instructions, Helma s'occupa de son appartement, vendit ses meubles, mit en caisse ses objets personnels et les expédia à Londres. Les comptes bancaires furent fermés, les factures payées et ainsi de suite. A sa connaissance, aucun mandat d'amener ne fut lancé contre lui, et il n'y eut pas de rumeurs de scandale ni d'arrestation possible. Certes, Helma lui raconta que, le lundi après son départ, deux messieurs vinrent à la galerie le demander, mais ils furent informés qu'il était parti pour l'Europe. Il retrouva Ben Leeping à Paris et lui fit le récit de ce qui s'était passé. Fidèle à lui-même, Ben se montra compréhensif, lui conseilla de ne pas s'inquiéter et se mit très vite en quête d'un remplaçant pour diriger la galerie new-yorkaise. LMS vendit à Leeping Fils sa propre collection de tableaux et de dessins afin de se procurer de l'argent liquide. Il écrivit à Naomi Mitchell, lui expliqua qu'il avait été soudain rappelé à Londres et reçut une réponse exprimant des regrets civilisés. Le cœur de LMS ne fut pas brisé et, à l'évidence, celui de Naomi non plus. Tout paraissait plus ou moins sous contrôle. Mais LMS ne se sentait ni détendu ni complètement à l'aise, s'attendant sans cesse à ce que le long bras de la justice américaine l'atteigne par-dessus l'Atlantique. C'est pourquoi, au printemps 1965, il posa sa candidature au poste d'enseignant au département de littérature anglaise à l'University College d'Ikiri, au Nigeria. Poste qui lui fut offert après une interview à Londres. Ses amis pensèrent qu'il était fou, mais il leur affirma qu'il avait besoin d'un changement de vie. A part Ben Leeping, Jerry Schubert et la famille Schmidt, personne ne sut jamais la vraie raison de son départ précipité de New York. Il s'embarqua pour le Nigeria le 30 juillet 1965. Les carnets africains débutent en 1969.

1969

Dimanche 20 juillet

David Gascoyne[1] m'a dit un jour que la seule raison de tenir
un journal intime était de se concentrer sur les détails personnels,
quotidiens et d'oublier les grands événements importants du monde.
Les gazettes couvrent tout ça, de toute façon, dit-il. On ne veut
pas savoir que « Hitler a envahi la Pologne », on est beaucoup plus
curieux d'apprendre ce que vous avez pris au petit déjeuner. A
moins, bien entendu, que vous ne vous soyez trouvé là par hasard,
au moment où Hitler envahissait la Pologne et que votre petit déjeuner en ait été interrompu. C'est un argument, je suppose, mais j'ai
senti que ça vaudrait la peine de reprendre ce journal aujourd'hui
ne serait-ce que parce que je viens juste d'aller dans mon jardin
africain regarder la lune. Regarder la lune et m'émerveiller qu'il y
ait deux jeunes Américains en train de marcher sur sa surface.
Même Gascoyne m'accorderait ça.

La nuit était très belle et le clair de lune énorme. Le vieil astre
pendait là-haut cerné de brume, albugineux dans le tendre ciel noir.
Je suis sorti dans le jardin au-delà du rond de lumière projeté par
ma maison et je me suis dirigé vers le bosquet de pins casaruina au
bout de l'allée, là où le sol monte un peu. Un coup de vent à travers
les branches a fait chuchoter les arbres immenses. Me rappelant
soudain la possible présence de serpents et de scorpions, j'ai tapé
des pieds et j'ai levé le nez en l'air, émerveillé.

J'avais entendu les nouvelles à la BBC, crépitante des parasites
habituels, et, pour la première fois de ma vie, j'ai regretté de ne
pas avoir un poste de télévision. Peut-être aurais-je dû aller à
côté, chez Kwaku[2]. Mais, en fin de compte, je préfère mon imagination.

Quel effet étrange, vertigineux, que d'observer le ciel là-haut et
de penser à ces hommes sur la lune. Je me suis senti triste et bizarrement humble. Triste, parce que s'il y eut jamais pour quelqu'un
de mon âge un exemple du progrès galopant de la vie, alors ce doit

1. David Gascoyne (1916-2001), poète et traducteur.
2. Le Dr Kwaku Okafor, le voisin de LMS.

être celui-ci. Quand je suis né, les premières machines volantes en bois et en toile n'avaient pris l'air que depuis quatre ans. Et maintenant, dans ce jardin africain, soixante-sept ans après les frères Wright, j'étais là en train de contempler la lune et de me demander quelle impression ça devait faire de regarder la terre de là-haut. Humble aussi à l'idée que nous, pauvres créatures fourchues, avions pu réussir un tel exploit. Ces remarques sont banales, je le sais, mais elles n'en sont pas moins vraies. Cela dit, elles illustrent la loi de Gascoyne sur la tenue d'un journal intime. Les événements capitaux perdent de leur importance au cours du récit. Ce soir, j'ai dîné d'une omelette et d'une bouteille de bière.

Je suis rentré dans la maison, j'ai fermé la porte à clé et j'ai écrit ceci assis à mon bureau dans la grande pièce. A travers le grillage antimoustiques de la fenêtre, j'aperçois la lueur de la cigarette de Samson à l'entrée du garage [Samson Ike, le veilleur de nuit de LMS]. Tout est calme, tout va bien dans le monde. De retour à Londres à la fin de la semaine prochaine, ma première visite au pays depuis deux ans et demi. Je suppose que tous les soucis juridiques peuvent être écartés sans crainte à présent. Sans doute l'affaire Laura Schmidt est-elle enfin finie et enterrée. Je ne devrais plus courir de risque.

Vendredi 25 juillet

Turpentine Lane. Un garage s'est ouvert au bout de la rue depuis mon dernier séjour et on entend la musique exploser depuis la cour tandis que les jeunes mécanos farfouillent à l'intérieur de leurs voitures pourries. Je suis forcé de garder les fenêtres du devant fermées à cause du bruit, bien que cet été se révèle chaud et irritant. Une famille sikhe s'est installée dans l'appartement du rez-de-chaussée – des gens charmants et obligeants mais avec trois jeunes enfants qui semblent n'avoir rien d'autre à faire que de cavaler dans tous les sens à travers les pièces juste au-dessus de ma tête. J'ai la nostalgie de ma grande maison africaine avec sa véranda ombreuse et son jardin d'un hectare.

Je fais repeindre Turpentine Lane et recouvrir de moquette mes carreaux de liège caoutchouté. A part mon Picasso au-dessus de la cheminée, l'endroit garde son atmosphère dépouillée et fonctionnelle. Et, en dépit des bruits et des troubles de la ville, je me sens chez moi ici. L'achat de ce petit appartement minable aurait-il été la chose la plus astucieuse que j'aie faite dans ma vie démantibulée? Le soir, dans mon fauteuil, je lis et j'écoute de la musique. Durant mes quelques semaines de vacances, je rendrai visite aux rares amis qui me restent – Ben, Roderick, Noel, Wallace –, et je réglerai les petites affaires qui traînent encore. Je suis relativement en fonds pour le moment, je réussis à mettre de côté une bonne part de mon salaire de l'UC Ikiri, mais je suis conscient de la diminution de mes sources de revenus. Wallace a organisé une rencontre avec le rédacteur en chef d'un nouvel hebdomadaire d'actualités politiques et économiques intitulé *Polity* (un nom plutôt pompeux). Ils ont besoin de quelqu'un pour écrire sur le Biafra[1] et la guerre.

Lundi 4 août

Wallace m'annonce qu'il prendra sa retraite à la fin de l'année, il aura soixante-cinq ans. Bon dieu! L'agence continuera à porter son nom, et il y restera vaguement attaché comme une sorte de consultant, mais elle sera dirigée par une jeune femme appelée Sheila Adrar. Je l'ai rencontrée: trente-cinq ans environ, un air faussement affairé. Et une façon de serrer la main d'une fermeté superflue, à mon sens. Maigre, un visage squelettique. Wallace a fait de son mieux pour me mettre sur orbite – « un très, très vieil ami », « un membre de cette magnifique génération », et ainsi de suite, mais de toute évidence elle n'a pas la moindre idée de mon identité et doute probablement que je sois un atout pour l'agence. J'ai fait part de mes soupçons à ce sujet à Wallace lors de notre déjeuner et, après s'être remué et tortillé un peu, il a fini par admettre que j'avais raison. « Tout a changé, Logan. Ils ne sont plus intéressés que par les ventes et les avances. » Dans ce cas, ai-je répliqué, rien n'a changé. Tout a toujours tourné autour des ventes et des avances. Ah mais, a protesté Wallace, autrefois les éditeurs prétendaient que ça n'était pas vrai. Quoi qu'il en soit, Wallace m'a obtenu un bon contrat avec *Polity*: deux cent cinquante livres d'avance et

---

1. La guerre civile nigériane – la guerre du Biafra – avait commencé en 1967 avec la sécession unilatérale des États de l'Est où se trouvait la majeure partie des réserves de pétrole du Nigeria.

cinquante livres pour chaque article de deux mille mots, les tarifs devant être ajustés en proportion de la longueur.

Le rédacteur en chef, Napier Forsyth, est un ex-professeur d'université, un Écossais barbu qui ressemble un peu à D. H. Lawrence. Un rien dogmatique et sans humour, de prime abord, mais il s'est réchauffé quand je lui ai dit qu'il me rappelait D. H. L. et que j'ai mentionné l'avoir rencontré plusieurs fois. La barbe de D. H. L. était plus rousse, ai-je ajouté, et il ne tenait pas l'alcool. Je crois que c'est ce qui m'a valu le job, en fait : Forsyth n'arrivait pas à croire qu'il engageait quelqu'un qui avait vraiment connu Lawrence. Pour faire bonne mesure, je lui ai dit que j'avais connu pratiquement tout le monde : Joyce, Wells, Bennett, Woolf, Huxley, Hemingway, Waugh. Alors que les noms dégringolaient de ma bouche, je voyais ses yeux s'écarquiller et je me sentais de plus en plus comme un objet de musée, quelqu'un à montrer du doigt dans les bureaux de *Polity* : « Tu vois ce vieux type là-bas ? Il a connu… » Forsyth a de grands espoirs pour le magazine : bon soutien, bons écrivains, un monde en chambardement qui a besoin d'être expliqué de manière saine et rationnelle. J'ai applaudi à son enthousiasme – l'enthousiasme de tous les nouveaux rédacteurs en chef de nouveaux magazines du monde entier. Tant que les chèques ne sont pas sans provision…

Jeudi 21 août

La Fucina. Cesare[1] et Enzo ayant disparu, on comprend vite les limites des talents de ménagère de Gloria. Le jardin est en friche et les chiens ont pleine possession de la maison. Tout est cabossé, éraflé et mâchonné. Gloria paraît soudain vieille, son visage terreux et ridé, son corps secoué par une toux bronchitique qui semble partir des chevilles. J'ai fait l'erreur d'entrer dans la cuisine et j'en suis ressorti aussitôt. Chaque surface était tachée de graisse et mate de saleté ; des bols en émail avec de la nourriture pour chiens jonchaient le sol.

Tout de même, s'installer à l'ombre fraîche d'une terrasse pour jouer au backgammon en buvant des Campari avec le soleil de Toscane tapant dehors adoucit l'âme. Deux amies de Gloria sont là

---

1. Cesare di Cordato mourut en 1965, à l'âge de soixante-dix-sept ans.

aussi, des visiteuses venues de Lesbos, dirais-je, mais d'amusante compagnie malgré tout. Margot Tranmere (la cinquantaine) et Sammie (?) Petrie-Jones (la soixantaine). Elles ont une maison en Ombrie et vivent confortablement, je pense, des revenus d'un joli trust Petrie-Jones. Elles boivent et fument assez pour me donner l'impression d'être abstinent. Sammie prétend avoir lu *L'Usine à filles*. (« Décevant : je m'attendais à quelque chose d'entièrement différent »).

Un soir, après qu'elles étaient parties se coucher, Gloria m'a dit : peut-être devrais-je devenir lesbienne, qu'est-ce que tu en penses ? J'ai failli en laisser tomber mon verre. Toi ? Ce n'est pas quelque chose qu'on acquiert, comme un nouveau chapeau, il faut avoir des dispositions. Oui, a-t-elle rétorqué, mais j'aime bien l'idée d'une belle jeune poulette veillant sur moi quand je serai vieille et décrépite. Moi aussi, ai-je applaudi, en lui faisant remarquer qu'elle avait en l'occurrence le défaut d'être sans doute la personne la plus hétérosexuelle que j'aie jamais rencontrée. Je me suis inquiété de voir les larmes lui monter aux yeux. Mais, a-t-elle gémi, je n'ai réussi qu'à épouser un cochon et puis un aristo gâteux. Eh bien, regarde-moi, j'ai dit, en entamant la liste de mes malheurs. Qu'est-ce qu'on en a à foutre de toi ? s'est-elle écriée. Tu t'en sortiras, tu t'en es toujours sorti. C'est de moi que je m'inquiète.

Dimanche 14 septembre

Ikiri. Le trimestre est bien entamé. Ai donné ma troisième conférence sur « Le roman anglais » – Jane Austen (précédée par Defoe et Sterne). Heureux d'être de retour en Afrique, heureux d'être chez moi, 3 Danfodio Road. De dimensions généreuses, le campus est bien dessiné, avec l'idée de ménager de beaux panoramas. Il y a un grand portail, puis un vaste boulevard ourlé de palmiers menant au groupe de bâtiments rassemblés autour d'une haute tour d'horloge. Là se trouvent le centre administratif, le réfectoire, la salle des étudiants, le théâtre. Style moderne fonctionnel : murs blancs, toits de tuiles rouges. Quatre résidences universitaires – trois pour les garçons, une pour les filles – bordent l'artère et, partant de cet axe, rayonnent des routes feuillues qui conduisent aux édifices abritant les diverses facultés – humanités, droit, éducation, sciences –, et aux maisons des professeurs. Plus un club avec un bar et un restaurant, trois courts de tennis et une piscine. Et sur la frange du campus se trouvent les villages du petit personnel (traduisez : des domestiques). C'est un univers bien tenu, bien administré, un rien artificiel. Si on veut quelque chose de plus exotique, de plus vrai, de plus nigérian, il faut se rendre à Ikiri, à cinq kilomètres de là, ou se risquer sur la route à pièges mortels d'Ibadan, à une heure de voiture, où il y a d'autres clubs, casinos, cinémas, grands magasins et quelques excellents restaurants libanais et syriens, sans compter tous les divertissements *louches** d'une ville africaine.

Ma maison est un bungalow de deux pièces situé au milieu d'un jardin en pleine maturité, entouré d'une haie de poinsettias de près de deux mètres de haut. Pins, cotonniers, avocatiers, goyaviers, frangipaniers et papayers poussent de manière indécente, comme de mauvaises herbes. La maison a des sols en ciment marron et une longue véranda protégée des moustiques par un fin treillis métallique. J'ai un cuisinier, Simeon, un boy, son frère Isaac, un jardinier, Bonvoyage, et un veilleur de nuit, Samson.

A mon retour, je suis arrivé avec beaucoup de retard de l'aéroport de Lagos. Nous avions été arrêtés trois ou quatre fois en chemin par des barrages de militaires et notre voiture avait été fouillée. Tous les domestiques m'attendaient, très inquiets. « Votre famille vous souhaite la bienvenue, *sar* », a dit Simeon alors que je lui serrais la main. Il était content de me revoir. Il avait craint que la guerre m'empêche de revenir.

Jeudi 25 septembre

Ai expédié mon premier article pour *Polity*, dans lequel j'essaye d'analyser et d'expliquer pourquoi une guerre qui aurait dû en théorie prendre fin en septembre 1967 avec la prise d'Enugu, la capitale du Biafra, se poursuit, toujours féroce, deux ans plus tard. Napier veut que je lui envoie un papier tous les quinze jours, ce qui est juste faisable. Les chèques sont versés à l'agence qui les transfère sur mon compte à Londres.

Au club de golf cet après-midi avec le Dr Kwaku. Nous faisons neuf trous et Kwaku gagne, trois et deux. Il travaille le parcours avec plus d'intelligence que moi, réussissant de longs shots à ras du sol sur les « browns » (du goudron mélangé à du sable, la plus vraie

des surfaces de putting). Après quoi nous nous asseyons sur la terrasse du club pour boire de la bière Star – de grandes bouteilles
vertes fraîches, embrumées de condensation. Réfléchissant à mon
article, je lui demande pourquoi, selon lui, la guerre continue
encore. Si vous avez une armée rebelle, répond-il, qui se bat pour sa
vie face à une autre armée qui ne veut pas se battre et qui, de surcroît, ne peut être persuadée de faire semblant qu'à coups de bière et
de cigarettes, alors, par définition, vous aurez des hostilités très pro-
longées. Il hausse les épaules : quel est le côté qui n'a plus rien à
perdre ?

La journée est brumeuse, le temps couvert. Le soleil, au moment
de se coucher, est un ballon orange pelucheux au-dessus de la
jungle. Les chauves-souris commencent à voler en zigzags au-dessus
de nos têtes. Le Dr Kwaku, un visage aux traits forts, le cheveu rare,
la quarantaine, est ghanéen. Ne lui demandez pas, dit-il, d'expliquer
les Nigérians.

[Octobre]

New York me manque plus que je ne l'aurais imaginé. Ces
journées printanières parfaites. Couronnes de vapeur s'échappant des
bouches d'égout éclairées de biais par le soleil levant. Carrefours
pleins de cerisiers en fleur. La manière dont le temps semble ralentir
au point de se traîner dans les petits restaurants et les cafétérias. Il y
avait une cafétéria dans Madison Avenue, près de la galerie, où
j'avais mes habitudes : je crois que la direction avait pour politique
d'engager comme garçons de café de très vieux types bourrés d'arthrite. Ils se déplaçaient à une allure particulière, lente, chaloupée et
parlaient très bas. Toute hâte cessait, un calme curieux envahissait
l'endroit, le temps était à leurs ordres et non le contraire.

Ces souvenirs de mes années US ont été provoqués par une expédition à Ibadan avec Polly [McMasters] pour aller voir Shirley
Maclaine dans *Sweet Charity*. Nous avons ensuite dîné dans un
restaurant syrien et mangé de l'agneau aux raisins et aux épices.
Alors que je la déposais devant chez elle, elle m'a invité à monter
prendre un dernier verre et j'ai compris – on le comprend toujours –
que l'offre était plus significative. J'ai dit non, l'ai embrassée sur la
joue et suis rentré à Danfodio Road.

Grosse, un peu bohème, Polly a dans les quarante ans. Célibataire, brillante (spécialiste des auteurs dramatiques de la Restauration[1]) et peut-être ma meilleure amie ici. Nous sommes unis dans notre haine de la Noix de Coco desséchée[2] mais je refuse d'avoir une liaison avec elle. Ce qui m'oblige à me rappeler que la dernière fois où j'ai fait l'amour c'est avec Monday, en août 1964. Le souvenir en est vif, mais d'une certaine manière ça ne me manque pas. Me ferais-je vieux ? Il y a l'épouse d'un type dans le département de français que je convoite pas mal. Une Tunisienne ou une Marocaine, grande et solennelle, que je vois au club avec ses gamins. Elle est souvent sur les courts de tennis et pratique un jeu violent, concentré. Elle vient ensuite au clubhouse, la chemise trempée de sueur, le tissu à moitié transparent révélant le soutien-gorge en dessous. Je ne lui ai pas encore été présenté mais elle a commencé à me gratifier d'un sourire en réponse au mien. Vieil imbécile, va !

Isaac est reparti dans l'est en congé pour deux semaines. Ses parents habitent un village près de Ikot-Ekpene, une zone où se sont déroulés de nombreux combats. On a appris que le village avait été libéré par l'armée fédérale et il veut voir si la maison familiale est toujours debout. Les plus gros dégâts sont causés par des bombardements à l'aveuglette plus que par les tirs d'artillerie et c'est l'aviation nigériane plutôt que l'armée de terre qui semble attirer la colère des populations civiles. Les forces aériennes ont deux escadrilles de MiG russes pilotés par des mercenaires égyptiens et allemands de l'Est. A mon retour à Lagos, j'en ai vu une rangée parquée sur l'aérodrome : des avions ventrus couleur olive terne avec, à l'avant, une soupape d'admission béante pareille à une grosse bouche ouverte. Une plaisanterie court selon laquelle on aurait dit aux pilotes qu'ils pouvaient identifier les cibles légitimes grâce aux croix rouges peintes dessus. Les hôpitaux ont été la cible première de l'aviation, mais maintenant que les Biafrais ont recouvert de peinture leurs croix rouges, l'attention s'est tournée vers les marchés – tout aussi faciles à reconnaître. Soit dit en passant, tout ceci était le sujet de mon dernier article pour *Polity*. Il a provoqué pas mal de réactions, selon Napier qui veut que j'aille à Lagos me faire pleinement accréditer par le ministère de l'Information.

1. La période qui va du retour de Charles II d'Angleterre à la révolution de 1688.
2. Le surnom du très chauve titulaire de la chaire d'anglais à Ikiri, le Pr Donald Camrose.

[Novembre]

Lagos. Conférence de presse au ministère de l'Information. Un jeune et brillant capitaine avec l'accent d'Oxford a imputé l'absence de progrès de l'armée nigériane à la saison exceptionnellement pluvieuse. Un journaliste polonais m'a raconté qu'un Super Constellation atterrissait chaque nuit à Lagos bourré d'armes et de munitions. On l'appelle le Fantôme gris, et ses livraisons assurent la survie du Biafra dont le territoire rétrécit peu à peu. En fait, l'armée biafraise n'a jamais été aussi bien équipée ni ravitaillée, et il y a désormais si peu de territoire à défendre que les troupes sont très concentrées. Questionné sur les femmes et les enfants qui meurent de faim, le jeune capitaine a nié l'existence d'une quelconque malnutrition – rien que de la propagande biafraise, a-t-il affirmé.

Je passe la nuit à l'hôtel de l'aéroport, le Ikeja Arms. Je rentrerai demain par avion à Ibadan. J'aime bien ce vieil hôtel avec son grand bar sombre rempli d'équipages et d'hôtesses de l'air au repos. Ils donnent ce petit côté canaille que l'éphémère apporte toujours à des bars tels que celui-là. Ajoutez-y une nuit tropicale, de l'alcool en quantité, une nation engagée dans une guerre civile – je m'attends presque à voir entrer Hemingway.

Vendredi 14 novembre

Un Simeon affolé vient me dire que, selon des nouvelles reçues de sa famille, Isaac a été emmené par une patrouille chargée du recrutement pour l'armée biafraise. Ils mobilisent tout ce qu'ils trouvent – ils ne sont pas difficiles. « N'importe qui avec une queue fait l'affaire », commente Simeon. Ces hommes reçoivent quelques jours d'entraînement sommaire avant d'être expédiés au front. Il m'a demandé un congé pour essayer d'aller le retrouver : je lui ai dit de prendre ma voiture.

Plus tard. Changement de programme. Je pars avec lui. J'emmenais la 1100[1] au garage en vue de faire le plein pour Simeon quand l'idée m'en est venue. Je tiens là ma chance d'un scoop pour *Polity*.

---

1. A son arrivée en 1965, LMS avait racheté la voiture de son prédécesseur, une Austin 1100.

J'ai donc fait le plein et fourré trois jerricans de réserve dans le coffre. Puis je suis allé à la banque retirer deux cents livres nigérianes et je suis revenu informer Simeon de mon nouveau plan. J'ai peint PRESSE en blanc sur le pare-brise et j'ai acheté un petit drapeau nigérian que j'ai accroché à l'antenne de la radio. Nous partons demain, avant l'aube. Nous prendrons des routes secondaires vers Benin, puis nous nous dirigerons vers Port Harcourt par le delta du Niger et on tournera autour de Ikot-Ekpene aussi près qu'on le pourra. Je calcule que ça fera en tout un circuit de six cent cinquante kilomètres environ – à peu près deux jours sur les routes nigérianes. Dans ce pays, temps et distance n'ont pas la même relation qu'ailleurs. Par exemple, il y a cent cinquante kilomètres entre Ikiri et Lagos mais il faut se donner quatre heures pour les parcourir : un trajet qu'on fait la gorge sèche, les nerfs à vif et avec une prudence extrême, sur la plus dangereuse des autoroutes du monde.

Samedi 15 novembre
Benin. Hôtel Ambassador Continental
Benin a été pris par les Biafrais en 1967 lors de leur blitzkrieg à l'ouest dans les premiers jours de la guerre, le seul moment où ils aient réussi à s'emparer de grands pans du territoire nigérian. Je me souviens que l'affolement avait même atteint l'université : le Dr Kwaku avait fait creuser une tranchée dans son jardin, juste en cas de bombardement. L'incursion a été de courte durée mais l'armée biafraise, à un moment donné, n'était qu'à cent cinquante kilomètres de Lagos.

Dans le bar de l'hôtel, je regarde les nouvelles à la télé nigériane. Les forces fédérales occupent un village biafrais. De gros bonshommes – plus gros encore dans leurs uniformes –, armés de fusils, bousculent des types maigrelets en maillots de corps et slips loqueteux.

Le trajet jusqu'ici a été très calme et nous n'avons été arrêtés qu'à un seul barrage. J'ai montré mes lettres de créance, ma carte et j'ai lancé : « Presse ! » au jeune soldat qui passait la tête par la vitre. Il a dit : « BBC ? » J'ai acquiescé d'un signe de tête et on nous a fait signe d'y aller. De toute évidence, le mot magique. Je ne pense pas que *Polity* aurait eu le même effet.

Simeon m'a expliqué qu'il était contre la guerre parce qu'il n'était pas ibo. Il en parle comme de « la guerre ibo ». Il est ibibio – ils

391

parlent un autre langage que les Ibos. Comme les Efiks et les Ijaws, les Ogonis, les Annangs et beaucoup d'autres tribus toutes subsumées sous le terme « Biafra » par les dominants Ibos. Ils ne veulent pas faire partie du Biafra, a dit Simeon. Ils ne veulent pas être les femmes du mari ibo.

Simeon dort dans la voiture et j'ai une chambre au troisième étage avec vue sur une piscine vide. L'hôtel est grouillant d'activité, plein de différentes nationalités, et la plupart des occupants ne sont pas des soldats – mais des ingénieurs russes, des entrepreneurs italiens, des hommes d'affaires libanais, des « conseillers » britanniques. J'ai demandé à un grand gaillard d'Anglais comment atteindre le front et il m'a répondu qu'il n'y avait pas de ligne de front, juste une série de routes en direction du Biafra avec des soldats dessus. Dès qu'on entend des tirs ou que les soldats refusent de vous laisser aller plus loin, on peut supposer qu'on a atteint le front.

J'ai dîné de poulet et de riz dans la salle à manger et je suis retourné au bar pour une dernière bière. S'y trouvaient quelques officiers fédéraux ivres et leurs petites amies. J'ai pris un somnifère et je me suis couché.

Dimanche 16 novembre

Nous avons traversé Warri et contourné Port Harcourt. Pas mal de véhicules militaires sur la route et aussi le spectacle bizarre d'un grand yacht à bord d'un transport de tanks – le butin d'un quelconque général, je soupçonne, regagnant la marina de Lagos. Obéissant aux instructions de Simeon, j'ai quitté la route principale à Elele pour aller vaguement vers l'est. A Benin, on nous a informés que Ikot-Ekpene avait été repris par les Biafrais et que le front se trouvait maintenant sur la route Aba-Owerri. Simeon a dit que si nous pouvions atteindre Aba, il gagnerait ensuite son village à pied par un sentier de brousse. On a eu un seul moment difficile au passage d'un barrage solitaire où de jeunes soldats, puant la bière, nous ont fait sortir de la voiture en agitant leur fusil de manière théâtrale. Je leur ai refilé de l'argent et des cigarettes, ce qui les a calmés et ils nous ont dit que les autres journalistes étaient à l'hôtel du Rond-Point près d'une ville du nom de Manjo, juste au sud d'Aba. Nous sommes arrivés à l'hôtel à quatre heures de l'après-midi. En descendant de voiture, j'ai entendu le grondement lointain et les marmonnements de l'artillerie quelque part au nord. Simeon s'est débarrassé de ses vêtements pour ne garder qu'un short et a déclaré qu'il partirait sur-le-champ. Je lui ai donné de l'argent et il s'est enfoncé dans la brousse d'un pas plutôt léger. Je pense qu'il était content de faire quelque chose, et après tout il était en terrain familier. Je lui ai dit que je l'attendrais trois jours, si possible, puis qu'il me faudrait repartir.

J'ai pris une chambre au Rond-Point où l'on m'a pourvu d'une pièce minable en ciment brut et infestée d'insectes. Le lit à une place a des draps en Nylon grisâtre et l'électricité est très fantaisiste. L'hôtel est situé en bordure d'un carrefour inachevé, d'où son nom évocateur. La même route empierrée atterrit sur ce carrefour et en repart. Les embranchements qui auraient donné à ce lieu une véritable fonction restent à faire. Pas loin de là se trouve un dépôt de ravitaillement pour les troupes qui sont en train de reprendre, ou de consolider leur position sur Ikot-Ekpene. Le bar de l'hôtel, qui occupe la majeure partie du rez-de-chaussée, est éclairé par des néons fluorescents pourpres et verts, et peuplé à toute heure du jour par une douzaine de prostituées mortes d'ennui aux coiffures afro et aux jupettes ultracourtes. De temps à autre, une de ces filles se met debout, s'approche en traînant les pieds et, d'un air apathique, vous fait des propositions. La chaleur règne dans le bar, la plupart des ventilateurs de plafond ne marchent pas mais la bière est vaguement fraîche.

Vers huit heures ce soir, une Jeep s'est arrêtée pour déposer les deux autres journalistes. L'un, Zygmunt Skarga, est un Polonais que j'ai rencontré à Lagos et l'autre un Anglais maigre et fébrile avec de longs cheveux blonds et des lunettes-miroir. Il a été d'évidence très contrarié de me voir là et a aussitôt voulu savoir si je travaillais pour le *Times*. Quand j'ai dit *Polity* il a paru se détendre – « Bon canard », a-t-il commenté. Il s'appelle Charles Scully. Nous avons bu de la bière en bavardant. Scully est allé à l'intérieur du Biafra et semble avoir la révérence d'un disciple à l'égard d'Ojukwu[1]. Zygmunt se montre plus circonspect. Il soutient que c'est très joli de faire sécession mais que si l'on embarque 95 % du pétrole de la nation avec soi la bagarre est inévitable. Scully s'est alors beaucoup emballé : le

---

1. Le leader biafrais, un Ibo.

Nigeria est une fausse nation créée par des géomètres victoriens traçant des frontières arbitraires sur une carte. Le Biafra possède une intégrité tribale et ethnique qui justifie sa prétention à l'indépendance. Ici je suis intervenu en avançant l'argument de Simeon selon lequel les autres tribus ne veulent pas être les femmes du mari ibo. Ceci a fait râler encore plus Scully qui m'a demandé, d'un ton insultant, combien de temps au juste j'avais passé au Nigeria. Quand je lui ai répondu quatre ans, il a un peu baissé le ton : il n'est dans le pays que depuis six semaines.

Lundi 17 novembre

Je suis allé ce matin avec Zygmunt interviewer le colonel « Jack » Okoli, le prétendu « Lion noir » de l'armée nigériane qui mène l'attaque sur la route Aba-Owerri. Un bel homme, en pleine forme, avec une fine moustache de tombeur de cinéma. Il n'a pas ôté une seule fois ses lunettes de soleil. Il portait deux pistolets automatiques à la ceinture, des bottes en daim et exsudait l'assurance écrasante de tous les chefs militaires au bord de la victoire. Je lui ai demandé si Ikot-Ekpene était sous son contrôle. « Mes hommes procèdent à son nettoyage », a-t-il répliqué. Il ne parlait que de « gars », de « gaillards », de « lascars ». Zygmunt m'a dit qu'Okoli avait raflé assez de marchandises pour remplir un grand magasin. Le colonel Jack a prédit que la guerre serait terminée à Noël. Je voudrais savoir combien de militaires se sont ainsi vantés à travers les âges...

Un après-midi morose à l'hôtel du Rond-Point, assis sous un ventilateur qui marchait, à boire de la bière et regarder les véhicules de l'armée négocier le carrefour superfétatoire. J'ai parlé à une jeune prostituée appelée Matilda. Elle a suggéré que nous montions dans ma chambre. Je lui ai dit qu'il faisait trop chaud et que j'étais un vieux monsieur. Elle a répliqué qu'elle pouvait me fournir une potion qui me raidirait comme un bâton. Je lui ai donné une livre et je lui ai payé un Fanta. Je lui ai demandé ce qui se passerait quand la guerre serait finie. « Rien, a-t-elle répondu. Tout sera comme c'était avant. »

Scully m'a raconté qu'à l'intérieur du Biafra « Harold Wilson » était une insulte, un gros mot. Il avait entendu une enfant mourante murmurer un mot familier et il s'était approché d'elle pour écouter ce qu'elle disait. Elle ne cessait de marmonner : « Harold Wilson,

Harold Wilson, Harold Wilson. » Elle est morte en prononçant **son** nom, a dit Scully qui a ajouté : peut-on imaginer avoir ça sur la conscience ? Il avait écrit personnellement à Wilson pour qu'il sache combien il était haï. Même Hitler n'a jamais atteint le statut de juron. J'ai failli répondre qu'on ne pouvait pas comparer Harold Wilson à Adolf Hitler mais il faisait trop chaud pour se disputer. Scully est violemment opposé au soutien du Nigeria par le gouvernement britannique, au point qu'il est en train d'écrire un livre sur la guerre et le rôle de la Grande-Bretagne qui s'intitulera *Associés en génocide*. Je lui ai souhaité bonne chance en qualité de confrère écrivain. Il s'est montré tout à fait étonné d'apprendre que j'étais un romancier publié. « J'ai même connu Hemingway », ai-je lancé, pour voir si ça lui ferait de l'effet mais il n'a pas été impressionné. Ce fumiste, a-t-il dit. Avez-vous rencontré Camus ? Hélas non, ai-je dû avouer.

Zygmunt a annoncé qu'il montait au front avec Okoli demain et que nous étions les bienvenus, mais Scully a décidé de retourner à Lagos. Il se rendra à Abidjan, en Côte-d'Ivoire, et dégotera une place sur un des avions de ravitaillement qui atterrissent au Biafra chaque nuit. Vous devriez venir, Mountstuart, a-t-il dit, ça vous fournirait du bon matériau pour votre prochain roman. Je me suis excusé, j'ai dit que j'attendais l'arrivée d'un ami.

Mardi 18 novembre

Zygmunt et moi avons pris la route d'Aba-Owerri dans la Jeep d'Okoli. Le colonel Jack, toujours aussi résolument chaussé de ses lunettes noires, portait une saharienne et un béret orné d'une cocarde rouge. Nous nous sommes arrêtés près d'une batterie de canons et nous les avons regardés bombarder la brousse. Puis nous avons doublé des colonnes de troupes qui remontaient pesamment la route vers le nord. Nous sommes arrivés dans un village en apparence désert, mais le colonel Jack a expédié ses hommes le vider de ce qui restait de la population, essentiellement des femmes et des enfants. Lesquels paraissaient très nerveux, mal à l'aise, tête baissée tandis que le colonel Jack éreintait le noir démon Ojukwu et les félicitait d'être libérés par l'armée nigériane. Il a poussé une jeune fille vers Zygmunt et moi. Elle portait sur sa hanche un bébé au gros ventre et aux yeux en bille de loto, une douzaine de mouches se repaissant de la morve qui lui coulait en abondance du nez. Elle parle anglais, a dit le colonel. Zygmunt lui a demandé si elle était contente que l'armée biafraise ait été chassée de son village. « Il faut faire quelque chose, a-t-elle répondu, pour garder l'unité du Nigeria. »

Nous avons déjeuné avec le colonel Jack sous un dais qu'il avait fait dresser sur le bord de la route. Du mobilier de jardin a été installé et nous avons dégusté un curry de bœuf et d'ignames arrosé de Johnnie Walker. Le colonel Jack a été à Sandhurst et m'a interrogé sur les quartiers de Londres qu'il connaît, les casinos et boîtes de nuit défuntes qu'il avait fréquentés jeune élève-officier. Il a voulu savoir si j'avais été dans l'armée et j'ai dit non, dans la marine, la Royal Navy Volunteer Reserve, pendant la Deuxième Guerre mondiale. « Quel grade ? » Je le lui ai dit et à partir de là il m'a appelé « commandant ».

Après le déjeuner, nous avons continué sur une route de latérite jusqu'à ce que nous tombions sur deux transports de troupes blindés et une centaine de soldats assis sur les bas-côtés, tous avec des brins de végétation pointant ou entrelacés sur les casques et les sangles. Cela représentait le point le plus avancé de l'armée fédérale sur le front sud, a expliqué le colonel Jack. Puis il a discuté un peu à l'écart avec un capitaine qui était accompagné de deux civils armés de machettes, après quoi, pour notre gouverne, il a piqué une colère noire, gueulant sur ses hommes, les traitant de sacrés foutus idiots, de femmelettes terrifiées, d'insectes méritant le pesticide. Les véhicules blindés ont démarré, les hommes se sont relevés avec lassitude et la colonne s'est remise en marche une fois de plus vers le cœur du pays rebelle.

Le colonel Jack nous a dit que, selon la population, toute résistance biafraise avait cessé dans ce secteur parce que Ojukwu lui-même avait ordonné l'exécution de quatre locaux pour cannibalisme. « Il les a accusés de manger des soldats biafrais, a dit le colonel Jack. Quelle sorte de foutu imbécile est ce type ? » L'insulte à la tribu locale avait été immense, incalculable, et tout le soutien logistique dans le village avait immédiatement cessé – pas de nourriture, pas d'eau, pas de guides sur les tortueux sentiers de brousse. Les membres de la tribu venaient désormais activement en aide à l'armée fédérale.

« Et c'est ainsi qu'on gagne une guerre », a commenté le colonel Jack tandis que nous retournions à l'hôtel du Rond-Point. « Une question de mauvaise insulte au mauvais moment. Aujourd'hui nous avons progressé de vingt kilomètres. » Il m'a tapé sur l'épaule : il était très content. « Croyez-moi, commandant, je serai le général Jack avant Noël. »

Matilda vient de frapper à ma porte. « Hello, *sar*. L'amour appelle. » Je lui ai donné encore une livre en lui conseillant d'aller se payer un autre Fanta au bar. Pas de nouvelles de Simeon. Je me demande combien de temps je vais devoir rester.

Mercredi 19 novembre

Ai passé la matinée à taper mon article pour *Polity*, intitulé « Un jour à la guerre avec le colonel Jack ». Plutôt content de ce que j'ai écrit. Zygmunt est parti pour le front nord à Nsukka. Il pense qu'il lui sera plus facile de s'infiltrer de là au Biafra – il veut rencontrer Ojukwu avant que la guerre ne se termine.

J'ai déjeuné de plantain frit et d'une bouteille de bière Star vraiment fraîche. Tout à fait délicieux.

Cet après-midi, trois MiG de l'aviation nigériane nous ont survolés à très basse altitude. Matilda les a désignés d'un geste méprisant. « Tu vois, a-t-elle lancé, eux y en a plus peur, maintenant. »

Plus tard. Simeon est revenu tout à l'heure. La maison de ses parents a été pillée, vidée de son contenu, mais elle est toujours debout. Cependant sa famille, pleine de méfiance à l'égard des deux armées, continue à se cacher dans la brousse. Aucun signe d'Isaac, mais Simeon ne paraît pas inquiet. La brousse est remplie de déserteurs de l'armée biafraise, affirme-t-il, et Isaac devrait se trouver parmi eux, sain et sauf. Il fait preuve d'une étrange euphorie et je suppose donc que nous pouvons estimer la mission à peu près accomplie. Nous retournons vers l'UC Ikiri demain. Matilda voudrait qu'on l'emmène jusqu'à Benin : elle a soupé des maigres revenus qu'offre l'hôtel du Rond-Point.

1970

Samedi 17 janvier

Isaac est de retour de guerre. Je suis sorti sur la véranda pour prendre mon petit déjeuner et il était là, radieux, dans son short kaki et son T-shirt blanc. Plus maigre, la tête rasée mais ne se portant pas plus mal en apparence de toutes ses aventures. Il n'a en fait réussi à déserter qu'une semaine avant la fin de la guerre, car il faisait partie d'un contingent de troupes assigné à la garde de la piste d'atterrissage d'Uli, où se posaient les avions apportant l'aide humanitaire. Au moment de l'avance de l'armée fédérale, il a été posté aux alentours, avec une grenade et cinq cartouches (en tant que garde il n'avait eu droit qu'à une seule). Une fois dans la brousse, il s'est débarrassé de son uniforme, a jeté son fusil et pris la direction de son village au Sud.

La guerre s'est terminée aussi vite, dit-il, parce qu'un chef spiritualiste a été exécuté pour « meurtre par procuration » (les mots d'Isaac). Les commandants militaires biafrais se reposaient totalement sur les conseils des spiritualistes et des prétendus prophètes – aucun ordre n'était lancé sans leur approbation – et quand le chef de cette secte a été exécuté, les officiers ont carrément refusé de se battre. Les voyant ainsi démoralisés, les soldats, épuisés, se sont peu à peu dispersés, en abandonnant leurs postes. L'armée nigériane est arrivée en chantant, fusil en bandoulière. Une autre bonne journée pour le colonel Jack, sans aucun doute.

Vendredi 27 février

Soixante-quatre ans. Mon anniversaire s'est passé dans un anonymat total et gratifiant. Il n'a été gâté que par la Noix de Coco desséchée qui, lors de la réunion du département, a rappelé à tout un chacun que je partirais à la fin de la prochaine année universitaire et qu'il faudrait un nouveau maître de conférences pour le cours sur le roman anglais. « Ce cher Logan prend sa retraite, hélas. Nous allons perdre notre homme d'Oxford. » Il y a eu des murmures de commisération et de félicitations. Polly m'a jeté un coup d'œil, un rien choquée : je ne crois pas qu'elle m'ait vu comme un déjà quasi-vieux retraité. Je ne présente pas trop mal, je dois dire : mon bronzage me va bien et je ne bois plus que de la bière ces jours-ci, enfin la plupart du temps, ce qui m'a affiné la silhouette tout en m'épaississant la taille.

J'ai joué nos neuf trous habituels avec Kwaku cet après-midi. Je lui ai raconté que j'étais obligé de partir l'année prochaine et que je me demandais un peu s'il était vraisemblable pour moi de trouver un autre poste ici. Il pense franchement que ce sera presque impossible – vous perdrez votre maison, dit-il, vous gagnerez le quart de votre salaire actuel. Il vous faudrait aller au moins à Ibadan sinon à Lagos.

Pour je ne sais quelle raison, je ne veux pas quitter l'Afrique, j'en suis venu à aimer ma vie ici, et l'Angleterre et l'Europe me semblent étrangement hostiles maintenant. Mais je vois bien que les perspectives d'emploi pour un Anglais de soixante-cinq ans avec un diplôme de troisième ordre doivent être rares. Donc ce sera le retour à Londres, je suppose, et à Turpentine Lane – et voir quelle sorte de vie je peux gratter avec ma plume.

[Juillet]

Après avoir nagé dans la piscine du club, j'ai regagné en flânant Danfodio Road, le soleil chaud sur ma tête nue. J'ai ouvert une bouteille de bière Star et je me suis installé pour la boire sur la véranda. Puis je suis sorti dans mon jardin et je me suis promené autour, en effleurant de la paume de la main les arbres – les casuarinas, le goyavier, le cotonnier, l'avocatier, le frangipanier –, comme si ce dernier toucher, cette caresse fugace, était une manière de leur dire adieu à eux, mes arbres, ma vie africaine. Mes oreilles étaient remplies du son métallique des cigales, et la brise légère faisait monter l'odeur de poussière de l'herbe décolorée. J'ai appuyé mon front contre le tronc d'un papayer et j'ai fermé les yeux. Puis j'ai entendu Bonvoyage, mon jardinier, dire d'un ton inquiet : « *Sar*, vous y en a aller bien ? » Non, j'ai eu envie de répondre : Moi y en a peur y en a plus aller bien jamais.

Les seconds carnets de Londres

Logan Mountstuart retourna à Londres à la fin du trimestre d'été en juillet 1971 et établit une fois de plus sa résidence à Turpentine Lane, Pimlico. Il n'avait que sa retraite-vieillesse et ses économies en fait de soutien financier (ses quelques années de cotisation au fonds de pension d'UC Ikiri ne lui assuraient qu'une retraite de misère) et il reprit donc sa profession d'écrivain free-lance avec diligence à défaut d'enthousiasme. *Polity*, sa source principale de revenus, ferma boutique en 1972, et Sheila Adrar chez Wallace Douglas Ltd fit preuve d'incapacité (ou d'extrême lenteur) à lui obtenir une avance pour *Octet*, le roman depuis si longtemps en gestation. Udo Feuerbach engagea LMS comme correspondant de *revolver* à Londres tandis que Ben Leeping, souffrant maintenant d'un cancer de la prostate, lui payait des consultations occasionnelles pour Leeping Frères. Lentement mais sûrement, durant les années qui suivirent, LMS devint de plus en plus impécunieux. Les seconds carnets de Londres reprennent au printemps de 1975.

1975

Vendredi 23 avril
J'ai viré aujourd'hui cette salope d'Adrar. J'étais allé à l'agence photocopier quelques articles de magazine dont j'avais besoin dans mes recherches pour *Octet*. Tout d'abord, la fille à la réception a refusé de croire que j'étais un client, puis elle a fini par dénicher mon dossier. Je lui ai expliqué que Wallace Douglas lui-même m'avait autorisé à utiliser les facilités de l'agence chaque fois qu'il me plairait. Bref, j'étais là, en train de photocopier mais très conscient de l'embarras et du quasi-affolement dans le bureau : qui est ce vieux débris en costume rayé ? Qu'est-il en train de faire ?

Faut-il appeler la police ? Finalement, Sheila Adrar en personne est apparue, la coiffure impeccable et l'air florissant dans un tailleur bleu à minijupe. « Logan ! s'est-elle exclamée avec le plus large et le plus faux des sourires, comme c'est merveilleux de vous voir ! » Puis elle a offert de m'aider, a réuni les feuilles de papier éparses et vérifié le compteur de la machine. Soixante-deux copies, a-t-elle annoncé, à deux pence chaque, ça fera 1 £ 64. Très amusant, Sheila, j'ai répondu, en lui prenant les copies des mains et en me dirigeant vers la sortie. J'aimerais que vous me payiez, s'il vous plaît, Logan, a-t-elle insisté, nous ne sommes pas une œuvre de bienfaisance. Alors, j'ai éclaté. Comment osez-vous ? Avez-vous une idée de l'argent que j'ai fait gagner à cette agence ? Et vous avez le culot de vouloir me faire payer quelques photocopies ! Honte à vous ! Vous n'avez rien rapporté à cette entreprise depuis la Deuxième Guerre mondiale, a-t-elle répliqué. Très bien ! ai-je hurlé, terminé ! Je vous vire, vous et toute votre foutue bande de bons à rien ! Je vais aller voir ailleurs – et je suis sorti en trombe.

Je suis entré dans un pub pour me calmer et j'ai découvert que mes mains tremblaient – de rage, pas d'embarras, je me hâte de dire. J'appellerai Wallace demain matin pour lui expliquer ce qui s'est passé. Peut-être pourra-t-il me recommander quelqu'un d'autre.

Content d'avoir repris ce journal même si son objectif est plus sinistre. Je crains qu'il ne devienne un document sur le déclin d'un écrivain ; un commentaire de la scène littéraire londonienne vue par un plumitif démodé. Ces actes terminaux dans la vie d'un écrivain ne sont en général pas racontés parce que la réalité est trop honteuse, trop triste, trop banale. Mais, au contraire, il me semble plus important maintenant, après tout ce qui s'est passé autrefois, de décrire les faits tels que je les vis. Pas de maison de campagne, ici ; pas d'années crépusculaires couronnées d'honneurs, pas d'hommage d'une nation reconnaissante ni de récompense d'une profession que j'ai servie durant des décennies. Quand une espèce de sangsue hypocrite telle qu'Adrar ose réclamer 1 £ 64 à quelqu'un tel que moi, je considère l'affaire comme un véritable tournant – pas à cause du culot de la fille mais parce que je ne pourrais pas la payer. 1 £ 64 pence, judicieusement dépensés, peuvent me procurer de la nourriture pour trois jours. Voilà où j'en suis tombé.

Voici donc la situation. Actifs : je suis propriétaire de mon appartement en sous-sol de Turpentine Lane, Pimlico. Et de l'ameuble-ment. Je possède environ mille bouquins, quelques vêtements de plus en plus élimés, une montre, des boutons de manchettes, etc. Revenus : mes livres édités sont tous épuisés, et mes royalties par conséquent nulles. J'ai la retraite-vieillesse classique versée par l'État avec l'insignifiante addition de trois livres sterling par semaine en provenance de mon fonds de pension d'UC Ikiri. Travail à la pige : très irrégulier.

Dépenses : taxe d'habitation, gaz, électricité, eau, téléphone, nourriture, vêtements, transports. Je n'ai pas de voiture, je me déplace en bus ou en métro. Je n'ai pas de télévision (location et redevance trop chères – j'écoute la radio, et j'écoute mes disques sur mon gramophone). Mes seules faiblesses, les luxes de ma vie, sont l'alcool, les cigarettes et les incursions de temps à autre dans un cinéma ou un pub. Je lis les journaux que je trouve sur les banquettes des bus ou du métro.

Je garde la tête juste hors de l'eau grâce à du journalisme occasionnel et à mes travaux de consultant pour Leeping Frères. L'an dernier, j'ai gagné environ 650 livres. Jusqu'ici, cette année, j'ai écrit un long article sur Rothko (50 livres), fait la critique d'un livre sur Bloomsbury (25 livres) et estimé une collection privée de tableaux pour Ben (200 livres).

Je me nourris frugalement de corned-beef (le leitmotiv culinaire de ma vie), de haricots en sauce et de pommes de terre. Une boîte de soupe condensée, bien diluée, peut donner jusqu'à quatre ou cinq portions. Un sac de thé, convenablement utilisé, peut faire trois tasses de thé pas trop fort. Et ainsi de suite. Dieu merci, j'avais un bon tailleur. Mon dernier lot de costumes de chez Byrne et Miller, entretenu avec soin, me fera encore pas mal d'usage. Sous-vêtements, chaussettes et chemises sont l'objet d'achats parcimonieux. Je lave mes vêtements à la main et je les fais sécher devant le gaz en hiver ou sur un sèche-linge installé dans le puits du sous-sol en été. Voyager à l'étranger est pour l'heure hors de question à moins d'être entièrement subventionné par des tiers. Par exemple, Gloria m'a invité à La Fucina pour « aussi longtemps que je voudrai » cet été. Je lui ai dit que je ne pouvais pas m'offrir le billet et, puisqu'elle n'a pas proposé de payer elle-même, je suppose qu'elle est, elle aussi, à court de liquidités.

Je continue à boire – du cidre, de la bière et le vin le moins cher – et j'ai commencé à rouler mes propres cigarettes. Dans la journée, je me rends à la bibliothèque pour continuer mes recherches autour d'*Octet* ou écrire un de mes rares articles. Je les tape à la machine le soir chez moi. Puis j'écoute la radio ou des disques, et je lis. Deux ou trois fois par semaine, je vais au Cornwallis, le pub de mon quartier, boire une demi-pinte de bitter. Je me porte bien, je suis indépendant, je ne dois pas d'argent. Je survis – tout juste. Telle est la vie d'un vieil homme de lettres, ici à Londres, en 1975.

[NOTE RÉTROSPECTIVE. 1982. Je ne l'ai jamais noté à l'époque mais durant toutes ces années où j'ai vraiment été dans la dèche, je me rappelais de temps en temps ce que m'avait crié Mr Schmidt ce matin-là à New York où Monday/Laura avait saisi l'occasion de s'enfuir. LOSER ! Espèce de loser britiche… Je suppose qu'il a pensé que c'était la plus grave des insultes qu'il pouvait me lancer. Mais une telle injure n'a en vérité aucun effet sur un Anglais – ou un Européen – me semble-t-il. Nous savons tous que nous allons perdre en fin de compte et le mot est donc dépourvu de toute force en tant qu'affront. Pas aux États-Unis. Peut-être est-ce la grande différence entre les deux mondes, cette idée d'échec. Dans le Nouveau, c'est la marque ultime de la honte – dans le Vieux, cela ne suscite qu'une sympathie amusée. Je me demande ce que dirait Titus Fitch.]

Mercredi 7 mai

Au Travellers Club pour déjeuner avec Peter [Scabius]. J'achète une chemise neuve à un étal de marché (prix : quatre-vingts pence) et avec mon costume bleu marine et ma cravate de la Royal Navy, je pense être acceptable. Je mets un peu d'huile sur mes cheveux que je lisse au peigne. Mes chaussures conservent un air suspect, un peu éculées, même après un astiquage vigoureux, mais je me trouve une allure plutôt élégante.

Peter est devenu corpulent, rougeaud, bourré de plaintes diverses et assommantes : sa tension, ses horribles moutards, la vie d'un ennui mortel dans les îles anglo-normandes. Je dis : à quoi bon avoir tout cet argent si l'argent vous force à vivre dans un endroit que vous n'aimez pas ? Il me rabroue : je ne comprends pas, ses comptables sont inflexibles. Je saisis l'occasion de m'empiffrer : trois petits pains avec mon *mulligatawny*, trois légumes avec mon rôti d'agneau, puis un crumble aux pommes arrosé de crème et une tranche de fromage de Wensleydale. Peter ne peut pas boire pour l'instant (un commencement de diabète, pense-t-il) et je m'envoie donc tout seul une demi-bouteille de bordeaux et un double porto. Il me raccompagne à la porte et je remarque qu'il boite. Pour la première fois depuis mon arrivée, il me pose une question sur moi : qu'est-ce que tu fabriques, Logan ? Je travaille sur un roman, dis-je. Merveilleux, merveilleux, réplique-t-il, distrait, avant de me demander si je lis encore des romans. Lui, ces temps-ci, il ne peut pas, avoue-t-il, il ne lit que des journaux et des magazines. Je lui dis que je suis en train de relire Smollett, juste pour lui donner mauvaise conscience, puis je sors dans Pall Mall et je hèle un taxi. Nous nous serrons la main, et nous promettons de garder le contact. Je grimpe dans le taxi et, dès que nous avons tourné le coin de la rue, je lui ordonne de s'arrêter et je descends. Soixante-cinq pence pour trois cents mètres mais ça les vaut largement pour ne pas perdre la face.

Dimanche 8 juin

A pied hier jusqu'à Battersea Park où je me suis assis au soleil pour lire mon journal. L'inflation, je vois, a atteint vingt-cinq pour cent en Angleterre, et j'aurais donc à fournir un quart de travail en plus juste pour maintenir mon misérable statu quo. Napier Forsyth m'a envoyé un mot pour me dire qu'il travaillait maintenant pour *The Economist*. Peut-être y aura-t-il quelque chose pour moi là-bas.

Puis je suis revenu doucement à travers les rues vers Melville Road – une grosse erreur – mais je pensais à Freya, à Stella et à nos promenades dans le parc. Qu'est-il donc arrivé à notre chien ? Comment s'appelait-il[1] ? J'ai été choqué de ne pas pouvoir me rappeler son nom. Peut-être a-t-il été tué lui aussi dans l'explosion du V2. Maintenant que j'y pense, Freya aura sans doute emmené le chien chercher Stella à l'école.

En rentrant, j'ai passé une heure à contempler leurs photos. Pas pu m'arrêter de pleurer. Ce sont des années où j'ai été vraiment heureux. Le savoir est à la fois une bénédiction et une calamité. Il est bon de reconnaître que vous avez trouvé le véritable bonheur dans votre vie – et que celle-ci n'a donc pas été gaspillée. Mais admettre que vous ne serez plus jamais heureux de la sorte est très

---

1. Tommy.

dur. Stella aurait trente-sept ans aujourd'hui, elle serait mariée peut-être, avec des enfants à elle. Des petits-enfants pour moi. Ou pas. Qui sait comment tournera la vie de quiconque ? Les tendres conjectures sont par conséquent vaines.

J'ai bu une bouteille de cidre avec le désir de me saouler et j'y ai réussi. Mal aux cheveux ce matin. L'haleine puant mes immondes cigarettes. Stupide vieux crétin.

Vendredi 1er août

Une de ces journées d'été londonien intolérablement chaudes où le macadam semble ramollir et fondre sous vos pieds. Même moi, j'ai été obligé d'échanger ma veste et ma cravate contre une chemise voyante peinturlurée de mon époque Ikiri. Après avoir tapé mon article pour *The Economist* (Napier m'a fait beaucoup d'honneur – je recense pour eux tout type de livres d'art : trente livres le papier) je suis allé vers midi au Cornwallis m'offrir un gin-tonic. Le pub était calme et propre, prêt pour la cohue du déjeuner, toutes les surfaces nettoyées de frais. Je me suis installé près de la porte ouverte pour jouir de la brise, mon verre tintant de glace à la main, et j'ai entendu la conversation suivante entre un homme et une femme d'âge mûr assis sur un banc dehors.

LA FEMME : Comment ça va ?

L'HOMME : Pas très bien.

LA FEMME : Qu'est-ce qui ne va pas ?

L'HOMME : Ma santé. J'ai le cœur qui flanche. Et un cancer. Deux fois dans le pétrin, on peut dire.

LA FEMME : Oh, mon pauvre !

L'HOMME : Comment va John ?

LA FEMME : Il est mort.

L'HOMME : Cancer ?

LA FEMME : Non, il s'est suicidé.

L'HOMME : Merde !

LA FEMME : Excusez-moi. C'est trop déprimant.

Elle se lève, rentre dans le pub, va s'asseoir dans un coin toute seule.

1976

Jeudi 1er janvier

Ai célébré le nouvel an avec une bouteille de whisky (« Clan McScot ») et deux boîtes de Carlsberg spéciale. Je ne crois pas avoir été aussi ivre depuis l'université. Je me sens mal aujourd'hui, tandis que mon vieux corps essaie de s'arranger des toxines dont je l'ai rempli. J'aborde l'année qui vient dans un esprit de – quoi? – d'indifférence obstinée. Il me semble extraordinaire et incroyable que, voici à peine quelque temps, j'aie eu une maisonnée de quatre domestiques. Simeon m'a envoyé une carte de Noël avec ses vœux de santé, de bonheur et de prospérité, et exprimant l'espoir que j'écrivais beaucoup de bons livres. Bonheur et prospérité semblent hors d'atteinte, alors peut-être devrais-je me concentrer sur le maintien de la santé que j'ai, de sorte que je puisse tout juste terminer le seul livre que je porte encore en moi.

J'ai un article à écrire sur Paul Klee pour *The Spectator*. (Quand je pense que j'ai eu un Paul Klee. Dans quelle vie était-ce?) Pour dieu sait quelle raison, le tarif du *Spectator* est tombé à dix misérables livres.

Une des choses de l'Afrique qui me manquent le plus, ce sont mes parties de golf sur le terrain broussailleux d'Ikiri avec le Dr Kwaku. Le golf et notre bière sur le perron du clubhouse en regardant le soleil sombrer. Qu'est-ce donc qui me plaît dans le golf? Ce n'est pas fatigant, ce qui est un avantage. Cependant, son grand bénéfice, je crois, est que, aussi mauvais joueur que vous soyez, il vous est quand même possible de jouer un coup égal à celui du meilleur joueur au monde. Je me souviens, un jour, il m'avait fallu sept coups cafouilleux pour mettre ma balle dans le huitième trou, par quatre, et je m'apprêtais à jouer le neuvième, un par trois avec un club n° 6. Crevant de chaleur, suant et soufflant, je me suis tourné, j'ai frappé, la balle a filé en l'air, a rebondi une fois sur le brown et est allée tomber droit dans le trou. Un trou en un. Le coup parfait – impossible de faire mieux même pour le champion du monde. Je ne peux penser à aucun autre jeu dans le genre qui donne à un nullard d'amateur une occasion d'atteindre à la perfection. Il a fait mon bonheur pendant toute une année, ce coup, chaque fois que je m'en souvenais. Il fait encore mon bonheur aujourd'hui.

Dimanche 15 février

Coup de téléphone bizarre et plaintif de Gloria demandant si elle peut s'inviter pour quelques jours. Bien sûr, ai-je dit, en ajoutant les avertissements habituels : manque de confort, pas de télé, un appartement en sous-sol dans un quartier malsain, etc. Pourquoi venir à Londres en février ? Elle a besoin de voir un médecin, a-t-elle répliqué de manière inquiétante.

Autant que je sache, Gloria a un frère qui vit à Toronto, une nièce à Scarborough et c'est tout. Eh bien, à quoi servent donc les vieux amis ?

J'ai oublié de dire que je me suis réveillé vendredi dernier avec dans la bouche un objet étranger que j'ai craché sur l'oreiller : une de mes dents. Peut-être un des plus désagréables réveils de ma vie. Chez le dentiste du coin, cependant, l'homme de l'art m'a rassuré. Tout paraît plus ou moins en ordre, a-t-il dit en commentant l'impressionnant travail de bridges et de couronnes dont ma bouche témoigne. Ça a dû coûter une fortune a-t-il ajouté, un peu mélancolique. Merci, excellents dentistes américains de New York. J'ai une peur irrationnelle de perdre mes dents – en fait ce n'est pas irrationnel, c'est très rationnel. Mais, en supposant que je vive assez longtemps, c'est sans doute inévitable. Quelqu'un m'a raconté (qui ?) que Waugh et T. S. Eliot avaient tous deux perdu l'envie de vivre quand on leur avait arraché les dents et qu'on leur avait offert un râtelier. S'agit-il là d'un problème d'écrivain ? Le sentiment que, quand nous perdons notre mordant, il ne nous reste plus qu'à jeter aussi l'éponge ?

Vendredi 27 février

Gloria est arrivée hier et je lui ai donné ma chambre – bien que, je l'avoue, je sois trop vieux pour dormir confortablement sur un canapé. Sa mine est effrayante : les traits tirés, le teint jaune, le visage ratatiné, les mains tremblantes. Je lui ai demandé ce qui n'allait pas : elle ne le sait pas, mais est persuadée qu'il s'agit de quelque chose de grave. Ses cheveux sont secs et trop fins, sa peau tachetée et molle comme celle d'un vieux lézard. Elle pense que ça a peut-être à voir avec son foie (« Sinon pourquoi serais-je de cette étrange couleur ? »), mais elle se plaint aussi de maux de dos et de hanches. De plus, elle s'essouffle beaucoup.

Néanmoins, nous avons été très contents de nous revoir et nous avons bu la plus grosse partie de la bouteille de gin qu'elle m'avait apportée en cadeau. J'ai fait des spaghetti avec une sauce en boîte. Mais elle a à peine touché à sa nourriture, voulant surtout boire, fumer et parler. Je lui ai raconté ma dernière rencontre avec Peter et nous avons ri et toussé de concert. Elle a vendu La Fucina et fait transférer les fonds. « Je n'en ai rien tiré, a-t-elle dit. Trois sous, après avoir payé les impôts et les dettes. » Je lui ai demandé où elle avait l'intention de s'installer et elle m'a répondu. « J'avais le projet d'habiter chez toi, Logan, mon chéri. Jusqu'à ce que le médecin m'ait examinée et que nous connaissions le pronostic. » Je vais l'emmener à mon dispensaire de Lupus Street.

Mardi 9 mars

Gloria de retour de l'hôpital. Pour dieu sait quelle raison, elle avait refusé que j'aille lui rendre visite ou la chercher. J'ai entendu le taxi qui la ramenait et me suis précipité pour l'aider. Elle avait fait des courses et acheté du champagne, du foie gras, un plumcake. Elle n'a pas voulu me raconter ce qui s'était passé à l'hôpital ni ce que les médecins avaient dit.

Ce soir, nous avons donc ouvert le champagne, dégusté le foie gras avec des toasts et elle m'a annoncé qu'elle avait un cancer des poumons inopérable. « J'en suis criblée, je soupçonne. Mais ils n'ont pas pu me dire pourquoi mon dos me faisait si mal – du moins pas pour le moment. » Pouvait-elle rester chez moi ? Elle ne tenait pas à mourir dans une salle de cancéreux ou dans un hospice. Bien sûr que tu peux, ai-je répliqué, mais je l'ai avertie que j'étais très pauvre et que le confort que je pourrais lui assurer dépendrait de cet état de choses. Elle avait huit cents livres en banque, a-t-elle dit, et je devais les considérer comme m'appartenant. « Profitons-en pour bien nous amuser, Logan », a-t-elle lancé avec un sourire comme si nous étions des écoliers projetant un festin clandestin nocturne. J'ai pensé que même huit cents livres n'iraient pas très loin et elle a dû lire dans mon regard. Elle a fait un signe de tête en direction du double portrait au-dessus de la cheminée. « Peut-être est-il temps de tirer profit du legs Picasso », a-t-elle dit.

411

Mercredi 10 mars

Appelé Ben à Paris ce matin, lui ai demandé comment il allait : « Mal, mais je survis ! » Bienvenue au club, j'ai répliqué. Puis je lui ai parlé du Picasso et il m'en a offert trois mille livres sur-le-champ, sans le voir.

J'ai désencadré le dessin et je l'ai coupé en deux, en détachant mon portrait. Sur ma moitié il n'y a d'écrit que mon nom, « Logan » – le reste de la dédicace et la signature – essentielle – étant du côté de Gloria sur lequel on lit donc : « A mon ami – et mon amie Gloria. Amitiés. Picasso » et la date. Nos portions respectives ne sont pas plus grandes qu'une carte postale et, sans signature, mon portrait bien entendu ne vaut plus rien, mais c'est un souvenir tout de même et je suis bien content que cette pauvre Gloria devienne la bénéficiaire de ce déjeuner à Cannes il y a tant d'années.

Vendredi 19 mars

On se croirait un jour d'hiver. Des nuages bas gris ardoise et un vent d'est en rafales amenant de la mer du Nord des averses de neige fondue. Gloria est bien installée dans ma chambre – gramophone, gin, livres et magazines. Nous mangeons et buvons comme des rois en exil. Une infirmière (payée par le don Picasso) vient chaque matin aider Gloria à se baigner et à se changer, et une visiteuse médicale débarque de temps à autre pour vérifier son état et renouveler ses médicaments. Gloria n'est pas traitée par des rayons ni aucune des nouvelles thérapies « lourdes » en cours. Elle feint la gaieté et l'insouciance et prétend qu'elle s'en fout complètement du moment qu'elle ne souffre pas. « Je refuse d'être une emmerdeuse, chéri. Et je refuse que tu vides mes pots de chambre ou que tu m'essuies le derrière et tout le reste. Tant que nous pourrons nous payer des infirmières, ça sera juste comme d'avoir une vieille copine irascible chez toi. » Je mène donc mon train-train journalier, je vais à la bibliothèque, je fais mon travail et je reviens tôt le soir. Gloria est très contente de rester seule dans la journée ; elle est plus ou moins capable de s'occuper d'elle-même mais elle aime avoir de la compagnie le soir, et je m'assois donc près d'elle pour lui lire des extraits du journal, écouter de la musique et boire. Vers vingt-deux heures, je suis en général assez rond, et Gloria commence à piquer

412

du nez et à somnoler. Je lui prends son verre des mains, je réarrange les couvertures et le dessus-de-lit, et je sors de la chambre sur la pointe des pieds.

Je dors mal sur le canapé : j'imagine les cellules cancéreuses en train de se multiplier dans la pièce voisine et j'essaye de ne pas penser à la Gloria Ness-Smith que j'ai connue jadis. Je me réveille tôt, me rase et me lave aussitôt afin de vite libérer la salle de bain. Je prie pour que l'infirmière arrive avant que Gloria ouvre l'œil – avant que j'entende son hurlement terrifié – « Logan ! » – alors qu'elle reprend conscience et se rend compte de son état. La peur frappe toujours à la première heure le matin, avant qu'elle ait mis son masque de résignation joyeuse.

Quand l'infirmière est là, je sors faire les courses – souvent chez Harrods pour trouver une de ces douceurs exotiques qu'aime bien Gloria (« Que dirais-tu de kumquats, aujourd'hui ? De marrons glacés ? »). J'ai un compte chez un caviste et on nous livre tous nos alcools. Une caisse de gin nous fait la semaine. Si je reste à la maison, nous commençons par le vin avant le déjeuner et donnons dans les alcools durs à la tombée de la nuit, quand l'âme faiblit aux entournures. Je lui ai demandé si elle voulait que je prévienne Peter, mais elle a aussitôt dit « non » et je n'ai pas insisté.

Je ne pense pas au passé ; je ne pense pas à l'avenir. Je n'ai rien prévu pour la mort de Gloria, – qui est ce que nous attendons tous deux –, en fait je n'ai pas la moindre idée de ce qu'il faut faire dans ces cas-là. J'apprendrai, sans aucun doute. Entre-temps, l'instant présent suffit à me préoccuper.

Dimanche 4 avril

Gloria a atteint un état d'atrophie et d'émaciation dans lequel ses traits paraissent ne pas lui appartenir : des yeux trop grands pour leurs orbites, des dents trop grandes pour sa bouche, le nez et les oreilles énormes de quelqu'un d'autre. Ses lèvres sont toujours humides et brillantes, et elle a maintenant perdu tout son appétit. Elle réussit à avaler la moitié d'un œuf poché ou un chocolat mou, mais son univers est rendu chuchotant et flou par le cocktail de morphine qu'elle sirote, et elle est tout juste capable de m'accorder une ou deux minutes d'attention. Elle accomplit un énorme effort, j'ai l'impression qu'elle refuse de sentir qu'elle dérive. Je lui lis le journal le matin à présent et elle se concentre intensément : « Pourquoi est-ce que Ted Heath est un tel empêcheur de danser en rond ? C'est quoi exactement un "punk" ? »

Il nous reste mille deux cents livres de notre legs – assez pour encore un mois environ, je calcule. En tout cas notre facture d'alcools a brusquement diminué et je suis de nouveau plus ou moins sobre.

Un médecin du dispensaire de Lupus Street vient chaque jour, jamais le même – il doit y en avoir des douzaines – et j'ai demandé au dernier en date un pronostic. Ça pourrait être demain, ça pourrait être l'année prochaine, a-t-il dit, citant quelques stupéfiants exemples de gens censés mourir et qui, au contraire, s'accrochent pendant des mois à cette demi-vie. Je dis : Dieu soit loué pour l'opium. Les infirmières s'occupent des fonctions corporelles de Gloria – je n'ai aucune idée de ce qui se passe.

Je lui fais la lecture, tout en jetant un œil sur la veine cursive qui palpite et se gonfle sur sa tempe, accordant inconsciemment mes propres inspirations et expirations à ce rythme délicat, filiforme. L'horloge de Gloria tirant à sa fin.

Mardi 6 avril

4 h 35. Gloria est partie. Je suis entré dans sa chambre il y a deux minutes et elle était morte. Elle gisait encore dans la position qu'elle avait adoptée une demi-heure avant, la tête en arrière, les narines ouvertes, les lèvres légèrement entrouvertes découvrant ses dents. Ses yeux étaient fermés mais, il y a une demi-heure, elle a semblé presser ma main doucement quand j'ai pris la sienne.

A présent, ses genoux sont un peu relevés, donnant l'impression que l'effort de la dernière recherche d'un souffle ultime a requis son corps en entier. J'ai passé la main sous le drap pour prendre ses chevilles et les tirer vers moi. Ses jambes se sont détendues avec souplesse comme si elle était encore vivante. Pourquoi autant de sollicitude de ma part envers Gloria ? Parce que je l'aimais bien ; parce que nous avons été amants et que nous avons partagé un peu de nos vies. Parce qu'elle était mon amie. Parce que, en plus, ayant fait tout cela pour Gloria, je le considère comme un devoir joyeusement consenti et, prenant mes rêves pour des réalités, je pense que, par conséquent, quelqu'un sera là pour moi aussi. Songeries absurdes, illusoires, je le sais. On ne peut pas conclure ce genre de marchés avec la vie, il n'y a pas de *quid pro quo*.

Samedi 10 avril

Le crématorium de Putney Vale par une froide journée d'avril doit être un des endroits les plus lugubres et les plus déprimants du pays. Installée au milieu d'une nécropole immense, chaotique et mal tenue, une chapelle victorienne ridicule fait aussi ingénieusement office de crématorium. Autour d'elle, de sombres ifs, pareils à des moines géants encapuchonnés, confèrent encore plus de morosité à un paysage déjà sinistre.

Peter est venu ainsi qu'un nombre surprenant d'inconnus, d'anciens collègues de Gloria, d'obscurs parents. Peter m'a demandé où elle était morte. Dans mon appartement, j'ai dit. *Ton* appartement ? Tout son vieil antagonisme soupçonneux lui est remonté au visage. Puis il s'est repris : c'est très bien de ta part, mon petit vieux.

De retour à son hôtel, il est devenu plus volubile et inquisiteur, curieux de découvrir pourquoi son ex-épouse était morte dans l'appartement en sous-sol de son ami le plus intime. Il m'a demandé si j'aimais vraiment bien Gloria. Certainement, ai-je répliqué : on ne s'ennuyait pas une minute avec elle – elle était très drôle, très directe, merveilleusement grossière.

– Vois-tu, je crois que je ne l'ai jamais réellement connue, a-t-il dit, d'une voix étonnée.

– Tu l'as épousée, nom de Dieu !

– Oui. Mais je pense qu'il s'agissait surtout d'une sorte d'intoxication sexuelle. J'ai jamais rencontré quelqu'un comme Gloria pour, tu comprends, me faire démarrer.

Nous avons commandé des sandwiches au service d'étage et poursuivi notre assaut sur la bouteille de whisky. J'ai remarqué que le garçon l'appelait « Mr Portman ». Qu'est-ce qui cloche avec Scabius ? ai-je voulu savoir.

– Je ne suis pas censé être ici – mon comptable aurait une crise cardiaque s'il apprenait que je suis à Londres.

– Ah, les impôts. C'est rudement bien de ta part d'être venu. Gloria aurait été très touchée. Non, sérieusement.

– Foutrement diabolique, ce fisc. Je songe à l'Irlande. Apparemment, on n'y paie pas d'impôts sur le revenu si on est écrivain. Mais il y a le risque de l'IRA.

– Je ne crois pas que tu serais une cible pour l'IRA, Peter.

– Tu rigoles. N'importe qui avec un profil tel que le mien est certain d'être en danger.

– Merveilleuses maisons en Irlande, ai-je dit. Inutile de le contredire.

– Pourquoi tu n'y vas pas, toi? Comment peux-tu vivre ici avec ces impôts? Tu travailles deux mois pour toi, dix pour l'inspecteur des contributions.

– Je vis très simplement, Peter. Très simplement.

– Moi aussi, nom de Dieu. Je vais regretter ce whisky. Si mon médecin me voyait boire ça, il se laverait les mains de mon sort… Comment va Ben?

– Cancer. Prostate – mais il semble avoir le dessus.

Cette nouvelle l'a déprimé et il a entamé la litanie de ses propres maladies : arthrite, angine de poitrine, surdité croissante. On se déglingue, Logan, ne cessait-il de répéter, nous sommes de pathétiques vieux débris.

Je l'ai laissé divaguer. Je ne me *sens* pas vieux, bien que, je l'avoue, les signes de vieillissement soient partout. Mes jambes mincissent à mesure que les muscles fondent, et elles sont presque imberbes; mes fesses sont en train de se liquéfier, le fond de mes pantalons se vide. Une chose curieuse : ma queue et mes couilles paraissent plus lâches, pendues plus bas, plus libres entre mes jambes. Et plus grosses aussi, comme quand on sort d'un bain chaud. Est-ce normal ou est-ce juste particulier à moi?

J'ai oublié de mentionner, au milieu de toute cette tristesse, que j'ai reçu une lettre du bureau de Noel Lange m'informant qu'un Mr Cyprien Dieudonné[1] m'avait laissé dans son testament une propriété en France. Un fol instant j'ai pensé qu'il s'agissait peut-être de la belle chartreuse de Cyprien mais, en regardant de plus près l'adresse, et après consultation de mon atlas, je vois que la maison se trouve dans le Lot, une *maison de maître* à l'extérieur d'un village nommé Sainte-Sabine. J'ai donc écrit pour dire : vendez-la. Gloria aussi m'a laissé tout ce qu'elle possédait, ce qui se monte à

---

1. Cyprien Dieudonné était mort en 1974, à l'âge de quatre-vingt-six ans.

neuf cents livres sur son compte (merci Pablo), deux valises de vêtements et le contenu d'une grande caisse dans un garde-meubles à
Sienne. Que suis-je censé faire de tout cela ? Ce dont j'ai besoin,
c'est d'un bienfaiteur vraiment riche.

[Le lundi 7 juin à 11 h 30, alors qu'il traversait Lupus Street, SW1, LMS
fut renversé et grièvement blessé par une camionnette des services postaux.
Il fut très vite emmené en ambulance à Saint Thomas's Hospital pour une
intervention chirurgicale d'urgence. Il avait la rate éclatée, une fracture du
crâne et la jambe gauche cassée en trois endroits, sans parler de contusions
et d'écorchures sur tout le corps.
Après son opération (on lui avait mis des broches de métal dans la jambe),
il fut transféré à Saint Botolph's Hospital à Peckham et installé dans la salle
C. Le journal reprend quatre semaines après l'accident.]

Lundi 5 juillet

Une des vieilles dames qui vient dans la salle avec des recueils de
mots croisés et des nécessaires à coudre m'a procuré un stylo à bille
et un bloc-notes, et je suis donc enfin capable d'enregistrer mes
impressions de ce lieu infernal. Gâteau roulé et crème pâtissière
grumeleuse pour la troisième fois cette semaine. Je suis désolé, mais
le gâteau roulé n'est pas un dessert. Le gâteau roulé est une pâtis-
serie. Quelqu'un dans le service de la restauration pique de l'argent
qui devrait aller à la confection de vrais desserts. Complètement
typique de cet endroit, construit au XIXe siècle et qui évoque encore
les valeurs et pratiques de ce siècle. Par exemple, la salle C est une
immense pièce au plafond très haut, comme celui de la salle commune d'un village ou une chapelle d'école, conçue pour être une
salle d'hôpital avec de longues fenêtres étroites sur trois côtés afin
de laisser entrer autant de soleil « guérisseur » que possible. Il y a
trente lits ici, deux fois plus qu'il n'en a jamais été prévu, et le
personnel infirmier est débordé, harassé et d'humeur explosive. J'ai
passé quinze jours abandonné dans une allée centrale avant que
Paula, la seule infirmière que j'aime bien, se débrouille pour me
déménager dans un coin. Je n'ai donc maintenant plus qu'un voisin,
encore que l'actuel, un vieil ivrogne, laisse beaucoup à désirer.
Ces chaudes journées de juillet font de la salle une véritable serre.
Au milieu de l'après-midi, nous gisons sur nos lits haletants, dégou-
linants de sueur ; ceux qui en ont l'énergie ou le pouvoir repoussent

les draps et s'éventent avec des magazines et des journaux. Je ne m'attarderai pas sur les odeurs marécageuses infectes émanant des draps exposés. Elles m'ont fourni un petit aperçu des conditions physiques de l'époque victorienne ; quand on y pense, tout le monde devait avoir abominablement chaud durant l'été : les vêtements étaient plus épais, les gens en portaient plusieurs couches, et il était jugé impoli de tomber la veste. La puanteur des odeurs corporelles à la fois mâles et femelles devait être accablante. Ajoutez à cela le fumier de cheval dans les rues... Le Londres du XIXe siècle devait schlinguer comme une fosse d'aisances.

Ma jambe gauche est encastrée dans le plâtre jusqu'à la hanche, ce qui me condamne plus ou moins à l'immobilité. Je pisse dans une bouteille et, si je veux déféquer, il faut que j'appelle une infirmière. Je refuse d'utiliser un bassin et on doit donc m'emmener en fauteuil roulant aux toilettes. Là, je m'installe sur le trône et je procède à mes petites affaires. Il n'y a pas de portes aux cabinets. Les infirmières me haïssent à cause de mon refus du bassin.

La seule conséquence un peu agréable de mon plâtre, c'est qu'on fait ma toilette à l'éponge. On la fait avec une brusquerie efficace mais, pendant deux minutes, je retombe en enfance – on me lève les bras et on me lave les aisselles, une éponge fraîche contourne mes organes génitaux. Je me penche et on nettoie mon dos. Un séchage vigoureux et une aspersion de talc terminent la séance. Si cette grosse vache de Sister Frost sortait un sein pour que je le suce, la scène serait complète.

La nourriture est répugnante, à proclamer immangeable, la pire que j'aie jamais eue depuis le pensionnat d'Abbey. On nous donne toutes les horreurs institutionnelles imaginables : du hachis avec de la purée liquide et des légumes en boîte ; un parmentier de poisson sans poisson ; des œufs au curry, des beignets pâteux avec de la crème grumeleuse. Il faut bien les manger, surtout moi, coincé comme je le suis dans mon lit. Une fois par jour, quelqu'un pousse un chariot autour de la salle et on peut acheter des biscuits et du chocolat en guise d'extras. C'est un régime véritablement épouvantable, tout le monde se plaint de constipation.

Paula est la seule infirmière que j'aime bien parce qu'elle m'appelle Mr Mountstuart. Je l'en ai remerciée et lui ai demandé son nom de famille. « Premoli », a-t-elle répondu. Parfait, ce sera donc

Miss Premoli, ai-je dit, mais elle m'a prié de l'appeler Paula au cas où les autres infirmières trouveraient bizarre mon utilisation de son nom de famille. Un nom intéressant, ai-je observé, et elle m'a raconté qu'elle venait de Malte. Mais vous êtes rousse, ai-je dit, sans réfléchir. Et vous, vous avez des cheveux gris, a-t-elle répliqué : qu'y a-t-il de drôle à ça ?

[NOTE RÉTROSPECTIVE. Mes souvenirs de l'accident lui-même étaient très incomplets et décousus. J'avais souvent remarqué, depuis mon retour à Londres, que les camionnettes des Postes étaient invariablement conduites n'importe comment, à croire que les conducteurs étaient toujours en passe de rater un rendez-vous ou une date limite capitale. Celle qui m'a renversé devait faire du cent ou cent quinze kilomètres à l'heure. Mais c'était entièrement ma faute : je pensais à autre chose, je n'ai tout bonnement pas regardé, et j'ai commencé à traverser la rue avec autant d'attention que j'en mets à traverser ma cuisine. Il semble que j'aie été projeté à quinze mètres par le choc. Je ne me rappelle rien de l'accident lui-même et je n'ai rien senti. Je me suis réveillé deux jours après à Saint Thomas, me demandant où diable je me trouvais et ce que je fabriquais là. J'avais beaucoup de chance d'être encore vivant, m'a-t-on dit. Quelqu'un du département des relations publiques de la Poste m'a envoyé une gerbe de glaïeuls fatigués avec des « vœux de très rapide rétablissement ». Malencontreux choix d'adjectif, je me souviens de m'être dit sur le moment.]

[Août-septembre]
OBSERVATIONS À PARTIR DE LA SALLE C
Évacuation intestinale massive aujourd'hui après ce qui, je m'en rends compte, a été en fait deux mois de constipation. Me sens mieux mais prends en même temps conscience du poids que j'ai perdu. Je suis à présent un vieux schnock tout maigre dont les cheveux ont besoin d'être coupés.

Ceci est en réalité une salle de gériatrie, encore que personne ne consente à l'avouer. Pas une âme ici qui ait moins de soixante ans. C'est un pavillon de vieux au même titre qu'un pavillon de cancéreux. Nous sommes tous des vieux avec des problèmes de vieux. Un grand nombre d'entre nous meurent. La salle est trop grande pour que je puisse faire un compte exact et les malades ne cessent d'être déménagés ailleurs (pour masquer les disparitions ?). Je dirais qu'une trentaine de nous sont morts depuis mon arrivée ici.

419

Paula est partie en vacances d'été hier. Où allez-vous ? ai-je demandé. Malte, idiot. Elle porte une croix en or autour du cou – bonne petite catholique. Son remplaçant est un infirmier du nom de Gary – il arbore des quantités de tatouages voyants.

L'homme que je déteste le plus est à quatre lits du mien. Il s'appelle Ned Darwin, mais je l'ai baptisé Monsieur-Pas-d'Histoire. Les infirmières l'adorent. Il ne se plaint jamais, a toujours une remarque brillante et un sourire joyeux pour tout le monde, il semble apprécier la nourriture. Il a eu une attaque mais peut très bien se déplacer en boitant un peu avec une béquille. Il connaît le nom de toutes les infirmières. Il est venu à moi un jour où il faisait particulièrement chaud et il a tapoté mon plâtre : « Ça doit démanger drôlement là-dessous, je le garantirais. » C'est le genre de type qui utilise des phrases comme : « je le garantirais » « oui ou non » et « merci mille fois ». Je lui ai enjoint de foutre le camp.

J'ai exigé de voir un représentant de la direction/administration pour protester contre l'absence de portes dans les toilettes (un facteur important dans notre problème collectif de constipation, à mon avis). Ce qui revenait à jouer sans équivoque les perturbateurs et m'a valu des regards encore plus noirs de la part des infirmières. Un type jeune, costume-cravate, a fini par se montrer pour écouter ce que j'avais à dire. « Cette mesure existe pour votre propre sécurité, Logan », a-t-il répondu. Je l'ai prié de m'appeler Mr Mountstuart, ce qu'il a négligé de faire, n'employant aucun nom par la suite. Rien ne se produira : je n'ai réussi qu'à fortifier ma réputation d'emmerdeur.

La description du voyage à Londres de la famille Pecksniff dans *Martin Chuzzlewit* (chapitres 8 et 9) est le plus merveilleux passage d'écriture comique dans la littérature anglaise. Commentez.

Le drain du côté de ma rate a été ôté. La douleur dans ma jambe semble avoir diminué. Aucun effet secondaire jusqu'à présent de ma fracture du crâne. Depuis mon arrivée ici, j'ai dû voir dix médecins, chacun reprenant mon cas sans, à l'évidence, la moindre connaissance de ce qui a précédé : « Ainsi, vous avez été impliqué dans un accident de voiture ? » « Ah, je vois, vous avez eu la rate éclatée. » Je ne leur en veux pas, ni à eux ni aux infirmières. Je déteste vivre dans cet abominable endroit – Dieu sait ce que ce doit être d'y travailler. L'idée persiste cependant : il y a sûrement une manière meilleure, plus humaine, plus civilisée de s'occuper de nos malades et de nos infirmes. Si l'État a décidé de se charger du travail, alors il faut qu'il le fasse sans réserve : tout le monde se trouve rabaissé dans cet univers mesquin, vindicatif, radin, indifférent.

C'est la première fois de ma vie que j'ai été blessé gravement et vraiment malade ; la première fois que j'ai eu une opération et une anesthésie générale ; la première fois que je me suis retrouvé à l'hôpital. Ceux d'entre nous qui ont la chance d'être en bonne santé oublient cet immense univers parallèle des mal-portants – leurs misères quotidiennes, leurs souffrances banales. Il faut avoir traversé la frontière menant au monde de la mauvaise santé pour reconnaître sa présence silencieuse, massive, sa permanence troublante.

Une nouvelle infirmière dans le service : « On m'informe que vous refusez d'utiliser le bassin. » Vous êtes bien informée, ai-je répondu. Elle a alors déclaré que si « j'avais besoin des toilettes », il faudrait que je m'y rende par mes propres moyens ou bien que j'utilise un bassin : les infirmières ne viendraient plus me pousser dans mon fauteuil roulant, ça prenait trop de leur temps précieux. Eh bien, trouvez-moi des béquilles, ai-je dit, parce que je n'utiliserai pas de bassin. Vous n'êtes pas autorisé à avoir des béquilles, a-t-elle répliqué avec un sourire triomphal, et on m'a apporté un bassin. Et donc, quand j'ai eu besoin d'aller chier, je me suis tiré péniblement du lit et je me suis débrouillé pour atteindre le lit de Monsieur-Pas-d'Histoires. « Puis-je emprunter votre béquille ? Merci. » Je savais qu'il ne voulait pas me la prêter parce qu'il pensait que ça lui créerait des problèmes. Qu'il aille se faire foutre.

La rate. Ma glande splénique éclatée. J'ai regardé le mot dans une encyclopédie. « Un petit organe rouge pourpre qui se trouve sous le diaphragme. La rate agit comme un filtre des éléments étrangers charriés par la circulation sanguine. » Ma rate a éclaté au cours de

421

l'accident. Au Moyen Age, la rate était considérée comme la source de la mélancolie chez l'homme. D'où « splénique » – le terme exprimant une tendance à se montrer mélancolique ou déprimé, à avoir une disposition à la morosité ou à l'humeur grincheuse. Je crains que ma rate éclatée ait déversé son poison particulier dans mon corps. Est-ce là la source de ma nouvelle nature pétrie de colère et de rancœur ?

Je m'inquiète pour mon appartement – personne n'y a mis les pieds depuis des semaines. Paula m'a demandé pourquoi je n'avais jamais de visiteurs et j'ai répondu que ma famille vivait à l'étranger, un mensonge pathétique. Ma fille est en Amérique, j'ai dit. « Tout de même, on aurait pensé qu'elle serait venue voir son papa », a commenté Paula. Un prêtre catholique est apparu. « Paula m'a dit que vous partagiez notre foi. » Comment Paula le savait-elle ? Nous trahissons-nous un peu ? Certains mots, certains gestes, expressions… D'une manière ou d'une autre, notre terrain commun doit se révéler. J'ai répondu au curé que j'étais un athée convaincu, que j'avais perdu la foi à l'âge de dix-huit ans. Il m'a demandé si je n'avais jamais senti l'amour de Dieu dans ma vie. Je lui ai conseillé de regarder alentour, dans cette salle avec son cargo de souffrance et de misère humaines. Mais Dieu est dans cette pièce, a-t-il insisté avec un sourire. J'ai dit qu'aucun fil à plomb ne pourrait mesurer la profondeur de mon manque de foi – lui citant John Francis Byrne, l'ami de Joyce. Il n'a pas su quoi répondre à ça, et je l'ai donc prié de partir.

Le vieil homme à côté de moi est mort ce matin. Il gisait sur son lit comme s'il avait été cloué dessus, immobile, un masque à oxygène sifflant sur son visage. Seuls ses yeux exprimaient quelque chose et il les roulait de temps en temps vers moi de façon inquiétante. En fin de compte, j'ai décidé d'interpréter ça comme un signal. Je suis descendu de mon lit et j'ai soulevé son masque.
– T'es anglais ? a-t-il murmuré.
– Dans le genre, oui.
Ses yeux protubérants papillonnaient comme ceux d'un caméléon.
– Arrache les prises, mon pote. Je veux partir.

J'ai regardé autour de moi. Un fol instant, j'ai pensé que je pourrais vraiment le faire, mais j'ai vu une infirmière venir vers nous. J'ai remis son masque au vieux. Il est mort deux heures plus tard.

Mr Singh [le voisin du dessus de Mountstuart] est venu me voir en apportant les semaines de courrier accumulé. Il m'a dit que le téléphone et l'électricité avaient été coupés chez moi. Il avait avec lui le formulaire du bureau de poste qui lui permettrait de toucher ma pension non réclamée. Bon vieux Subadar (je devrais expliquer : Mr Singh a été pour une courte période dans l'armée indienne – je l'appelle donc Subadar et lui me donne du commandant). Il est resté bavarder un moment et m'a raconté qu'il avait eu une vasectomie pendant que j'étais à l'hôpital et qu'il n'avait jamais vu personne d'aussi heureux que Mrs Singh. Je sens que ma position dans le service a changé depuis sa visite – je suis plus que jamais un homme entouré de mystère. J'ai fait des chèques pour régler mes diverses factures en souffrance, et il les a emportés pour les poster.

Monsieur-Pas-d'Histoires part aujourd'hui. Les infirmières ont fait cercle et applaudi tandis qu'il quittait la salle en boitant. Je ne vois pas la scène se reproduisant quand viendra mon tour.

On m'a ôté mon plâtre aujourd'hui – laissant à découvert une chose étiolée, velue, noueuse, la moitié de la jambe droite. J'ai remarqué une drôle de bosse dans le tibia, là où l'os cassé ne s'était pas bien ressoudé, et ça a fait froncer les sourcils au chirurgien. Les muscles du mollet et de la cuisse ont presque complètement fondu, et on m'a donc promis deux heures de physiothérapie par jour pour les reconstituer. Je perçois une hâte à en terminer avec moi, maintenant que le signe physique de mon invalidité a disparu. Le sentiment est mutuel.

On a mis une porte à l'un des cabinets. Une victoire minime mais douce.

Mercredi 8 septembre

Je dois noter ceci : il est arrivé quelque chose d'étrange à ma vue. Je me suis réveillé ce matin pour découvrir la moitié du monde – la moitié supérieure – de mon aire de vision cachée par ce que je ne peux décrire que comme un brouillard brun tourbillonnant. On aurait cru qu'une sorte de brume nauséabonde s'était abattue sur le paysage, mais, dès que j'ai bougé la tête, j'ai compris que la décoloration était due à ma vue et non au monde extérieur.

On a appelé un médecin, une jeune Cinghalaise. Elle m'a demandé si j'étais allergique à certains aliments et m'a pris un rendez-vous pour des tests et un électrocardiogramme. Je lui ai raconté que je m'étais fracturé le crâne dans l'accident. Quel accident ? a-t-elle dit. Je suis ici depuis si longtemps que j'appartiens déjà à l'histoire ancienne. Après avoir écouté mes explications, elle a pensé que je devrais voir un neurochirurgien : il n'a plus été question d'allergies.

Jeudi 9 septembre
Le brouillard s'est levé. Je me rasais ce matin et je me suis soudain rendu compte que la moitié supérieure du miroir n'était plus brune. Le chirurgien, un M. Guide, m'a examiné, a testé mes réflexes et suggéré un ophtalmologiste. M. Guide s'est montré fort civil et m'a paru soucieux. Un homme âgé avec d'épais cheveux gris. Qu'est-ce que je dis, « âgé » ? Il doit avoir dix ans de moins que moi.

Paula m'a donné une médaille de saint Christophe sur une chaîne d'argent. Pourquoi ? me suis-je étonné. C'est bien trop gentil de votre part. Pour vous protéger au cours du voyage de votre vie, Mr Mountstuart. Puis elle m'a annoncé qu'elle ne serait pas là le jour de mon départ. Le jour de mon départ ? Oui, a-t-elle dit, vous partez demain matin et je suis de l'équipe de l'après-midi. Elle m'a embrassé sur la joue. Prenez soin de vous, soyez prudent, faites attention aux camionnettes de la Poste. Ma gorge s'est serrée et mes yeux ont picoté. Chère et douce Paula. En tout cas, je sors vivant.

Vendredi 24 septembre
Turpentine Lane. Si bizarre d'être de retour, de regarder ces choses, ces bouts de mobilier avec l'œil d'un étranger. Ceci est ta maison, Mountstuart, ces choses sont tes possessions. J'ai l'impression d'embarquer sur la *Marie-Céleste*. Il y avait derrière la porte un monceau de cinquante centimètres de prospectus et de journaux gratuits. Autant j'ai pu détester l'hôpital, au moins c'était un endroit sûr, connu ; la ville désormais m'apparaît bruyante et terrifiante. Et, après des mois de vie de salle commune, je trouve ma solitude

forcée – qui me plaisait tant autrefois – déconcertante. Je suis resté une demi-heure ce soir à attendre que quelqu'un m'apporte mon dîner. Il n'y avait pas de nourriture à la maison, alors je me suis rendu en boitant au Cornwallis prendre un verre (l'hôpital m'a prêté une canne en aluminium). J'ai retrouvé les mêmes visages, la même atmosphère renfermée sentant la bière. Le proprio m'a salué de la tête, comme s'il m'avait vu la veille. Je ne suis pas un de ses clients préférés, je passe trop de temps et je ne dépense pas assez d'argent dans son établissement. J'ai commandé un grand scotch-soda et deux pâtés en croûte (Subadar m'avait remis un gros paquet d'arriérés de pension. J'étais donc en fonds pour l'instant) et le patron a marqué le coup avec un sourire rare et hypocrite.

J'ai regardé les clients, les buveurs, les types de mon espèce, et j'ai souhaité qu'ils crèvent tous.

1977

Quand j'écrirai mes mémoires, j'appellerai cette période de ma vie « Les années Bowser ». Ma prospérité était illusoire. Je ne sais pas vraiment comment c'est arrivé, mais depuis l'accident je suis devenu encore plus pauvre – si c'était possible. Les taxes immobilières ont grimpé à Pimlico, tout paraît plus cher – et faire rebrancher l'électricité et le téléphone m'a en fait coûté de l'argent. J'étais si outré que je leur ai dit de me couper définitivement la ligne : il y a une très bonne cabine téléphonique au bout de la rue. J'ai besoin d'électricité, hélas.

Je compte comme un miséreux, et j'étudie sans fin les prix dans les supermarchés les moins chers, ma vie est une check-list de minuscules compromis et ajustements. Si je lavais mes cheveux avec du savon, je raisonne, je n'aurais pas besoin d'acheter du shampooing ; si je me rasais avec du savon, je pourrais économiser sur la crème à raser ; si j'achetais le savon le moins cher en vrac, j'aurais un petit extra pour la nourriture, et ainsi de suite. Je m'écarte rarement à plus d'un rayon de deux cents mètres de chez moi – tout ce qu'il me faut se trouve à l'intérieur de ce petit cercle. J'ai renoncé aux cigarettes mais je refuse d'abandonner l'alcool – et ma vie est donc réduite à un minimum absolu de nécessités.

L'autre jour, j'étudiais le contenu de ce que j'avais pris pour des boîtes de ragoûts divers, en cherchant une avec autant de légumes que possible (pour économiser sur les légumes frais), quand mon estomac a été séduit par une étiquette : « épais morceaux de lapin dans une sauce brune riche ». J'ai tourné la boîte pour m'apercevoir qu'elle portait la marque Bowser. Une boîte de nourriture pour chiens égarée sur la mauvaise étagère. Mais j'ai alors pensé que si j'achetais six boîtes de Bowser, que j'émince une carotte et un oignon et fasse réchauffer le tout, j'aurais un bon et consistant ragoût de lapin qui me ferait la semaine. Il accompagnerait mon habituel régime de riz (Mrs Singh m'achète mon riz en sacs de dix kilos dans je ne sais quel lointain libre-service), mes besoins nutritionnels et culinaires seraient parfaitement satisfaits et j'économiserais une somme considérable. J'ai donc procédé ainsi et ce lapin Bowser s'est révélé fort goûteux, surtout additionné d'une bonne dose de ketchup et d'une giclée de Worcester sauce (ces derniers éléments sont, je dirais d'après mon expérience, essentiels à toutes les nourritures pour chiens : il y a quelque chose de foncièrement faisandé dans ces produits, avec le risque d'un arrière-goût s'attardant durant une journée – le poivre est la meilleure antidote). Désormais, j'inspecte les étagères de nourriture pour animaux de compagnie, je compare les prix et les offres de promotion, et je change les ingrédients quand l'un des types de viande commence à perdre son charme : je tends à éviter le bœuf. Le foie, le poulet et le lapin ont ma préférence. Les économies que je fais sont substantielles.

Lundi 28 février
C'était hier mon soixante et onzième anniversaire et j'ai décidé de changer de vie. Je me suis rendu compte que je devenais un vieil homme ancré dans ses habitudes, avec sa canne, son porte-monnaie en plastique contenant soixante-huit pence, sa place préférée au bistro et une brochette de récriminations et de plaintes, émaillées d'éclats d'une misanthropie pure, terrifiante. Je vais mon petit train-train de chemin vers la mort.

En allant au Cornwallis boire un demi en manière de célébration, j'ai dépassé un vieil homme, – un ivrogne, une épave –, qui semblait égaré sur le bord du trottoir, comme si la rue devant lui était un golfe impressionnant, un océan non navigable. Je m'apprêtais à traverser pour lui donner un coup de main quand j'ai compris qu'il urinait calmement dans le caniveau, marmonnant dans sa barbe, pas concerné par les regards des passants (des gamins pouffant de rire, des mères tirant leurs mômes par le bras). Je suis resté où j'étais, découragé par une horrible vision de l'avenir. Ça pourrait être toi, Mountstuart, j'ai pensé, cette vie dans la mort n'est pas aussi loin que tu le crois. Il fallait que je fasse quelque chose.

Je me suis rappelé avoir vu une affiche dans la vitrine d'une boutique abandonnée : « KPS (Kollectif des patients socialistes). Vous pouvez aider. Gagnez un supplément d'argent. Adhérez maintenant ! » et, sous le message, un numéro de téléphone. Si j'avais un peu plus d'argent, ai-je raisonné, j'aurais peut-être un peu plus de dignité.

J'ai appelé depuis une cabine téléphonique. La conversation s'est déroulée comme suit :

L'HOMME : Ouais ?

MOI : J'aimerais adhérer au KPS.

L'HOMME : Savez-vous quelque chose de nous ?

MOI : J'ai vu votre affiche, c'est tout. Mais je sais ce que c'est que d'être un patient. J'ai passé des mois dans les hôpitaux. J'ai détesté ça. Je veux faire quelque chose…

L'HOMME : Nous n'avons aucun rapport avec les hôpitaux.

MOI : Oh. (Silence.) Ça m'est égal. Je veux simplement gagner un peu d'argent supplémentaire. C'est ce qui est écrit sur votre affiche.

L'HOMME : Quel est votre nom ? Votre nom de famille. Je ne veux pas savoir votre prénom.

MOI : Mountstuart.

L'HOMME : Un nom à tiroirs ?

MOI : Absolument pas.

L'HOMME : Vous êtes vieux ?

Moi : Eh bien, je ne suis pas jeune.

A suivi un autre silence, puis l'homme m'a donné une adresse dans Stockwell et m'a demandé de m'y trouver à cinq heures de l'après-midi.

L'adresse disait Napier Street. Un autre Napier dans ma vie : le dernier m'avait un peu aidé – ça m'a donc paru plutôt bon signe. La maison était grande, mitoyenne d'une autre, en mauvais état avec son stuc effrité. Des draps et des journaux pendus aux fenêtres faisaient office de rideaux. Au dernier moment, avant de presser la sonnette, j'ai ôté ma cravate. Je portais un costume (comme toujours, je n'ai à me mettre que des costumes). La porte a été ouverte par une jeune femme, traits anguleux, menton fuyant, lunettes rondes à monture métallique et cheveux en grosses tresses inégales. « Ouais ? » a-t-elle lancé d'un ton soupçonneux. « Je suis Mountstuart, on m'a dit de venir ici à cinq heures. » Elle a presque refermé la porte. « John, a-t-elle crié vers l'intérieur de la maison, il y a un vieux mec ici qui dit qu'il s'appelle Mountstuart. » « Vieux comment ? » a demandé une voix d'homme. « Vraiment plutôt vieux ! » « Envoie-le. »

Elle m'a conduit dans une grande pièce au rez-de-chaussée. Des tréteaux de peintre avec des lampes d'architecte dessus s'alignaient le long de deux murs. Une courtepointe était suspendue au bow-window pour bloquer la vue sur la rue et trois matelas étaient disposés en rond autour de la cheminée. Çà et là gisaient des sacs à dos et des cabas, des piles de magazines et de journaux, des boîtes de conserve ouvertes, des bouteilles de Coca-Cola en plastique. Ça m'a un peu rappelé l'appartement de Lionel dans le Village. Sur les tables à tréteaux, se trouvaient les pages de maquette d'un journal et tout l'attirail y afférent : colle en bombe, Letraset, bouteilles de Tippex et deux machines à écrire électriques à boule. A part la fille qui m'avait accueilli à la porte, il y avait trois autres personnes à qui on m'a présenté. La fille aux traits anguleux s'appelait Brownwell ; une autre, jolie, avec des cheveux noirs et une frange lui tombant sur les yeux, Roth. Un homme avec une barbe mitée (comme si on en avait arraché des poignées, laissant des vides au hasard) a dit qu'il se nommait Halliday ; et enfin un grand type beau et mince (qui paraissait plus âgé que les autres, dans les trente ans et quelques, à mon sens), avec de longs cheveux séparés par une raie au milieu, a lancé : « Et moi, je suis John. »

Ils ont déniché une chaise, l'ont placée au centre de la pièce et m'ont prié de m'asseoir. A commencé alors une forme d'aimable interrogatoire. John m'a demandé pourquoi j'avais choisi d'adhérer au KPS. Pensant que c'était peut-être ce qu'il souhaitait entendre, je lui ai répondu que j'avais été choqué, pour ne pas dire traumatisé, par mon long séjour à Saint Botolph et que j'avais voulu faire quelque chose pour les droits des patients. J'avais imaginé qu'une organisation s'appelant le Kollectif des patients socialistes pouvait être exactement la sorte de groupe de pression centre gauche que je recherchais. Je voulais aider, je tenais à faire tout ce que je pouvais – si seulement ils savaient les conditions qui régnaient aujourd'hui dans les hôpitaux, les services gériatriques, la manière totalitaire…

John a levé la main pour m'arrêter ; j'ai remarqué qu'ils souriaient tous, d'un air un peu condescendant. Je vous l'ai dit, a repris John, le nôtre n'est pas un mouvement conçu pour réformer le Service national de santé. J'ai répondu que peu m'importait, je voulais simplement faire quelque chose – je n'allais pas continuer à rester les bras croisés à me plaindre, je voulais être actif. Et, je l'avouais, un peu d'argent supplémentaire m'aiderait. Après une vie de dur labeur et de succès modeste, je me trouvais maintenant à vivre péniblement en dessous de la limite de pauvreté. Je devais le toit sur ma tête à l'altruisme et à la générosité d'un Islandais, autrement je serais un sans-abri. Puis j'ai posé la question suivante : si vous n'avez aucun rapport avec les hôpitaux et les droits des patients, qu'est-ce que vous êtes ?

ROTH : Nous sommes antifascistes.
MOI : Il se trouve que moi aussi.
JOHN : Est-ce que les noms de Debord et Vaneighem te disent quelque chose ?
MOI : Non.
JOHN : As-tu entendu parler des situationnistes ?
MOI : Non.
JOHN : Ulrike Meinhof ? Nanterre 1968 ?
MOI : J'étais au Nigeria en 1968, j'en ai peur.
JOHN : En rapport avec le Biafra ?
MOI : J'y suis allé, juste à la fin de la guerre. Pour essayer d'en sortir quelqu'un.
HALLIDAY : Un bon point pour toi, mon pote.
BROWNWELL : Impec !

Il y a eu d'autres questions : avais-je entendu parler de la Fraction Armée rouge ? J'ai dit que oui. Brownwell m'a demandé ce que je pensais de « Flicaille, juges, centralisme et propriété ». J'ai répondu que je ne savais rien de tout ça, je voulais simplement aider à ma manière, sentir que je ne supportais pas tout sans réagir. Ma vie passait et je refusais d'être un vieil homme passif et pathétique. Après mes expériences de Saint Botolph, je m'étais rendu compte que je souffrais et m'enrageais de la manière dont les gens étaient tout bonnement dominés par les institutions et les personnes d'autorité – je voulais les aider à se défendre mieux. Je ne sais pas pourquoi mais ces quatre jeunes gens attentifs m'ont rendu plus éloquent et passionné – c'était la première occasion que j'avais d'exprimer mes sentiments et j'en profitais.

Puis John m'a expliqué que, tous les quatre, ils faisaient partie du « Cercle de travail-communications » du KPS. Qu'est-ce que c'est qu'un « Cercle de travail ? » ai-je demandé. Un groupe, une cellule, un cadre, m'a-t-on dit. Ici, dans Napier Street, ils produisaient un tabloïd hebdomadaire de six-huit pages intitulé *The Situation*. Les ventes du journal fournissaient une des principales sources de revenu du KPS. Ils avaient besoin de volontaires pour aller le vendre dans les rues. Dix pour cent de l'argent récolté appartenaient au vendeur. Étais-je intéressé ? Que faites-vous du reste de l'argent ? j'ai demandé.

« Ça n'est absolument pas ton affaire », a répliqué John. Un homme vraiment beau avec d'épais sourcils noirs au-dessus d'yeux vert olive. « Disons les choses ainsi : ce qui nous intéresse, c'est "l'intervention". Quand nous voyons un état de choses que nous désapprouvons, nous intervenons d'une façon ou d'une autre, en soutenant une grève, en exposant des mensonges fascistes, en donnant de l'argent et de l'aide aux bonnes causes. L'intervention peut prendre beaucoup de formes. Nous manifestons, nous protestons, nous apportons notre appui aux opprimés et aux exploités. Et tout cela coûte de l'argent, l'argent que nous gagnons en vendant notre journal. » Il avait une voix douce, cultivée, et tandis qu'il me parlait il a fait un geste pour réclamer une cigarette, et Roth a aussitôt fouillé dans ses poches pour en trouver une. John l'a portée à ses lèvres et je me suis demandé si c'était le travail de Brownwell ou de Halliday de s'avancer avec une allumette, mais il l'a allumée lui-même au bout d'une ou deux minutes.

J'ai dit que j'étais intéressé et ils m'ont prié d'attendre dehors.

Je suis resté dans le hall, j'ai entendu des pas et des voix venant des pièces du haut et bientôt deux hommes sont descendus et sont passés devant moi pour sortir sans me jeter un regard. L'un d'eux était un Arabe. Au bout de dix minutes environ, on m'a rappelé à l'intérieur. Brownwell avait un air boudeur, inamical, et j'ai soupçonné qu'elle avait voté contre moi.

« Bienvenue au KPS », a dit John en me tendant une liasse de cent journaux.

Mercredi 2 mars

Le premier courrier ce matin m'a apporté la nouvelle vraiment bouleversante de la mort de Ben. Sandrine m'a écrit qu'elle avait été finalement, et par bonheur, très soudaine. Il y aura une petite cérémonie dans une synagogue à Paris et elle espère beaucoup que je pourrai venir. Je réponds en invoquant ma mauvaise santé.

Le mot « synagogue » m'a fait réfléchir, en me rappelant après toutes ces années d'indifférence que Ben était juif. Un juif anglais qui avait réussi à vivre presque toute sa vie d'adulte hors de l'Angleterre. Ben a-t-il été le plus sage de nous trois ?

Que dire ? Ben était de trois mois plus jeune que moi, mon plus intime, mon plus loyal ami, je suppose, bien que, au fil du temps, nous nous soyons de moins en moins vus. Après le clash avec Marius, une sorte de malaise avait grandi entre nous. Et Sandrine, bien entendu, avait écouté la version des événements par son fils. Ben ne voulait pas s'aliéner sa femme, et donc la solution de facilité était de garder Mountstuart à distance. Mais Ben est venu à mon secours après la mort de Freya et c'est Ben qui m'a installé à New York. Impossible d'imaginer ma vie sans cette aide capitale – et il a toujours refusé ma gratitude. Rappelle-toi toujours ces tableaux que tu as ramenés d'Espagne, disait-il. Ils ont été la clé de notre avenir à tous deux. Qui sait ? La vision du passé bénéficie toujours d'une acuité de 20/20, et, de cette perspective, il semble que – de manière bizarre, absurde –, ce soit grâce à un anarchiste espagnol, à Barcelone en 1937, que Ben Leeping et Logan Mountstuart aient pu faire leur chemin dans le monde. Est-ce ainsi que ça marche ? Est-ce là la réalité du jeu de la vie ?

Samedi 26 mars

Je le dis avec un certain orgueil mais, en un temps remarquablement court, je me suis établi comme le vendeur-champion du journal du KPS. La semaine dernière, j'ai vendu 323 exemplaires – 64 £ 60 de ces ventes me reviennent, en théorie, mais John n'avait pas été très franc : le tarif est de 10 % avec un plafond de 5 £. Je n'ai donc aucune motivation à en vendre davantage. Peut-être que, si l'esprit d'entreprise brillait plus fort en lui, il me laisserait vendre autant de journaux que je voudrais et augmenter mon profit. Ce n'est toutefois pas l'éthique KPS.

A la fin de chaque semaine, les vendeurs se réunissent dans Napier Street et remettent leurs recettes. Certains d'entre nous sont invités à rester boire un verre dans un pub de Stockwell vraiment horrible : le Prizefighter. Il y en a un bien mieux de l'autre côté de la rue nommé le Duke of Cambridge, mais John refuse par principe de fréquenter des pubs avec des appellations royales ou aristocratiques. « C'est un acte de déférence de la part des brasseurs, argue-t-il, pourquoi devrais-je m'en faire le complice ? Aucun buveur ne choisit jamais le nom du pub qu'il fréquente et où il dépense son argent. » Il n'a pas tort, je suppose.

Hier était le deuxième vendredi où j'ai été invité au Prizefighter avec le Cercle de travail-communications du KPS. Était présent le quatuor habituel : John, Roth, Brownwell et Halliday, mais cette fois nous avons été rejoints par un Allemand qu'on nous a présenté comme Reinhard. Roth, dont le prénom est Anna, est ouverte et amicale ; Brownwell (Tina) est plus sèche et plus réservée ; Halliday (Ian) garde ses opinions pour lui – il témoigne d'une révérence adulatrice à l'égard de John. A signaler que « John » n'est pas un nom de famille, c'est le prénom de John qui s'appelle John Vivian et qui de toute évidence ne veut pas que ses camarades l'appellent Vivian. Je suis toujours Mountstuart, encore que, hier, Anna m'ait demandé mon prénom. Ça fait très mœurs de collégien, cet usage de noms de famille. Je vais travailler à le démolir.

[NOTE RÉTROSPECTIVE. Le nom KPS a été choisi en hommage avoué à un groupe radical gauchiste allemand fondé en 1970 à l'université de Heidelberg par le Dr Wolfgang Huber. Huber avait aligné le KPS sur le groupe terroriste Baader-Meinhof en 1971. John Vivian connaissait Huber et, au moment de l'arrestation et de l'incarcération de ce dernier, il avait fondé la section anglaise du KPS comme un acte de solidarité (le concept de « cercles de travail » était du Huber pur). Vivian maintenait des liens étroits avec les radicaux allemands – on hébergeait souvent des Allemands à Napier Street –, mais je n'ai jamais été capable de les identifier correctement.

Vivian faisait des études de philosophie à Cambridge à la fin des années soixante, et il avait été arrêté par la police lors de la célèbre manifestation du Garden House Hotel à Cambridge en 1968, passant deux jours en cellule avant d'être libéré sous caution. Le trauma de cet épisode l'avait poussé à l'extrême gauche révolutionnaire (il revendiqua toujours aussi des liens étroits avec la Angry Brigade, l'éphémère cellule terroriste urbaine britannique du début des années soixante-dix). Vivian quitta Cambridge sans passer son diplôme et partit d'abord pour Paris puis pour Heidelberg, où il tomba sous l'influence messianique de Huber. Il avait trente et un ans quand je l'ai rencontré.]

Vendredi 8 avril

Ai livré ma recette à Napier Street. L'humeur était glaciale, tendue – même suivant les normes de Napier Street. Brownwell et John très froids – et pourtant j'ai vendu presque trois cents numéros. J'ai remis l'argent et n'ai même pas reçu un mot de remerciement tandis qu'on me lançait à la figure un billet de cinq livres. J'avais besoin d'aller aux toilettes et j'ai demandé s'il y en avait que je pouvais utiliser. Ian Halliday m'a emmené au premier étage et m'a montré du doigt une porte. Je suis entré dans ce qui était à l'évidence une sorte de chambre à coucher communautaire dont la cloison la séparant de la salle de bain avait été abattue, exposant le lavabo, la baignoire et les W.-C. Anna Roth était assise sur le trône quand je suis entré. « Pardon ! » me suis-je excusé, virant de bord pour repartir. « T'en fais pas, Logan, a-t-elle dit. Je pose une pêche, c'est tout. J'ai bientôt fini. » Je me suis tourné de nouveau pour la voir se lever et s'essuyer le derrière. J'ai repivoté sur mes talons et suis allé à la fenêtre contempler le jardin en friche totale. J'ai entendu le bruit de la chasse d'eau. Anna ayant envie de parler et refusant de quitter la pièce, j'ai dû pisser avec elle debout derrière moi en train de bavarder tout en roulant une cigarette. Je suis un irréductible bourgeois, j'en ai peur. Elle a dit que John était d'une humeur massacrante : un truc qui s'est passé à Karlsruhe, en Allemagne[1], selon elle. Il n'a pas cessé de donner des coups de téléphone mystérieux.

Je ne sais pourquoi, j'ai pensé à un titre pour mon autobiographie, si jamais j'en écris une. C'est une chose que je me rappelle avoir remarquée à New York. J'étais allé au théâtre (voir quoi ?) et j'ai noté au rez-de-chaussée une porte avec un signe « EXIT » dessus et, inscrits juste sous le signe, les mots « SORTIE INTERDITE ». Tout dépend de la jaquette, je suppose (c'est toujours un mauvais signe de concevoir la jaquette avant d'avoir écrit le livre), mais on pourrait avoir la photo d'un signe de sortie et dessous : « Sortie interdite, une autobiographie par Logan Mountstuart. » Cette idée me plaît.

Lundi 9 mai
J'ai ramassé mon nouveau paquet de cent journaux ce matin. Anna (nous nous appelons par nos prénoms maintenant) m'a fait une tasse de café. Elle m'a chuchoté que John Vivian n'avait pas quitté sa chambre depuis une semaine. « Très déprimé », a-t-elle ajouté. Par quoi ? « Par l'issue du procès de Stammheim[2]. » Reinhard, l'Allemand, s'est amené dans la cuisine. Il me paraît assez inoffensif, blond, barbu, n'ayant pas grand-chose à dire.

[NOTE RÉTROSPECTIVE. Je me demande aujourd'hui si « Reinhard » n'aurait pas été en fait le Dr Wolfgang Huber lui-même. Il avait été libéré de prison en 1977 et était passé dans la « clandestinité ». Peut-être était-il venu en Angleterre inspecter son enfant trouvé, le KPS. Juste une intuition.]

Pendant qu'il se préparait un genre de tisane, Anna, sans la moindre trace d'embarras, m'a demandé ce que j'avais fait pendant la guerre. Eh bien, ai-je répondu, puisque tu veux savoir, j'étais dans le service d'espionnage de la Marine. Est-ce que ça veut dire que tu

1. Il ne peut s'agir que de la fatale attaque à la mitrailleuse dirigée contre le procureur fédéral, Siegfried Buback, par la Fraction armée rouge et qui fit, outre Buback, deux autres victimes.
2. Le 28 avril, Andreas Baader, Gudrun Ensslin et Jan-Carl Raspe – tous membres fondateurs du gang terroriste Baader-Meinhof, avaient été jugés coupables par un tribunal spécial siégeant à Stammheim. Chacun avait récolté une longue peine de prison.

étais, toi, un espion ? Je suppose que oui, ai-je avoué. Elle a été très impressionnée, et même Reinhard a paru intéressé. Il m'a demandé si j'avais connu Kim Philby[1]. J'ai dit que non, et John Vivian a fait alors son apparition, l'air grincheux. Devine quoi, John ? s'est écriée Anna, Logan était un espion pendant la guerre. Vivian m'a regardé avec attention et sans chaleur : tiens, tiens, tiens, qui est donc cet inconnu ?

Ma technique de vente du journal est désormais parfaitement au point. Je porte un costume et une cravate et, au contraire de mes collègues, je ne vais jamais dans les pubs de travailleurs où ils font leurs modestes ventes. J'écume les établissements, écoles des beaux-arts et polytechniques dépendant de l'Université de Londres. Gower Street, autour de University College et de son syndicat d'étudiants, est mon meilleur secteur. J'essaye de faire les cafétérias et les restaurants universitaires à l'heure du déjeuner. « Ce journal est le seul dans le pays qui vous dira toute la vérité », me sert de boniment. Et en vérité *The Situation* n'est pas un mauvais journal, dans son genre. Tina Brownwell rédige quatre-vingt-dix pour cent de son contenu ; John Vivian choisit les manchettes et donne le ton des commentaires. La section la plus amusante et la plus intéressante est l'analyse par Tina des articles du reste de la presse, soulignant le parti pris prosioniste ou la ligne crypto-américaine là où elle les décèle. Il y a en général un long éditorial, lourd de théorie politique (que je trouve illisible) avec des titres véhéments du style : « Le capitalisme doit financer son propre renversement » ou « Action criminelle égale Action politique ».

Mes cinq livres par semaine me sont devenues une sorte de bouée de secours et je n'ai sans doute plus besoin de mes ragoûts Bowser pour me nourrir, quoique, je dois l'avouer, j'aie acquis un véritable goût pour ces morceaux de lapin judicieusement assaisonnés – un raffinement nouveau – d'une pincée de poudre de curry.

Mardi 31 mai
Je viens de déjeuner avec Gail dans le restaurant de son hôtel près d'Oxford Street. Son mari ne s'est pas joint à nous. Elle m'avait

---

1. Philby, l'espion du KGB, fut une figure emblématique pour la gauche radicale dans les années soixante et soixante-dix : l'espion suprême, le traître suprême.

écrit pour m'annoncer qu'elle venait à Londres, me donnant ses dates et me suppliant de lui téléphoner pour fixer une rencontre : « Je t'en prie, Logan, s'il te plaît. »

Je suis donc allé voir la petite Gail que j'ai tant aimée. Et j'ai découvert une femme brusque, peu souriante, avec des cheveux blonds décolorés et fumant beaucoup trop. A mon avis, elle n'est pas heureuse en ménage, mais qu'en sais-je, moi l'expert en matrimonie ? De temps à autre, la petite Gail resurgissait en elle, un rare sourire, et aussi quand elle a pointé sa fourchette sur moi en disant : « Tu comprends, Maman était une telle conne. » Je lui ai dit que j'allais bien, non franchement, la vie est OK, je me débrouille, j'écris un nouveau roman, non, bien, bien, vraiment bien. Au moment de partir, elle s'est serrée contre moi en disant : « Je t'aime, Logan. Ne perdons pas le contact. » Je n'ai pas pu retenir mes larmes, ni elle les siennes, alors elle a allumé une cigarette et j'ai dit : « Il me semble qu'il va bientôt pleuvoir », et nous avons fini par réussir à partir chacun de notre côté.

En écrivant ceci, j'éprouve cette impuissance qui vide, épuise, et que suscite en vous un amour vrai pour une autre personne. C'est à ces moments-là qu'on sait qu'on va mourir. Éprouvé avec Freya, Stella et Gail seulement. Seulement trois. Mieux que pas du tout.

Samedi 4 juin

J'étais assis dans le Park Café aujourd'hui, en train de prendre un thé et un biscuit et de lire un *Guardian* abandonné par quelqu'un quand je suis tombé sur l'annonce de l'anoblissement de Peter Scabius pour « services rendus à la littérature ». Pour être franc, j'ai éprouvé un petit accès de jalousie avant que l'indifférence et la réalité ne reprennent le dessus. C'était d'ailleurs moins de la jalousie (je n'ai jamais envié le succès de Peter – c'est un imposteur et un égotiste trop immense pour susciter vraiment l'envie), qu'un aperçu inattendu de ma condition comparée à la sienne. Je me suis soudain vu – dans ce costume élimé et luisant, avec ma chemise de Nylon pas repassée et ma cravate graisseuse, mes cheveux gris raréfiés et en manque d'un shampooing – comme un personnage réellement pitoyable. J'étais là, à soixante-dix ans bien sonnés, assis dans ce bistro quelconque suréclairé, sirotant mon thé et grignotant mon biscuit, me demandant si je pouvais me payer une chope de bière au

Cornwallis ce soir. Ce n'était pas l'image de moi âgé que j'avais conçue dans ma jeunesse ; ce n'était pas la sorte de vieillesse que j'avais imaginé vivre un jour. Mais je ne m'étais jamais vu non plus comme un Peter Scabius : Sir Logan Mountstuart nous a déclaré aujourd'hui depuis sa ravissante maison des îles Caïmans... Cela n'avait jamais été pour moi, jamais. Qu'est-ce qui était pour toi, alors, Mountstuart ? Quelle tendre vision de l'avenir te réchauffait l'âme ?

Je n'ai pas travaillé à *Octet* depuis des mois. J'en ai été distrait par le KPS et mes activités de vendeur. Mais, en fin de compte, le travail – l'œuvre – est tout : voilà ma réponse. Les livres sont là, dans les bibliothèques officielles, sinon ailleurs. Je dois reprendre *Octet*, je le sais maintenant – les surprendre tous.

Lundi 6 juin

Quand je suis allé chercher mes cent *Situation* aujourd'hui, John Vivian m'a invité à monter à l'étage – il voulait bavarder un peu. Tina était là ainsi que Ian Halliday. Nous nous sommes installés dans une pièce avec deux postes de télévision. L'atmosphère était solennelle mais pas inamicale. « Nous voulons te remercier pour ton travail, Mountstuart, a dit Vivian. Tu nous as été très utile. » Tous trois se sont alors avancés pour me serrer la main. Je me suis demandé encore une fois où allait l'argent comptant que j'avais gagné pour eux. En tout cas, Vivian a dit que, grâce à mes loyaux efforts, il pensait que le temps était venu de m'introduire dans le « Cercle de travail-action directe ». Étais-je prêt à en accepter les devoirs supplémentaires (je continuerais à vendre les journaux) ? Il m'a expliqué que dans le « Cercle de travail-action directe », j'irais participer à des manifestations, à des piquets de grève et à toutes formes de protestation. Je brandirais une pancarte KPS au bout d'une pique et je distribuerais des prospectus, j'essaierais de recruter des membres et de vendre des abonnements à *The Situation*. Il y avait en ce moment à Oldham, a poursuivi Vivian, une grève des conducteurs d'autobus et une manifestation était prévue pour la semaine prochaine devant la mairie. Étais-je prêt à y aller ? Je ne peux pas me payer le voyage jusqu'à Oldham, ai-je répondu. « On te paiera pour que tu y ailles, a déclaré Vivian avec un sourire tolérant, nous pourvoirons à toute dépense raisonnable. Et s'il y a un photographe de presse à l'horizon, assure-toi que la pancarte KPS est bien cadrée. »

[NOTE RÉTROSPECTIVE. C'est ainsi qu'au cours de l'été 1977 j'ai voyagé (par bus) sur un territoire étonnamment étendu des îles Britanniques en ma qualité de membre du Cercle de travail KPS-action directe. Après Oldham, je suis allé à Clydeside, après Clydeside je me suis retrouvé sur le trottoir en face de Downing Street pendant cinq jours. Teinturiers en grève de Swansea, pêcheurs de Stonehaven, ateliers clandestins de Brick Lane – j'étais là. Il se peut que vous m'ayez aperçu au journal télévisé ou à l'arrière-plan des photos des quotidiens : le grand type âgé en costume cravate sombre, brandissant la pancarte du KPS, bousculé par la police, hurlant des insultes à l'adresse de Margaret Thatcher, huant les « jaunes » dans les autobus. Entre-temps, je vendais *The Situation* et vivais ma vie simple mais à présent engagée, allant de Turpentine Lane à la bibliothèque municipale, du Cornwallis au Park Café. Je ne me plaignais plus de mon sort – j'avais l'impression de faire enfin quelque chose.]

Jeudi 8 septembre

Je suis au Cornwallis ce soir en train de déguster un demi de Lager extra-forte et un petit verre de Bristol Cream sherry (pour n'importe quel vrai buveur fauché, ce mélange fera des miracles, je le garantis – on n'a plus envie d'une autre goutte d'alcool et on dort comme un bébé) quand, à ma grande stupéfaction, entre John Vivian.

Il s'assoit en face de moi, l'œil noir et l'air agité. Je dois dire que l'ambiance de la bande de Napier Street a changé ces dernières semaines. Ian Halliday est parti. Tina ne parle presque pas et Anna paraît constamment au bord des larmes. Je crois que Vivian a entamé une liaison avec Anna – en tout cas « les nerfs en pelote » est l'expression qui convient pour décrire leur comportement. Le dernier numéro de *The Situation* a été réduit à quatre pages – plus un prospectus qu'un journal – et la moitié consistait en un éditorial incohérent rédigé par Vivian sur « La torture de l'isolement en Allemagne de l'Ouest ». Le plus gros du reste était la mauvaise traduction d'un article écrit en 1969 par Ulrike Meinhof. J'ai fait remarquer que ce numéro allait être presque impossible à vendre dans les rues de Londres et Tina Brownwell m'a hurlé dessus, me traitant de jaune et de membre de la cinquième colonne. Heureusement pour tout le monde, un industriel allemand[1] a été enlevé lundi et l'affaire a réussi à soulever assez d'intérêt pour que j'arrive à vendre cent numéros.

Pour l'heure, Vivian se penche vers moi et m'offre une cigarette (non, merci) et un autre verre (non, merci) et me demande s'il peut avoir l'argent des journaux tout de suite. Il est chez moi, dis-je. J'allais l'apporter demain comme d'habitude. J'en ai besoin maintenant, dit-il.

Il vient donc avec moi jusqu'à Turpentine Lane mais refuse de me suivre à l'intérieur. Je vais chercher l'argent et le lui donne, en demandant un reçu. « Toujours cette mentalité de boutiquier, hein, Mountstuart ? » lance-t-il avec un mince sourire. Mais il signe tout de même mon papier avant de s'éloigner à grands pas dans la nuit. Il doit s'agir de drogue : je pense qu'ils se servent de l'argent du journal pour acheter de la drogue.

Lundi 12 septembre
Peut-être que je me trompe. Vivian s'est montré de sa coutumière froideur ironique quand je suis venu aujourd'hui chercher les exemplaires du nouveau numéro (qui est encore du genre mince, surtout consacré aux activités de la gauche radicale en Allemagne de l'Ouest). Aucun signe d'Anna ni de Tina. Chose inhabituelle, Vivian m'a offert un verre, un whisky, que cette fois j'ai décidé d'accepter. Nous avons eu une conversation bizarre.

MOI : Alors – dans quel collège étais-tu à Cambridge ?
VIVIAN : Gonville et Caius. Pourquoi ?
MOI : J'étais à Oxford. Jesus College.
VIVIAN : Regarde-nous, Mountstuart. La fleur de la nation. Tu faisais de l'anglais, sans aucun doute.
MOI : De l'histoire, en fait.
VIVIAN : Que penses-tu de ce qui se passe en Allemagne ?
MOI : Je trouve que c'est de la folie pure. De la paranoïa. La violence ne changera jamais rien.
VIVIAN : Faux. De toute façon, ce n'est pas de la violence. C'est de la contre-violence. grosse différence.

---

1. Dr Hanns-Martin Schleyer, président de la Fédération des industries de l'Allemagne de l'Ouest, enlevé par la Fraction armée rouge.

MOI : Si tu le dis.

VIVIAN : As-tu jamais été en prison, Mountstuart ?

MOI : Oui.

VIVIAN : Moi aussi. J'ai passé trente-six heures enfermé dans une cellule du commissariat de Cambridge. Voilà de la violence. Je protestais légitimement contre les colonels fascistes en Grèce et l'État m'a privé de ma liberté.

MOI : J'ai été deux ans emprisonné à l'isolement, en Suisse, de 1944 à 1945. Je me battais pour mon pays.

VIVIAN : Deux ans ? Bon dieu…

Ça lui a cloué le bec pendant un moment. Il a rafraîchi nos verres.

VIVIAN : Tu aimes voyager ?

MOI : Je ne suis pas contre un petit déplacement.

VIVIAN : Eh bien, un petit voyage à l'étranger te plairait-il ?

Il a fait preuve de beaucoup de circonspection en traçant l'itinéraire. Tout serait payé par le KPS, je n'aurais qu'à prendre le ferry de Harwich à Hoek van Holland et puis aller à Waldbach, une petite ville près de Hambourg. Là je descendrais dans un modeste hôtel nommé le Gasthaus Kesselring, où l'on me contacterait pour me donner de nouvelles instructions. Chaque soir, à six heures, j'appellerais Napier Street pour faire mon rapport, mais je ne parlerais qu'à Vivian lui-même. Notre mot de passe serait « Mogadiscio ». Je ne devrais rien dire à moins que la personne au bout du fil ne répète après moi le mot « Mogadiscio ». Il n'y a que toi et moi qui connaissions ce mot de passe, a dit Vivian, de sorte que notre conversation sera protégée.

— Mogadiscio, en Somalie. Pourquoi ? ai-je demandé.

— Ça sonne bien.

— Alors on peut dire que je suis dans l'Opération Mogadiscio ?

— Si ça te fait plaisir de le prendre comme ça, Mountstuart, alors sûr, tu en es.

Nous avons continué à boire. J'ai demandé à Vivian de quoi il s'agissait. Ne me pose pas de questions et je ne te raconterai pas de mensonges, Mountstuart. On commençait à être un peu partis quand on a atteint le fond de la bouteille. A quoi crois-tu, John ? je lui ai demandé. Je crois à la lutte contre le fascisme sous toutes ses formes, a-t-il répondu. Ça, c'est un faux-fuyant, un fourre-tout, j'ai protesté, et qui ne veut, au fond, rien dire. Je lui ai alors parlé de Faustino Angel Peredes, mon ami l'anarchiste espagnol qui était mort à Barcelone en 1937, et du credo que nous avions conçu sur le front d'Aragon cette année-là. J'ai cité tous ces noms et ces dates en pleine conscience de ce que je faisais, afin de l'obliger à mesurer l'expérience qui s'y rattachait, la vie qui avait été ainsi vécue. Notre credo de deux haines et trois amours : haine de l'injustice, haine du privilège, amour de la vie, amour de l'humanité, amour de la beauté. Vivian m'a regardé, l'air triste, il s'est versé le reste du whisky et il a dit : « Tu es vraiment un vieux branleur invétéré, non ? »

Jeudi 6 octobre
J'ai trouvé en rentrant ce soir deux enveloppes qu'on avait poussées dans ma boîte aux lettres. La première contenait cent livres en liquide, un billet de train Waterloo-Waldbach, et confirmation qu'une chambre m'avait été réservée au Gasthaus Kesselring à partir de samedi. L'autre enveloppe contenait deux mille dollars en billets de cinquante et une note m'informant que mon contact, à Waldbach, me dirait à qui les remettre. Je dois partir tôt samedi matin – il semble que l'Opération Mogadiscio ait démarré. Il peut paraître étrange de le noter, surtout à mon âge, mais je me sens tendu d'excitation et d'une impatience digne d'un écolier. Je pourrais aussi bien être de retour à Abbey au moment de filer en exercice de nuit.

MÉMORANDUM SUR L'« OPÉRATION MOGADISCIO »
Waldbach est une petite ville située sur les deux rives d'une rivière paresseuse (dont j'oublie le nom). Du côté sud se dresse un château à moitié en ruine avec, regroupées autour, quelques maisons en bois au toit pointu. Au nord de la rivière, c'est la ville nouvelle (construite en majeure partie après la guerre et dominée par les bâtiments fonctionnels d'un grand collège de formation d'enseignants). C'est là que se trouvait le Gasthaus Kesselring. J'avais une chambre à l'arrière avec vue sur un garage et un cinéma. Je suis arrivé le samedi après minuit et me suis aussitôt couché.

Le dimanche, j'ai exploré le château et j'ai déjeuné sur la petite place à ses pieds. J'ai dîné au restaurant du Gasthaus et lu mon bouquin (une biographie de John O'Hara – un écrivain très sous-estimé) dans le salon réservé aux résidents. Le lundi, j'ai répété le programme mais, au lieu de lire, je suis allé au cinéma voir un film mal doublé intitulé *Les Trois Jours du Condor* [1], qui m'a paru excellent dans la mesure où j'ai pu comprendre ce qui se passait.

J'ai fait en sorte d'appeler Napier Street à six heures (il n'y avait pas eu de réponse la veille).

— Allô? a dit une voix d'homme.

— Mogadiscio.

— Allô?

— Mogadiscio.

Quelqu'un d'autre s'est emparé du récepteur :

— C'est toi, Logan?

C'était Anna.

— Oui. Puis-je parler à John, s'il te plaît?

— Où es-tu? Tu vas bien?

— Tout à fait bien.

Vivian a pris le téléphone.

— Mogadiscio.

— Salut, Mountstuart. Tout baigne?

J'ai raccroché puis rappelé deux minutes après.

— Bordel, à quoi tu joues, Mountstuart?

— Mogadiscio.

— D'accord. Mogadiscio, Mogadiscio, Mogadiscio.

— A quoi bon instituer une procédure de sécurité si on ne s'en sert pas?

— Anna était à côté de moi. Je ne pouvais pas commencer à gueuler « Mogadiscio » à la cantonade!

— Veux-tu qu'on change le mot de passe?

— Non, non, non. Quelles nouvelles?

— Pas de signe du contact.

— C'est bizarre. Eh bien, continue à attendre.

Le mardi, je me suis traîné à contrecœur sur le pont menant au château, mais je n'ai pas pu supporter l'idée d'un troisième tour. Installé au café avec mon livre, j'ai commandé une bière et un sandwich. Il faisait frisquet et je me suis réfugié à l'intérieur – l'endroit était à peu près vide.

---

1. Avec Robert Redford et Faye Dunaway. Mis en scène par Sydney Pollack.

Puis deux filles sont entrées et se sont assises. J'ai senti qu'elles me regardaient et discutaient en chuchotant entre elles. Toutes les deux avaient des cheveux mal teints, l'une en blond, l'autre en rouge carotte. J'ai fini par les fixer à mon tour en leur souriant, ce qui a paru les décider : elles sont venues s'asseoir à ma table.

– A quel foutu petit jeu tu joues ? m'a lancé à voix basse la blonde sur un ton dur.

– On attend dans cette putain de gare depuis deux jours, a dit Poil-de-Carotte.

J'ai expliqué que mes instructions ne disaient rien quant à une rencontre à la gare. Je me suis excusé, puis j'ai suggéré de leur offrir un verre en signe de paix et elles ont bu une bière chacune. Elles parlaient toutes deux bien l'anglais et n'arrêtaient pas de fumer.

– Je m'appelle Mountstuart, j'ai dit.

– Pourquoi es-tu si vieux ? s'est étonnée Blonde. Ils peuvent pas trouver des jeunes en Angleterre ?

– Non, non, est intervenue Carotte. C'est très malin. Foutrement malin, si tu y réfléchis. Un vieux mec comme lui en costume et pardessus. Personne ne pensera à rien.

– Ouais… a dit Blonde. Je m'appelle, heu, Ingeborg.

– Et moi Birgit – non, Petra, s'est corrigée sans vergogne la rousse. Elles ont essayé toutes deux de ne pas rigoler.

– Je crois savoir que vous avez des ordres pour moi, ai-je dit.

– Non, a répliqué Petra. Je pense que c'est toi qui as quelque chose pour nous.

– Il vaut mieux que je passe d'abord un coup de fil.

Je suis allé à la cabine téléphonique et j'ai réussi à placer un appel en PCV à Napier Street.

– Acceptez-vous un appel en PCV d'un Mr Logan Mountstuart ?

– Certainement pas, a répondu Tina Brownwell avant de raccrocher.

J'ai dit à Petra et à Ingeborg qu'elles devraient me rencontrer plus tard ce soir après mon appel de dix-huit heures à Londres, et nous avons convenu d'un rendez-vous au café-bar en face de la gare.

J'ai appelé Vivian à l'heure dite.

– Mogadiscio.

– Arrête ces conneries, Mountstuart, on n'est pas chez les boy-scouts.

– C'était ton idée.

– Ouais, ouais. Qu'est-ce qui se passe ?

– On m'a contacté, mais on n'a pas d'instructions.

– Putain de bordel de dieu ! (Vivian a continué à jurer un moment.) Où est-il ? Peux-tu me le passer ?

– Qui ?

– Le contact.

– Il s'agit de deux filles, en fait. Je dois les rencontrer plus tard.

Il a dit qu'il allait donner quelques coups de fil pour débrouiller le problème. Je suis allé à la gare et j'ai trouvé Petra et Ingeborg assises derrière la vitrine d'une cafétéria éclairée a giorno. Nous avons commandé du poulet rôti, des chips et de la bière. Les filles fumaient. Petra, je l'ai soupçonné d'après son teint, est une blonde devenue rousse. Elle a des yeux bleus et un visage boudeur parsemé de petits grains de beauté. Ingeborg est une brune teinte en blond oxygéné, aux lèvres minces, avec des yeux bruns toujours en mouvement et une fossette au menton.

Nous avons dîné et bavardé comme des étudiants en séjour d'échange se rencontrant dans le réfectoire d'un collège. Elles se sont montrées curieuses au sujet du KPS et de John Vivian. Je leur ai fourni quelques réponses évasives.

– Tu connaissais Ian ? a demandé Petra.

– Oui, un peu.

– Pauvre Ian, a dit Ingeborg.

– Pourquoi « Pauvre Ian » ?

– Il a été descendu par la flicaille. Ils l'ont flingué, ils l'ont bousillé à mort[1].

– Il doit s'agir d'un autre Ian, j'ai dit.

Petra m'a regardé :

– T'as un revolver ?

– Bien sûr que non.

Elle a ouvert son sac et m'a montré ce qui ressemblait à un automatique.

---

1. Elle faisait sans doute allusion à un certain Ian McLeod, un Anglais qui fut tué par la police de l'Allemagne de l'Ouest au cours d'une descente dans son appartement en 1972. On l'avait accusé d'être un membre de la Fraction armée rouge, ce qui ne fut jamais prouvé.

— Moi aussi j'en ai un, a ajouté Ingeborg. Et voici tes instructions. C'était l'adresse d'un hôtel de Zurich : hôtel Horizont. Retour à la Suisse.

J'écris ceci dans l'intérêt de la sincérité, de ce que ça peut révéler à mon sujet et de la situation dans laquelle je me suis alors trouvé. Dès que Petra m'a montré son revolver et qu'Ingeborg a avoué en avoir un aussi, j'ai éprouvé une attirance sexuelle aiguë pour ces deux filles sales et névrosées. Plutôt que de m'inquiéter de la tournure des événements, j'ai eu envie de les inviter à venir avec moi au Gasthaus Kesselring et de les baiser. Est-ce là le danger d'attraction sordide que court le guérillero urbain autoproclamé ? Que d'une certaine façon le « jeu » tend toujours à occulter la brutale réalité ? Je m'étais maintenant rendu compte que l'« Opération Mogadiscio » était quelque chose de beaucoup plus sinistre que je ne l'avais imaginé et pourtant je n'arrivais pas à la prendre au sérieux, je n'arrivais pas à croire que ces filles querelleuses, inefficaces, avec leurs cheveux mal teints, puissent représenter la moindre menace. J'étais intrigué, fasciné, excité. Et puis, je dois avouer aussi qu'après un moment de réflexion j'ai été choqué par ma stupidité et ma naïveté. Que croyais-je donc être en train de faire dans ce voyage clandestin à travers l'Allemagne ? D'organiser une quelconque manifestation estudiantine pan-européenne ? De livrer des fonds à une organisation charitable gauchiste ? La parano et le cynisme mauvais garçon de John Vivian ne m'avaient semblé être qu'une attitude, une affectation, un moyen de paraître « cool », tout ceci dans le but, peut-être, d'attirer plus facilement de jolies filles comme Anna et Tina dans son antre de Napier Street. Mais, soudain, j'ai vu dans cette cafétéria suréclairée d'une *Bahnhof* les conséquences froides et implacables de cet extrémisme – de droite ou de gauche, ils semblaient tous à leur manière bruyante, sujette aux accidents, hasardeuse, impliquer en fin de compte un certain degré de confrontation violente et de blessure personnelle. Avec leur radicalisme, les John Vivian de ce monde se mettaient dans une impasse politique et leur seul moyen de s'en sortir était avec un revolver ou une bombe.

J'ai réglé l'addition et je me suis levé pour partir.
— Ravi de vous avoir rencontrées, j'ai dit.

— Oh non, a protesté Petra avec un sourire. Nous t'accompagnons à Zurich, Mountstuart.

Conversation avec John Vivian.
— Elles font quoi ?
— Elles viennent avec moi.
— Pourquoi donc, bordel ?
— Je ne sais pas. Et elles ont des revolvers. Je veux sortir de cette histoire, Vivian.
— Elles n'ont pas de revolvers – elles te font marcher.
— Il ne s'agit de rien d'illégal, n'est-ce pas ?
— Tu es un vieux monsieur de soixante-quinze ans en vacances en Europe.
— Soixante et onze.
— Comment ?
— Un monsieur de soixante et onze ans.
Silence. Puis :
— Va à Zurich avec elles et quand tu auras pris contact là-bas…
— Qui ? Avec qui ?
— Quelqu'un te contactera. Le mot de passe est « Mogadiscio ». Fais ce que tu as à faire et laisse tomber les filles. Et ne t'en fais pas pour ces conneries de revolver. Il n'y a rien de dangereux dans cette histoire.
— Je vais être à court d'argent. Les filles disent qu'elles sont fauchées.
— Je vais te virer cent autres dollars à l'American Express de Zurich. Utilise ta carte de crédit.
— Je n'ai pas de carte de crédit.
— Alors, économise.

Petra, Ingeborg et moi avons voyagé très inconfortablement par le train – troisième classe, de nuit, compartiment fumeurs – de Hambourg à Stuttgart, puis à Zurich après un changement, voyage pendant lequel j'ai peut-être réussi à dormir deux heures sans interruption et inhalé la fumée d'environ deux cents cigarettes. J'ai insisté pour que nous nous séparions au moment de passer la douane et l'immigration, mes vieux instincts de la NID se réveillant en moi, je l'ai noté avec fierté. Nous avons déniché les bureaux de l'American Express où l'on m'a remis cent dollars que j'ai changés en une petite somme risible de francs suisses. Puis nous nous sommes présentés à l'hôtel Horizont, moderne, sur-utilisé, anonyme, où on nous a donné une chambre contenant un lit à deux places, et une sorte de canapé dépliant en métal avec un matelas de caoutchouc, à moi destiné. Aucun commentaire n'a été fait par le personnel de l'hôtel sur nos arrangements de couchage : de toute évidence très sages à l'aune des critères de l'Horizont. Les filles se sont aussitôt endormies, recroquevillées sous la couette, et n'ayant enlevé que leurs manteaux et leurs chaussures – pareilles à des évadées en fuite, j'ai soudain songé. D'une façon ou d'une autre tous mes fantasmes sexuels s'étaient dissipés. Je me sentais à présent comme un oncle exploité par deux nièces mécontentes et râleuses.

A dix-huit heures, j'ai téléphoné à John Vivian.

– J'ai besoin d'argent.

– Je t'ai envoyé cent dollars hier, nom de dieu !

– On est en Suisse, et maintenant nous sommes trois.

– D'accord. Je vais t'en virer encore. Paye-t'en une tranche, mon pote !

– Et il faut que je rentre, rappelle-toi.

– Ouais, sûr.

– Et, à propos, je démissionne.

– De quoi ?

– Du Kollectif des patients socialistes. Du Cercle de travail-Action directe et du Cercle de travail-Communications. De la bande Napier Street. Une fois de retour, c'est terminé. Finito. Kaput.

– Tu surdramatises, Mountstuart. On parlera quand tu seras rentré. Fais attention à toi.

Ce soir-là j'ai tiré les filles du lit et nous avons dégoté une pizzeria sur une place quelconque. Les filles m'ont paru toutes les deux boudeuses et nerveuses, mangeant leur pizza sans parler. Quand elles ont eu fini, elles ont demandé si elles pouvaient avoir un peu d'argent pour acheter du « hash », en déclarant qu'elles avaient envie de se défoncer. J'ai dit non et elles se sont de nouveau emmurées dans leur mauvaise humeur silencieuse. Nous avons erré dehors, trio bizarre et mal à l'aise, léchant les vitrines jusqu'à ce qu'Ingeborg avise un bar dans une rue adjacente et suggère d'aller prendre un verre. Ce qui m'a semblé une meilleure idée et nous

447

sommes donc entrés. On nous a tendu une liste des consommations, mais les cocktails étaient à un prix si effarant que nous avons opté pour des bières un peu moins chères. Les filles ont acheté des cigarettes et m'en ont offert une. J'ai refusé.

PETRA : Tu ne fumes pas, Mountstuart ?
MOI : Non. Autrefois, mais plus maintenant. Trop ruineux.
INGEBORG : Putain ! Faut que tu te marres un peu dans la vie, Mountstuart.
MOI : Je suis d'accord. J'adore me marrer. Je me marre en ce moment même.
Les filles se sont parlé en allemand.
MOI : Qu'est-ce que vous avez dit ?
PETRA : Ingeborg a dit que peut-être on devrait te flinguer et prendre ton fric.
INGEBORG : Ha-ha-ha ! Ne t'en fais pas, Mountstuart, on t'aime bien.

Une fois de retour à l'hôtel, les filles se sont montrées d'une assommante pudeur et ont insisté pour que j'attende dans le couloir pendant qu'elles se déshabillaient. Quand elles ont été prêtes, elles m'ont appelé.

Je me suis mis en pyjama dans la salle de bain et mon apparition dans la chambre a suscité des hurlements de rire. J'ai alors eu l'impression d'être un curé responsable d'une escouade de Jeannettes. « Fermez vos foutues gueules ! » leur ai-je grommelé en me fourrant dans mon lit grinçant. J'ai essayé de dormir mais elles ont continué à bavarder et à fumer, sans prêter attention à mes plaintes et mes jurons.

Le lendemain [jeudi 13 octobre] je me suis réveillé tôt avec le dos en capilotade. Les filles dormaient d'un sommeil profond. Petra ronflait un peu, Ingeborg avait rejeté la couette et montrait ses petits seins. Je me suis habillé et je suis descendu dans la salle à manger prendre mon petit déjeuner. J'ai bu du café, mangé des œufs à la coque, du jambon et du fromage en compagnie de trois hommes d'affaires chinois prolixes, qui parlaient très fort. J'ai mis du jambon et des concombres au vinaigre dans deux petits pains que j'ai fourrés dans mes poches : petit déjeuner pour les filles ou bien déjeuner pour moi.

J'ai pris cent autres dollars à l'American Express (en pensant que je devais être en train de tirer méchamment sur les fonds du KPS) et suis parti me promener, sans voir grand-chose autour de moi, conscient seulement des sonneries d'un tas de cloches – un bruit sourd, de plus en plus irritant, qui m'a rappelé Oxford. Au bout de dix minutes, je me suis rendu compte que j'étais suivi, par un jeune type en jeans et veste de daim, longs cheveux brillants et moustache à la mexicaine. J'ai tourné le coin de la rue et me suis arrêté sous un rayon de soleil tiède pour l'attendre.

– Salut. Mogadiscio, a-t-il dit.

– Mogadiscio. Je suis Mountstuart.

– Jurgen. Qu'est-ce que, bordel, ces filles foutent avec toi ?

– Elles ont insisté pour venir. J'ai pensé que ça faisait partie du plan.

– Merde ! (Jurgen a continué à jurer en allemand.) T'as l'argent ?

– Pas sur moi.

– Apporte-le dans ce café là-bas. D'ici une heure.

Je suis donc rentré péniblement à l'hôtel où j'ai retrouvé les filles assises dans la verrière à côté du salon en train de lire des magazines et, cela va sans dire, de fumer.

– Qu'est-ce qu'on fait aujourd'hui, Mountstuart ? s'est enquise Petra.

– C'est journée libre, j'ai dit. Amusez-vous bien.

– A Zurich ? a ricané Ingeborg. Merci vraiment Mountstuart !

– Marre-toi. Tu te rappelles ?

Dans la chambre, j'ai fait ma valise et je suis descendu par l'escalier au lieu de l'ascenseur, mais il n'y avait pas lieu de se méfier, les filles étaient parties. J'ai réglé la note et suis allé retrouver Jurgen au café convenu. Il est arrivé avec dix minutes de retard. Il trimballait une petite valise.

– Ça, c'est pour toi, a-t-il dit en me la tendant.

Elle était très lourde. Je lui ai donné l'enveloppe contenant les dollars et, pour la première fois, il a réussi à sourire, encore qu'il ait insisté pour compter les billets un à un. Une fois satisfait, il a fourré le tout dans sa poche et m'a serré la main :

– Dis à John qu'on est prêts. Bonne chance.

J'ai pris un tram jusqu'à la gare et j'ai acheté un billet pour Grenoble. De là, j'avais l'intention de repartir vers Paris et de regagner l'Angleterre via Calais et la Manche. John Vivian avait insisté pour que j'utilise un port d'entrée différent pour mon voyage de retour.

Ce soir-là, à Grenoble, je me suis installé dans le bar d'un hôtel près de la gare et j'ai regardé les nouvelles à la télé. Un avion de la Lufthansa avait été détourné sur l'aéroport de Palma de Majorque. Les pirates de l'air – quatre Arabes, deux hommes et deux femmes – exigeaient la libération de tous les prisonniers politiques retenus dans les geôles de l'Allemagne de l'Ouest.

Allongé sur mon lit, la nuit, je me suis demandé ce que faisaient Petra et Ingeborg, mes filles. J'avais l'impression d'être un peu un tricheur en les laissant tomber de la sorte, mais je n'avais fait que suivre les instructions de John Vivian. De toute façon, raisonnais-je, elles étaient trop versatiles, trop imprévisibles – pour autant que je sache, elles auraient peut-être insisté pour revenir à Londres avec moi. Imaginez : la vie à Turpentine Lane avec Petra et Ingeborg[1] !

La valise que m'avait donnée Jurgen était non seulement lourde mais fermée à double tour.

Le lendemain matin, à l'aide d'un petit tournevis et d'un bout de fil de fer recourbé, je l'ai ouverte. Elle était remplie d'un assortiment de vêtements usagés et de quarante bâtons de ce que j'ai pensé être de la gélignite. Chaque bâton était marqué : GOMMEL ASTIGEL DYNAMITE. EXPLOSIF ROCHER. SOCIÉTÉ FRANÇAISE DES EXPLOSIFS. USINE DE CUGNY. J'ai refermé la valise et réfléchi à ce que j'allais faire. J'avais environ soixante-dix livres en francs français, assez pour me permettre de tenir quelques jours à mon régime frugal et d'arriver chez moi. Je ne pouvais pas, de toute évidence, me permettre de loger dans des hôtels : peut-être qu'avec une tente et un sac de couchage, camper serait une solution ? Puis je me suis rappelé où je me trouvais : en France. J'avais une propriété dans le pays. J'ai pris le téléphone et j'ai appelé le bureau de Noel Lange à Londres.

---

1. « Petra » – Hanna Hauptbeck. Arrêtée par la police de la RFA à Hambourg en 1978. Condamnée à sept ans de prison pour l'attaque d'une banque et complicité de pose d'explosifs. « Ingeborg » – Renate Müller-Gras. Disparue en 1978 après une fusillade avec la police à Stuttgart. Entrée dans la clandestinité. Selon certains, elle serait morte.

Vendredi soir : j'étais à Toulouse où je suis descendu dans l'hôtel le moins cher que j'ai pu trouver. Samedi matin : j'ai pris un bus pour Villefranche-sur-Lot. Le journal que j'ai acheté était rempli de nouvelles du détournement Lufthansa. L'avion était maintenant à Dubaï, et les exigences des pirates plus détaillées : libération des onze membres de la bande Baader-Meinhof, de deux Palestiniens emprisonnés en Turquie et versement d'une rançon de quinze millions et demi de dollars en échange des otages à bord.

J'ai pris un autre autobus le long de la vallée du Lot, de Villefranche à Puy-l'Évêque où je suis allé à la recherche du bureau du notaire, Mr Polle, chez qui se trouvaient les clés de la maison de Cyprien à Sainte-Sabine. Mr Polle, un homme cordial avec des cheveux courts coiffés en brosse, a proposé de m'emmener en voiture jusqu'à Sainte-Sabine, à quarante kilomètres au sud. Nous avons traversé une zone boisée ondulée, sur des routes de campagne, tandis que le soleil apparaissait de temps à autre entre de grands nuages rapides poussés vers l'est par une forte brise.

La maison, ma maison, s'appelait les Cinq Cyprès et était en vente depuis que j'avais appris qu'elle m'avait été léguée. J'allais bientôt découvrir pourquoi personne n'avait fait d'offre. Les cinq cyprès eux-mêmes étaient aussi vieux que la bâtisse, plantés, j'imagine, au moment de sa construction, dans la dernière décennie du siècle dernier. Des arbres immenses, broussailleux, de quelque douze mètres de haut, et positionnés de manière stratégique autour de la demeure et de sa seule annexe, une grange en pierres, considérablement plus ancienne. La maison était à moitié en ruine, ses vilaines caractéristiques provinciales du siècle passé plus ou moins dissimulées par d'épaisses couches de lierre et de vigne vierge. Elle se dressait au centre d'un petit parc planté de nombreux arbres à feuillage caduc – marronniers, chênes, platanes –, parc auquel on accédait par un vieux portail rouillé, demeuré ouvert, seule une chaîne en plastique rouge et vert barrant en principe l'entrée de la propriété.

Mr Polle a ouvert la porte d'entrée et m'a précédé à l'intérieur, puis m'a tendu un trousseau de clés avec plein d'étiquettes en marmonnant : « Félicitations », tandis que je prenais possession des lieux de manière symbolique. Les vieux carreaux de terre cuite cliquetaient sous mes pieds pendant que j'examinais une grande pièce au rez-de-chaussée contenant deux fauteuils de cuir, des rideaux mangés aux mites et une cheminée condamnée. J'ai posé mon sac et ma valise bourrée de dynamite et j'ai écouté Mr Polle m'expliquer que ni l'eau ni l'électricité n'étaient raccordées et qu'il pouvait me recommander un excellent hôtel à Puy-l'Évêque. Non, non, ai-je dit, j'ai l'intention de passer la nuit ici avant de retourner en Angleterre. « *Comme vous voudrez, monsieur Mount-Stuart**. » La manière dont sonnait mon nom en français m'a plu. Mr Polle m'a laissé à Sainte-Sabine, à seulement un kilomètre de là, et j'ai trouvé une supérette où j'ai acheté du pain, une boîte de pâté, du vin rouge (bouchon vissé), une bouteille d'eau et des bougies. Dans la nuit tombante, j'ai regagné lentement à pied mon nouveau logis.

J'ai mangé mon pâté et mon pain, et bu mon vin à la lueur des bougies. J'ai poussé les deux fauteuils l'un contre l'autre et je me suis couché dessus sous mon manteau, en regardant la flamme de la bougie illuminer le plafond et en écoutant le silence absolu. Absolu jusqu'à ce que je souffle la bougie, et que, dans l'obscurité impénétrable, je commence à entendre les minuscules crépitements de rongeurs et d'insectes, et les étranges mouvements et craquements que n'importe quelle vieille maison produit au moment où la température tombe. Je me suis senti très en sécurité.

J'ai passé deux autres jours aux Cinq Cyprès, à traficoter, à me familiariser avec la maison et ses environs. Elle était loin d'être belle, cette maison de maître, avec ses trois étages crépis de gris, son balcon d'ornement en fer forgé et disproportionné au premier étage. Édifiée par un bourgeois prospère parent de Cyprien, désireux, sans aucun doute, d'impressionner ses voisins. La nature avait adouci sa silhouette en l'envahissant de lierre et de plantes grimpantes – plusieurs des fenêtres closes du haut étaient complètement cachées. Le rez-de-chaussée était dans un état raisonnable, et avait surtout besoin d'un bon nettoyage, mais, à mesure qu'on montait dans la maison, on découvrait les dégâts provoqués par l'humidité et la moisissure. Il y avait d'évidence une méchante fuite dans le toit, un volet manquait à une fenêtre et des vitres brisées avaient laissé les intempéries faire leurs ravages à l'intérieur. Les chambres étaient sombres à cause des vieux arbres tout autour et il était impossible de dire à partir d'où les pelouses se mélangeaient au pré qui entourait la propriété. Au-delà du pré, des bois de chênes s'élevaient sur trois côtés et derrière la maison, un peu à l'écart, se trouvait la vieille grange en pierre avec une petite cabane de deux pièces.

J'ai trouvé la clé de la grange et, en y farfouillant, j'ai découvert quelques pelles et pioches branlantes ainsi que d'autres antiques instruments bouffés par la rouille. Je me suis emparé d'une pelle, j'ai creusé un trou dans le petit verger en friche derrière la grange et j'y ai enterré ma valise de plastic. Je n'ai pas marqué l'endroit. Puis je suis allé à pied à Sainte-Sabine faire quelques provisions supplémentaires.

Sainte-Sabine possédait une grande rue et une petite place autour de laquelle se dressaient une église (mal restaurée), un bureau de poste, une mairie et la supérette. Dans les rues adjacentes s'alignaient deux bars, deux pharmacies, deux boucheries et deux boulangeries. Il y avait aussi un centre médical avec les cabinets de consultation d'un médecin et d'un dentiste, un marchand de journaux et un service de taxi faisant également office d'entreprise de pompes funèbres. Tout ce qu'il faut, en fait, à un village de trois cents âmes. Les habitants de Sainte-Sabine avaient de quoi se nourrir, gérer leurs affaires, être soignés, et enterrés quand ils mouraient. La grande place, la place du 8-Mai, était ombragée par des platanes écimés sans pitié et, en allant à la supérette, je me suis enfoncé les pieds jusqu'aux chevilles dans leurs feuilles qui gisaient sur le sol. Alors que je payais mes achats, la femme à la caisse m'a demandé : « *Vous êtes le propriétaire des Cinq Cyprès ?** » Je l'ai avoué et nous nous sommes serré la main. « *Je suis Mr Mountstuart, ai-je dit. Je suis écrivain.** » J'ignore ce qui m'a poussé à ajouter cette dernière phrase, mais je suppose que si les nouvelles à mon propos circulaient aussi vite, autant que j'établisse tout de suite mon identité.

Mardi matin, je me suis rasé dans une tasse en émail avec de l'eau d'Évian, j'ai fermé la maison et suis allé à pied à Sainte-Sabine prendre le car pour Pérenne d'où j'ai attrapé l'omnibus local à destination d'Agen. D'Agen, j'ai pris l'express pour Paris et de Paris j'ai continué sur Calais. C'est à Calais que mon cœur a, comme on dit, pratiquement cessé de battre quand, dans une Maison de la presse, j'ai vu que toutes les manchettes des journaux proclamaient un seul mot : « MOGADISCIO ! » J'ai acheté plusieurs quotidiens et j'ai commencé à les lire, comprenant peu à peu ce dans quoi j'avais été impliqué.

Le Boeing 737 de la Lufthansa, détourné le 13 octobre à Palma de Majorque, était allé de Dubaï à Aden. Là, le capitaine avait été abattu par le chef des pirates de l'air (ils l'avaient soupçonné de passer en douce des informations aux autorités). Le copilote avait piloté l'avion d'Aden à Mogadiscio, en Somalie, sa destination finale voulue depuis le début du détournement. Une nouvelle date limite avait été fixée pour les demandes de rançon. Au dernier moment, un message avait été reçu en provenance de la tour de contrôle disant que les onze membres de la bande Baader-Meinhof avaient été libérés et se trouvaient maintenant à bord d'un avion faisant route sur Mogadiscio. Un avion militaire allemand avait bien atterri à Mogadiscio aux petites heures de mardi matin, mais il n'y avait aucun membre de la bande à Baader à bord. A la place se trouvait un détachement de soldats d'élite allemands appartenant au GSG-9 *[Grenzschutz Gruppe Neun]* et deux membres du SAS britannique. Des grenades paralysantes furent lancées, le jet Lufthansa fut pris d'assaut et, dans le bref et soudain échange de coups de feu qui suivit, trois des terroristes furent tués et un autre blessé. Les passagers furent tous relâchés, sains et saufs.

En Allemagne, dans la prison de Stammheim où les membres de la bande à Baader étaient emprisonnés, la nouvelle de la libération des otages était arrivée très vite. Andreas Baader et Jan-Carl Raspe s'étaient tiré une balle dans la tête (avec des revolvers parvenus clandestinement dans leurs cellules) ; Gudrun Ensslin, à l'instar d'Ulrike Meinhof [1], s'était pendue.

L'échec du détournement avait toujours été considéré comme une possibilité, et les trois membres fondateurs de la bande B.-M. avaient prévenu leurs disciples que, si en effet l'affaire tournait mal, ils risquaient d'être tués. Leurs suicides devaient passer pour des meurtres, une dernière vengeance contre l'État fasciste. L'annonce de leurs morts déclencha des émeutes à Rome, Athènes, La Haye et Paris. Le lendemain, le corps du Dr Schleyer fut découvert dans une Audi verte à Mulhouse. Il avait été tué d'une balle dans la tête dès que l'échec de Mogadiscio avait été connu par la radio.

1. Ulrike Meinhof s'était suicidée en 1976.

Alors qu'avaient à faire John Vivian et la bande de Napier Street avec Mogadiscio ? Pourquoi avais-je été envoyé à travers l'Europe trimballer quarante bâtons de dynamite ? Mon idée, c'est que ces explosifs devaient faire partie d'une réaction à l'échec possible du détournement. Je soupçonne que la bande avait l'intention d'attaquer en Angleterre certains objectifs allemands – l'ambassade, les concessions Mercedes-Benz, peut-être un ou deux Instituts Goethe –, pour démontrer solidarité et indignation. Tout ceci en supposant qu'ils aient été capables de fabriquer des bombes (le rôle de Ian Halliday, à mon sens) et qu'Anna, Tina et John Vivian lui-même aient pu les poser sans se faire exploser. Tandis que je traversais la Manche en direction de Douvres, je me félicitais d'avoir enterré ces bâtons de dynamite dans mon verger, en France. Ils pourraient s'y décomposer à loisir sans causer de dégâts.

Et je n'éprouvais aucune appréhension à l'idée d'affronter Vivian. Je lui dirais que Jürgen m'avait vendu une valise pleine de vieux journaux. Le temps que je commence à soupçonner quelque chose, que je force la serrure et regarde à l'intérieur, il avait disparu. Que pouvais-je faire d'autre à part rentrer chez moi ? J'étais prêt à jouer encore plus les innocents : qu'était donc censée contenir cette valise, John ? De la drogue ? J'étais en fait curieux d'entendre ce qu'il répondrait mais, en l'occurrence, je n'en eus pas l'occasion : alors que je débarquais du ferry à Douvres, je fus arrêté par deux officiers de la Special Branch et emmené au Royal Army Medical Hospital, à côté de la Tate Gallery, où je fus interrogé durant deux heures par un jeune inspecteur, d'une arrogance agressive, nommé Deakin.

J'ai raconté à Deakin pourquoi j'avais adhéré au KPS et ce que je faisais pour eux. J'ai dit que je rentrais de courtes vacances en Europe, pour aller inspecter une propriété que j'y avais. Avez-vous rencontré quiconque au cours de vos déplacements ? a demandé Deakin. On rencontre toutes sortes de gens quand on voyage seul, ai-je répondu. J'ai ajouté, pour bonne mesure, que j'avais été commandant dans la Royal Navy pendant la guerre, membre des services secrets de la Marine et que j'exigeais de savoir ce qui se passait. Il ne m'a pas cru. Quand un de ses sous-fifres a vérifié – et confirmé que c'était vrai –, son attitude a changé du tout au tout. Il a dit qu'ils avaient fait une descente dans Napier Street sur la base de renseignements « reçus de l'étranger ». Mon nom avait été découvert sur les documents saisis. Anna Roth et Tina Brownwell avaient été arrêtées. Ian Halliday était à Amsterdam. John Vivian avait disparu. J'ai été relâché à vingt-trois heures ce soir-là. Commodément, Turpentine Lane n'était qu'à dix minutes de marche. Je suis rentré en me promenant dans la nuit fraîche. Mes jours avec le Kollectif des patients socialistes, et mes ventes de journaux étaient manifestement terminés : les années Bowser allaient recommencer.

POST-SCRIPTUM AU MÉMORANDUM

J'ai revu John Vivian quinze jours après mon retour. J'étais au Cornwallis en train de siroter ma bière et son *chaser* de sherry quand il est arrivé et s'est glissé près de moi. Il avait coupé ses cheveux, maintenant teints en gris, et portait une veste de sport avec chemise et cravate.

— John, me suis-je écrié, bon dieu, tu es d'une élégance !

— Je suis entré dans la clandestinité, a-t-il dit. Enfin du moins j'essaye. Tu peux entrer dans la clandestinité en Allemagne, pas de problème, mais essaye de le faire dans ce putain de pays.

— En tout cas le déguisement est très bien.

— Merci. Tu as la valise ?

— Je l'ai jetée en France.

Il a serré les mâchoires.

— C'est aussi bien. Écoute, il te reste de l'argent ?

— J'ai tout donné à Jürgen.

— Jürgen ?

— Le type à Zurich. J'allais te le raconter. Après qu'il m'a remis la valise et qu'il est parti, j'ai eu un soupçon. J'ai forcé la serrure – c'était plein de vieux journaux.

Son visage m'a paru être saisi d'un spasme. « Le con ! » a-t-il répété plusieurs fois. Puis il s'est assis en se massant les tempes.

— Qu'est-ce qu'il aurait dû y avoir dans la valise, John ?

— Peu importe. Pas maintenant. Tu ne pourrais pas me prêter dix tickets, non ? Je suis fauché.

— Pas aussi fauché que moi. J'ai 1 £ 75 qui doit me faire jusqu'à vendredi. Je suis pauvre, John. Plus pauvre que toi.

Il m'a regardé :

— Fleur de la nation, hein ? Jesus College, Oxford.
— Gonville et Caius, Cambridge.

On a bien été obligés de rire. Je lui ai donné une livre et il est parti[1] sans jeter un regard en arrière.

---

1. John Vivian fut arrêté six semaines plus tard après une attaque avortée sur un petit bureau de poste à Llangyfellach, près de Swansea. Le postier, un ancien soldat, voyant que le revolver dont le menaçait Vivian était un faux, lui flanqua un coup de poing dans la figure et lui brisa le nez. Vivian fut condamné à sept ans de prison pour tentative de vol armé.

Les carnets de France

Le 4 mai 1979, Logan Mountstuart se rendit à son bureau de vote de Pimlico, vota travailliste et quitta le pays. Au moment où Margaret Thatcher fut nommée Premier ministre, il était déjà sur le sol français. Quand il apprit le résultat des élections, il fut encore plus convaincu que son départ pour Sainte-Sabine avait été la décision la plus sage et la plus judicieuse. Turpentine Lane fut vendu à Subadar Singh, le voisin de LMS, pour vingt-huit mille livres comptant. Dont environ cinq mille furent consacrées à la rénovation des Cinq Cyprès. Le plus gros du travail devait porter sur le rez-de-chaussée où LMS avait décidé d'établir ses quartiers, n'ayant aucun désir d'avoir dans sa vieillesse à négocier des escaliers très raides. Il se contenta de réparer les étages supérieurs, boucher les fuites, remplacer les boiseries pourries, etc. Il s'aménagea un appartement fort spacieux, consistant en une salle de séjour avec une grande cheminée, un bureau, une vaste cuisine-salle à manger, et une chambre avec salle de bain adjacente. Ses meubles de Turpentine Lane trouvèrent facilement leur place, et deux murs du bureau furent tapissés d'étagères pour recevoir sa bibliothèque et ses archives. Des travaux furent aussi faits sur la « cabane de jardinier » annexée à la grange pour la transformer en une maisonnette de deux chambres, un peu étroites mais nettes et propres, qu'il avait l'intention de louer à des vacanciers durant l'été afin de compléter le revenu qu'il percevrait du reliquat de la vente Singh, à présent bien placé dans un solide compte-épargne à la Société générale de Puy-l'Évêque.

LMS avait calculé qu'il pourrait vivre dans un confort relatif aux Cinq Cyprès avec deux mille livres par an – de toute façon, ce serait une vie meilleure que celle qu'il aurait jamais eue à Turpentine Lane. Et, ainsi qu'il le découvrit, il pouvait louer sans difficulté la maisonnette en juillet et en août, les locataires revenant régulièrement d'année en année.

Il fit l'acquisition d'un chat (une femelle, afin de résoudre le problème des rongeurs) qu'il baptisa Hodge et d'un chien, pour la sécurité et la compagnie (mâle, trois quarts beagle, un quart épagneul) qu'il nomma, pour des raisons évidentes, Bowser.

Il s'installa sans fanfare aux Cinq Cyprès et devint bientôt très connu dans la commune de Sainte-Sabine. La proximité du village lui permettait de s'y rendre à pied, ce qu'il faisait souvent, soutenant que c'était là le meilleur exercice pour les gens d'âge avancé. Le mercredi, jour de marché, il prenait sa Mobylette et remplissait ses sacoches de provisions pour la semaine à venir.

Il fit discrètement savoir qu'il était embarqué dans la rédaction d'une œuvre majeure de fiction *(Octet)*, avec l'idée que ceci découragerait les visiteurs et préviendrait les questions quant à ses activités. Sa cousine, Lucy Samson, venait chaque année à la fin mai passer quinze jours de vacances. Elle habitait toujours la maisonnette et, souvent, la journée passait sans qu'ils se voient jusqu'à l'heure de l'apéritif, avant le dîner : tous deux estimaient la situation idéale.

Semi-reclus ou pas, LMS eut bientôt un réseau d'amis et de voisins français, chaleureux et obligeants, qui contribuèrent de manière considérable à la qualité de sa vie frugale dans la France rurale.

Les entrées des carnets français sont très irrégulières et non datées. Il semble parfois que des mois se soient écoulés sans que rien n'ait été noté. Les événements concernant Mme Dupetit se déroulèrent surtout entre 1986 et 1988.

De tout le bois que je brûle dans ma cheminée, les bûches en provenance du cerisier sont les plus lentes à se consumer. Une solide bûche de cerisier semble aussi résistante à la flamme que du béton. Viennent ensuite, en matière de combustion difficile, le cèdre, le chêne et l'ormeau. Ferme la marche le pin, qui brûle trop vite et laisse beaucoup de cendres. Aucun de ces bois ne crépite, tandis que l'acacia est meurtrier. Peu après mon installation ici, j'ai commis l'erreur de faire un feu avec des bûches d'acacia. A mesure que les flammes s'élevaient, le feu s'est mis à pétarader comme dans un Beyrouth en guerre, avec des mitraillages sporadiques. Puis des petites braises brûlantes ont jailli de la cheminée telles des balles traçantes. J'ai dû en fin de compte noyer le tout sous un seau d'eau, remplissant ainsi la pièce d'une fumée grise humide. Plus jamais ça.

Lecture de l'*Ada* de Nabokov : un livre par intermittence brillant mais déconcertant – une idée fixe déchaînée, qui laisse derrière elle les lecteurs amis stupéfaits et épuisés. Je dois dire qu'en tant qu'admirateur du style – un mot lourd de sens mais en fait, dans sa meilleure acception, synonyme d'individualité –, le style maniéré de VN, son refus de ne pas réveiller un mot qui dort, ressemble plus dans ce bouquin à un tic nerveux qu'à une voix naturelle, individuelle, aussi fruitée et sonore soit-elle. L'opulence recherchée, l'ornement pour l'ornement, deviennent fatigants et l'on meurt d'envie d'une phrase simple, élégante, claire. Là réside la différence capitale : dans la bonne prose, la précision l'emporte toujours sur la décoration. Une élaboration délibérée est le signe que le styliste est entré dans une phase décadente. On ne peut pas vivre tous les jours de caviar et de foie gras : parfois un plat de lentilles est tout ce que réclame le palais, même si l'on insiste pour que les lentilles viennent du Puy.

Norbert m'a conduit à VsL [Villeneuve-sur-Lot] où Francine m'a reçu avec son habituelle politesse glaciale dans son appartement bourré de bibelots. Nous avons bu un verre de vin et sommes passés dans la chambre à coucher. Hélas, j'ai éjaculé en moins de quelques secondes. Elle m'a lavé dans le bidet – une chose que j'ai toujours trouvée agréable –, après quoi nous avons passé une demi-heure au lit pour voir si je banderais à nouveau. Pas de chance, donc une rapide fellation avant mon départ. Cinq cents francs – valant largement chacun de leurs trébuchants centimes.

[Norbert était Norbert Coin, le chauffeur de taxi-ambulancier de Sainte-Sabine, le premier ami et allié que se fit LMS dans le pays. Au début de son séjour, durant quelques années, LMS, sur la recommandation de Norbert, rendit visite tous les deux ou trois mois à cette discrète ménagère-prostituée.]

Étrange ciel crépusculaire – rempli de nuages, froissés et froncés comme du lin ou du damas gris – et puis, alors que le soleil commençait à se coucher, les rayons se sont glissés à travers les plis, illuminant les nuages gris d'une lumière d'or vif.

Les simples satisfactions de la vie dans une République. Le plombier vient réparer les toilettes cassées dans la maisonnette. Nous nous serrons la main, nous nous donnons réciproquement du « Monsieur » et nous souhaitons une bonne journée. Il me présente son fils âgé de douze ans. Nouveaux serrements de main. En fin d'après-midi, il revient me dire que tout marche bien. Nous prenons un verre de vin, parlons du temps, des perspectives d'un bon cru pour cette année, de la prolifération des renards dans le voisinage. Je serre sa main et celle de son fils et leur souhaite une bonne soirée et un « bon retour ».

Lucy est partie hier – Norbert l'a conduite à Toulouse prendre son avion. Elle m'a demandé si elle pourrait amener quelqu'un l'année prochaine et j'ai dit bien sûr. Elle est lourde et rougeaude mais semble en bonne santé – assez bonne pour se mettre à fumer à plus de soixante-dix ans. Elle a insisté pour me payer deux cents livres. Son quelqu'un est bien une amie et non un ami, m'a-t-elle assuré.

Étonnement général dans le village lors de la découverte d'un vieil exemplaire des *Cosmopolites* dans la bibliothèque municipale de Moncuq. Oui, ce vieux schnock des Cinq Cyprès est un écrivain, après tout. Le livre a fait le tour des gens qui me considèrent comme une sainte relique.

Un rouge mauve dans le ciel ce soir juste avant la nuit, mis brillamment en valeur par ce qui ne saurait être décrit autrement que comme une grosse rayure de vert pistache. Je peux penser à bien des peintres abstraits mourant de l'envie de recréer une telle juxta-position – qui a disparu en quelques secondes. Tous les effets « de choc » d'un siècle d'art abstrait ont été reproduits sans bruit dans la nature, ici ou ailleurs, depuis le commencement des temps. Me suis promené dans le parc au milieu des arbres, mon verre de vin à la main. Chose inhabituelle, Bowser m'a accompagné mais toujours à discrète distance, comme s'il voulait garder un œil sur moi mais ne pas interrompre le cours de mes pensées.

L'ombre autour de la maison est si profonde, si dense et si froide que d'y entrer par un jour très chaud est comme de pénétrer dans une cave obscure. Je me rappelle Mr Polle me conseillant d'abattre la moitié des grands arbres. Dieu merci, il n'y a pas de conifères (je ne compte pas les cyprès) – les conifères me font penser aux columbariums – sinistres associations avec Putney Vale et les funérailles de Gloria.

Noces d'argent de M. et Mme Mazeau (ils tiennent la supérette). J'ai été invité au « cocktail » au café de France – un honneur, je pense –, peut-être grâce à Norbert (Lucette Mazeau est sa sœur). Tandis que nous portions un toast au couple un peu embarrassé, je me suis rendu compte qu'ici, au sein de leur famille, voisins et connaissances, se trouvait mon nouveau cercle d'amis – ma nouvelle *tertulia*. Norbert, bien entendu, et Claudine [sa femme] ; Jean-Robert [Stefanelli – qui aidait LMS à faire son jardin] ; Henri et Marie-Thérèse [Grossoleil, les propriétaires du Café de France] ; Lucien et Pierrette [Gorce, un fermier, les voisins les plus proches de LMS]. Qui d'autre ? Je suppose que Yannick Lefrère-Brunot [le dentiste local et maire de Sainte-Sabine] et Didier Roisanssac [le médecin] compléteraient la liste. Je suis saisi d'une grande humilité devant la simplicité de l'accueil qu'ils m'ont réservé, et je me demande si un Français qui déciderait de se retirer dans le Wiltshire, le Yorkshire ou le Morayshire serait l'objet d'autant d'amitié ? Peut-être. Peut-être les gens sont-ils partout plus aimables que les cartes du monde ne vous amèneraient à le penser. Nous avons bu du whisky et mangé des biscuits au fromage. Chacun a eu droit à plusieurs toasts. On a souhaité un fervent succès à mon roman et, pour la première fois depuis des années, je me suis senti vraiment heureux. De tels moments devraient être notés et enregistrés. Rien ne me manque de ma vie en Angleterre – je n'arrive pas à imaginer comment j'ai pu survivre là-bas après le Nigeria. Comment Lawrence avait-il baptisé le pays, déjà ? « Pudding Island ». Je n'ai aucun désir de retourner un jour dans Pudding Island. *Quod sit, esse velit, nihilque malit* [Qui serait-il ce qu'il est, ne désirant rien de plus ?]. Important de le savoir quand cela se produit.

Si j'étais le président de la France,
(a) J'offrirais une réduction d'impôts aux cafetiers du pays pour qu'ils remplacent leurs sièges en plastique par des sièges en bois ou en rotin.
(b) J'interdirais la diffusion au mètre dans les rues de la musique

rock anglo-américaine durant les jours de marché ou de fête. Il ne peut rien y avoir de plus dérangeant que de se promener dans une vieille ville française en écoutant des disques du hit-parade beuglant des banalités en anglais.

(c) Je limiterais chaque maisonnée à un conifère par jardin. Ceux qui abattraient un conifère et le remplaceraient par un arbre à feuillage caduc recevraient une prime de mille francs.

« Mes intestins et moi sommes toujours fidèles à nos rendez-vous. » Je suis, je suppose, plutôt en bonne santé pour un homme de mon âge. Mes jambes me font un peu souffrir quand il fait froid et de temps à autre la brume marron brouille ma vision. Mais j'ai encore de l'énergie et je dors bien, quoique de moins en moins chaque année. Mes dents sont en train de renoncer à la bataille et Yannick L.-B. m'a confectionné pour celles du haut un bon petit dentier (gratuit) qui les remplace toutes, sauf deux vieilles molaires usées. La rangée du bas paraît en bon état pour le moment. Mes cheveux ont cessé de tomber, semble-t-il, et je me tâte pour savoir si je vais me laisser pousser une barbe ou pas – ça dépend de sa blancheur, je n'ai pas envie de ressembler au père Noël. Je fais deux repas par jour, petit déjeuner et déjeuner, et je prends du vin et des chips le soir. Je sens diminuer la masse musculaire de mon corps – dont l'ensemble, quand je suis nu, a l'air pendouillant et boudiné. Je suis probablement aussi mince que je l'étais à trente ans. Je songe à ce qui pourrait m'emporter et j'ai toujours ce sentiment qu'au cours de l'accident quelque chose a affecté ma tête qui attend son heure. Le curieux trouble de mon champ de vision est un signe de la manière dont je partirai. Le cerveau surmené explosant en sang. Rapide en tout cas. Soudain la nuit, puis plus rien.

Dans les bois aujourd'hui à la recherche de champignons avec Lucien. Son visage est buriné et marqué par les intempéries et ses mains sont calleuses – complètement indifférent à la chaleur comme au froid extrêmes. Il a cinquante-six ans mais paraît plus vieux que moi : il ne cesse de renifler et de tousser tout en farfouillant dans le sous-bois. Sa famille habite ici depuis des générations, mais il dit que son fils ne s'intéresse pas du tout à la ferme – il vit et travaille

dans un garage à Agen. Lucien hausse les épaules : les jeunes…
Soupir commun ici. Mais il est probable que le jeune Lucien Gorce
a dû lui aussi causer pas mal de souci à son papa. Je calcule l'âge
qu'avait Lucien durant l'occupation (une chose que je fais sans
réfléchir avec tous les Français d'âge mûr que je rencontre). Lucien
est né en 1928, il devait donc être un tout jeune adolescent pendant
la guerre. Nous avons récolté une superbe brassée de cèpes et de
girolles. Je romprai avec mes habitudes ce soir et je me ferai une
omelette aux champignons.

J'ai téléphoné à Lucy du bureau de poste [LMS ne se fit installer
le téléphone qu'en 1987] pour connaître les détails de son vol et
organiser son déplacement depuis l'aéroport. « Est-ce que Peter
Scabius n'était pas un de tes amis ? » a-t-elle demandé. J'ai avoué
que j'étais fier de considérer Sir Peter Scabius comme un de mes
plus vieux amis. « Non, plus maintenant, a-t-elle dit. Il est mort la
semaine dernière. »
J'ai éprouvé ce sentiment de vide instantané, d'absence : comme
devant une brique ôtée à un mur déjà branlant et dont on se demande
s'il va pouvoir s'arranger de ces nouvelles pressions et tensions sur
les autres briques, si cette redistribution va le laisser debout ou le
faire s'écrouler. Le moment est passé mais je me suis senti un peu
plus faible, plus déglingué moi-même. J'ai eu l'impression que ma
vie, mon univers, sans Peter Scabius à l'intérieur, était un édifice
branlant, tout à coup en carton-pâte.
Comment est-il mort ? « Pneumonie. Il se trouvait aux Falklands. »
« Ne me dis pas, il se documentait pour un nouveau roman. » « Comment as-tu deviné ? » s'est exclamée Lucy, incrédule et admirative. En
train de se documenter pour un roman : comme ça ressemblait bien à
Peter de vouloir écrire un roman sur la guerre des Falklands. Ainsi,
Ben et Peter *nous ont quittés**, comme on dit ici, me laissant seul.
Lucy a ajouté que les journaux étaient pleins de longues nécrologies
et d'appréciations respectueuses et je lui ai demandé de me les
envoyer. « Personne ne te cite », a-t-elle dit.

Bowser n'est pas un chien démonstratif, il exige peu de marques
d'affection quotidiennes. Cependant, chaque semaine ou à peu près,
il vient me retrouver et, si je suis assis, il pose sa gueule sur mon

genou, ou bien, si je suis debout, il me pousse gentiment sa tête dans le mollet. Je sais que cela signifie qu'il veut un peu de tendresse, alors je lui gratte les oreilles, lui tapote les flancs et lui dis toutes les bêtises dont les propriétaires de chiens ont régalé leurs cabots à travers les âges : « Qui c'est le bon vieux chien, hein ? » « Quel bon chienchien ! » « Où il est le plus beau toutou du monde ? » Après deux ou trois minutes de cet exercice, il se secoue comme s'il venait de traverser une rivière et s'en va.

Les Olafson sont ici pour la troisième année d'affilée et, cette fois, ils ont loué la maisonnette pour un mois. Le soleil tapait dur quand ils sont arrivés, et nous nous sommes assis sur la pelouse à l'arrière de la maison à l'ombre du grand marronnier et nous avons bu du vin blanc frais. Ils n'ont pas pu cacher leur excitation et leur plaisir de se retrouver ici dans le Sud et la chaleur, racontant qu'il y avait du verglas à Reykjavik le soir de leur départ. Je leur ai dit que j'avais visité autrefois leur ville (je ne savais pas pourquoi je ne leur en avais jamais parlé avant, ai-je ajouté). Ils m'ont alors demandé ce qui m'avait amené à Reykjavik et, tandis que je commençais à l'expliquer, la raison de ma réticence n'est devenue que trop évidente. Je leur racontais Freya et Gunnarson et la guerre, et comment Freya m'avait cru mort quand les larmes se sont mises à couler sur mes joues, inattendues. Je ne ressentais aucun chagrin : cette infernale souffrance d'une poitrine trop pleine – mais une certaine partie de mon cerveau stimulée par le souvenir avait décidé d'activer les canaux lacrymaux. Les Olafson me regardaient, choqués. J'ai dit que tout cela avait été fort triste et j'ai tenté de changer le sujet de conversation, parlant d'un nouveau restaurant qui venait d'ouvrir dans le voisinage. Mais j'ai de nouveau pleuré quand ils sont partis et je ne m'en suis senti que mieux – affaibli et purgé. Je suis rentré à l'intérieur et j'ai contemplé les photos de Freya et de Stella. Freya et Stella. Ma chance : mes années de chance. Je ne peux pas me plaindre : il y a des gens qui n'ont jamais de chance dans leur vie et, durant les années où j'ai aimé Freya et où elle m'a aimé, j'ai baigné dedans. Et puis la malchance est revenue.

C'est tout ce à quoi votre vie se résume en fin de compte : la somme de toutes les chances et malchances que vous avez connues. Tout s'explique par cette simple formule. Additionnez et regardez les tas respectifs. Rien que vous puissiez y faire : personne ne distribue la chance, ne l'alloue à celui-ci ou celui-là, ça arrive, un point c'est tout. Il nous faut souffrir en silence les lois de l'humaine condition, comme dit Montaigne.

Ai passé une demi-heure à contempler, fasciné, la forme de l'eau se déversant de la mare débordante à côté du grand chêne en bordure du pré. Dieu sait comment une grosse pierre a réussi à se loger dans le goulot de sortie et l'eau passe par-dessus, lisse et brillante comme sur un bol à l'envers ou le moyeu d'une roue géante. J'ai trempé un bâton et fait tomber les gouttes sur ce courant sphérique, semant les douces rondeurs de l'eau avec des graines de vif-argent qui disparaissaient instantanément, ne laissant aucune impression sur la surface mordorée.

Travaux importants à La Sapinière, et les suppositions vont bon train dans Sainte-Sabine. Depuis quinze ans et le départ des derniers locataires, la maison était vide – exception faite des gardiens. La Sapinière est une élégante chartreuse à trois kilomètres de chez moi, cachée derrière des murs de pierre d'une hauteur supérieure à celle d'un homme. J'espère que les nouveaux propriétaires ne sont pas des Anglais – la plupart des Brits semble être concentrée autour de Montaigu de Quercy. Il y a un sculpteur de l'autre côté de Sainte-Sabine, un Anglais nommé Carlyle, qui fait des sculptures à partir de vieilles machines agricoles – mais il est encore plus reclus que moi. Quand nos chemins se croisent, au marché ou à la pharmacie, nous faisons semblant de ne pas nous connaître.

Gelée blanche hier, puis un long dégel brumeux, les arbres dans le parc prenant des allures de spectres, de vagues constructions d'aspect artificiel, tandis que le brouillard enveloppe et cache les brindilles et les branches fines, ne laissant visibles que les plus grosses. Une version enfantine des arbres.

Tout au long de la journée une chanson n'a cessé de me trotter dans la tête. Une vieille chanson datant d'avant la guerre. Quelque chose dans cet air le rend obsédant, difficile à oublier.

La vie est courte
la, la, la, la
Nous vieillissons tous
Alors ne sois pas un perdant
la, la, la, la
Danse petit homme
Danse chaque fois que tu peux.

Danse petit homme. C'est ce que je vais faire.

Un ciel figé, blême cet après-midi, s'ouvrant lentement, à mesure que le soir tombait, sur un bleu vif mais brumeux.

La nouvelle châtelaine de La Sapinière est une certaine Mme Dupetit, de Paris, pas moins. Célibataire ? Divorcée ? Elle est seule, semble-t-il, sans enfants, et avec beaucoup, beaucoup d'argent. Les vieux gardiens ont été remerciés et un nouveau couple est venu d'Agen tandis que les travaux de restauration se poursuivent.

Mai. La première impression de l'été. Les pentes sont piquetées de primevères. De gros nuages flemmards se traînent, paresseux, à travers la vallée. Mon mois préféré, la campagne peinte de frais du vert irréel et tout neuf du feuillage sur les arbres. Les abeilles grouillent dans le toit des Cinq Cyprès et meurent par milliers dans les chambres du haut. J'en balaie des pelletées, bien que je laisse les fenêtres ouvertes. Les abeilles deviennent très stupides au moment d'essaimer : elles ignorent la fenêtre ouverte et se cognent en vain sur les vitres des fenêtres fermées jusqu'à tomber sur le sol et y mourir d'épuisement. Elles semblent recouvrer leurs sens et se calmer une fois la ruche construite et la chasse au pollen entamée.

Chaleur terrible aujourd'hui – comme en août – caniculaire, ainsi qu'on dit ici. Mais il n'y a pas de canicule en mai, tout pousse à plein. Tandis qu'en août, quand la végétation est à bout de course et que la nuit commence, peu à peu, à gagner sur le jour, alors la chaleur vous affaiblit et vous déprime, le soleil paraît menaçant, écrasant.

Mais pour l'heure même Bowser cherche un endroit ensoleillé pour dormir. Il gît là, étalé, une patte secouée de petits tremblements

470

alors qu'il chasse en rêve des moutons ou des papillons. Hodge le dépasse à petits pas et le contemple avec une curiosité teintée d'un rien de dédain.

Je me rendais à pied à Sainte-Sabine quand une Mercedes-Benz bleu métallisé s'est arrêtée à ma hauteur. La femme qui était au volant a offert de m'emmener jusqu'au village. Nous nous sommes présentés, mais j'ai compris avant qu'elle ne me dise son nom qu'elle était Mme Dupetit, de La Sapinière. Elle a des cheveux blonds grisonnants et une peau très pâle, presque nordique, et serait une femme séduisante s'il n'y avait pas dans ses traits quelque chose de pincé et de réservé, comme si elle était résolue à nier toute trace en elle de nature sensuelle ou frivole. Elle était vêtue de manière élégante et coûteuse, cheveux ramassés en chignon souple, bijoux discrets, mais précieux, aux doigts et aux poignets. Elle est venue de Paris inspecter les travaux, et espère prendre possession des lieux avant août – il faut que j'aille prendre un verre une fois qu'elle sera installée. Avec joie, ai-je dit. Elle a l'intention de ne passer que l'été ici – peut-être une visite à Pâques. Elle est dans le commerce des antiquités, et possède une petite boutique rue Bonaparte. Oui bien sûr elle connaît Leeping Frères. J'ai expliqué mes vieux liens avec la galerie. Quand je suis descendu de voiture près du bureau de poste, nous étions très bien renseignés l'un sur l'autre. Au Café de France, j'ai été cuisiné à fond par Henri et Marie-Thérèse. L'élégante Mme Dupetit suscite beaucoup de curiosité. Personne n'en sait encore très long sur elle.

Cette année, Lucy paraît vieillie, plus fatiguée. Son amie Molly m'a dit son inquiétude. Elle a fait une mauvaise chute au printemps et a perdu connaissance pendant quelques minutes. Cette chute semble avoir mystérieusement sapé son énergie – l'avoir secouée de manière fondamentale. L'autre jour, elle se trouvait dans mon bureau et cherchait sur les étagères quelque chose à lire. Avisant mes cartons pleins de papiers et de manuscrits, elle m'a demandé ce qui allait leur arriver.
– Leur arriver ?
– Quand tu casseras ta pipe. Tu ne peux pas laisser jeter tout ça. Il doit y avoir un matériel fascinant là-dedans.

— Fascinant pour moi, c'est certain.

— Pourquoi est-ce que je ne te trouverais pas un jeune zélé épris de littérature pour le cataloguer, le classer ?

— Non, merci. Je ne veux pas d'un étranger lisant mes papiers personnels.

Mais elle m'a influencé : j'ai décidé de mettre de l'ordre dans mes affaires.

Relire mes vieux journaux intimes est à la fois une source de révélations et de chocs. Je n'arrive pas à voir de lien entre cet écolier et l'homme que je suis aujourd'hui. Quel type morose, mélancolique, troublé j'étais. Ce n'était pas moi, si ?

L'idée de jugements moraux a priori (« il est mal du point de vue moral de faire souffrir gratuitement ») est totalement acceptable par la vaste majorité des êtres humains. Seuls quelques philosophes ne seraient pas d'accord.

Trois jours de la méchante brume marron, et je suis donc allé consulter le Dr Roisanssac. Trente-cinq ans, beau, l'allure soignée, les cheveux prématurément blanchis. Il m'a examiné des pieds à la tête, prise de tension, palpations, analyses de sang et d'urine. Je lui ai raconté mon accident et il a dit qu'il pouvait m'envoyer à Bordeaux pour un scanner si je le souhaitais. Je lui ai dit que ce n'était vraiment pas dans mes moyens. Non, non, a-t-il rétorqué, c'est gratuit – M. Coin vous emmènera et vous ramènera. Vous n'aurez pas à payer un sou. C'était tentant, mais j'ai dit non : pris d'une étrange réticence à l'idée que mon cerveau soit scanné, quoi que ça implique. Je m'inquiète de ce qu'on pourrait encore me trouver.

Apéritif à La Sapinière. C'est une magnifique maison – XVIIIe siècle, les murs revêtus d'un crépi jaune pâle et des toits mansardés très pointus avec des tuiles en écailles de poisson. Deux petites ailes s'avancent sur les côtés pour encadrer une cour couverte de graviers avec une fontaine. A l'arrière, une terrasse entourée d'une balustrade surplombe un parterre tout juste planté qui sera superbe d'ici deux ans. L'intérieur est encore un peu vide, mais les meubles que Mme Dupetit a disposés ici et là sont à la mesure de l'âge et du style des lieux. Tout cela très sophistiqué, manquant pourtant, à mes yeux, d'un rien d'âme, faisant trop musée : des tapis d'Aubusson sur de vieux parquets brillants, une paire de fauteuils placée à un angle très précis, des tables et des commodes sans la moindre trace de poussière. Seuls les tableaux semblent d'un genre banal : des portraits classiques, des *fêtes champêtres** à la Watteau, des paysages idéalisés et trop vernis. On ne peut pas en critiquer le goût, mais on regrette l'absence de vie dans la maison. J'aurais voulu un grand nu bien en chair au-dessus de la cheminée, ou une table basse en verre et chrome avec des piles de livres et de magazines – quelque chose qui heurte, choque, attire l'œil – quelque chose qui dise qu'un être humain vit ici.

En revanche Mme Dupetit paraît plus détendue dans son domaine et donc plus jolie. Elle avait lâché ses cheveux, portait un pantalon de lin et une blouse blanche. Elle a de la poitrine. Nous avons bu des gin-tonic en mon honneur et elle a fumé une cigarette avec une application qui suggérait que c'était pour elle un plaisir rare et défendu. Quand elle s'est penchée pour l'écraser, le col de sa blouse s'est ouvert un instant et j'ai aperçu les rondeurs et le pli de ses seins maintenus par la bordure en dentelle de son soutien-gorge. J'ai senti cette vieille impression de faiblesse naître à la base de ma colonne vertébrale et je lui en ai été dûment reconnaissant. Avec vingt ans de moins, j'aurais peut-être souhaité que nos courtoisies de bon voisinage nous conduisent plus loin.

Elle s'est montrée fort aimable – peut-être trop – posant sa main sur mon bras, me demandant si elle pouvait m'appeler Logan tandis que je devais l'appeler Gabrielle. Nous serions deux alliés ici à Sainte-Sabine, a-t-elle dit, ajoutant que si j'avais besoin de quoi que ce soit je n'avais qu'à convoquer ses gardiens. Un moment très civilisé sur la terrasse, à regarder le soleil allonger les ombres, les martinets filer et plonger en piqué au-dessus de nos têtes, tout en parlant de Paris. Paris où elle est née, après la guerre. La Sapinière est une vieille propriété de famille qu'elle a rachetée à son frère. J'ai eu le sentiment que M. Dupetit, qui qu'il fût, avait disparu de la circulation depuis longtemps.

Francine a annoncé qu'elle ne voulait plus de visites chez elle, les voisins cancanent sur les allées et venues des visiteurs mâles. Elle serait toutefois très heureuse de me rencontrer dans un hôtel

473

et en a recommandé un aux abords de la ville où elle a, d'évidence, un arrangement avec la direction. Ceci n'est pas dans mes moyens et la nouvelle semble donc sonner la fin de ma vie sexuelle. Francine et sa totale absence de curiosité à mon égard me manqueront. Moi, en revanche, j'ai toujours été très curieux d'elle et je me demande comment cette ménagère d'âge mûr s'est embarquée dans sa carrière de prostituée à mi-temps. Je lui pose des questions, mais elle les esquive toutes.

Consternation à la supérette : froncements de sourcils, hochements de tête, mystérieux chuchotements. Didier Mazeau m'a demandé si j'avais vu ce qui avait été mis sur le mur de La Sapinière. Non, qu'est-ce que c'est ? Vaut mieux que vous alliez jeter un œil, a conseillé Didier – moi, j'en dis pas plus. J'ai donc fait un détour avec ma Mobylette pour passer devant. Et là, à droite du portail, encastrée dans le mur, se trouvait une plaque en pierre avec l'inscription suivante gravée : « A la mémoire de Benoît Verdel (1916 – 1971) dit "Raoul", commandant du groupe de la Résistance "Renard", qui libéra Sainte-Sabine du joug allemand le 6 juin 1944. » Ainsi, certaines choses deviennent claires : une propriété de famille ; le père de Gabrielle un combattant de l'ombre, voire un héros local. Comment se fait-il que personne dans Sainte-Sabine n'ai rien su de ce lien, et pourquoi Didier Mazeau s'est-il montré si sombrement circonspect ?

« Solide comme un roc. » C'est la phrase dont se servait mon père pour décrire de la viande congelée à la perfection. Peux pas m'expliquer pourquoi elle me vient soudain en tête. Je n'ai pas pensé à lui depuis des années et tandis que je me le remémore, et me rappelle son sourire triste et bienveillant, je sens mes canaux lacrymaux me picoter, automatiquement.

Gabrielle ici pour prendre un verre. Je dois avouer que la compagnie des femmes me manque. Rien ne se passera entre nous, mais respirer son parfum, la regarder se renfoncer dans le fauteuil et croiser les jambes, me pencher en avant et tenir une allumette devant sa cigarette, sentir la pression de ses doigts sur le dos de ma main qu'elle guide, tout cela me procure une intense impression de plaisir charnel. J'infuse sa présence ici dans ma maison avec autant d'érotisme tendre et réprimé que je l'ose sans être impoli. Je lui ai fait faire le tour du propriétaire et elle a repéré le petit dessin de Picasso sur le mur de mon bureau. Je lui ai raconté son histoire et elle a été, je crois, très étonnée d'apprendre que je l'avais connu. Elle a regardé les piles de livres et les cartons remplis de papiers et m'a demandé sur quoi je travaillais, et je lui ai donc un peu parlé d'*Octet*.

Puis je lui ai dit que j'avais vu la plaque sur le mur et elle m'en a expliqué la signification. Son père a été dans la Résistance pendant la guerre mais elle ne l'a su qu'après sa mort. Sa mère lui a raconté les quelques faits connus : son nom de code, qu'il avait dirigé dans le Lot un groupe baptisé « Renard » et que ses ordres le jour de l'invasion avaient été de libérer Sainte-Sabine et d'établir des barrages sur des routes et des ponts stratégiques dans la région. D'après les récits qu'elle avait lus sur la Résistance, elle savait aussi que les autres tâches de ces groupes consistaient à réunir et à arrêter les collaborateurs et sympathisants nazis. Après la guerre, son père avait acheté La Sapinière, mais peu après ses affaires l'avaient conduit à l'étranger et sa famille avait déménagé à Paris où elle était née, ainsi que son frère six ans après. « Il est tout à fait possible que j'aie été conçue à La Sapinière, a-t-elle ajouté en riant. Et après la mort de mon père, quand nous avons découvert que nous avions encore cette propriété, la famille a pensé que la meilleure solution était de la louer. » Puis elle a fait allusion à ses propres difficultés conjugales et, « une fois qu'elles ont été réglées », ayant décidé qu'elle avait besoin d'un changement de vie significatif, elle a songé que restaurer la maison et célébrer ce qu'il avait fait pour Sainte-Sabine serait un geste approprié à la mémoire de son père. Il ne parlait jamais de la guerre ? ai-je demandé. Jamais, a-t-elle répondu. Même sa mère savait très peu de chose – elle avait rencontré son père en 1946 et, un an après, ils étaient installés à Paris. Il faut comprendre, a-t-elle ajouté, que pour les hommes de la génération de son père, la Libération, aussi vivement qu'on l'ait souhaitée, a provoqué également un énorme traumatisme : pour vaincre les Allemands on a souvent été obligé de se battre contre des Français, et, une fois la guerre terminée, s'est posé le problème de la justice et du châtiment. Il n'était pas facile de vivre avec le souvenir de ce qu'il avait vu et de ce que, peut-être, il avait été obligé de faire. Mieux valait se taire.

Énorme tempête cette nuit. En sortant le matin j'ai trouvé le sol détrempé mais l'air paraissait tout frais, tout propre, tout purifié.

Milau-Plage. Hôtel des Dunes. Un brusque désir d'océan m'a amené ici, au sud de Mimizan, sur la côte Atlantique. Ce petit hôtel est adossé aux dunes et fait face à une anse façon lac d'eau salée alimenté par la marée, l'étang de Milau. Six chambres à l'étage au-dessus du restaurant, Chez Yvette, où on repousse les portes coulissantes l'été pour placer des tables sur un rectangle de plancher à l'ombre d'une vigne épaisse.

Milau-Plage est une petite station balnéaire juste assez éloignée des centres majeurs de population pour demeurer intacte et sans prétention. Du côté de l'*étang**, un vieux *quartier des pêcheurs** offre ses cabanes de couleurs vives, avec tout autour deux rues bordées de bars et de boutiques, la ville entière dominée par son grand phare à rayures rouges et blanches. On laisse les artères abritées de la ville et on grimpe par-dessus les dunes pour découvrir les immenses plages de sable de la côte ouest de France. Ici et là des bunkers de béton et des emplacements de canons du mur de l'Atlantique de Hitler s'écroulent et glissent lentement le long des dunes érodées jusqu'à l'océan. La vie de la plage tourne autour d'une école de surf et deux ou trois éventaires débitant des boissons et des sandwiches.

Yannick Lefrère-Brunot m'a recommandé Milau-Plage quand je lui ai parlé de mon désir pressant de me retrouver au bord de la mer une fois de plus – à condition que je n'en souffle mot à personne. Il m'a aussi enjoint d'informer Yvette Pelegris, la propriétaire de l'hôtel, que j'étais un de ses amis. Ce qui a fait une petite différence à son accueil, je pense. Yvette est une femme bien en chair, au visage dur avec des cheveux roux vif qui sait qu'elle dirige le meilleur restaurant de ce bout de côte. Elle a donc augmenté ses prix de façon à décourager les jeunes et les petits vacanciers, et sa clientèle est soit riche, soit âgée, soit les deux. J'ai eu une bonne année avec mes locations de la maisonnette et je me suis dit que je méritais une petite gâterie. J'ai réservé ici d'abord pour une semaine mais j'ai déjà resigné pour une autre. Je dors bien et je prends un petit déjeuner tardif sur la terrasse. Puis je me balade en ville, j'achète un journal et, au déjeuner, je coupe à travers les dunes jusqu'à la plage où j'achète une bière et un sandwich à l'un ou l'autre des éventaires. Dîner à vingt heures sonnantes Chez Yvette : huîtres quoi qu'il arrive, poisson grillé, *tarte du jour*, et une bouteille de vin. Le vin pourrait être meilleur et j'ai donc demandé à Yvette si elle ne voyait pas d'inconvénient à ce que j'apporte le mien – pas de problème, a-t-elle dit, du moment que j'acceptais de payer un petit supplément.

Ainsi, installé à présent à la plage, dans un cercle d'ombre devant un éventaire, une bière à la main et un livre sur mes genoux, je regarde les gens aller et venir, et j'écoute les grondements et les sifflements des rouleaux tandis qu'ils se creusent, s'aplatissent et explosent sur le sable. Je dois venir ici chaque année, pendant que j'en ai les moyens et la force – c'est bon pour l'âme, quelques jours de ce genre.

Je venais de trouver une jolie solution à un saut dans le temps dans *Octet*, l'heure du déjeuner approchait et j'avais tout juste ouvert une bouteille de vin quand Gabrielle a téléphoné[1]. Elle paraissait très tendue et m'a demandé si je pouvais venir sur-le-champ. J'ai donc sauté sur ma Mobylette et j'ai pris la direction de La Sapinière. Gabrielle était debout sur la route près du portail. Elle fumait. Nous nous sommes dit bonjour sans nous embrasser – elle s'est contentée de me désigner du doigt le mur, sans un mot. La plaque, démolie à grands coups, comme attaquée par une pioche laissant cinq ou six entailles profondes dans la pierre, était fichue. Gabrielle, les yeux rougis par des larmes de colère, tremblait de fureur réprimée. « Quelle sorte de gens est capable de faire ça, Logan ? » s'écria-t-elle en anglais comme si son français ne devait pas être entaché par un commentaire sur ce triste petit outrage. Avait-elle appelé les gendarmes ? Bien entendu. Que pouvaient-ils faire ? Rien. Des gosses, des vandales – ils voient une chose neuve, ils veulent la détruire. Puis elle s'est mise à pleurer, ce qui était très bouleversant, j'ai passé mon bras autour d'elle et je l'ai raccompagnée chez elle. Je suis resté déjeuner et elle s'est peu à peu reprise, a fait des plans pour remplacer la plaque, peut-être que du métal serait mieux. J'ai applaudi à l'idée.

---

1. Ceci place cette entrée à l'été 1987. Le téléphone de LMS avait été installé en mars.

Voici une sombre pensée pour une sombre nuit : nous souhaitons tous connaître une mort soudaine, mais nous savons que nous n'en aurons pas tous une. Et notre fin sera donc notre occasion ultime de chance ou de malchance – l'ajout final aux petits tas respectifs. Mais, cela me frappe à présent, alors que je me demande comment je partirai, la nature offre une forme de consolation. Plus notre mort s'étire, plus elle est pénible et sans dignité, plus nous l'appelons de nos vœux – nous ne pouvons plus attendre que la vie se termine, nous sommes pressés, pressés de connaître l'oubli. Mais est-ce là vraiment une consolation ? Quand on est relativement en bonne forme et qu'on se sent bien, on a envie de rester le plus longtemps possible, on a peur de la mort et on la répudie. Est-il mieux de désirer intensément la fin ?... Maintenant, à quatre-vingt ans et quelques – édenté, claudicant, le brouillard marron s'abattant de temps à autre, mais autrement me portant aussi bien que je peux m'y attendre –, je me retrouve en train de demander à l'univers de m'accorder encore un peu de chance. Une sortie rapide, s'il vous plaît. Éteignez simplement les lumières.

Aujourd'hui, j'ai soudain pensé à Dick Hodge et je me suis rappelé un petit conseil de comportement social qu'il m'avait donné au cas où je me retrouverais dans un dîner sans avoir rien à dire. C'est d'une simplicité incroyable, prétendait-il : si tu veux entamer une conversation, débite simplement des mensonges. Dis à la dame sur ta droite : « Je souffre de terribles insomnies, comment dormez-vous ? » Ou bien confesse que l'ex-mari de ta femme a menacé de te tuer. Ou que tu as été agressé la semaine passée. Ça marche toujours. Raconte que tu connaissais une des victimes d'une récente catastrophe aérienne ou que tu as entendu dire qu'un membre de la famille royale allait se convertir à l'islam. La plupart des conversations de dîner sont tellement assommantes que tu es certain d'avoir une audience captive pour tout le reste de la soirée. Ça ne rate jamais, assurait-il.

Intéressant d'observer le relatif manque de sympathie pour Gabrielle qu'a suscité dans Sainte-Sabine le saccage du mémorial de son père. Norbert hausse les épaules – *les jeunes**. Didier et

Lucette font remarquer que ces choses arrivent. Seul Jean-Robert dit que peut-être quelqu'un avait un grief contre le père. Jean-Robert n'est venu à Sainte-Sabine que dans les années cinquante et ne sait donc rien des années de guerre mais, au moyen d'une série d'inflexions éloquentes dans sa voix et de petites grimaces, il réussit à suggérer que Sainte-Sabine a pas mal de sinistres secrets à révéler. Il a entendu quelques rumeurs : « Certaines personnes, les hommes âgés... » Il ne s'avancera pas davantage.

C'est ainsi que je me trouve, le jour de marché suivant, au milieu des vieux habitants en train de bavarder. 1940 à 1944 – n'importe qui, ou presque, passé la soixantaine, pourrait parler de la vie de Sainte-Sabine sous l'Occupation. Je connais bien certains de ces hommes, mais j'hésite beaucoup à amener ce sujet sur le tapis – je ne veux pas soulever une pierre et découvrir le genre de créatures étiolées et terrifiées qui pourraient grouiller dessous.

J'en ai parlé à Lucien. Il a fourré ses mains dans ses poches et a contemplé fixement le sol.

– C'est dommage, ai-je déclaré. C'est une femme tout à fait charmante. Elle est très bouleversée.

– Bien sûr, a répliqué Lucien. Mais avait-elle la permission ?

– La permission de quoi ?

– La permission, pour commencer, de mettre cette plaque commémorative.

– Elle est chez elle, elle peut faire ce qu'elle veut. Elle n'a pas besoin d'une permission pour honorer son père.

Lucien m'a regardé droit dans les yeux.

– D'après mon expérience, quand on est un étranger, il vaut toujours mieux demander la permission.

Puis il m'a souri, de toutes ses belles dents argentées, et m'a invité à dîner.

Les hivers ici sont à leur manière presque aussi enchanteurs que l'été. Dès que je me lève le matin, je viens édifier un nouveau feu sur les braises de celui de la veille. Je dispose une poignée de *sarments**, un peu de petit bois, puis quelques bons coups de soufflet et c'est parti. Une fois les flammes hautes, je pose deux bûches fendues contre la plaque de cheminée. Hodge et Bowser aiment bien me regarder faire et dès qu'ils constatent que ça démarre, ils s'en vont, comme si les flammes étaient le signal que la journée a le droit de commencer. Nous avons de grosses gelées ici qui peuvent durer des jours entiers – le paysage devient aussi blanc et glacé que s'il avait neigé.

L'hiver révèle l'organisation musculaire massive et complexe du vieux chêne. Comme un vieil homme dépouillé de son costume sur mesure du meilleur faiseur – pas moins impressionnant dans sa nudité mûre.

La semaine dernière, Gabrielle a fait encastrer dans son mur une nouvelle plaque – en métal gravé – qui, ce matin, a été profanée avec du goudron et de l'acide. Elle pleurait comme une fontaine quand je suis arrivé pour lui proposer d'aller voir le maire de sa part. Elle m'en a été très reconnaissante et j'ai pris rendez-vous avec Yannick Lefrère-Brunot mercredi.

Je me rends compte, et bien que cela ne me concerne pas directement, que je suis presque aussi atteint par ces événements que Gabrielle. Je sais qu'aucune communauté n'est parfaite, mais ces attaques sur la plaque commémorative de Gabrielle dévoilent un autre aspect de Sainte-Sabine que je trouve très troublant. A l'évidence, le village possède un secret sinistre et honteux que Benoît Verdel a dû contribuer à révéler – et peut-être à punir – en 1944, et, à l'évidence encore, le ressentiment est toujours là, amer. J'ai l'impression d'être sur le point d'attaquer amis et famille : je ne tiens pas à savoir ce qui s'est passé mais il semble que je n'aie pas le choix.

Ma conversation avec Yannick Lefrère-Brunot n'a pas été très satisfaisante. Il m'a offert un verre que j'ai refusé – je tenais à ce que notre entretien garde un côté formel, officiel. Je lui ai demandé s'il avait une idée de celui qui avait endommagé la plaque de Mme Dupetit et il a répondu qu'il n'en avait pas la moindre – des vandales, peut-être ? J'ai dit que je ne le croyais pas, que j'étais certain que tout le monde dans le village savait qui était responsable mais le protégeait. J'ai mentionné le mot de « collaborateur » et il a secoué la tête d'un air las.

YLB : Puis-je vous donner un conseil, monsieur Mountstuart ?

LMS : Je ne peux pas vous en empêcher.

YLB : Laissez tomber. Ça ne vous concerne pas. Vous êtes très aimé ici. Je vous en prie, ne vous impliquez pas davantage dans cette affaire. Elle se résoudra d'elle-même.

LMS : Typique. Mais vous avez tort : il faut prendre ses responsabilités dans la vie. Ça ne sert à rien de tourner le dos.

Il m'a de nouveau pressé de laisser tomber l'affaire avec une douce véhémence qui n'a fait qu'accroître mes soupçons. Je lui ai rappelé ma profession et suggéré – avec un rien de vanité, je l'avoue – que c'était là le genre d'histoire qu'un écrivain pouvait facilement propager et embellir.

Yannick Lefrère-Brunot a paru sincèrement peiné et mécontent du cours qu'avait pris notre conversation et m'a répété avec insistance de pas m'avancer ainsi, il n'y avait nul besoin d'en faire un livre, une telle mesure serait hors de proportion. J'ai vu en son attitude tous les minables et honteux compromis de la vie politique, aussi modeste et limitée soit-elle. Quelqu'un, avec du pouvoir et de l'influence, est derrière tout ceci, et Y. L.-B. est totalement coincé au milieu. Même lui n'ose pas prendre le risque d'exposer les secrets de guerre de Sainte-Sabine en dépit du fait qu'il appartient à une génération non touchée par cette période.

En sortant de la mairie, et alors que je traversais le village, j'ai senti tous les regards posés sur moi, comme si je vivais en Sicile, impliqué dans une sombre histoire de meurtres et de mensonges mafieux et de serments éternels d'*omerta*. Pour la première fois depuis mon arrivée ici, j'ai songé à m'en aller.

Des couchers de soleil éblouissants, ravissants, gâtés en altitude par les sillages vaporeux parfaitement horizontaux des supersoniques.

Gabrielle et moi établissons notre plan. La plaque sera nettoyée, restaurée et replacée avec aussi peu d'ostentation que possible. Puis, le soir, après qu'elle aura été réinsérée dans le mur, je me cacherai dans le petit bois en face du portail et j'observerai les allées et venues. Gabrielle proteste. Je vois bien ce qu'elle pense : vous êtes bien trop vieux pour tout ça – mais je refuse d'entendre. Entre minuit et deux heures du matin, ça devrait suffire. Je suis certain que nous mettrons la main sur les coupables – et puis alors quoi ?

Cet après-midi, j'ai déniché un poste d'observation idéal derrière un épais massif de mûriers sauvages d'où j'ai une bonne vue sur le portail, à dix mètres environ de l'autre côté de la route. J'ai étalé un tapis de sol en plastique et caché une demi-bouteille de cognac sous un arbre abattu. A cette époque de l'année[1], il fait nuit vers 21 h 30 ou vingt-deux heures, et la température minimale est prévue à huit ou neuf degrés. Je m'emmitouflerai bien.

La première nuit : rien à signaler. En fait, j'ai trouvé plutôt magique de me trouver dans les bois après minuit. Il faisait froid, mais je me suis réchauffé avec de temps à autre quelques petites gorgées brûlantes de cognac. Je n'ai ressenti aucune fatigue : l'adrénaline m'a gardé en éveil et sur le qui-vive. En guise d'armement – rudimentaire –, je m'étais muni du pique-feu de la maison – non que j'eusse l'intention d'en user mais néanmoins c'était plus rassurant. Le bois grouillait de mouvements – craquements, bruissements – et, un instant, j'ai été convaincu que quelqu'un marchait quelque part derrière moi. J'ai senti qu'un être d'une certaine corpulence écartait les branches et s'avançait dans le sous-bois, mais j'ai compris au bout d'un moment qu'il devait s'agir d'un cerf. Entre minuit et deux heures, j'ai compté sept voitures et deux motos, et la dernière demi-heure a été d'un calme mortel. Je sentais mon vieux cœur sauter d'excitation chaque fois que je voyais les phares d'une voiture balayer les arbres. Je me suis rappelé les circonstances dans lesquelles j'avais connu les mêmes affres : mon parachutage nocturne sur la Suisse en 44, quelques mois avant que Benoît Verdel libère Sainte-Sabine.

A mon retour à la maison, Bowser et Hodge m'attendaient dans l'entrée – agités et irrités par mon comportement pas catholique. Hodge a refusé de se laisser caresser tant il était de mauvaise humeur.

J'ai téléphoné à Gabrielle pour lui faire mon rapport. Une fois de plus, elle m'a demandé d'abandonner : Logan, je vous en prie, peu

---

1. Septembre ?

m'importe ce qu'ils font – je continuerai à la remplacer, ils se fatigueront de leur petit jeu. J'ai dit que je m'arrêterais d'ici quelques nuits. Je pense que mon indignation est exacerbée par l'affection que j'ai pour cet endroit dont j'ai fait mon pays, ma maison – je ne peux pas croire qu'un petit cancer de dépit et de vindicte puisse corrompre ainsi notre communauté, une communauté aussi tolérante, généreuse et patiente. Je veux savoir qui, à Sainte-Sabine, a si honte du passé qu'il (ou elle) s'acharne à souiller symboliquement le nom d'un brave homme. Nous verrons.

Deuxième nuit. Un peu plus froide avec un vent léger qui a déclenché un chuintement et un mouvement incessant dans les cimes des arbres. Quatre voitures et une camionnette blanche. J'ai terminé mon cognac. Bowser et Hodge n'ont pas daigné m'accueillir à mon retour.

Déjeuné avec Gabrielle. Elle possède une sorte de beauté mélancolique, avec son visage allongé et sa peau d'une parfaite blancheur. Je ne sais pas comment le sujet est venu sur le tapis, mais elle m'en a dit un peu plus sur son mariage. Gilles Dupetit était plus âgé qu'elle, avait été déjà marié deux fois et, selon son expression, « il était intellectuellement incapable de fidélité ». Le mariage avait été bref et elle avait résolu de ne jamais se remettre dans une situation où elle pourrait être de nouveau blessée de cette manière. C'est pourquoi elle est tellement bouleversée par cette nouvelle angoisse que Sainte-Sabine lui inflige. Je l'ai gentiment taquinée, en lui rappelant qu'on ne peut conclure ces pactes unilatéraux avec la vie. On ne peut pas décréter : ça y est, mes sentiments sont sous verrou, bien à l'abri, désormais je suis imprenable, protégée des cruautés et des déceptions du monde. Mieux vaut les prendre de front, quoi qu'il doive arriver, ai-je dit, découvrir la force que vous avez en vous. Me suis-je mépris mais, quand nous nous sommes fait la bise au moment de mon départ, la pression de sa joue contre la mienne n'a-t-elle pas été juste un peu plus ferme ? Suis-je en train de tomber un rien amoureux de Gabrielle Dupetit ? J'essaye de l'imaginer nue – ce corps pâle, ces seins doux… Espèce de vieux fou, Mountstuart, vieux fou, va !

483

C'est arrivé juste après une heure du matin. Je commençais à succomber à la fatigue – me coucher si tard trois nuits d'affilée, c'est trop pour moi, et je sentais mon corps se raidir en manière de protestation. Soudain, j'ai vu un éclat de phares venant d'une voiture qui se déplaçait avec une lenteur inhabituelle. Puis elle s'est immobilisée et un moteur diesel a continué à tourner à l'arrêt pendant quelques secondes avant qu'on le coupe et qu'on éteigne les phares. Bientôt, j'ai entendu un murmure de voix et un bruit de pas en direction du portail. Il ne faisait pas nuit noire – le clair de lune était suffisant pour projeter des ombres légères. J'ai vu deux hommes avancer sur la route, dont l'un trimballait un objet encombrant. Le premier a pris position au milieu de la chaussée, pour surveiller la venue de voitures tandis que le second s'approchait de la plaque. Trop tard, j'ai compris ce qu'il allait faire mais je me suis mis debout, pique-feu à la main, et j'ai surgi de mes buissons, en allumant ma torche et en criant : « Ça y est ! Je vous ai ! Arrêtez ce que vous faites ! J'appelle la police ! »

Le type sur la route a commencé à s'avancer vers moi d'un air menaçant mais celui à côté de la plaque a dit : « Arrête. Laisse-le. » J'ai braqué ma lampe électrique sur son visage – je pensais avoir reconnu la voix. C'était Lucien Gorce, mon voisin et ami. Il venait de peindre une croix gammée noire sur le mémorial de Benoît Verdel.

Mémorandum sur Benoît Verdel[1]

Benoît Verdel déserta de l'armée française en octobre 1939 et rallia le monde de la pègre à Paris où, avec un certain M. Valentin M., il participa à le gestion d'un bordel dans le Ier arrondissement. A l'été, au moment où les armées allemandes approchaient de Paris, Verdel se joignit aux dizaines de réfugiés fuyant vers le Sud, où il avait l'intention de gagner Bordeaux puis la frontière espagnole. En l'occurrence, il n'alla pas plus loin que Villeneuve-sur-Lot et, un peu plus tard, s'installa à Sainte-Sabine où il travailla un temps comme ouvrier agricole. Avec la France coupée en deux et les Allemands bien ancrés au Nord, il n'y avait plus guère nécessité de fuir

---

1. Compilé avec des articles de journaux et le compte rendu du procès de Benoît Verdel (note de LMS).

et Verdel décida de ne pas bouger – et aussi de renouer avec son ancienne profession. Il loua un pavillon à Sainte-Sabine et y ouvrit une maison de tolérance avec quatre prostituées recrutées à Agen et à Toulouse. Elle fut fermée sur l'ordre du maire de Sainte-Sabine, Léon Gorce, avec l'appui d'autres dignitaires locaux – le curé (M. Lassèque) et le médecin (Dr Belhomme). Verdel fut expulsé du village et les filles retournèrent dans leurs villes d'origine respectives.

On n'entendit plus parler de Verdel jusqu'au 6 juin 1944 quand, arrivant sur la place principale de Sainte-Sabine avec six hommes en armes, il déclara le village libéré sur les ordres du général de Gaulle et sous le commandement et le contrôle du groupe « Renard ». Le maire, M. Gorce, le curé, le père Lassèque et le Dr Belhomme furent arrêtés sur présomption de collaboration avec les puissances occupantes allemandes et emmenés dans une ferme à quelques kilomètres de là pour y être interrogés. Au cours de la nuit du 7 juin, tous trois furent exécutés d'une balle dans la tête et enterrés dans un bois voisin.

Dans la confusion des derniers mois de la guerre, Verdel dirigea en fait Sainte-Sabine comme son fief personnel. L'évidence de son absence de scrupules lui assura l'obéissance et le silence de la population. Verdel utilisa son pouvoir et sa force pour s'enrichir et il acheta une belle propriété non loin du village, La Sapinière, où, en 1946, il s'installa avec sa jeune épouse.

Mais, en 1947, une plainte pour meurtre fut déposée par les sœurs du Dr Belhomme contre Verdel, qui fut arrêté et incarcéré à Bordeaux dans l'attente de son procès. Un procès qui se déroula devant un tribunal militaire, dura une semaine et dont la presse locale se fit largement l'écho. Le détail des exploits du groupe « Renard » demeurait vague, mais la défense de Verdel fut catégorique : les trois hommes avaient été des collaborateurs et les ordres donnés par de Gaulle avant le débarquement encourageaient les *maquisards** à n'épargner aucun effort pour amener devant la justice tous ceux qui avaient apporté leur aide aux Allemands. Ce qu'il avait fait à Sainte-Sabine s'était produit partout en France – il n'avait fait qu'obéir aux ordres. Verdel fut déclaré coupable et condamné à huit ans de prison, dont il ne fit que cinq avant d'être libéré pour bonne conduite.

Il ne revint jamais à Sainte-Sabine et, à sa sortie de prison, rejoignit sa famille à Paris où, au cours des années qui suivirent, il monta une florissante affaire d'import-export. Il mourut, riche, en 1971.

L'autre homme qui accompagnait Lucien Gorce ce soir-là était un neveu du Dr Belhomme. Tous deux me ramenèrent chez moi et me racontèrent les dessous de l'histoire Verdel. Sur les conseils de Lucien, je suis allé à Bordeaux où j'ai passé une journée dans les archives du journal *Sud-Ouest*. J'ai écrit un compte rendu du procès et l'ai donné, avec un immense regret, à Gabrielle. Je ne suis pas resté pour observer sa réaction.

Mais, le lendemain, la plaque avait été enlevée et peu après, en passant devant la maison, j'ai vu qu'elle avait été fermée. Les gardiens m'ont dit qu'ils n'avaient pas la moindre idée de la date à laquelle Mme Dupetit avait l'intention de revenir. J'ai écrit à Gabrielle pour lui confirmer combien j'avais été désolé d'être celui qui avait dû lui raconter la véritable histoire de son père, mais que la vérité sur Benoît Verdel ne devrait avoir aucune influence sur nos relations personnelles. Jusqu'ici, elle n'a pas répondu.

Je suis aussi allé voir Yannick Lefrère-Brunot et je me suis excusé pour ma présomption et mon caractère impulsif. Il s'est montré fort gentil et a déclaré que, en ce qui le concernait, l'affaire était close. Mais, à mesure que les jours passent, j'éprouve moi-même une pointe brûlante de honte – honte de ne pas avoir fait confiance à mon instinct et d'avoir supposé méchanceté et vénalité chez ces gens qui se sont montrés si cordiaux et si accueillants à mon égard. Dieu sait quels mensonges Verdel a pu inventer à l'intention de sa famille quant à sa vie durant la guerre. Sa femme doit s'être faite complice du mythe, lui permettant de transformer pour ses enfants sa condamnation en une période de recherche de fortune à l'étranger. Et Gabrielle aussi a fait de son père un héros modeste, réservé et traumatisé par ses expériences. Et pourtant il a à peine été puni pour les meurtres qu'il a commis et pour le règne de terreur et d'extorsion qu'il avait établi à Sainte-Sabine. Je comprends l'énorme insulte que la plaque commémorative de Gabrielle aurait infligée à un être tel que Lucien Gorce. Je lui ai présenté mes excuses à lui aussi. Il n'y a pas pire imbécile qu'un vieil imbécile, ai-je dit. Lucien m'a pardonné et m'a servi un petit verre d'eau-de-vie de sa fabrication – elle m'a glissé dans la gorge comme de la pierre ponce fondue. Puis il a dit : il y a des choses dans la vie que nous ne comprenons pas et quand nous y sommes confrontés, tout ce que nous pouvons faire, c'est de ne pas y toucher. Ça paraît raisonnable.

Milau-Plage. Hôtel des Dunes. Je suis venu plus tard cette année et l'endroit est plus calme, la plage virtuellement vide pendant la semaine, même quand le soleil brille. Je passe trop de mon temps, le plus souvent, à ressasser mon aberration à propos de Gabrielle et de la plaque dédiée à son père. Je lui ai encore écrit et je n'ai toujours pas eu de réponse. Je lis Montaigne pour me consoler. Je pense que je peux me pardonner et je pense que Gabrielle Dupetit a été le dernier amour (non partagé) de ma vie. J'ai voulu être le chevalier errant et dévoiler le mal et l'hypocrisie. Au moins, ça a l'air d'une folie de jeune homme plutôt que celle d'un vieillard sénile.

Des tempêtes menacent. Énormes enclumes de nuages au nord : allant d'un blanc brillant éblouissant à leur sommet à un gris-pourpre sombre et blessé, en passant par du gris souris et du bleu marbré.

Les plaisirs de ma vie sont simples – simples, peu coûteux et démocratiques. Un beau monticule rouge vif de tomates de Marmande sur un éventaire dans la rue. Une bière glacée servie à une table sur le trottoir du Café de France – tandis qu'à l'intérieur Marie-Thérèse me prépare un sandwich au camembert. Le croûton d'une baguette de pain tout frais que je croque en revenant de Sainte-Sabine. L'odeur farineuse de la poussière blanche soulevée dans l'allée par la brise. Un coucou qui chante dans le parfait silence au-delà du pré. Les immenses gris, cerise, rose, orange et bleu délavé d'un coucher de soleil vu de ma terrasse. Le crissement des cigales à midi, le ton doux des grillons quand vient lentement le crépuscule. Un bon livre, un hamac et une bouteille de *blanc sec** perlée de fraîcheur. Un vin rouge rugueux et un steak frites. Le silence frais, sombre, clos de ma chambre – et, alors que je m'endors, la perspective que tout ceci sera de nouveau à ma disposition, inchangé, demain.

Lundi, je suis allé dans la grange chercher des bûches. J'aurais dû utiliser la brouette mais non, je me suis chargé d'une bonne brassée de bois. Je me penchais pour m'emparer juste d'une dernière bûche quand j'ai senti une douleur électrique empaler mon flanc droit, comme si mon aisselle avait été traversée par une épée émoussée à la lame en dents de scie. La douleur est descendue le long de mon bras, attaquant ma main et mes doigts à coups d'aiguilles pointues. J'ai laissé tomber les bûches, je me suis reculé contre le mur, j'ai senti ma vue s'assombrir et j'ai entendu un son curieux, un murmure dans mes oreilles comme celui d'une congrégation agitée. Puis la douleur a diminué et mes doigts ont retrouvé leurs sensations.

Le Dr Roisanssac a déclaré que j'avais eu une petite crise cardiaque. Il m'a expédié à Agen pour des examens de contrôle et j'ai passé deux jours là-bas dans une chambre privée (gratuite) à être mesuré et vérifié par une interminable succession de médecins. Tout semble être revenu plus ou moins à la normale. Les médecins ont dit qu'un homme de mon âge ne pouvait guère faire plus qu'éviter tout effort mental ou physique indu. Je ne fumais plus, mon régime alimentaire était convenable, je n'étais pas obèse mais il n'y avait pas d'opération viable qu'ils puissent proposer et qui – à mon âge, nous y revoilà – améliorerait mon état. Prudence devait désormais être mon maître mot. Norbert m'a donc reconduit à Sainte-Sabine, et ma nouvelle vie de prudence et de doucement-doucement a commencé.

En vieillissant, tout ce que demandait Montaigne c'était un vieil âge exempt de sénilité – il était prêt à s'accommoder de la souffrance, de la douleur et d'une mauvaise santé générale. Ce qu'il fit, en subissant l'horrible torture de calculs biliaires au cours de ses dernières années. La souffrance ne lui posait pas de problème tant que son esprit était lucide. J'ai toujours pensé que ce serait mon cerveau qui m'emporterait, héritage morbide de ma rencontre avec cette camionnette en excès de vitesse, mais il semble plus probable que ce sera mon cœur.

Le Dr Roisanssac m'a annoncé cela lors de mon dernier examen : regardez-vous dans la glace, m'a-t-il dit, ce n'est pas le même visage que vous aviez à dix-huit ou vingt-cinq ou trente-deux ans. Regardez les rides et les plis. Regardez le manque de souplesse. Vos cheveux tombent (« Et mes dents aussi », ai-je ajouté). Vous reconnaissez encore ce visage, c'est toujours vous, mais il a vécu longtemps et il montre les signes de cette longue vie. Pensez à votre vieux cœur comme à votre vieux visage. Votre cœur ne ressemble plus à l'organe de vos dix-huit ans. Imaginez-vous que tout ce qui est arrivé à votre visage au cours des années est arrivé aussi à votre cœur. Alors ménagez-le.

Le vert printanier tout neuf des ormeaux. Freux (et pies), les plus nerveusement prudents des oiseaux. J'ouvre ma porte d'entrée et, à huit cents mètres de là, ils s'envolent dans une agitation affolée, les freux croassant alarme, alarme.

Je suis entré ce matin et j'ai compris tout de suite que quelque chose clochait. Hodge était assise sur la cheminée, immobile. Elle n'a jamais grimpé là-haut mais on aurait dit qu'elle souhaitait être aussi loin que possible du sol. Bowser dormait encore dans son panier. « Lève-toi, espèce de vieille fripouille flemmarde », j'ai dit en m'approchant pour le secouer. Mais il était mort, bien sûr, je n'ai même pas eu besoin de le toucher pour le savoir.

J'ai été pris d'une forme de chagrin si intense et si pure que j'ai pensé que j'allais en mourir. J'ai hurlé comme un bébé avec mon chien dans mes bras. Puis je l'ai déposé dans une caisse de vin vide, je l'ai emporté dans le jardin et je l'ai enterré sous un cerisier.

Ce n'est qu'un vieux chien, je me répète, et il a vécu une vie de chien, pleine et heureuse. Mais ce qui me remplit d'une ineffable tristesse, c'est que, lui mort, l'amour aussi a disparu de ma vie. Ça peut paraître stupide mais je l'aimais et je sais qu'il m'aimait aussi. Ce qui signifie qu'il y avait dans ma vie un échange d'amour mutuel sans complication et je trouve difficile d'admettre que c'est fini. Écoutez-moi bredouiller, mais c'est vrai, c'est vrai. Et, en même temps, je sais qu'une partie de mon chagrin n'est que de l'apitoiement sur moi-même déguisé. J'avais besoin de cet échange, et je m'inquiète de la manière dont je vais pouvoir m'en passer et comment, si c'est possible, le remplacer – si seulement c'était aussi facile que d'acheter un autre chien. Je me plains très fort moi-même, c'est ça le chagrin.

Hôtel des Dunes. Milau-Plage. J'ai déjeuné à l'hôtel aujourd'hui : une demi-douzaine d'huîtres, turbot, tarte au citron. J'ai bu les deux tiers d'une bouteille de sancerre, puis j'ai somnolé sur mon lit pendant une heure environ avant de rassembler mon carnet de notes, ma canne et mon panama, et de prendre lentement le sentier en caillebotis pour rejoindre la plage à travers les dunes.

Il y a de l'animation, mais pas comme en pleine saison. Je me plante à ma table, commande une bière (comment s'appelle donc la fille qui s'occupe de ce bar ?) et regarde les gens aller et venir. Plus tard, quand le soleil est un peu moins chaud, je pars faire une petite promenade.

Je marche parmi les vacanciers et les familles, notant tous les types disparates que l'*Homo sapiens* réussit à produire. Il y a autant de versions du corps humain de base – tête, torse, deux bras, deux jambes – qu'il y en a du visage humain de base – deux yeux, deux oreilles, nez, bouche. En me frayant un chemin entre les candidats au coup de soleil, j'ai l'impression de me déplacer à travers une masse de réfugiés d'une insouciance incroyable. Tout l'attirail de leurs vies individuelles est là – vêtements, nourriture, jouets, livres et magazines – et ils semblent, dans leur état de nudité étalée, être, d'une certaine manière, dépouillés, comme si c'était là tout ce qu'ils possédaient au monde et qu'ils attendaient un quelconque commissaire aux réfugiés ou les représentants d'une organisation humanitaire pour leur dire où aller ensuite. Et pourtant, l'ambiance sur la plage contredit cette impression première, une ambiance de paresse collective plutôt que de peur ou de malaise. Les gens ici participent sans y penser d'une cordiale démocratie balnéaire et, pour une heure ou deux, ou une journée, le sort qui les guette est oublié. La plage est la grande panacée humaine.

La plupart des gens s'entassent autour des cabines et des drapeaux qui marquent la plage surveillée, comme s'ils craignaient de s'aventurer plus loin, comme s'ils avaient besoin de cette promiscuité de masse pour vraiment se détendre. Et pourtant il suffit de s'avancer un peu pour trouver cent mètres de sable tout à vous. C'est ici que viennent les nudistes et, tandis que je me dirige vers le nord (vers la Manche, vers Pudding Island), une fille, parmi un groupe de jeunes en train de se bronzer, se lève et gagne d'un pas nonchalant la mer, assez éloignée maintenant car la marée descend très vite. Elle est très nue et, au moment où nos chemins se croisent, elle s'arrête, se retourne et crie quelque chose (en allemand) à ses amis. Elle a des petits seins pointus et un buisson épais de poils pubiens. Son bronzage est parfait, d'un brun opaque sur tout le corps. Elle continue sa route sans jeter un regard au vieil homme en costume crème que je suis. A cet instant, me semble-t-il, deux mondes entrent en collision, le mien et celui de demain. Qui aurait pu, de mon temps, imaginer la possibilité d'une pareille rencontre sur une plage ? Je trouve la scène très grisante : le vieil écrivain et la jeune Allemande nue – peut-être aurait-on besoin d'un Rembrandt pour lui rendre pleinement justice (ça me rappelle l'hôtel Rembrandt où j'avais l'habitude de descendre à Paris ?). Pour je ne sais quelle raison, je me demande soudain ce que Cyril [Connolly] aurait retiré d'un tel incident : incrédulité ravie ? Ou embarras ? Non, un plaisir serein, je pense – qui est ce que je ressens tandis que je poursuis ma lente avancée, plein de gratitude pour cette fille inconnue et sa franche nudité. Plein de gratitude à l'idée que cette plage m'offre ces possibilités, ces modestes épiphanies.

De retour au bar, une autre bière devant moi, je reprends ma pose, carnet et stylo en main, mais mon regard ne cesse de se promener alentour. Il y a trop à voir aujourd'hui : le défilé est extravagant. Devant moi, assis autour d'une table, huit adolescents français – quatre garçons et quatre filles, entre seize et dix-sept ans, tous, à mes yeux, bronzés, minces et séduisants. Les filles fument et il est évident, à en juger par leur comportement, qu'ils se connaissent tous très bien. Ils parlent de l'endroit où ils iront ce soir. Ils sont détendus et à l'aise entre eux d'une manière qui aurait été impensable pour des jeunes gens de ma génération. Songez-y : moi, Peter, Ben et Dick – à l'âge de dix-sept ans – installés dans un bar de plage comme celui-ci avec quatre filles. Je ne peux pas – l'imagination décroche.

Et, tout à coup, je me demande : est-ce encore un coup de ma malchance que d'être né ainsi, au commencement de ce siècle, et de ne pas pouvoir être jeune à sa fin ? Je regarde avec envie ces gosses et songe à la vie qu'ils ont – et auront – et imagine une sorte d'avenir pour eux. Et puis, presque aussitôt, je me dis que c'est là un regret bien futile. Il faut vivre la vie qui vous a été donnée. Dans soixante ans, s'ils ont assez de chance, ces garçons et ces filles seront des vieilles gens qui regarderont la nouvelle génération brillante de garçons et de filles en souhaitant que le temps ne soit pas passé si vite...

Une des filles vient de me demander l'heure (« 5 h 20 »), ce qui m'a fait sursauter. Je pense, je sens, que je suis invisible ici. Il va falloir que je rentre bientôt.

La fille qui m'a demandé l'heure allume une autre cigarette. Je suis sûr que c'est moins le plaisir de la nicotine qui conduit ces filles à fumer autant (elles tirent à peine sur leurs cigarettes) que le fait d'avoir cette chose à la main pour compléter leur pose. Elles fument toutes avec aisance et naturel, mais cette fille a des gestes plus parfaits que la majorité des gens de son âge. Comment le définir ? Une équation de doigts en extension et de courbure du poignet, une exhalaison avec moue des lèvres et inclinaison de tête. Elle fume avec une immense grâce sexuelle : son corps est brun et mince, et elle est jolie avec ses longs cheveux couleur chocolat au lait. Et, d'une certaine manière, elle sait que sa manipulation parfaite de ce parfait cylindre blanc de tabac envoie un signal subliminal aux garçons – qui dardent sur elle des yeux de lézard – indiquant qu'elle est prête.

Et, pour une raison quelconque, ceci m'amène à contempler ma propre vie, tous mes hauts sporadiques et mes bas atterrants, mes brefs triomphes et mes terribles pertes et je dis non, non, je ne vous envie pas, vous garçons et filles minces, bruns et plein d'assurance, ni l'avenir, quel qu'il soit, qui vous est réservé. Je vais ramasser mes affaires, regagner l'hôtel des Dunes et attendre avec impatience mon dîner : le poisson du jour et ma bouteille de vin. J'éprouve, alors que je suis assis ici – et je devrais le raconter au moment où je le vis – en train d'observer la plage et l'océan tandis que le soleil commence à plonger à l'ouest, oui j'éprouve un étrange sentiment de fierté : fierté de tout ce que j'ai fait et vécu, fierté en songeant aux milliers de gens que j'ai rencontrés et connus et aux rares êtres que j'ai tant aimés. Continuez à jouer, garçons et filles, je dis, fumez et flirtez, travaillez votre hâle, organisez vos amusements de la soirée. Je me demande si vous vivrez aussi bien que je l'ai fait.

Une journée étouffante, sans air. Pas une feuille ne remue. Les papillons titubent et ricochent entre les delphiniums que j'ai plantés autour du cadran solaire.

Cinq Cyprès. Sainte-Sabine. Notre été indien se prolonge ici – les feuilles touchent à leur fin mais la brise d'est est chaude et le soleil brille chaque jour avec une douce vigueur.

A travers une trouée dans les arbres du parc, je peux voir l'herbe blonde du pré devenue presque jaune sous le soleil comme les eaux de la vieille rivière Plata – et en contraste, plus loin, le vert foncé du bois de chênes, les arbres si feuillus qu'ils semblent, au-dessus de l'herbe décolorée par le soleil, se gonfler comme de la fumée ou des vagues. Et, plus près, la clarté vive du soleil sur les buissons et les plantes grimpantes autour de la maison est parfaite : le parfait équilibre de l'ombre du feuillage, de la brillance et de sa transparence – absolument correct, comme produit par une formule mathématique pour procurer le stimulant visuel idéal. Près de la grange, la brise vagabonde rafle le duvet des chardons d'un épais buisson et l'expédie dans le ciel en petites rafales précipitées, illuminées par le soleil, ce qui fait briller les brins de duvet comme du mica ou des paillettes – tellement qu'on dirait des photons de lumière s'envolant en l'air, montant, montant, balayant le pré, comme quoi ? – comme des vers luisants, comme des papillons de nuit translucides…

Il fait trop beau pour rester à l'intérieur. Je vais choisir un vieux bouquin familier et aller lire dans un transat à l'ombre bleue fraîche du grand chêne. Je me suis réveillé ce matin avec une érection passagère de vieillard. Je rêvais, je pense, de cette fille nue qui est passée devant moi sur la plage. Mes rêves sont si vifs ces nuits-ci que je me réveille le matin en clignant des yeux, hébété et épuisé par mes rencontres avec ma vie inconsciente, me demandant qui et où je suis. Et donc ce matin je me suis ressaisi, content d'être si raide, si viril, ne serait-ce que pour trente secondes. Encore de la vie et du ressort dans le bonhomme. De la vie – encore vivant, content d'avoir réussi à vivre chaque décennie de ce long siècle de ténèbres. Quelle vie j'ai eue ! – *quel parcours*, comme disent les Français. Je pense que ça s'arrose. Oui absolument – je m'en vais ouvrir une bouteille de vin blanc bien frais, puis l'emporter sous le grand chêne et boire à la santé de Logan Mountstuart. A chaque décennie. A tous mes hauts et mes bas. Mes montagnes russes à moi. Moins des montagnes russes – les montagnes russes c'est trop lisse – qu'un yoyo plutôt, un jouet secoué, tournoyant dans les mains d'un enfant maladroit, le manipulant avec trop de force, trop impatient d'apprendre comment utiliser son nouveau yoyo.

Postface

Postface

Logan Mountstuart est mort d'une crise cardiaque le 5 octobre 1991 – il avait quatre-vingt-cinq ans. Son cœur ne recevait plus assez d'oxygène parce que le sang n'affluait plus régulièrement, une ou plus de ses artères coronaires s'étant bloquées (on les appelle coronaires car ces vaisseaux encerclent le haut du cœur à la manière d'une couronne). Privés de sang, le muscle cardiaque et ses battements s'arrêtèrent, et la vie de Logan Mountstuart s'acheva.

Il fut découvert à la fin de la journée par Jean-Robert Stefanelli, venu aux Cinq Cyprès apporter en cadeau un panier de pommes. N'obtenant pas de réponse à la porte, Jean-Robert fit le tour de la maison et trouva, à l'arrière, sous le grand chêne, la chaise longue et, à côté, une bouteille de vin blanc à moitié vide dans un seau à glace, et un livre ouvert, posé par terre, la couverture au-dessus (il s'agissait d'un recueil des pièces de théâtre d'Anton Tchekhov). La glace dans le seau avait fondu, et Jean-Robert comprit qu'il se passait quelque chose d'anormal. En s'avançant un peu, il aperçut LMS, mort, le visage enfoui dans l'herbe près d'un coin de la grange où poussait un gros buisson de chardons. Il remarqua que non loin, pelotonné sur une pierre, le chat de LMS observait tout avec attention.

Logan Mountstuart a été enterré dans le cimetière du village de Sainte-Sabine. On trouvera sa tombe dans la partie nord-est du cimetière. Il avait pris des dispositions pour sa pierre tombale : un simple rectangle de granite noir encastré dans le sol et sur lequel on lit :

LOGAN GONZAGO MOUNTSTUART
1906-1991
Escritor
Writer
Écrivain

497

Dans son testament il laissait sa maison, les Cinq Cyprès, à Mrs Gail Sherwin qui vient chaque été, avec son mari et ses deux enfants, y passer quelques semaines. Après la mort de son cousin, Lucy Samson (à qui avaient été légués la bibliothèque et les manuscrits) procéda à une fouille de la maison. Elle ne trouva aucune trace du roman *Octet*. Jean-Robert Stefanelli se souvient d'avoir aidé LMS à faire un grand feu de joie une semaine avant sa mort. « Il a brûlé des tas de papiers, raconte Stefanelli. Pour un vieillard, il avait l'air très heureux et en très bonne forme. »

Il n'y eut aucune notice nécrologique.

ŒUVRES DE LOGAN MOUNTSTUART

Les Imaginations de l'esprit
L'Usine à filles
Les Cosmopolites
La Villa au bord du lac
A livre ouvert : les carnets intimes
de Logan Mountstuart
Sortie interdite : Essais sur l'art et la littérature
(en préparation)

Index

Abaco, 247.

Abbeyhurst College (Abbey), 18, 21-70, *passim*; souvenirs de : 221 ; son abominable nourriture, 418.

Ada de Vladimir Nabokov (LMS lit), 462.

Adrar Sheila, reprend l'agence de Wallace Douglas, 384 ; virée par LMS, 403.

âge légal (pour avoir des relations sexuelles, New York), 377.

Alberti Caspar (trafic autour d'une collection de tableaux), 335.

Aldeburgh, Norfolk, LMS loue une maison de vacances à, 214.

Algérie, décor du roman de Peter Scabius, 330.

Allemagne nazie, 247, 315.

Âmes mortes (Les), le roman de Gogol, le nom du groupe du fils de LMS, 361.

Andros, 247.

Anglophobie, 315, 321.

Angry Brigade, les liens de John Vivian avec la, 433.

Annasdottir Katrin, 288 ; en rêverie érotique, 293.

Arlen Michael, 45, 61.

artrevue (magazine), LMS devient chef de la rubrique des livres de, 170.

Ash Preston, partage un logement à Oxford avec LMS, 108 ; discute Oxford avec LMS, 111 ; joue au golf avec LMS, 113.

Atkinson Morley, hôpital neuro-psychiatrique, Wimbledon, 307.

Auden, W. H., poète, 314.

autobiographie, LMS envisage son, 434.

autoérotisme, 293.

RÉALISATION : PAO ÉDITIONS DU SEUIL
IMPRESSION : DIDOT CAM AU MESNIL-SUR-L'ESTRÉE
DÉPÔT LÉGAL : OCTOBRE 2002. N° 52904 (60830)